ЛЮДМИЛА УЛИЦКАЯ

ЗЕЛЕНЫЙ ШАТЕР

РОМАН

Москва

2011

УДК 82-3
ББК 84(2Рос-Рус)6-4
У 48

Оформление *А. Красулина*

Улицкая Л. Е.

У 48 Зеленый шатер : роман / Людмила Улицкая. — М. : Эксмо, 2011. — 592 с.

ISBN 978-5-699-47710-4

Новый роман Людмилы Улицкой «Зеленый шатер» по праву может претендовать на первостепенное место в иерархии главных книг, формирующих идеи, осмысляющих эпоху.

«Зеленый шатер» – это роман о любви, о судьбах, о характерах. Это настоящая психологическая проза. Но вместе с тем новое произведение Улицкой шире этих определений.

И, как всегда у Улицкой, кроме идейного и нравственного посыла, есть еще эмоциональная живопись, тот ее уникальный дар, который и выводит книги писательницы на десятки языков к миллионам читателей. Только ей присуща бронебойная ироничность, благодаря чему многие эпизоды на уровне одного абзаца перетекают из высокой трагедии в почти что швейковский комизм. «Зеленый шатер» – очень серьезная и очень смешная книга.

УДК 82-3
ББК 84(2Рос-Рус)6-4

ISBN 978-5-699-47710-4

ЛЮДМИЛА УЛИЦКАЯ

«Не утешайтесь неправотою времени. Его нравственная неправота не делает еще нас правыми, его бесчеловечности недостаточно, чтобы, не соглашаясь с ним, тем уже и быть человеком».

Б. Пастернак — В. Шаламову,
9 июля 1952 года

Пролог

Тамара сидела перед тарелкой с жидкой яичницей и ела, еще досматривая сон.

Мама Раиса Ильинична нежнейшим движением проталкивала редкий гребень сквозь ее волосы, стараясь не слишком драть этот живой войлок.

Радио извергало торжественную музыку, но не слишком громкую: за перегородкой спала бабушка. Потом музыка умолкла. Пауза была слишком длинна, и как-то неспроста. Потом раздался всем известный голос:

— Внимание! Говорит Москва. Работают все радиостанции Советского Союза. Передаем правительственное сообщение...

Гребень замер в Тамариных волосах, а сама она сразу проснулась, проглотила яичницу и хрипловатым утренним голосом проговорила:

— Мам, наверное, какая-нибудь простуда ерундовая, а сразу на всю страну...

Договорить ей не удалось, так как неожиданно Раиса Ильинична дернула что было силы за гребень, голова Тамары резко откинулась, и она клацнула зубами.

— Молчи, — прошипела сдавленным голосом Раиса Ильинична.

В дверях стояла бабушка в древнем, как Великая Китайская стена, халате. Она выслушала радиосообщение со светлым лицом и сказала:

— Раечка, ты купи в «Елисеевском» чего-нибудь сладкого. Сегодня, между прочим, Пурим. Я таки думаю, что Самех сдох.

Тамара не знала тогда, что такое Пурим, почему надо покупать что-нибудь сладкое и тем более кто такой «Самех», который сдох. Да и откуда ей было знать, что для конспирации Сталина и Ленина в их семье с давних пор называли по первой букве их партийных кличек, «с» и «л», да и то на потаенном древнем языке — «самех» и «ламед».

Тем временем любимый голос страны сообщил, что болезнь вовсе не насморк.

* * *

Галя уже натянула форму и теперь искала фартук. Куда задевала? Полезла под топчан — не завалился ли туда?

Вдруг мать ворвалась с кухни с ножом в одной руке и картофелиной в другой. Она выла не своим голосом, так что Галя подумала, что мать руку порезала. Но крови видно не было.

Отец, тяжелый по утрам, оторвал голову от подушки:

— Что орешь, Нинка? Что орешь с утра пораньше?

Но мать выла все громче, и слов было почти не разобрать в ее обрывчатых воплях:

— Умер! Что спишь, дурак? Вставай! Сталин умер!

— Объявили, что ли? — отец приподнял большую голову с прилипшим ко лбу чубом.

— Сказали, заболел. Но помер он, вот те крест, помер! Чует мое сердце!

Дальше шли опять невнятные вопли, среди которых прорезался драматический вопрос:

— Ой-ой-ой! И что теперь будет? Что будет теперя со всеми нами? Будет-то что?

Отец, поморщившись, грубо сказал:

— Ну что ты воешь, дура? Что воешь? Хуже не будет!

Галя вытащила наконец фартук — он и точно завалился под топчан.

— А пусть мятый — не буду гладить! — решила она.

* * *

К утру температура спала, и Оля заснула хорошим сном — без поту и без кашля. И спала почти до обеда. Проснулась, потому что в комнату вошла мать и произнесла громким торжественным голосом:

— Ольга, вставай! Случилось несчастье!

Не открыв еще глаз, еще спасаясь в подушке в надежде, что это сон, но уже ощущая ужасный стук в горле, Оля подумала: «Война! Фашисты напали! Началась война!»

— Ольга, вставай!

Какая беда! Фашистские полчища топчут нашу священную землю, и все пойдут на фронт, а ее не возьмут...

— Сталин умер!

Сердце еще колотилось в горле, но глаза она не открывала: слава богу, не война. А когда война начнется, она уже будет взрослой, и тогда ее возьмут. И она накрыла голову одеялом, пробормотала сквозь сон: «И тогда меня возьмут», — и уснула с хорошей мыслью.

Мать оставила ее в покое.

Школьные годы чудесные...

Интересно проследить траекторию неминуемой встречи предназначенных друг другу людей. Иногда такая встреча происходит как будто без особых усилий судьбы, без хитроумной подготовки сюжета, следуя естественному ходу событий, — скажем, люди живут в одном дворе или ходят в одну школу.

Эти трое мальчишек вместе учились. Илья и Саня — с первого класса. Миха попал к ним позже. В той иерархии, которая выстраивается самопроизвольно в каждой стае, все трое занимали самые низкие позиции — благодаря полнейшей непригодности ни к драке, ни к жестокости. Илья был длинным и тощим, руки и ноги торчали из коротких рукавов и штанин. К тому же не было гвоздя и железяки, которые не вырвали бы клок из его одежды. Его мать, одинокая и унылая Мария Федоровна, из сил выбивалась, чтобы наставить кривые заплаты совершенно кривыми руками. Искусство шитья ей не давалось. Илья, всегда одетый хуже других, тоже плохо одетых ребят, постоянно паясничал и насмешничал, делал представление из своей бедности, и это был высокий способ ее преодоления.

Санино положение было худшим. Зависть и отвращение вызывали у одноклассников курточка на молнии, девичьи ресницы, раздражающая миловидность лица и полотняные салфетки, в которые был завернут домашний бутерброд. К тому же он учился играть на пианино, и многие видели, как он с бабушкой в одной руке и нотной папкой в другой следовал по улице Чернышевского, бывшей и будущей Покровке, в музыкальную школу имени Игумнова — иногда даже в дни своих многочисленных не тяжелых, но затяжных болезней. Бабушка — сплошной профиль — ставила впереди себя тонкие ноги, как цирковая лошадь, и мерно покачивала при ходьбе головой. Саня шел сбоку и чуть сзади, как полагается груму.

В музыкальной школе, не то что в общеобразовательной, Саней восхищались — уже во втором классе на экзамене он играл такого Грига, которого не каждый пятиклассник мог осилить. Умилению способствовал и малый рост исполнителя: в восемь лет его принимали за дошкольника, а в двенадцать — за восьмилетнего. В общеобразовательной школе по той же самой причине у Сани было прозвище Гном. И никакого умиления — одни злые насмешки. Илью Саня сознательно избегал: не столько из-за автоматического ехидства, специально на Саню не направленного, но время от времени задевающего, сколько из-за унизительной разницы в росте.

Соединил Илью и Саню Миха, когда появился в пятом классе, вызвав общий восторг: он был идеальной мишенью для всякого неленивого — классическим рыжим. Наголо стриженная голова, отливающий красным золотом кривой чубчик, прозрачные малиновые уши парусами, торчком стоящие на неправильном месте головы, как-то слишком близко к щекам, белизна и веснушчатость, даже глаза с оранжевым переливом. К тому же — очкарик и еврей.

Первый раз Миху поколотили уже первого сентября — несильно и назидательно — на большой перемене в уборной. И даже не сами Мурыгин и Мутюкин —

те не снизошли, — а их подпевалы и подвывалы. Миха стоически принял свою дозу, открыл портфель, достал платок, чтобы стереть выбежавшие сопли, и тут из портфеля высунулся котенок. Котенка отобрали и стали перекидывать из рук в руки. Зашедший в этот момент Илья — самый высокий в классе! — поймал котенка над головами волейболистов, и прозвеневший звонок прервал это интересное занятие.

Входя в класс, Илья сунул котенка подвернувшемуся Сане, и тот спрятал его в свой портфель.

На последней перемене главные враги рода человеческого, имена которых, Мурыгин и Мутюкин, послужат основой для будущей филологической игры и по многим причинам стоят упоминания, котенка немного поискали, но вскоре забыли. После четвертого урока всех отпустили, и мальчишки с гиком и воем рванулись вон из школы, оставив этих троих без внимания в пустом классе, уставленном пестрыми астрами.

Саня вытащил полузадохшегося котенка и протянул Илье. Тот передал его Михе. Саня улыбнулся Илье, Илья — Михе, Миха — Сане.

— Я стихотворение написал. Про него, — застенчиво сказал Миха. — Вот.

Он был красив среди котов
И к смерти был почти готов,
Илья его от смерти спас,
И с нами он теперь сейчас.

— Ну, ничего. Не Пушкин, конечно, — прокомментировал Илья.

— «Теперь сейчас» не может быть, — заметил Саня, и Миха самокритично согласился:

— Да, точно. И с нами он сейчас. Без «теперь» звучит лучше!

Миха подробно рассказал, как утром, по дороге в школу, вытащил бедолагу-котенка почти из самой пасти собаки, которая собиралась его загрызть. Но отнести его домой он не мог, потому что тетя, у которой он жил с прошлого понедельника, еще неизвестно как бы к этому отнеслась.

Саня гладил котенка по спинке и вздыхал:

— Я не могу его взять, у нас дома кот. Ему точно не понравится.

— Ладно, я его возьму. — И Илья небрежно перехватил котенка.

— И дома — ничего? — поинтересовался Саня.

Илья усмехнулся:

— Дома как я скажу, так и будет. У нас с матерью нормальные отношения. Она меня слушает.

«Он совсем взрослый, я никогда таким не стану, я даже не смогу выговорить: "У нас с матерью нормальные отношения". Все правильно: я — маменькин сынок. Хотя и меня моя мама слушает. И бабушка слушает. О, больше чем слушает! Но все равно это по-другому», — опечалился Саня.

Он смотрел на костлявые руки Ильи в желтых и темных пятнах, в ссадинах. Длинные пальцы, две октавы возьмет такими пальцами. Миха пристраивал тем временем котенка у себя на голове, на рыжем плюшевом чубчике, оставленном вчера «на развод» великодушным парикмахером у Покровских ворот. Котенок скатывался, Миха все усаживал его на темечко.

Они вышли из школы втроем. Котенка покормили растаявшим мороженым. У Сани были деньги. Их хватило на четыре порции. Как выяснилось позже, у Сани почти всегда были деньги... Первый раз в жизни Саня ел мороженое на улице прямо из пачки: когда бабушка покупала мороженое, его несли домой, клали оседающей горкой в стеклянную вазочку на низкой ножке, сверху капали вишневым вареньем — и только так!

Илья с воодушевлением рассказал, какой фотоаппарат он купит себе на первые заработанные деньги, а заодно изложил план, как именно эти деньги можно заработать.

руки у него маленькие, «непианистические», и это для исполнителя большой недостаток.

Саня ни с того ни с сего вдруг открыл свою тайну — руки у него маленькие, «непианистические», и это для исполнителя большой недостаток.

Миха, обживавший новую — третью по счету — родственную семью за последние семь лет, сообщил этим почти незнакомым мальчишкам, что родственники уже кончаются, и если эта тетка его у себя держать не станет, то придется опять в детский дом идти...

Новая тетка, Геня, была женщина слабая. У нее не было какой-то определенной болезни; скорбно и значительно она говорила про себя: «Я вся больная» — и постоянно жаловалась на боли в ногах, в спине, в груди и в почках. Кроме того, у нее была дочь-инвалид, что тоже плохо отражалось на ее здоровье. Всякая работа была ей тяжела, и в конце концов семья решила, что сироту-племянника поселят у нее, а ей будут собирать по родне деньги на его содержание. Миха, как ни крути, был сыном их погибшего на войне брата.

Мальчишки брели и болтали, болтали и брели, а потом остановились возле Яузы, замолчали. Почувствовали одновременно — как хорошо: доверие, дружество, равноправие. И мысли нет, кто главней, напротив, все друг другу равно интересны. А про Сашу с Ником, про клятву на Воробьевых горах они еще не знали, даже начитанный Саня Герцена еще не открывал. Да и гнилые эти места — Хитровка, Гончары, Котельники — столетиями считались самыми вонючими в городе и не созданы были для романтических клятв. Но что-то важное произошло: такая сцепка между людьми возможна только в юном возрасте. Крючок впивается в самое сердце, и нить, связывающая людей детской дружбой, не прерывается всю жизнь.

Спустя некоторое время этот союз сердец после долгих споров, отвергнув «Троицу» и «Трио», они назовут напыщенно: «Трианон». Они ничего не знали о разделе Австро-Венгрии, слово было выбрано за красоту.

Этот «Трианон» через двадцать лет промелькнет в тягостной беседе Ильи с сотрудником госбезопасности высокого ранга, но так и не установленного чина, и с не вполне достоверным именем, Анатолием Александровичем Чибиковым. Даже самые ушлые из всей гэбэшной банды борцы с диссидентами тех лет постеснялись провести «Трианон» как молодежную антисоветскую организацию.

Надо отдать должное Илье: с появлением первого фотоаппарата он стал создавать настоящий фотоархив, который полностью сохранился до наших дней. Правда, на первой папке школьных лет стояло другое название, не менее загадочное, чем «Трианон», — «Люрсы».

Итак, соединил мальчиков — и это было впоследствии документировано — не высокий идеал свободы, ради которого следовало либо немедленно пожертвовать жизнью, либо, что более скучно, всю жизнь год за годом отдавать на служение неблагодарному народу, как это произошло с Сашей и Ником за сто с лишним лет до того, — а чахлый котенок, которому не суждено было пережить потрясений первого сентября тысяча девятьсот пятьдесят первого года. Бедняга скончался спустя два дня на руках Ильи и был похоронен тайно, но торжественно под садовой скамьей во дворе дома № 22 по улице Покровка (в те времена Чернышевского, тоже потратившего свою жизнь на благородные идеи). Дом когда-то имел прозвище «комод», но из теперешних его обитателей мало кто об этом мог быть наслышан.

Котик покоился под садовой скамейкой, на которой сиживал некогда — предположительно — юный Пушкин со своими кузинами, забавляя их складными стишками. Санина бабушка постоянно напоминала: дом, в котором они живут, знавал лучшие времена.

Удивительным образом в классе довольно быстро — через две недели или через месяц — что-то поменялось. Миха, конечно, не почувствовал, откуда ему знать, как было раньше, он был новичок. А Саня с Ильей ощутили: в классе они по-прежнему располагались в самом низу иерархии, но теперь не поодиночке, а совокупно. И стали они, таким образом, признанным меньшинством по тому самому неопределенному признаку, из-за которого они не могли влиться в общую среду малого мира. Два вождя, Мутюкин и Мурыгин, держали всех остальных в руках, а когда ссорились между собой, то и класс разделялся на две враждующие партии, к которым изгои никогда не примыкали, да их и не приняли бы. Тогда происходили веселые, злобные, с кровянкой и без, потасовки, и все про них забывали. А потом, когда Мутюкин и Мурыгин мирились, опять начинали замечать этих непарных, некомпанейских чужаков, которых избить как следует труда не составляло, но интереснее было держать их в страхе и беспокойстве и постоянно напоминать, кто здесь главный: очкарик, музыкант, еврей или «нормальные ребята», как Мутюкин и Мурыгин.

В пятом классе началась средняя школа, и теперь вместо единственной на всю грамматику и арифметику Натальи Ивановны, доброй тетеньки, научившей азбуке даже Мутюкина и Мурыгина, которых она звала ласково Толенькой и Славочкой, появились «предметники»: математик, русичка, ботаничка, историчка, немка и географ.

Предметники были помешаны каждый на своем предмете, задавали большие домашние задания, и «нормальные ребята» явно не управлялись. Илья, который в начальной школе никак не блистал, подтянулся в окружении новых друзей, и к концу второй четверти, то есть к Новому году, обнаружилось, что низкосортные очкарики и слабаки здорово учатся, а Мутюкин с Мурыгиным еле тянут. Конфликт, который взрослые люди назвали бы социальным, обострялся, приобретал более осознанный характер, по крайней мере, со стороны притесняемого «меньшинства». Именно тогда Илья впервые ввел термин, который сохранился в их компании на долгие годы, — «мутюки и мурыги». Это был почти синоним знаменитым «совкам» более позднего времени, но прелесть была в его рукотворности.

Наибольшее раздражение у «мутюг и мурыг» вызывал Миха, ему больше всех доставалось, но он, с детдомовским опытом, легко переносил школьные побои, никогда не жаловался, встряхивался, подбирал шапку и улепетывал под улюлюканье врагов. Илья с успехом паясничал, так что ему часто удавалось сбить врагов с толку, насмешить, поразить неожиданной выходкой. Саня оказался наиболее чувствительным. Впрочем, именно эта неприличная чувствительность послужила в конце концов ему защитой. Однажды, когда Саня мыл руки над раковиной в школьном сортире — помеси парламента и воровской сходки, — Мутюкин проникся глубоким отвращением к этому невинному занятию и предложил Сане вымыть заодно и рожу. Саня, отчасти из миролюбия, но отчасти из трусости, умылся, и тогда Мутюкин взял половую тряпку и вытер ею Санино мокрое лицо. К этому времени их уже окружало кольцо любопытствующих: ожидали развлечения. Но развлечения не вышло. Саня затрясся, побледнел и, потеряв сознание, упал на кафельный пол. Жалкий противник был, конечно, повержен, но каким-то неудовлетворительным образом. Он лежал на полу в странной позе, весь запрокинувшись. Мурыгин тихонько попихал его ногой в бок, просто проверить, чего тот лежит без движения. Позвал его вполне незлобиво:

— Эй, Санек, чего разлегся-то?

Мутюкин очумело смотрел на бездвижного Саню.

Но Саня глаз не открывал, невзирая на бодрящие тычки. Тут в уборную вошел Миха, взглянул на немую картину и понесся к школьному врачу. Понюшка нашатыря вернула Саню к жизни, физкультурник отнес его в медицинский кабинет. Врачиха измерила Сане давление.

— Как ты себя чувствуешь? — спросила она.

Он ответил, что вполне удовлетворительно, но не сразу вспомнил, что произошло. А когда вспомнил грязную тряпку, которой возили по лицу, его затошнило. Он попросил мыла, тщательно умылся. Врачиха хотела вызвать родителей. Саня не без труда уговорил ее не звонить. Мама все равно была на работе, а бабушку он оберегал от неприятностей. Илья вызвался сопровождать ослабевшего друга домой, и врачиха дала записку, что отпускает их с урока.

Санин статус с этого дня, как ни странно, повысился. Его, правда, звали теперь «Гном припадочный», но задирать перестали: а ну как снова грохнется в обморок?

Тридцать первого декабря школу распустили, начались зимние каникулы, одиннадцать дней счастья. Миха запомнил каждый из этих дней в отдельности. На Новый год ему подарили сказочный подарок. После секретных переговоров с сыном, получив от него заверения, что его потомство отказывается от этой части семейного наследства, а сам он не возражает, тетя Геня вручила Михе коньки.

Это был американский давно вышедший из употребления гибрид, нечто среднее между «снегурками» и «гагами», с двойными полозьями, зазубренным носком. Коньки были приделаны к разбитым ботинкам бывшего красного цвета крупными звездчатыми клепками. На металлической пластине, соединяющей лезвия с ботинками, можно было прочитать «Einstein» и ряд непонятных цифр и букв... Ботинки были сильно биты предшествующим хозяином, но сами лезвия блестели как новенькие.

Тетя Геня относилась к конькам как к семейной реликвии. В других семьях относились так к бабушкиным бриллиантам.

Бриллианты в истории этих коньков тоже косвенным образом присутствовали. В 1919 году старшего брата тети Гени Самуила сам Ленин послал в США для организации Американской коммунистической партии. Самуил весь остаток жизни гордился этой миссией и рассказывал в деталях о своей поездке близким родственникам и близким друзьям, которых было несколько сотен, пока не был арестован в тридцать седьмом. Он получил десять лет без права переписки и исчез навеки, но его великая история стала семейной легендой.

В июле девятнадцатого года кружным путем Самуил

доехал из Москвы через Северную Европу до Нью-Йорка и ступил на пирс как матрос, прибывший на торговом судне из Голландии. Он сошел по трапу, грохоча каблуками ботинок, пошитых кремлевским сапожником, с замурованным в каблуке огромной стоимости бриллиантом. Он выполнил задание — от имени Коминтерна открыл первый подпольный съезд компартии. Через несколько месяцев Самуил вернулся и доложил лично товарищу Ленину о выполнении задания.

Его скромные командировочные, за вычетом двенадцати долларов, потраченных на питание, пошли на подарки. Он привез жене красное шерстяное платье с вязаными ягодами на вороте и на плечах и красные туфли на три размера меньше, чем было нужно. Коньки были третьим и самым дорогим американским подарком в его багаже, — куплены были на вырост малолетнему сыну, который вскоре умер.

Лучше бы купил коньки себе. Мальчишкой Самуил так мечтал выйти на середину катка и промчаться, пригнувшись к маслянистому льду, мимо всех своих недоброжелателей, мимо дам с муфтами, гимназистов и барышень, среди которых непременно должна была находиться Маруся Гальперина... Коньки долго лежали в сундуке, ожидая появления нового наследника. Но детей у Самуила больше не случилось, и коньки, пролежав десять лет под спудом, достались сыну Гени, младшей сестры.

Теперь, спустя еще двадцать лет, они перешли в руки — точнее, в ноги — другому родственнику героического Самуила.

Таким неожиданным подарком, превышающим все представления о возможном счастье, закончился для Михи первый день каникул. И ничто не предвещало беды, которая из этого подарка вскоре последовала...

В новогодний вечер большая семья тети Гени собиралась за столом, который с разрешения соседей накрывали на просторной коммунальной кухне, а не в четырнадцатиметровой комнате, где проживала сама тетя Геня, ее незамужняя и неудачная в эндокринологическом отношении дочка Минна и с некоторых пор Миха. Еду тетя Геня приготовила богатую — сразу и курицу, и рыбу. Ночью, после памятного застолья, Миха написал стихотворение, в котором отразил незабываемые впечатления дня.

Коньки прекраснее всего,
Что в жизни видел я,
Прекрасней солнца и воды,
Прекраснее огня.
На них прекрасен человек,
Который на коньках.
И стол накрыт, как на балу,
Не перечесть всех ед,
И можно только пожелать
Родне больших побед.

Первоначально вместо «ед» стояло «яств». Но к «яствам» никакой рифмы, кроме «пьянства» в родительном падеже, не находилось.

Миха всю неделю вставал затемно и выходил во двор, на залитый пятачок катка, катался в одиночестве и уходил, как только во дворе появлялись отсыпавшиеся в дни каникул ребята. Он не очень твердо стоял на коньках и боялся, что не сможет отбить их в случае нападения.

Коньки были, конечно, в те каникулы событием номер один. Номер два — Санина бабушка Анна Александровна. Она водила мальчиков в музеи.

Пробрало не только Миху, который по природе своей наполовину состоял из жажды знаний, научного и ненаучного любопытства и восторга, а на вторую половину из неопределенного творческого горения. Походы в музеи произвели глубокое впечатление даже на Илью, который, казалось, художественными запросами не отличался, а больше склонялся к технике. Только Санечка, владелец потрясающей бабушки, обыденно переходил из зала в зал и время от времени подавал реплики — не друзьям, бабушке! — из которых следовало, что и здесь, в музеях, он, как и в консерватории, свой человек.

В Анну Александровну Миха влюбился. На всю жизнь, до самой ее смерти. Она же увидела в нем будущего мужчину той породы, какая ей всегда нравилась. Мальчонка был рыж, он был поэт, и в ту неделю он даже прихрамывал, перекатавшись на новых коньках, — точь-в-точь как тот поэт, почти великий, в которого Анна Александровна была тайно влюблена тринадцатилетней девочкой... Сам эталон, в ту далекую пору взрослый мужчина в ореоле борца и почти мученика, пользовавшийся в начале двадцатого века большим успехом, не заметил влюбленную барышню, но оставил глубокий отпечаток на какой-то фрейдовской изнанке ее психики: всю длинную жизнь ей нравились такие вот рыжие, яркие, эмоциональные мужчины.

Она улыбалась, глядя на Миху — малыш той самой породы, но разошлись во времени... И приятно было ловить его восторженный взгляд.

Таким образом, сам того не ведая, Миха пользовался взаимностью. С той зимы он стал частым гостем в доме Стекловых. В большой комнате с тремя окнами и еще половиной окна, рассеченного надвое перегородкой, под высоченным потолком с лепниной, тоже рассеченной, гнездились невиданные книги, и даже на иностранных языках. В позе всегдашней боевой готовности стояло пианино с упрятанной в него музыкой. Время от времени всплывали непривычные, но восхитительные запахи — настоящего кофе, мастики, духов.

«Наверное, именно так все и было в доме моих родителей», — думал Миха. Родителей он не помнил: мать погибла при бомбежке последнего состава, который шел из Киева на восток восемнадцатого сентября сорок первого года, когда немцы уже подходили к Подолу. Отец погиб на фронте, так и не узнав о гибели жены и спасении сына.

На самом деле в доме Михиных родителей все было совсем не так, как у Сани Стеклова, и фотографии родителей, чудом сохранившиеся после войны, он впервые увидел уже двадцатилетним. Там были изображены бедные некрасивые люди, сильно его разочаровавшие, — мама с фальшивой улыбкой на маленьких темных губах и с огромным бесстыжим бюстом и папа, толстый коротышка с необыкновенной важности лицом. Сзади топорщились фрагменты быта, ничем не напоминавшие отрезок малой залы бывшей усадьбы Апраксиных-Трубецких, в котором обитало семейство Сани.

Девятого января, под конец каникул, справляли Санин день рождения. До этого было еще и Рождество, но на него приглашались только взрослые гости. Прошло еще несколько лет, прежде чем ребят стали принимать и седьмого января. Зато на Санин день всегда оставались всякие рождественские сладости — засахаренные яблоки, вишни, даже апельсиновые корочки, которые готовила Анна Александровна как никто в мире. И еще: складывали ширму, переносили ближе к двери обеденный стол, и между двумя окнами воздвигали большую елку, украшенную невиданными игрушками из коробки, хранившейся весь год на антресолях.

Праздник Сане всегда устраивали прекрасный. Там бывали даже девочки: на этот раз две Санины подруги, Лиза и Соня, из музыкальной школы, и внучка бабушкиной подруги Тамара со своей подружкой Олей, но они были совсем маленькие, первоклашки, и никакого интереса у мальчиков не вызвали. Да и сама эта бабушкина подруга была маловыразительная и кое-какая. Зато дедушка Лизы, Василий Иннокентиевич, в военной форме, с усами, окруженный сложным запахом одеколона, медицины и войны, был великолепен. К внучке своей он полушутя обращался на «вы», а Анне Александровне говорил: «Нюта, ты...» Он был ее двоюродным братом, и Лиза, таким образом, приходилась Сане троюродной сестрой. Даже прозвучали дореволюционные слова «кузен», «кузина», — тоже, вероятно, из той коробки на антресолях...

Анна Александровна называла девчонок «барышнями», мальчишек «молодыми людьми», и Миха был ошеломлен всем этим великосветским обращением, совершенно растерян и успокоился, лишь когда Илья подмигнул ему издали с таким выражением лица — мол, не боись, не обидят!

Анна Александровна все организовала незабываемым образом. Сначала был кукольный театр с настоящей ширмой, Петрушкой, Ванькой и толстой куклой Розой. Они смешно дрались и ругались на иностранном языке.

Потом немного поиграли в слова. Маленькие девочки Тамара и Оля не отставали от взрослых, оказались не по годам развитыми. Анна Александровна пригласила детей к овальному столу, а взрослые второстепенно пили чай за шкафом. Василий Иннокентиевич сидел в кресле и курил папиросу. После окончания домашнего спектакля Анна Александровна вынула из серебряного портсигара, который лежал перед Василием Иннокентиевичем на столике, толстую папиросу, закурила, но тут же закашлялась:

— Базиль, ужасно крепкие папиросы!

— Потому я их никому и не предлагаю, Нюта.

— Фу, фу! — разгоняла перед собой пахучий дым Анна Александровна. — Откуда ты их берешь?

— Я табак покупаю, а Лизка гильзы набивает.

Но это был далеко не конец праздника. После театра был сладкий стол, который Миха запомнил на всю жизнь, — от самодельного крюшона до желтых костяных колец, в которые были всунуты салфетки из жесткой белой ткани.

Илья с Михой переглядывались. Это был тот момент, когда Саня существовал единолично и высоко, а они вдвоем отдельно от него и чуть пониже. Дружба втроем, как и всякий треугольник, вещь непростая. Возникают препятствия и соблазны — ревности, зависти, иногда вплоть до мельчайшей, даже извинительной, но подлости. Оправдывается ли подлость нестерпимо большой любовью? Нестерпимо большой ревностью и болью? Чтобы разобраться в этом, им троим была дана на редкость подходящая для этого эпоха и целая жизнь — кому короче, кому длиннее...

В этот вечер не только зажатый Миха, но даже разбитной Илья чувствовали себя несколько униженными великолепием дома. Саня, более всего занятый длиннолицей Лизой с распущенными из-под синей ленты волосами, что-то почуял, отозвал Миху, они долго шептались между собой, а потом привлекли Анну Александровну. Немного погодя объявили, что будут ставить шараду. Затем Саня перевернул небольшой странноватый стул, и тот превратился в невысокую лесенку. Саня залез на самый верх, так что стал много выше Михи, а тот стал на ступеньку пониже, и они прочитали на два голоса, пихаясь, толкая друг друга, дергая друг друга за уши, мыча и издавая разные непонятные звуки, следующее почти-стихотворение:

Мое первое на двоих одно —
разговор на лугу двух почтенных особ,
мое второе — в одном случае ноша — «тяжело — ух!»,
в другом — не вполне приличный звук,
издаваемый после еды,
мое третье, снова на двоих одно, —
в немецком языке предлог.
Вместе — имена двух существ,
условно принадлежащих виду Homo sapiens.

Гости смеялись, но разгадать, конечно, никто не мог. Среди гостей был только один человек, способный разгадать эту лингвистическую загадку, — Илья. И он не подвел. Дав гостям убедиться, что решение им не по зубам, он объявил не без гордости:

— Я знаю, эти животные называются Мутюкин и Мурыгин!

По совести говоря, эту шараду нельзя было ставить, ведь никто из гостей никогда слыхом не слыхивал ни о каких Мурыгиных и Мутюкиных, но никто их в этом не укорял. Было весело, чего еще надо?

Но внутри мальчишеской компании что-то повернулось: Миха, участвуя в сочинении шарады, подтянулся до Сани, а Илья даже и превознесся над ними — ведь именно он оказался разгадчиком, поддержал игру. Ее можно было бы считать неудачной, если б никто не отгадал. Молодец Илья!

Мальчишки обнялись, и Василий Иннокентиевич сфотографировал их втроем. Это была их первая совместная фотография.

Фотоаппарат у Василия Иннокентиевича был трофейный, замечательный — это Илья заметил. И еще заметил, что погоны полковничьи и со змейками. Военный врач...

Десятого января Анна Александровна повела мальчиков на фортепианный концерт в зал Чайковского — слушать Моцарта. Илье было здорово скучно, он даже заснул ненадолго, Миха пришел в большое возбуждение, потому что музыка эта вызвала восторг и смятение такие сильные, что он даже не смог написать по этому поводу стихотворения. Саня почему-то расстроился, чуть не плакал. Анна Александровна знала почему: Сане хотелось бы тоже вот так играть Моцарта...

Одиннадцатого пошли в школу, и в первый же день их троих и еще одного, Игоря Четверикова, в школьном дворе здорово изметелили. Началось с невинного обстрела снежками, а кончилось большим поражением: у Михи был подбит глаз, сломаны очки, Илье разбили губу. Обидно было, что нападающих было всего двое, а их четверо. Саня по обыкновению держался чуть поодаль — скорее из деликатности, а не из трусости. Мурыгин и Мутюкин вызывали такое же отвращение, как незабываемая тряпка, которой возили по его лицу. На Саню противники вообще не обращали внимания, рыжий Миха, закатавший Мурыгину каменной твердости снежок ровно в нос, их интересовал гораздо больше. Илья отплевывал кровь у забора, Четвериков колебался, не пора ли дать деру, а Миха, прислонившись спиной к стене, стоял на изготовку с красными кулаками впереди лица. Кулаки у Михи были большие, почти мужского размера. И тогда Мутюкин вытащил складной нож, похожий на перочинный, но, видно, для очень уж больших перьев, из него выскочило тонкое лезвие, и он пошел враскачку прямо на Миху с его глупыми кулаками.

И тогда Саня взвизгнул, подпрыгнул, сделал два нескладных прыжка и схватился рукой за лезвие. Кровь хлынула неправдоподобно быстро, Саня махнул рукой, красная струя залила Мутюкину все лицо. Мутюкин завопил, как будто это ему нанесли ножевое ранение, и мгновенно унесся, сопровождаемый Мурыгиным. Но о победе никто не думал. Миха плохо видел происшедшее — он был без очков. Четвериков кинулся запоздало за Мурыгиным, но смысла в погоне не было ни малейшего. Илья перетягивал руку Сани шарфом, но кровь хлестала как из водопроводного крана.

— Беги к Анне Алексанне, быстро! — крикнул Илья Михе. — А ты давай в школу, к врачихе.

Саня был без сознания — то ли от испуга, то ли от кровопотери. В Институт Склифосовского его доставили через двадцать пять минут. Кровь быстро остановили, рану зашили. Через неделю выяснилось, что четвертый и пятый пальцы не разгибаются. Пришел профессор, распеленал маленькую Санину кисть, порадовался, как хорошо идет заживление, и объявил, что этот чертов нож перерезал глубокую поперечную пястную связку, и он очень удивлен, что не разгибаются только два пальца, а не все четыре.

— Можно ли это разработать? Массаж? Электрофорез? Какие-нибудь новые процедуры? — спросила Анна Александровна у профессора, который посмотрел на нее с уважением.

— Обязательно. После полного заживления. Частично восстановится подвижность. Но, видите ли, сухожилия — это не мышцы.

— А музыкальный инструмент?

Профессор улыбнулся с сочувствием:

— Маловероятно.

Не знал, что подписал приговор. Анна Александровна ничего этого Сане не сказала, и полгода после выписки они ходили на процедуры.

В больницу к Сане сразу после операции прибежала директорша, разговоры о ноже дошли до нее, и она перепугалась. На допросе Ларисы Степановны Саня вел себя замкнуто и твердо: повторил раз пять, что нашел ножик в школьном дворе, нажал на кнопку, и лезвие выскочило, разрезав ему ладонь. А чей нож — понятия не имел. «Вещдок» обнаружили на следующий день после происшествия. Нож лежал, как в кино, посреди пропитанного кровью островка снега. Его доставили директрисе, и он был уложен в верхний ящик ее письменного стола.

Тетя Геня долго стонала над Михиными разбитыми очками, мать Ильи поругала его немного за драчливость, а Игорю Четверикову и вообще удалось скрыть происшествие от родителей.

С этого дня он хотя не вошел в «Трианон» полноценным членом, но считался сочувствующим. Дальнейшее развитие событий, растянувшееся, правда, на четверть века, подтвердило, что все на свете закономерно — не напрасно потрепали этого будущего диссидента сверхъестественно прозорливые мелкие хулиганы.

Когда дело о взволновавшем всю школу побоище усилиями директорши удалось замять, от Мутюкина и Мурыгина на время отстали, они поссорились и дрались теперь между собой. Класс раскололся на два лагеря, и у всех была интересная жизнь — с вражескими лазутчиками, перебежчиками, переговорами и стычками. Боевой дух овладел большинством, а меньшинство расслабилось и разнежилось.

Саня пришел в школу через три недели с перевязанной рукой, ходил несколько дней, после чего заболел ангиной и до конца третьей четверти в школе не появлялся. Илья с Михой навещали его почти ежедневно, приносили уроки. Анна Александровна поила их чаем с яблочным пирогом, который назывался «пай». Это было первое английское слово, которое усвоил Миха. Саню английскому и французскому учили с детства. В школе как раз с пятого класса преподавали отвратительный немецкий. Но Анна Александровна по части немецкого языка оказалась неожиданно требовательна, стала заниматься с Саней дополнительно, пригласив для компании и Саниных друзей. Илья уклонялся, а Миха прибегал на уроки как на праздник.

Одновременно Анна Александровна подарила Михе старый английский учебник для начинающих.

— Учи, Миха, при твоих способностях сам все одолеешь. Я дам тебе несколько уроков, чтоб произношение поставить.

Так с барского стола валились на Миху щедрые дары.

У Сани настроение было странное: ничему не мешали подогнутые немного внутрь два крайних пальца, и даже было незаметно, потому что люди обычно не держат пальцы врастопырку, а всегда немного поджимают их внутрь. Но они означали полную перемену жизни, полную перемену планов. Он целыми днями слушал музыку и наслаждался как никогда прежде: он больше не беспокоился о том, что не сможет играть как великие музыканты... Язва неуверенности в своих талантах больше не точила его. Лиза — единственная! — понимала:

— Ты теперь свободней тех, кто пытается стать музыкантом. Немного завидую тебе...

— А я — тебе, — признавался Саня.

Они вместе ходили в консерваторию: Анна Александровна с Саней, Лиза с дедушкой, к ним присоединялась какая-нибудь бабушкина подруга, чья-нибудь племянница, родственница. Иногда, если был просвет в работе, приходил Лизин отец, Алексей Васильевич, тоже хирург, как и Василий Иннокентиевич, и видно было, какое между ними сильное фамильное сходство: удлиненные лица, высокие лбы, тонкие носы с кавказской горбинкой. Впрочем, тогда казалось, что все посетители консерватории между собой в родстве и, уж во всяком случае, все между собой знакомы. Это было особое малое население, затерянное в огромном многолюдстве города, — как религиозный орден, скрытая каста, может быть даже, как тайное общество...

В начале года вообще произошло множество событий.

Из Ленинграда приехал отец Ильи, Исай Семенович. Приезжал он раз-два в год, всегда с подарками. В прошлом году отец привез тоже хороший подарок — немецкую готовальню, но от нее, кроме красоты, никакого прока не было. На этот раз привез фотоаппарат ФЭД-С, довоенный, сделанный руками мальчишек из трудовой коммуны имени Дзержинского и представлявший собой точную копию немецкой «лейки». Отец дорожил этим старым аппаратом — он был в войну корреспондентом, почти три года таскал его с собой — и теперь подарил своему единственному сыну, рожденному от южного романа с невзрачной немолодой девушкой Машей. Маша ни на что не рассчитывала, ни на что не претендовала, тихо любила сына, радовалась, что Исай не бросает его, дает иногда деньги, то вдруг помногу, то подолгу совсем ничего. В ласках Маша бывшему любовнику последовательно отказывала, чем подогревала к себе интерес. Она улыбалась, угощала пирогом, стелила хрустящее крахмалом белье, уходила на диванчик к сыну и ложилась рядом с ним «валетом». Исай же все более на нее дивился и все более о ней думал.

Фотоаппарата было немного жалко, но он переборол привязанность к верной и нужной вещи — чувство вины перед заброшенным мальчишкой перевесило. Были у него камеры и получше. И еще была семья и две любимые дочки, которые совершенно не интересовались никакой фототехникой. Мальчонка же просто затрясся от этого подарка, и отец почувствовал досаду на жизнь, в которой все не так устроилось, как надо бы, и вместо кроткой Маши, в невзрачности которой проглядывала и миловидность, досталась ему грубая крикливая Сима, и теперь он уж не мог и припомнить, как и зачем оказался ее подкаблучником-мужем.

Он рассказал сыну, что такое камера-обскура, что темной коробки с маленьким отверстием и пластинки, покрытой светочувствительным веществом, достаточно, чтобы сделать снимок, остановить мгновение жизни. Мария Федоровна тут же сидела, подперев щеку рукой, и улыбалась своему крохотному счастью. Ей надо было зернышко одно, как синице... Исай видел это и видел, как быстро Илья все схватывает, какие ловкие у него руки — похож был, похож! — и уехал с твердым намерением поменять свою жизнь так, чтобы почаще видеться с сыном. И Маша, Маша его притягивала теперь больше, чем тогда, летом тридцать восьмого, когда взял он ее скорее по обязанности нестарого и дееспособного мужчины, чем по осмысленной симпатии. Жизнь менять было поздно. Но хоть немного: признаться наконец Симе, что есть у него довоенный отпрыск, которого неплохо бы принять в доме и познакомить с младшими сестрами... Но это было последнее свидание отца с сыном: спустя два месяца Исай Семенович, лишившись работы на «Ленфильме», умер от инфаркта.

В тот последний раз отец пробыл у них дня два. Мать, как всегда после его отъезда, несколько дней исподтишка плакала, а потом перестала. Жизнь у Ильи явственно распалась на две половины — до ФЭДа и после. Эта умная машинка постепенно пробудила упрятанный в глубинах талант. Он и раньше собирал коллекции всего, что попадало в поле зрения: еще во втором классе у него собралась коллекция перьев, потом были спичечные этикетки и марки. Но это была преходящая мелочь. А теперь, когда он освоил весь технологический процесс — от выбора выдержки до наката фотобумаги на стекло, — он начал коллекционировать мгновения жизни. В нем пробудилась настоящая страсть коллекционера, и она не утихла уже никогда.

К концу школы собрался настоящий фотоархив, довольно культурный: каждая фотография подписана карандашом на обороте — время, место, действующие лица, все негативы в конвертах... Фотоаппарат изменил жизнь еще и потому, что вскоре оказалось, что, кроме аппарата, нужно множество вещей, которые стоили больших денег. Илья сильно задумался, и тогда еще один талант в нем проснулся: предпринимательский. У матери он никогда денег не просил, научился добывать сам. Первый весенний почин того года — расшибалочка. Он лучше всех в школе играл в эту мальчишескую игру, а потом научился играть и в другие. Это приносило заработок.

Саня Стеклов не одобрял Илюшиной погони за деньгами, но Илья только пожимал плечами:

— Ты знаешь, сколько стоит пачка фотобумаги восемнадцать на двадцать четыре? А проявитель? Откуда мне брать?

И Саня замолкал. Он знал, что деньги берутся у мамы с бабушкой, и догадывался, что это не лучший способ.

Старенькая камера сделала Илью фотографом. Вскоре он понял, что ему нужна своя фотолаборатория. Обычно такие домашние лаборатории фотолюбители устраивали в ванных комнатах, где была проточная вода для промывки пленки. Но в их коммуналке никакой ванной не было. Был чулан, где три семьи хранили тазы для мытья и корыта для стирки, а также другие нужные вещи. Чулан имел общую стену с уборной, где водопровод был, так что Илья сразу же начал обдумывать план, как туда воду отвести и как вывести. О соседях, имевших равные права на чулан, Илья сразу не подумал.

В квартире, кроме Ильи с матерью, еще жила безвредная одинокая старушка Ольга Матвеевна и вдова Граня

Лошкарева с тремя детьми, из которых двух младших Марья Федоровна часто сама водила в сад, где и работала. И вообще Марья Федоровна много помогала этой самой Гране.

Словом, Марья Федоровна попросила, и соседи ей не отказали — вытащили из чулана свои корыта, и теперь дело было за Ильей. Он еще успел написать отцу письмо с просьбой помочь устроить ему «проявочную». Отец растрогался, прислал сто пятьдесят рублей, а на переводе две строчки: «Приеду на майские праздники, все сделаем». Это было последнее его письмо — до майских он не дожил.

Воду в чулан провели не сразу, года через полтора, но появился у Ильи свой закуток, где он теперь проводил много времени. Втащил туда найденный на помойке книжный шкаф, расположил в нем свое фотоимущество.

Пятый класс длился бесконечно. Шел тринадцатый год жизни — мальчишки постепенно наполнялись тестостероном, у самых ранних отрастала шерстка в укромных местах, открывались гнойнички на лбу, все чесалось, ломило, ныло, стало больше драк и ссор, и тянуло себя потрогать, облегчить неопределенное изнывание плоти.

Миха изнурял себя коньками. В результате тайных утренних тренировок он стал здорово кататься. И еще он пристрастился к чтению. Он и раньше читал все подряд, что в руки попадалось, а теперь Анна Александровна давала ему замечательные книги — Диккенса, Джека Лондона.

Тетя Геня ровно в десять часов вечера единократно всхрапывала с лошадиной силой, после чего до утра храпела тихонько и мерно. Минна укладывалась еще раньше и, покопошившись немного, быстро засыпала. Тогда Миха выскальзывал на кухню и читал там под общественной лампочкой сколько влезет, и ни разу не был пойман. Сидел, поковыривая тугие прыщи, с книжкой для юношества, ничего общего не имевшей с беспокойством его тела.

Саня как будто отставал от товарищей не только ростом — чистый лоб, чистый воротничок, нежный мальчик. Но и в нем тоже происходил процесс возмужания. Он объявил маме и бабушке, что больше не будет ходить на физиотерапию — всем ясно, что рука не выправится и музыкантом он никогда не будет. Мама и бабушка обе были музыкантами домашней квалификации, обе мечтали о музыкальной карьере, но обеим пришлось бросить обучение — время было совершено немузыкальное, выли трубы, гремели литавры, звучали марши-гимны, замаскированные под уличные песни.

Лучшее, что было у двух одиноких женщин, — Саня, он обещал стать музыкантом, и все шло замечательно, и педагог был прекрасный, и намечалось будущее... Теперь, после несчастного случая с ножом, в музыкальную школу Саня перестал ходить. Анна Александровна и Надежда Борисовна подготовились к ответственному разговору заранее. Анна Александровна сказала, что при его музыкальности не следует так окончательно порывать с музыкой. Профессионалом он не будет, но что мешает ему заниматься игрой на фортепиано дома — в домашнем музицировании есть особая прелесть. Саня немного поупрямствовал, отказываясь, но недели через две согласился. Стал заниматься дома с бабушкиной подругой, Евгенией Даниловной.

Он играл своими маленькими бесперспективными, изувеченными руками на любимом пианино карельской березы. Млел от шопеновских вальсов, как его ровесники от дворовых девочек, к которым можно было прикоснуться в суматохе игр и беготни. Читал, играл, а иногда делал то, что мальчики его возраста способны делать только в виде наказания, — гулял вдвоем с бабушкой по близлежащим бульварам.

Года два ходила к ним Евгения Даниловна, а потом занятия эти расстроились. Отчасти из-за Лизы: успехи ее были столь велики, а Санины столь незначительны, что он стал отлынивать.

Анна Александровна была преподавателем русского языка, но особой квалификации — учила русскому иностранцев.

Что это были за иностранцы! Молодые люди из коммунистического Китая, приехавшие обучаться в Военной академии. Это была восьмая или девятая профессия из тех, которыми Анна Александровна овладела после окончания гимназии, и на этот раз ее все устраивало: и отношение к ней начальства, и неполный рабочий день, и очень хорошая зарплата с разного рода добавками и привилегиями, включая прекрасный военный санаторий, которым она имела право пользоваться раз в год бесплатно.

Надежда Борисовна, Санина мать, была рентгенотехником. Профессия редкая, вредная, однако с коротким рабочим днем и бесплатным молоком для укрепления здоровья. Жизнь, несмотря на то что они могли считаться хорошо устроенной семьей, была непростой: слишком много скрытого недовольства копилось у матери с дочерью. Обе безмужние, потерявшие и тех мужчин, которые были их мужьями, и других, мужьями не ставших. Но бестактный вопрос, где же их мужья, никто не задавал. Кому положено, те знали. Спасибо, оставили в покое.

Миха проводил много времени у Стекловых. Саня трогал пальцами клавиши, они отзывались. Чудились какие-то переговоры между мальчиком и инструментом, но Миха, догадываясь о тайном смысле происходящего, понимать этого до конца не умел.

Он сидел в уголке, шелестел страницами, ждал прихода Анны Александровны, чтоб поговорить. Она ставила перед ним простое печенье, чашку чая с молоком и присаживалась рядом — с папиросой, которую не столько курила, сколько держала в красиво выгнутых пальцах. Иногда и Саня отходил от инструмента, садился на край стула. Но он своим присутствием немного им мешал. Миха стремительно перерастал Диккенса, и Анна Александровна, не раздумывая, несла Пушкина.

— Да я уже читал! — противился Миха.

— Это как Евангелие — всю жизнь читают.

— Дайте лучше Евангелие, Анна Александровна, его-то я не читал...

Анна Александровна засмеялась, качая головой:

— Меня твои родственники убьют. Но, честно говоря, никакую европейскую книгу нельзя понять, не зная Евангелия. А уж про русскую и не говорю. Саня, принеси, дружочек, Евангелие. На русском.

— Нюта, — фамильярно поддел тот бабушку, — по-моему, ты просто растлитель малолетних.

Но книгу в черном переплете принес.

Уговорились, что читать Евангелие Миха будет, не вынося из их дома, и никому об этом не скажет. Сколько же теперь всего было у Михи — дом со своей раскладушкой, тетя Геня с супом, дебелая дебильная Минна, задевающая его постоянно то боком, то толстым бюстом, друзья Саня и Илья, Анна Александровна, коньки, книги...

В середине марта наступила оттепель, каток растаял, и Миха смазал коньки машинным маслом, как учил его Марлен, — для сохранности. Однако рано: ударили морозы, каточек заледенел, и Миха снова встал на коньки. Ясно было, что скоро зима кончится. Теперь он уже и после обеда выходил во двор. Так и вышло, что все увидели его драгоценность. Подобных коньков ни у кого не было, все прикручивали какую-то дрянь к валенкам, и только у одного Михи были настоящие, с ботинками. О них мгновенно прошла по дворам большая слава. Дня через два Мурыгин пришел на них посмотреть. Постоял, посмотрел и ушел. На другой день, возвращаясь с дворового катка, Миха в парадном был прижат к стене Мурыгиным и Мутюкиным.

Дело было ясное — им приглянулись коньки.

— Давай снимай! — потребовал Мутюкин.

Мурыгин заломил Михе руки, Мутюкин подшиб под колени, Миха завалился. Они ловко стащили с ног коньки и убежали. Миха, в шерстяных носках, мелькая пятками, рванул за ними. Он нагнал их у ворот, уцепился за Мурыгина. Тот перекинул коньки Мутюкину. Мутюкин понесся с коньками по Покровке. Миха следом за своими коньками, с воплями, в сторону Покровских Ворот. Конечно, они бежали к Милютинскому саду, там был каток.

С Чистопрудного бульвара медленно выползал трамвай. Миха почти догнал Мутюкина — тот бросил коньки Мурыгину, но Мурыгин их упустил, и они упали между рельсами. Все трое кинулись за коньками. Трамвай закричал ужасным голосом, потом взвизгнул, захлебнулся звоном, заскрежетал. Миха упал. Когда открыл глаза, коньки лежали перед его носом. Мутюкина видно не было. Перед трамваем дымилась какая-то куча. Тряпье, кровь, вывернутая нога. Это были остатки Мурыгина. Набежала воющая толпа. Позади дребезжали трамваи. Миха встал, взял коньки... Нет, это был только один конек. Сгорбившись, он пошел домой. Он шел босиком по ледяной земле, носки куда-то делись, но ничего этого он не замечал. Возле подъезда он швырнул конек в сторону катка и, стуча зубами, вошел в подъезд, из которого выбежал ровно пять минут тому назад.

В подъезде подобрал свои ботинки, сунул в них голые ступни и понесся к Анне Александровне. Она выслушала его, ничего не сказала, но налила тарелку грибного супа и поставила перед ним.

Миха доел суп, Анна Александровна пошла на кухню с грязной тарелкой.

— Я этого не хотел, клянусь тебе! — тихо сказал Миха Сане.

— Да кто ж такого хочет? — мотнул головой Саня.

Ужасный звук трамвайный все разрушил,
Весь мир он поменял и разрубил.
И все, что было, есть и дальше будет.
А вот Мурыгин БЫЛ.

Это стихотворение сочинил Миха в день похорон Мурыгина. Хоронили Славу Мурыгина всей школой, как национального героя. Завуч и два старшеклассника возложили на могилку венок, купленный на собранные общественные деньги, и надпись была сделана золотым по красному.

Миха, свидетель и, как он считал, виновник этой смерти, все переживал ту минуту, ее молниеносную случайность: вот мелькнувшие в воздухе коньки, вот металлический вопль трамвая и неопрятная куча под трамвайными колесами вместо ничтожного и вредного мальчишки, кривляющегося и скачущего вдоль улицы за минуту перед тем. Жалость огромного размера, превышающая Михину голову, и сердце, и все тело, накрыла его, и это была жалость ко всем людям, и плохим, и хорошим, просто потому, что все они беззащитно-мягкие, хрупкие, и у всех от соприкосновения с бессмысленной железкой мгновенно ломаются кости, разбивается голова, вытекает кровь, и остается одна лишь безобразная куча. Бедный, бедный Мурыгин!

Ни у кого не сохранилось классной фотографии за пятьдесят второй год, только у Ильи. В его фотоархиве все фотографии были его собственные, авторские, только первые две сняты не им.

Одну сделал Василий Иннокентиевич в день Саниного рождения. Вторая была снята ремесленным фотографом: послевоенные недокормленные мальчишки стоят на этом снимке в четыре рядка. Нижние сидят, а верхние стоят на стульях, все в окружении толстых колосьев, складчатых знамен и пупырчатых гербов — декоративной рамки, которая была базисом, а вся бритоголовая мелочь, с лупоглазой училкой в середине, — надстройкой над стульями из актового зала. Мурыгин и Мутюкин стоят рядом, в верхнем ряду, с левой стороны. Мурыгин смотрит в сторону, маленький наголо стриженный мальчик, незначительный и неопасный. Стеклова на фотографии нет — он болел. Миха в самом углу, внизу. В центре — классная руководительница, русичка, имя которой все забыли, потому что после пятого класса она навсегда ушла в декретный отпуск. Мутюкин в пятом классе остался на второй год, а вскоре и затерялся. Его карьера продолжалась в ремесленном училище, а потом и на зоне. Мурыгина больше не было нигде.

Новый учитель

В шестом классе на место никому не запомнившейся училки-русички пришел новый классный руководитель, Виктор Юльевич Шенгели, литератор.

Вся школа его заметила с первого же дня: он быстро шел по коридору, правый рукав серого полосатого пиджака был подколот чуть пониже локтя, и полруки в пиджаке слегка колыхалось. В левой он нес старорежимный портфель с двумя медными замками, по виду гораздо более старый, чем сам учитель. Прозвище ему образовалось уже в первую неделю — Рука.

Он был скорее молодой, лицо красивое, почти как у киноактера, но излишне подвижное: он то улыбался неизвестно чему, то хмурился, то подергивал носом или губами. Неправдоподобно вежливый, он всем говорил «вы», но при этом был невероятно ехиден.

Для начала он сказал Илье, когда тот проходил между рядами парт своей шаткой походкой: «А вы что здесь вихляетесь?» — и Илья его мгновенно и сильно невзлюбил. Потом учитель взял журнал, сделал перекличку. На фамилии «Свиньин» — был такой несчастный ученик — сделал остановку, внимательно посмотрел на мелколицего Свиньина и сказал со странной, не то почтительной, не то насмешливой интонацией: «Хорошая фамилия!» Класс заржал с готовностью, Сенька Свиньин налился краской. Учитель поднял недоуменно брови:

— Да что вы смеетесь? Почтенная фамилия! Был старинный боярский род Свиньиных. Петр Первый посылал одного Свиньина — не помню, как звали, — в Голландию учиться. Да вы и «Князя Серебряного» не читали? Там Свиньин упоминается. Интереснейшая книга, между прочим...

Уже через три месяца все, включая Илью, Сеню Свиньина и в особенности Миху, смотрели учителю в рот, обсуждали каждое его слово и дергали губами и бровями точно как он.

И еще Рука читал стихи. Каждый урок, пока все усаживались и вынимали тетради, он начинал с какого-нибудь стихотворения и никогда не говорил, кто его написал. Выбирал причудливо — то общеизвестный «Белеет парус одинокий», то непонятный, но запоминающийся «...и воздух синь, как узелок с бельем у выписавшегося из больницы», то совсем уж ни с того ни с сего какую-то абракадабру:

Стояли холода, и шел «Тристан».
В оркестре пело раненое море,
Зеленый край за паром голубым.
Остановившееся дико сердце.
Никто не видел, как в театр вошла
И оказалась уж сидящей в ложе
Красавица, как полотно Брюллова,
Такие женщины живут в романах,
Встречаются они и на экране...
За них свершают кражи, преступленья,
Подкарауливают их кареты
И отравляются на чердаках...

У Михи кровь к лицу приливала от таких стихов, хотя другим было хоть бы что. Но учитель на Миху и поглядывал. Миха был почти единственный, кто заглатывал рифмованные строчки, как ложку варенья. Саня улыбался снисходительно учительской слабости — некоторые были те самые, что бабушка читала. Другие ребята это пристрастие учителю прощали. Стихи представлялись им делом женским, слабоватым для фронтовика.

Но иногда он вдруг читал стихотворение совершенно по делу — когда начинали тему «Тарас Бульба», он вошел в класс и прочитал явно про Гоголя:

Ты, загадкой своенравной
Промелькнувший на земле,
Пересмешник наш забавный
С думой скорби на челе.

Гамлет наш! Смесь слез и смеха,
Внешний смех и тайный плач,
Ты, несчастный от успеха,
Как другой от неудач.

Обожатель и страдалец
Славы, ласковой к тебе,
Жизни труженик, скиталец
С бурей внутренней в борьбе.

Духом схимник сокрушенный,
А пером Аристофан,
Врач и бич ожесточенный
Наших немощей и ран!

На все, ну буквально на все случаи жизни был у него заготовлен стишок!

— Мы изучаем литературу! — объявлял он постоянно, как свежую новость. — Литература — лучшее, что есть у человечества. Поэзия — это сердце литературы, высшая концентрация всего лучшего, что есть в мире и в человеке. Это единственная пища для души. И от вас зависит, будете вы вырастать в людей или останетесь на животном уровне.

Позже, когда всех ребят уже знал по именам и расставил в ряды — не так, как на классной ежегодной фотографии, и не по алфавиту, а своим собственным фасоном, — когда все сблизились через разговоры о хитроумном Одиссее, о таинственном летописце Пимене, о несчастном сыне Тараса Бульбы, о честном глуповатом Алексее Берсеньеве и смуглой умнице Акулине — все по школьной программе, между прочим, — мальчишки стали задавать вопросы о войне: как было? И сразу стало ясно, что Виктор Юльевич литературу любит, а войну — нет. Странный человек! В то время все юное мужское население, не успевшее пострелять фашистов, войну обожало.

— Война — самая большая мерзость из тех, что выдумали люди, — говорил учитель и пресекал все вопросы, которые дымились на мальчишеских устах: где воевал? какие награды? как ранило? сколько фашистов убил?

Однажды рассказал:

— Я окончил второй курс, когда война началась. Все ребята пошли сразу же в военкомат и были отправлены на фронт. Из моей группы я один остался жив. Все погибли. И две девочки погибли. Поэтому я обеими руками против войны.

Он поднял вверх левую, а половина правой качнулась, но подняться не смогла.

По средам литература была последним уроком, и, закончив, Виктор Юльевич предлагал:

— Ну что, пройдемся?

Первая такая прогулка была в октябре. Пошли человек шесть. Илья спешил домой, как всегда, Саня в тот день прогуливал, что часто делал с позволения бабушки, так что компанию представлял один Миха, который потом почти дословно пересказал ребятам все удивительные истории, услышанные от учителя по дороге от школы к Кривоколенному переулку. Речь тогда шла о Пушкине. Но рассказывал о нем Виктор Юльевич так, что возникало подозрение, не учились ли они в одном классе. Оказалось, что Пушкин был картежник! Оказалось, что он страшно волочился за дамами! То есть был попросту бабник! К тому же он был большим задирой, никому ничего не спускал и всегда был готов поскандалить, пошуметь, пострелять на дуэли.

— Да, — грустно сказал Виктор Юльевич, — вот такое поведение привело к тому, что его считали бретером.

Никто и не спросил, что означает это иностранное слово, потому что и так было ясно: задира.

Потом он подвел их к обшарпанному дому на первом от улицы Кирова повороте, который делал этот Кривоколенный, указал широким жестом левой руки на дом и сказал:

— Вот, а теперь представьте себе! Здесь, конечно, никакого асфальта, дорога замощена брусчаткой, оттуда, с Мясницкой, выезжает карета. Ну, скорее не карета, а такая небольшая повозка с извозчиком. Пушкин был в Москве в гостях, отчасти по делу, здесь у него было множество родни и друзей, но дома своего никогда в Москве не было, да и выезда тоже. Если не считать квартиру на Арбате, которую он снимал после свадьбы совсем недолго, а потом уехал в Петербург. Он Москвы не любил, говорил, что здесь «слишком много теток». Вот, представьте, через сто лет после смерти Пушкина одна дама здесь проходила — после революции дело было — и вдруг с Мясницкой — цок-цок-цок! — заворачивает извозчик, останавливается вот здесь, из пролетки спрыгивает Пушкин — простучал сапогами по брусчатке и исчез в этом доме. Дама — ах! И тут вмиг все пропало — и брусчатка, и пролетка, и извозчик с лошадками. Стали говорить, что дом этот с привидениями. Ну, так это было или не так, сейчас уже мы не выясним. А вот то, что в этом самом доме — здесь жил тогда поэт Веневитинов — происходило в октябре 1826 года, подтверждено многими свидетельствами: в парадной зале этого дома Пушкин читал свою трагедию «Борис Годунов». Было человек сорок гостей, и почти половина из них написала об этом в письмах родственникам сразу же или в воспоминаниях много лет спустя. Вы ведь все читали «Бориса Годунова», не так ли? Кто коротко перескажет содержание?

Миха всегда вызывался, но тут он вдруг подзабыл, в чем там было дело, и не хотел осрамиться.

Другие скромно молчали. Наконец Игорь Четвериков сказал неуверенно:

— Он царевича Лжедимитрия убил.

— Поздравляю вас, Игорь. Историческая наука вещь довольно мутная. Вообще-то были две версии. Одна — что Борис Годунов убил царевича Димитрия. Вторая — что он не убивал царевича Димитрия и вообще был приличным человеком. Ваша версия с убийством другого человека — Лжедимитрия — полностью меняет представления историков. Не огорчайтесь, история — не алгебра. Точной наукой ее не назовешь. В каком-то смысле литература более точная наука. Что говорит великий писатель, то и становится исторической правдой. Военные историки нашли у Толстого множество ошибок в описании Бородинской битвы, а весь мир все равно видит ее именно такой, как описал ее Толстой в «Войне и мире». Пушкин тоже не стоял на заднем дворе дворца матери малолетнего царевича, Марии Нагой, где произошло — или не произошло! — убийство Димитрия. То же самое распространяется и на историю с Моцартом. Ну, «Маленькие трагедии» вы читали, надеюсь.

— Да, конечно. Гений и злодейство несовместны! — выпалил Миха.

— Да, я тоже так думаю. Вот про Сальери точно не установлено, отравил ли он Моцарта. Это всего лишь историческая версия. А произведение Пушкина — это, понимаете ли, факт. Огромный факт русской литературы. Историки могут найти доказательство того, что Сальери Моцарта не отравил, и все равно им с «Маленькими трагедиями» спорить невозможно. Пушкин высказал великую мысль: несовместны в одном человеке гений и злодейство.

Стало смеркаться, Виктор Юльевич попрощался с ребятами, и они пошли по домам, в разные стороны Китай-города.

Этот первый поход по литературным местам оказался прообразом кружка, который к концу года нашел себе название «ЛЮРС» — любителей русской словесности.

Узнав о том, как это было в первый раз, Илья не пропустил больше ни одного такого «выхода на натуру» — так Виктор Юльевич именовал их литературные блуждания по средам. Илья составлял отчеты о собраниях кружка, был секретарем, и весьма ответственным. Протоколы ЛЮРСа вместе с фотографиями хранились у него в книжном шкафу, в заветном чулане.

«Люрсы», участники кружка, по мере сближения с русской литературой девятнадцатого века постепенно узнавали кое-какие подробности военной биографии учителя.

Виктор Юльевич, подергивая ноздрями и щеками — контузия, теперь они знали, — рассказал, как вместе с однокурсниками пришел в военкомат на второй день после объявления войны.

Его направили в артиллерийское училище, в Тулу. Мальчишек интересовали конкретные вещи — бой, отступление, наступление, ранение... А какие орудия? А какие снаряды? А у немцев?

Учитель коротко отвечал. Воспоминания были тягостны...

Подготовка в Тульском училище велась на повышенных скоростях, но наступление немецкое оказалось еще более скоростным. В конце октября немцы подошли к Туле. Курсантов бросили на защиту города, каждому придали взвод из ополченцев, и огневые точки обслуживали курсанты-командиры и ополченцы-рядовые. Это напоминало бы игру взрослых «в войнушку», если бы в течение двенадцати часов всех подчистую не смело фашистским огнем. Виктора спасла интеллигентность, которая вообще-то ни в каких обстоятельствах никого не спасала. Он приказал рядовому, фамилию которого он не запомнил, поднести ящик со снарядами. Немолодой одутловатый ополченец обматерил командира: ты, начальничек, кому приказываешь? Мне пятьдесят лет, а тебе восемнадцать. Ты и таскай ящики.

Курсант, которому было уже девятнадцать, слова не сказав, побежал за снарядами. Сто метров туда, налегке, сто обратно, с пятидесятикилограммовым ящиком. Орудийного расчета запыхавшийся командир не застал — огромная воронка дымилась на месте грамотно установленного орудия. А в живых — никого.

И хоронить было некого — прямое попадание. Курсант посидел на ящике, ни о чем не думая, но ощущая себя горелой землей, разбитым раскаленным металлом, вскипевшей кровью и обожженным тряпьем... Потом, оставив ненужный ящик, пошел прочь под свист и разрывы, которых он уже не слышал.

Тулу сдали, училище перевели в Томск, по крайней мере тех, кто остался в живых после обороны. Погибший расчет долго снился, и одутловатый дядька мрачно материл его — вовсе не за ящик снарядов, а за что-то другое, более серьезное. Виктор тысячу раз возвращался мыслями туда: как правильно... как надо-то? Ведь если бы, как полагается командиру, рявкнул, то в живых остался бы тот, одутловатый...

Решил, что командиром быть не может. Только рядовым. Он написал заявление с просьбой отправить его в действующую армию. Отказали — до выпуска было полтора месяца. Небольшая провинность, вот что было нужно. Чтобы не отдали под суд, не отправили в штрафбат, а ограничились бы отправкой на фронт рядовым, без присвоения офицерского звания.

И он нашел правильного размера преступление. Накануне приказа о присвоении звания ушел в самоволку, напился в городе, залез в женское общежитие и провел ночь в красном уголке с девицей, которая рано утречком по его просьбе сдала загулявшего курсанта военному патрулю. И оказалось все точно, как в аптеке: отсидел десять дней на гауптвахте, а потом был отправлен в действующую армию рядовым. Так до самого конца войны — для него-то она закончилась в сорок четвертом, после ранения, — ни единого раза не приходилось ему отдавать приказов. Только выполнять. Задание всегда одно и то же: из точки А в точку Б дойти живым. И еще множество мелких забот — поесть, попить, выспаться, не сбить ногу, и хорошо бы помыться... Приказывали — стрелял. Нет, нет, об этом не говорил. Об этом — молчал.

— А где вас ранило? — спрашивали ребята.

— В Польше, уже в наступлении. Вот, руку отняли.

Что было потом, ученикам не рассказывал. Как учился писать левой — круглым лежачим почерком, не лишенным элегантности. Обрубком правой слегка себе помогал, а протез из розового целлулоида не носил. Научился ловко надевать рюкзак — сперва левой рукой натягивал лямку на обрубок правой, а потом уж совал ее в петлю. Приехал из госпиталя в Москву. Институт, в котором учился до войны, тем временем расформировали и остатки влили в филфак. Туда он и вернулся в шинели, сохранявшей запах войны, и в офицерских, не по чину, сапогах.

Университет на Моховой! Какое это было счастье — полных три года он восстанавливал себя сам: чистил кровь Пушкиным, Толстым, Герценом...

В сорок восьмом, незадолго до окончания, предложили аспирантуру: и руководитель был прекрасный, медиевист и великий знаток европейской литературы, и тема интересная — с романо-германским уклоном, по связям Пушкина с этой самой зарубежной литературой. Виктор Юльевич колебался — еще хотелось преподавать детям, — казалось, что он знал теперь, чему учить. Выбор, выбор...

Где же тот голос, который в решающие моменты подсказывает? Но никакой голос не понадобился — несостоявшемуся руководителю надавали по шее за низкопоклонство перед Западом и космополитизм, а спустя какое-то время посадили...

Не получилось с аспирантурой. Отправили по распределению в среднюю школу поселка Калиново Вологодской области преподавать русский язык и литературу.

Жилье выделили при школе. Комната и прихожая, откуда топилась печь. Дровами обеспечивали. В местном магазине продавали дальневосточные крабы и конфеты-подушечки, дрянное вино и водку. Хлеб привозили два раза в неделю, очереди выстраивались с раннего утра, а магазин открывался в девять, когда первый урок шел к концу. Мамаши, следуя древнему деревенскому обыкновению, притаскивали ему то яйца, то творог, то деревенский пирог удивительного свойства: безумно вкусный в теплом виде и совершенно несъедобный в остывшем... Испокон веку принята была эта натуральная оплата трудов священников, врачей, учителей. Приношения он делил с уборщицей Марфушей, нелюдимой вдовой со странностями, но пил в одиночку. Не много и не мало — ежевечернюю бутылку. Перед сном читал единственного автора, который никогда не надоедал.

Кроме литературы, еще приходилось учить географии и истории. Математику и физику вел директор школы, заодно и общественные науки, которые, меняя названия, все были историей партии. Остальные предметы — биологию и немецкий язык — преподавала ссыльная питерская финка. Было в ее биографии, кроме национальности, еще одно пятнышко — до войны работала с академиком Вавиловым, нераскаявшимся вейсманистом-морганистом.

Все в Калинове было бедным, в изобилии только нетронутая робкая природа. И, пожалуй, люди были получше городских, тоже почти не тронутые городским душевным развратом.

Общение с деревенскими ребятами развеяло его студенческие иллюзии: доброе и вечное, конечно, не отменялось, но материя повседневной жизни была столь груба, и девочкам, укутанным в чиненые платки, успевшим до школы прибрать скотину и малых братьев-сестер, и мальчикам, летом тянувшим всю мужскую тяжелую работу на земле, — нужны ли им были все эти культурные ценности? Учеба на голодный желудок и потеря времени на знания, которые никогда и ни при каких условиях им не понадобятся?

Детство у них давно закончилось, они все сплошь были недоросшие мужики и бабы, и даже те, кого матери охотно отпускали в школу, несомненное меньшинство, как будто испытывали неловкость, что занимаются глупостями вместо настоящей серьезной работы. Из-за этого некоторую неуверенность испытывал и молодой учитель — и впрямь, не отвлекает ли он их от насущного дела жизни ради излишней роскоши. Какой Радищев? Какой Гоголь? Какой Пушкин, в конце концов? Обучить грамоте и поскорее отпустить домой — работать. Да и сами они только этого и желали.

Тогда он впервые задумался о феномене детства. Когда оно начинается, вопросов не вызывало. Но когда оно заканчивается? Где тот рубеж, начиная с которого человек становится взрослым? Очевидно, что у деревенских ребятишек детство заканчивалось раньше, чем у городских.

Северная деревня всегда жила впроголодь, а после войны все обнищали вконец, работали бабы и ребята. Из тридцати ушедших на фронт местных мужиков вернулось с войны двое, один безногий, второй туберкулезный, и тот через год умер. Дети, маленькие мужики-школьники, рано начинали трудовую жизнь, и детство у них было украдено.

Впрочем, что тут считать: у одних было украдено детство, у других юность, у третьих — свобода. У самого же Виктора Юльевича совсем малость — аспирантура.

После трехлетнего срока полуссылки — места были те самые, куда при царизме ссылали таких, как он, умненьких молодых людей с чувством собственного достоинства, — выпустив семиклассников, Виктор Юльевич вернулся в Москву, к маме, в Большевистский переулок, в дом с рыцарем в нише у входа.

Первое же предложенное в Москве место преподавателя литературы чудесным образом оказалось в десяти минутах от дома, вблизи Исторической библиотеки, которая притягивала его, истосковавшегося по книжной культуре, больше, чем столичные театры и музеи.

Он пытался восстановить университетские связи, искал общения. Встретился с Леной Курцер, прошедшей войну как военный переводчик, но разговора откровенного не получилось. Разыскал еще двух своих однокурсниц, и опять ничего хорошего не вышло. Время было молчаливым, к откровенности не располагающим. Разговаривать стали несколько лет спустя. Из трех переживших войну однокурсников один пошел на партийную работу, второй преподавал в школе. Общение с ними ограничилось распитием бутылки, на том и увяло. Третий, Стас Комарницкий, оказался вне досягаемости: получил срок не то за анекдот, не то за обычную болтовню. Единственный из друзей, с кем общаться было в радость, был бывший сосед по двору Мишка Колесник, с которым они составляли веселенькую послевоенную парочку: Мишка без ноги, Виктор без руки. Называли себя «три руки, три ноги».

Мишка к тому времени стал биологом и женился на хорошей девчонке, тоже из их двора, но помладше.

Она была врачом, работала в городской больнице и очень хотела Виктора женить. Все норовила подсунуть ему какую-нибудь из своих безмужних коллег. Но Виктор не собирался жениться. Вернувшись из Калинова, он влюбился сразу в двух красоток — с одной познакомился в библиотеке, другая сама к нему подкатила в музее, куда водил он свой класс. Мишка шутил: повезло тебе, Вика, что бабы к тебе парами прибиваются, а то была б одна, точно бы тебя охомутала...

Но «охомутала» его на самом деле работа. Самым интересным для Виктора оказалось общение с тринадцатилетними мальчишками. Они ничего общего не имели со своими деревенскими сверстниками. Эти московские мальчишки не пахали, не сеяли, не чинили конской сбруи, да и крестьянской ответственности за семью они не знали.

Они были нормальные дети — баловались на уроках, перекидывались шариками из жеваной бумаги, брызгали друг в друга водой, прятали портфели и учебники, жадничали, дрались, пихались, как щенята, а потом вдруг замирали и задавали настоящие вопросы. У них, в отличие от деревенских сверстников, все-таки было детство, из которого они неотвратимо выходили. Помимо прыщей, были и другие, с высшей нервной деятельностью связанные признаки их взросления: задавали «проклятые вопросы», мучились несправедливостью мира, слушали стихи, а двое-трое из класса даже писали нечто стихообразное. Первым принес учителю аккуратный листок с рифмованными строчками Миха Меламид.

— Понятно, понятно, — вслух сказал Виктор Юльевич и улыбнулся. И про себя: «Еврейские мальчики особенно чувствительны к русской литературе».

Полкласса не вполне понимала, что от них хочет литератор. Вторая половина ходила за учителем хвостом. Виктор Юльевич старался вести себя со всеми ровно, но любимчики были — эмоциональный, честный до нелепости Миха, подвижный и ко многому способный Илья и замкнуто-интеллигентный Саня. Неразлучная троица.

И сам он когда-то принадлежал к такой троице, часто вспоминал двух любимых ифлийских друзей, Женю и Марка, погибших в первые недели войны. Не выросшие из детства, полные фальшивой романтики, с инфантильными стишками — «Бригантина, бригантина!» — каково бы им было сейчас... Этот рыжий Миха был им как младший брат, и при внимательном взгляде прочитывалась будущая корявая судьба. Нет, нет, никаких пророческих амбиций, просто беспокойство...

Пока еще шел год пятьдесят третий, и март еще не наступил, антисемитская кампания была в полном разгаре. В эти паршивые времена еврейская восьмушка Виктора Юльевича стонала и ужасалась, а грузинская четвертинка стыдилась и страдала.

Был Виктор Юльевич многокровка, носил грузинскую фамилию, писался русским, но русской крови в нем было немного. Она смешалась в его жилах с немецкой и польской. Дед-грузин был женат на немке — вместе учились в Швейцарии и родили там его отца Юлиуса. Родословная Ксении Николаевны, матери Виктора, была не менее экзотичной. Ее отец, произведение ссыльного поляка и еврейской девушки из первых ученых фельдшериц, обвенчался с поповной, и вот эта священническая кровь и была русской долей.

От грузинского деда он унаследовал музыкальность, от бабушки-немки, — тщательно скрывающей свое происхождение и предусмотрительно объявившей себя швейцаркой в двенадцатом году, сразу по приезде в Тифлис, Виктор получил рациональный склад ума и хваткую память, от еврейского прадеда пышные волосы и тонкую кость, а от вологодской бабки светлые северные глаза.

Ксения Николаевна, мать Виктора, рано овдовевшая, единственный живой потомок двух вымерших в революцию семей, аккуратно вытирала пыль с книжных полок, боролась с молью и поливала оранжевые ноготки, которые цвели почти круглый год у нее на подоконнике.

В жизни ее оставалось два любимых дела — ухаживать за сыном и расписывать шелковые платки для артели инвалидов. Еще она умела жарить котлеты и молочные гренки. После возвращения сына с фронта она быстро приучилась делать для Вики (это она звала его с детства почти женским именем «Вика», и привязалось, привилось к нему это имя) все то, что неподручно делать одной рукой:

отрезала хлеб, мазала на него масло, когда оно было, по утрам замешивала ему мыльную пену для бритья...

Чего в Викторе Юльевиче категорически не было — гордого чувства принадлежности к какому-нибудь народу, он ощущал себя одновременно изгоем и белой костью, а жидоедские эти времена были отвратительны ему более всего эстетически: некрасивые люди, одетые в некрасивую одежду, некрасиво себя вели. Жизнь за пределами книжного пространства была какая-то оскорбительная, зато в книгах билась живая мысль, и чувство, и знание. Разрыв был непереносим, и все более он погружался в литературу. Только дети, которых он учил, примиряли его с тошнотворной действительностью.

И еще — женщины. Ему нравились прекрасные женщины. Они мелькали в его жизни коротко и празднично, чаще в последовательном порядке, иногда и в параллельном, и все они казались ему равно прекрасными.

Надо сказать, что и он нравился женщинам. Он был красив, и даже его физический изъян — о чем он не скоро догадался — обладал притягательностью. Красавицы соглашались на инвалида не только по той очевидной причине, что в послевоенное время мужчин было меньше, чем нужно было для воспроизводства, как сказал бы ветеринар. Он был особенно привлекателен, потому что женщины ошибочно полагали, что уж он-то, со своим изъяном, будет принадлежать полностью и безраздельно.

Напрасно. Он никому не собирался вручать никаких прав на себя, что неявно предполагал брачный союз.

Бунин, Куприн и Чехов с его «Дамой с собачкой» развернули в русской литературе неизведанное до начала двадцатого века пространство «небожественной» любви — вспыхнувшей внезапно страсти, адюльтера, связи, всего того, что девятнадцатый век именовал «грязным».

Ни один из этих авторов не знал о главной проблеме нашего послевоенного времени — территориальной, которая в равной мере касалась и приверженцев любви божественной, и любовников с самыми примитивными устремлениями. Где? Где может состояться любовное свидание у человека, живущего в одной комнате с матерью, в городе, где нет гостиниц, куда можно привести даму для совместного переживания «солнечного удара», и даже каюты, где можно уединиться, и то не найти. Разве что летом на природе, но летнее время столь коротко в нашем климате...

Привести девушку к себе домой, за гобеленовую завесу, отделявшую мужскую, сыновнюю половину комнаты от женской, материнской, было невозможно. Снять комнату для свиданий — отвратительно, да и дорого, просить ключ от квартиры у одинокого приятеля — все-таки неловко... Брезгливость Виктора Юльевича стояла на охране его нравственности.

Впрочем, ему везло, подруги его все были с жилплощадью. Разведенная Лидочка, к которой он захаживал, с красивой шеей и чудесной грудью, проживала в отдельной комнате, потом случилась Таня-травести, маленькая, вся на пружинках, подпрыгивающая даже на улице. Муж ее работал актером где-то в Саратове, а она снимала комнату на Сретенке, в удобном пешеходном расстоянии. Еще была Верочка, французская переводчица, образованная умница, с которой они ездили на пустую дачу ее родителей.

Ни одна из этих женщин не заходила к нему домой — Ксения Николаевна не переносила посторонних женщин. Мать с сыном мирно жили вдвоем, ни о каких переменах Виктор Юльевич не помышлял.

Утром второго марта они завтракали мягкими внутри и сильно зажаренными снаружи гренками. Ксения Николаевна порезала их на удобные для Вики куски. Эта мелочная, иногда совершенно излишняя опека возвращала ее к тем временам, когда Вика был маленьким мальчиком, она молода и красива, а муж жив.

Чай был заварен крепко, как любил покойный муж. Мирный завтрак был прерван правительственным сообщением — о болезни Сталина. Ксения Николаевна всплеснула руками, Виктор дернулся лицом. Помолчал, потом сказал:

— Дуба дал. Точно. Неделю будут морочить голову, а потом объявят.

— Не может быть.

— Почему же? Да было уже. Когда Александр Первый умер в Таганроге, курьер с известием о смерти ехал в Петербург, и после того, как он проехал через Москву, Голицын приказал разносить бюллетени о состоянии здоровья государя. Неделю городовые носили по домам сводки.

— Да что ты! Откуда ты взял такое?

— Ну, сначала набрел в записках князя Кропоткина на эти бюллетени, а потом уж в Историчке и бюллетени нашел. Наденьте лицо, мадам, изображайте скорбь. Идут перемены.

— Страшно, — прошептала она. — Страшно, Вика.

— Ничего. Хуже не будет.

И отправился в школу. В учительской стояло тугое тревожное молчание. Если кто и говорил, то шепотом. Он поздоровался, взял журнал и пошел к своим мальчишкам.

Открыв дверь в класс, Рука с порога под утихающий гул стал читать:

Конница — одним, а другим — пехота,
Стройных кораблей вереница — третьим.
А по мне — на черной земле всех краше
Только любимый.

Очевидна всем, кто имеет очи,
Правда слов моих. Уж на что Елена
Нагляделась встарь на красавцев... Кто же
Душу пленил ей?

Муж, губитель злой благолепья Трои.
Позабыла все, что ей было мило:
И дитя, и мать — обуяна страстью
Властно влекущей...

— Ну, кто же мне скажет, что такое лирика? — спросил учитель, когда перестали хлопать крышки парт.

Класс замер. Виктор Юльевич наслаждался этой минутой — он научился создавать эту думающую тишину.

— Это про любовь, — сказал кто-то смелый.

— Правильно, но это будет неполный ответ. Лирика — это про всякие человеческие переживания, про внутреннюю жизнь человека. Ну и, конечно, про любовь. А также про печаль, про одиночество, про расставание с любимым человеком. Или даже не с человеком... Есть очень знаменитое стихотворение, тоже написанное до нашей эры, — на смерть воробышка. Я не шучу...

Плачьте, Венера и купидоны,
Горе всем тем, в ком сердце нежно.
Воробышек Лезбии милой моей умер,
Воробышек возлюбленной моей умер.
Пуще зеницы ока был он ей дорог,
И меда был слаще, знал хозяйки голос,
И льнул к ней, как к матери дочка родная.
С колен не слетал ее, только прыгал
Туда и сюда по ее подолу,
Чирикая ради одной хозяйки.
Теперь он в потемках бредет в тот мир жуткий,
Откуда возврата вовек не бывает.

Это тоже пример лирического стихотворения...

Вот мы с вами уже говорили о Гомере, немного читали из «Илиады», мы знаем об Одиссее. И уже знаем, что такое эпос. Ученые считают, что эпические произведения появились раньше, чем лирика. Вот в первом стихотворении, которое я прочитал, написанном в седьмом веке до нашей эры, упоминается Елена. Догадались ли вы, что это та самая Елена, из-за которой, как говорит легенда, началась Троянская война? С ней сравнивает автор свою любимую. Эту «прекрасную Елену», жену царя Менелая, похищенную Парисом, мы встречаем даже у поэтов современных.

Так она из эпоса перекочевала в лирику — как образ красавицы, покоряющей мужские сердца...

В глубокой древности, когда человеческая культура только возникала, слово было гораздо теснее связано с музыкой. Стихи читали вслух, им аккомпанировали на музыкальном инструменте, который назывался лирой. Откуда и пошла «лирика». За две с половиной тысячи лет многое изменилось: теперь редко читают стихи с музыкальным сопровождением, зато появились новые жанры, в которых слова и музыка нераздельны... Ну, давайте примеры...

Звенел звонок, а они всё сидели как одурманенные его словами. Почему не хлопали крышками парт, не срывались с воплями с мест, не кидались поспешно к двери, затыкая телами выход из класса — скорее прочь, прочь! В коридор, в раздевалку, на улицу!

Почему они его слушали? Почему ему самому было так интересно вкладывать в их головы то, в чем они совершенно не нуждались? И волновало ощущение очень тонкой власти — они на глазах обучались думать и чувствовать. Какой оазис посреди скучного безобразия!

Три дня спустя объявили о смерти Сталина, и Виктор Юльевич испытал несколько мелочное чувство удовлетворения — он догадался об этом раньше всех. К тому же он принадлежал к тому абсолютному меньшинству, которое оплакивать великую утрату не собиралось. Родители отправляли его в Грузию на все лето, и последний раз они были в Тбилиси всей семьей незадолго до смерти отца, в тридцать третьем году.

Он знал от отца, как презирала, боялась и ненавидела Джугашвили вся их грузинская родня.

Умер тиран. Умер титан. Существо древней породы, из подземного мира, страшное, сторукое, стоглавое. С усами.

В школе отменили занятия, школьников собрали на митинг. Виктор Юльевич вел своих шестиклассников, выстроенных попарно, на четвертый этаж, а Миха все вертелся возле него с бумажкой, совал ему в руку тетрадный лист, покрытый крупными лиловыми буквами. Стих написал.

Слова «Смерть Сталина» были взяты в рамку.

Плачьте, все люди, живущие здесь и повсюду,
Плачьте, врачи, машинистки и люди другого труда.
Умер наш Сталин, другого такого
Больше не будет нигде никогда.

«Привет тебе, Катулл», — усмехнулся про себя Виктор Юльевич и сказал тихо:

— Ну, врачи, допустим, понятно. А машинистки почему?

— Вообще-то моя тетя Геня была машинистка. Ну, можно «машинисты», — поправил на ходу Миха. — А можно я прочитаю?

Да, эта активность до добра не доведет.

— Нет, Миха, я вам не советую. Пожалуй, категорически не советую.

Миха хотел забрать листок, но учитель ловко сложил его пополам, прижав к груди:

— Можно, я возьму его на память?

— Конечно, — просиял Миха.

Зал набился полон. По радио транслировали Бетховена. Заплаканные учительницы выстроились возле гипсового бюста. Школьное знамя пунцового бархата роняло складки к полу. Виктор Юльевич стоял позади с пристойным выражением лица. Возле окна, прижатый товарищами к подоконнику, страдал восьмиклассник Боря Рахманов. Подоконник больно впивался в правый бок, но податься было некуда. Это была легкая репетиция того, что произойдет с ним тремя днями позже.

После торжественного митинга с общенародным рыданием — учителя подавали пример искреннего горя, ребята подтягивались к трагической ноте — их развели по классам и усадили. Директриса все пыталась дозвониться в роно, чтобы узнать наверняка, надо ли отменять занятия и на сколько дней. Но телефон был сплошь занят. Только к часу дня сообщили, что школьников следует распустить по причине траура, а о начале занятий будет сообщено дополнительно.

Отпуская своих по домам, Виктор Юльевич просил всех сидеть дома, по улицам не шататься, а — самое лучшее! — почитать какие-нибудь хорошие книги.

Саня Стеклов последовал совету учителя с удовольствием. Он был, кажется, единственным, у кого дома стояло в шкафу полное собрание сочинений Толстого, и за четыре траурных дня Саня проглотил все четыре тома «Войны и мира», хотя, честно говоря, некоторые страницы пролистывал. Первый том, прочитав, он отдал Михе, но тот его и не раскрыл: в эти дни у него были другие заботы — тетушка Геня свалилась с сердечным приступом, Минна, как всегда в трудных обстоятельствах, заболела животом, и Миха трое суток выполнял ежеминутные поручения несколько преувеличенно сходящей с ума от горя тети Гени.

Илье плевать было и на рекомендации учителя, и на просьбы матери. Его тянуло на улицу тревожное ощущение важности происходящего. Рано утром седьмого марта, прихватив фотоаппарат, он вышел из дому с чувством охотника, предвкушающего большую удачу.

Трое суток Виктор Юльевич не выходил из дома и не выпускал мать. Хлеба не было, но он говорил ей:

— Мама, какой хлеб? У нас даже водки нет.

Действительно, запасенную матерью бутылку он выпил еще вечером пятого. Решил, что до момента, пока вождя не увезут куда-нибудь и не похоронят, выходить не будет.

Облачился в полосатую пижаму, набрал стопку книг и лег на тахту за гобеленовую завесу. Высшее счастье.

В десять часов девятого марта состоялся вынос тела из Колонного зала — низенькие люди в толстых пальто с каракулевыми воротниками, руководители государства, вынесли на руках гроб.

Тогда Виктор вышел из дома — за хлебом и за водкой. Людей на улице почти не было. Грузовики еще стояли вдоль улиц, и все напоминало пейзаж после схлынувшего наводнения — растоптанная обувь, шапки, портфели, разлученные навсегда со своими хозяевами, выломанные фонарные столбы, разбитые окна первых этажей. В арке дома — окровавленная стена. Растоптанная собака лежала в подворотне. Вспомнил Пушкина —

...Несчастный
знакомой улицей бежит
в места знакомые. Глядит,
узнать не может. Вид ужасный!

Прочитал в уме «Медного всадника» до самого конца:

...У порога
Нашли безумца моего.
И тут же хладный труп его
похоронили ради Бога...

Тут как раз, довольно далеко от дома, в переулке нашел открытый маленький магазинчик. Лестница вела в полуподвал.

Несколько женщин тихо разговаривали с продавщицей и замолкли, как только он вошел.

— Как будто они говорили обо мне, — усмехнулся Виктор Юльевич.

Одна из теток признала в нем учителя, кинулась с вопросом:

— Виктор Юрьевич, это что же такое стряслось-то? Вот люди говорят, евреи подстроили ходынку эту? А вы слыхали, может, что?

Она была матерью десятиклассника, но он не мог вспомнить, кого именно. Простые тетки часто называли его «Юрьевич», его это раздражало. Но тут вдруг накатило на него странное, несвойственное ему смирение.

— Нет, голубушка, ничего такого я не слышал. Выпьем сегодня стопку-другую за помин души и будем дальше жить, как жили. А евреи что? Да такие ж люди, как мы. Две бутылки водки, пожалуйста, батон и половину черного. Да, пельменей две пачки...

Взял свое, расплатился и ушел, оставив теток в некотором замешательстве: может, и не евреи это подстроили, а другие какие... Врагов-то весь мир кругом. Все нам завидуют, все нас страшатся. И разговор их потек в другом, гордом направлении.

Сидели с матерью за круглым, пятнистым от ожогов столом, графинчик стоял между ними. Пельмени Ксения Николаевна принесла с кухни, как всегда, разваренные. Поставила кастрюльку на железную подставку. Виктор разлил по стопкам. И тут раздался звонок в дверь. Три звонка — к Шенгели.

Виктор пошел открывать. Чудо стояло за дверью — замотанная в кружевную черную шаль поверх меховой шапки, в мужском пальто с енотовым воротником, в облаке нафталинно-кошачьего запаха из давнего прошлого, возникла двоюродная сестра покойного отца, длинноносая красавица, певица, вышивальщица, неудавшаяся монахиня, излучавшая тепло и смех Нино.

— Ты ли? Возможно ли?

Он видел ее последний раз двадцать лет тому назад. Жил в ее тбилисском доме, который в детской памяти остался под знаком подозрения: а был ли тот дом на самом деле или приснился? Но она-то была та самая, даже не сильно постаревшая, дорогая Нино, милая Нинико...

— Вика, мальчик мой, ты совсем не изменился! В толпе бы тебя узнала!

— Господи, Нина, как ты? Откуда?

— Веди, веди в дом, не держи на пороге!

Они целовались, держали друг друга за головы, откидывались подальше, чтоб разглядеть, и снова целовались.

Недоумевающая Ксения Николаевна стояла в дверном проеме — с кем там Вика целуется?

Господи, Нино! Грузинская родня, любимые кузины покойного мужа, из прошлого, из далекого прошлого...

Возможно ли? Да проходи! К столу, к столу! Да, руки помыть!

— А как же, как с кладбища, первым делом руки помыть! — акцент грузинский, еще сильнее, чем прежде, в голосе смех, торжество.

Руки помыла, потом зашла в уборную и еще раз помыла руки. Ксения Николаевна уже поставила на стол третий прибор — все тарелки старые, в сколах и трещинах.

Виктор разлил водку.

— Сначала — за освобождение! Это как сорок лет по пустыне... Сдох! Мы вышли! — сказала она вопреки застольному порядку, который в Грузии всегда соблюдался. Женщина, гостья — первая не говорит!

Они выпили. Нино отщепила вилкой четверть пельменя, деликатнейшим образом положила в почти закрытый рот. И Виктор вспомнил, как учила она его есть, пить, входить, садиться, здороваться. Все забыл начисто. И все делал так, как она его когда-то учила, забывши о самих уроках.

— Да как тебя сюда занесло, скажи, Ниночка?

Она откинулась на спинку стула, завела руки за голову и захохотала молодым смехом. Потом сбросила улыбку, сняла с плеча черную кружевную косынку, обмотала голову, встала, подняла вверх свои изумительные нестареющие руки и издала длинный вздымающийся вверх вопль. Потом сверху звук обрушился вниз, и слов почти никаких не было, потому что это был плач по умершему — древний, ни в каких словах не нуждающийся вопль скорби, в котором была и тоска, и боль, и торжество.

Нино закончила это древнее бессловесное высказывание и снова захохотала.

«Опьянела, бедняжка», — подумала Ксения Николаевна.

Отсмеявшись, Нино рассказала историю, которая на долгие годы станет самым любимым ее рассказом для близких людей.

Пятого марта, когда о смерти Сталина еще не объявили, в дом пришли двое энкавэдэшников и забрали ее. Хотели взять и сестру Манану, но та уехала в Кутаиси еще на прошлой неделе и дома ее не было.

Мама собирает вещи, плачет и шепчет:

— Не хочет, сатана, не хочет оставить нас в покое!

А сотрудник понял, глядя на сборы мамины, и говорит:

— Дочь ваша через три дня дома будет, ну, через пять. Слово даю.

Маму ты ведь помнишь, Вика? Ксеня, конечно, помнит! Ей девяносто, она и молодая ничего не боялась, а уж сейчас чего ей бояться.

— О, слово твое как золото. А руки вот как железо!

— Напрасно обижаете, Ламара Ноевна, — говорит один из гаденышей. — Вашей дочери большая честь оказана, — он говорит.

Привез меня в горком партии. Да, честь большая. Там свет повсюду горит, народу по коридору носится туда-сюда без счету, как на Руставели в праздничный день. Ведут в зал. Полный зал женщин сидит — разного вида, есть совсем деревенские, но и Верико сидит, и Тамара, и сестры Менабде, певицы.

Выходят двое — сначала один говорит, мол, мир потерял, народ безутешен, всенародное горе... Думаю, это меня сюда ради этих слов привезли? Потом второй говорит — мы собрали вас, потому что по древнему грузинскому обычаю женщины оплакивают дорогих покойников. Только женщины могут это делать. Мы собрали вас, чтобы вы сделали хороший плач.

Вика, Ксеня, я просто чуть сразу же не запела «Да приидет Бог, да расточатся врази Его!».

— Про всех про вас нам известно, — говорит этот крот лысый, — что вы пели на похоронах, знаете плач грузинский. Из Москвы нам сказали, что руководство хочет, чтобы вы оплакали нашего великого вождя.

Да я плачи эти никогда и знать не знала, панихиду пела много, а плачи эти языческие христиане не поют. Это вой, а не пение. Все равно, думаю, поеду! Не могу себе отказать в таком удовольствии.

Сколько там женщин было, не скажу. Очень много, полный самолет. Кто плачет, кто гордится, но все от страха трясутся. Признаться, я в самолете никогда не летала и не полетела бы ни за что — только по такому случаю.

Прилетели ночью, на автобусах отвезли за город, вроде гостиницы. Выспаться не дали, пришел грузин, собрал нас. Говорит, музыкант. Руководить будет. Лицо знакомое, где видела... Все смотрю, смотрю, а он отозвал меня и шепнул тихо в ухо: я брат Микеладзе... Ой, сатана, сколько народа погубил.

Словом, день плачем, ночь плачем, еще день плачем, мне уж надоело. Репетируем!

А вечером восьмого числа сообщают, что плач отменяется. Почему захотели, почему расхотели — черт знает! Всех погрузили в автобусы, повезли не знаю куда. А я лежу на кровати и кричу — ой, приступ какой, ой, боли! Думаю, нет, не поеду, пока тебя не увижу. Мне начальник какой-то говорит — билет тебе потом самой брать придется. Ой, кричу, боли какие! Возьму билет.

Наливай еще, Вика! Первый раз в жизни водку пью, первый раз в жизни соврала, первый раз в жизни великого злодея хороним!

— Тише, Нино, тише, — тронула ее за плечо Ксения Николаевна.

Та кивнула и приложила свои прекрасные руки к губам. Виктор взял ее правую руку в свою левую и поцеловал. В жизни что-то менялось. В лучшую сторону...

Дети подземелья

Илья шнырял по городу, все пытаясь понять, куда идет эта невиданная демонстрация. Он установил, что у нее много хвостов, и один из них начинается — или кончается — у Белорусского вокзала, а второй где-то на стыке трех бульваров — Петровского, Рождественского и Цветного. Он потолкался там, понял, что пленки мало, и, когда совсем стемнело, не без труда пробрался к дому. В одном месте, возле Почтамта, пришлось перелезть через забор. Никто, даже участковые милиционеры, не знал географии здешних мест лучше, чем местные мальчишки. Здесь они годами играли в «казаки-разбойники», все проходные дворы и подъезды и даже канализационные люки знали наизусть. Во многих квартирах были черные лестницы, войдя с парадного входа, можно было позвонить к какому-нибудь однокласснику в дверь, прошмыгнуть через длинный коридор и выскочить на черный ход — в другой двор, а то и на другую улицу.

С утра седьмого марта он зарядил аппарат и сразу же, как мать ушла на работу, вышел на улицу. Утром все было забито людьми еще гуще, чем накануне. Выход с Маросейки на площадь был перекрыт теперь не только троллейбусами, а еще и вторым рядом грузовиков. К Колонному залу можно было подойти со стороны Пушкинской площади, но не по улице Горького, а по Пушкинской улице. Позже толпу пустили по Неглинке.

Все три близлежащих бульвара были заполнены спрессованными толпами людей, но в середине дня вдруг стало свободнее — сжатая со всех сторон толпа двинулась и побежала. Открыли какие-то боковые, переулочные проходы, и люди туда устремились. Никто так никогда и не выяснил, кто регулировал эти ловушки, устраивал засады и рукава, куда сбивались люди, но в конце концов они как-то просачивались через проходные дворы, сквозные подъезды, вливались и выливались, как вода, проникающая во все дырки.

Мощные «студебеккеры» перегораживали улицы, было множество военных и милиции, и Илья, прижимая фотоаппарат к животу, шнырял между машинами, подлез под одну из них и, вынырнув, столкнулся с Борей Рахмановым, восьмиклассником. Боря был настроен прорываться в Колонный зал. Илью во всей этой неразберихе интересовала больше всего сама неразбериха.

В центре во время демонстраций Первого мая и Седьмого ноября всегда происходило нечто подобное — колонны, кордоны, заслоны. Мальчишки, жившие в центре, давно уже знали эту праздничную суматоху и никогда не упускали случая в ней потолкаться. Но на этот раз происходило нечто поистине грандиозное. Илью страшно тянуло подняться повыше над толпой, чтобы сделать хоть один снимок сверху. Он позвал Борю с собой на знакомую крышу, но тот отказался.

«Дурак, — подумал Илья. — Я по крышам к Колонному залу раньше него доберусь».

Он решил пробиваться через Крапивенский переулок. Но в этот момент толпа шатнулась, его понесло куда-то в сторону Неглинки, а Борю унесло в другом направлении. Он мелькнул в последний раз, Илья увидел его красное лицо с открытым ртом. Он что-то кричал, но слышно не было. Стоял странный гул — в нем был и вой, и крики, и что-то похожее на пение, и впервые за два дня Илье стало не по себе.

Надо было добраться до знакомой арки, там во дворе был сарай, с крыши которого можно было легко перелезть на крышу соседнего дома, четырехэтажного. Илья сделал рывок в сторону арки и понял, что люди стараются держаться подальше от домов, внутри потока, боясь быть прижатыми к троллейбусам, стоящим один за другим вплотную. Люди бились о борта, и несколько человек, примятых и неподвижных, лежали, прижатые к троллейбусному брюху, а другие наступали на них ногами. Илье, чтобы попасть на тротуар, надо было протиснуться между телами — неужели они мертвые? Быть не может... Другого пути не было. Он понимал, что надо сразу же оказаться под защитой троллейбусного брюха, иначе его размажут по стенке. Все время он помнил о «Феде», как ласково звал фотоаппарат, — не раздавить объектив. Ногами он вытоптал себе крохотное пространство возле колеса и шмыгнул туда. Там, под троллейбусом, была тьма и жуткая теснота — лежали мягко переплетенные тела в толстой одежде, и он полз между ними, продвигаясь во влажном смраде. Кто-то стонал. Выполз он из-под троллейбуса прямо в руки толстого военного с трясущимся мокрым лицом. Мальчишка лет пяти, белый и бесчувственный, мертво висел на нем.

— Ты куда?

— Я в том доме живу.

— Дуй домой и носа не показывай.

Военный подтолкнул его к арке, и Илья шмыгнул во двор. Сарай был на месте, и дощатый мусорный ящик рядом придвинут к стене. Илья залез на ящик, с него на крышу сарая, а там — он был здесь в позапрошлом году, летом, когда играл последний раз в «казаки-разбойники», — торчали удобные выступы, по которым легко можно было забраться на крышу «пестрого дома», из красного и белого кирпича, если только окно в подъезде на третьем этаже по-прежнему выбито.

Илье удивительно везло в тот день — он выскочил живым из смертоносной толпы, и теперь опять удача — окно было выбито.

Он пережил еще один страшный момент, когда хотел подтянуться на раме, а она вдруг шатнулась, как будто собираясь вывалиться на улицу. Но не вывалилась, и он благополучно спрыгнул с широкого подоконника внутрь. Далее его подстерегала неожиданность: чердак был заперт на новый стальной замок, с такими здоровенными ушками, что отодрать их без инструмента было невозможно. Но дом был странной постройки, и окна в парадном выходили на две стороны — на третьем этаже во двор, а на втором и четвертом — на улицу. Илья поднялся на четвертый и увидел улицу. Она была как черная река, головы сверху казались завитками меха и шевелились, как шкура какого-то жуткого животного. Илья вытащил фотоаппарат, понимая, что с такого расстояния хорошо не получится, но подумал, что потом повторит снимок со второго этажа. На втором ему удалось открыть окно, снизу ворвался не крик, а какой-то равномерный вой, который прорывался то визгом, то воплем. Отсюда толпа уже не была похожа на мех. Головы, как темные камни, плотно прижатые друг к другу, колебались довольно ритмично, но никуда не сдвигались. Какая-то безумная дорога из живых булыжников шевелилась в танце на месте.

Сделал несколько снимков, но решил, что с четвертого будет все-таки повыразительней. Он уже забыл страх, пережитый несколько минут тому назад.

Тут выскочила из квартиры пьяная тетка в красном халате и заорала:

— Ты чего там делаешь? Делать тебе нечего?

И добавила к этому сложную матерную фразу, которая поставила Илью в тупик.

Он был умен, не стал ей отвечать, показал рукой на рот, помахал около ушей, мол, глухонемой, и тетка, плюнув натурально, исчезла.

На четвертом этаже Илья почти добил пленку и стал подумывать о том, как бы ему теперь поскорее добраться до дома. Он прекрасно видел, что пройти обычной дорогой от Трубной площади вверх по Рождественскому бульвару, пересечь Сретенку и выйти к Чистопрудному бульвару невозможно. Но ему казалось, что если пробиться через площадь и перейти на ту сторону, то там двигаться будет легче. Он не знал, что толпа с Рождественского шла вниз и, сталкиваясь на Трубной площади со встречной, текущей со стороны Петровского бульвара, образовывала здесь смертельный водоворот.

Но сидеть в подъезде до скончания века он не собирался, к тому же дома мать наверняка волнуется и плачет. Он посидел еще немного на подоконнике, размышляя, приберечь ли остаток пленки или прямо сейчас сделать несколько последних кадров, потому что свет уходил. Потом сидеть наскучило, и он решил отсюда выбираться как угодно.

Выйти из двора было еще труднее, чем в него проникнуть. Но он рассчитал все правильно: позвонил в квартиру на первом этаже и умолил старика-хозяина выпустить его через другую дверь на улицу. Старик покачал головой и косноязычно промычал, что парадная дверь закрыта, но выйти можно через котельную.

«Вот, этому старику и притворяться не надо, без малого глухонемой», — усмехнулся Илья, который умел радоваться всяким совпадениям. Двор был совершенно пуст, ни души, а из-за стены раздавался глухой и мощный гул спрессованной толпы. Илья сразу же увидел котельную, она была заперта. Походил вокруг, залез на крышу котельной, с нее перебрался на стену и спрыгнул на пустой тротуар, отсеченный от толпы оцеплением. Теперь надо было прошмыгнуть мимо военного заслона, чтобы влиться в толпу. Он перебежал чуть поближе к перекрестку и прошмыгнул мимо двух военных на забитую людьми мостовую. И сразу же понял, что совершил ошибку, лучше бы сидел в парадном. Его сразу же поволокло со страшной силой, как бывает в море при большой отливной волне. Впереди маячил светофор.

И вот тут Илье впервые стало по-настоящему страшно: он испугался уже не за «Федю», который при ударе о столб светофора мог разбиться вдребезги. Он подумал о том, что может произойти с его головой. Руки, оберегающие фотоаппарат от удара, он не мог даже сдвинуть. Фотоаппарат вдавился ему в живот, но он чувствовал не боль, а ужасную тоску. Его несло на светофор, он оставался как будто чуть слева. Человек с разбитым лицом был прижат к светофору. Он, мертвый, стоял. Не мог упасть.

В этот миг земля под ногами дрогнула и разверзлась. Илья влетел в канализационный люк, крышка которого сдвинулась под ногами толпы. Упал Илья хорошо, на забытый водопроводчиками моток пакли. Слева была решетка, немного приподнятая с одного бока. Илья рванул, и она открылась полностью. Он ткнулся в эту нору и почему-то задвинул за собой решетку. Это инстинктивное движение спасло ему жизнь. Падавшие вслед за ним люди за несколько минут наполнили люк до отказа, и он, самый нижний, неминуемо был бы раздавлен. Тела падавших спрессовались так, что тысячи людей, шедшие по ним, не чувствовали, что ступают по человеческому мясу. Из-за решетки доносились вопли.

Наверху тем временем страшная невидимая волна вдруг понесла всех, расшибая о стены, ограждения, о борта грузовиков и вереницу троллейбусов. Это открыли проход, ведущий в глубину замкнутого квартала, но людям казалось, что наконец-то можно выбраться куда-то, где кончится это ломающее кости сжатие. Но этого Илья уже не видел. Он вообще ничего не видел. Была полная тьма.

В этой темной норе Илья пролежал довольно долго, а потом стал ощупывать стены. Он обнаружил большую трубу, которая вела немного вниз. Пополз по ней. Полз-полз, потом труба сделала небольшой поворот, и теперь он двинулся как будто немного вверх. Фотоаппарат был завернут в шапку и всунут под ремень брюк. Потом Илья заснул ненадолго, а проснувшись от лютого холода, не сразу сообразил, как в этой дыре оказался. Поднял голову и увидел, что метрах в двух над ним довольно большая прямоугольная решетка. Нельзя сказать, чтобы сверху шел свет — там тьма была не такой густой. Очень хотелось пить. Пахло противно, но не канализацией, а ржавым железом и крысами. Хотя никаких крыс он так и не увидел. Наверное, они тоже плотно сбитой стаей неслись в сторону Колонного зала.

Надо отсюда выбираться. В сводах стен, ведущих к решетке, были вбиты толстые скобы, он полез вверх. Долез до верха легко, но решетка оказалась намертво приваренной к раме, вылезти не было никакой возможности. Он спустился вниз, свернулся комочком и снова заснул. Когда проснулся, свету сверху стало больше. Он двинулся дальше по трубе — по ходу она расширялась.

Следующая решетка обнаружилась метров через пятьдесят. Он сразу же нашел скобы и поднялся по ним. Решетка приварена не была, была закреплена довольно свободно, но с наружной стороны была заперта. Илья пополз дальше. Решетки возникали регулярно, метрах в пятидесяти одна от другой. Он миновал их восемь, обследовал каждую, почти все были заварены, и только две заперты с наружной стороны. Потом он сбился со счета. Несколько раз засыпал в изнеможении, просыпался и снова полз. Три или четыре решетки подряд выходили в ноги толпы, света там не было, но шел страшный гул, по которому он догадывался, что здесь не надо и пытаться вылезать. Одна решетка была наполовину выбита, и оттуда свисала половина мертвого человека.

Он понятия не имел о направлении, но точно знал, что трубы — единственный возможный путь, и продвигаться надо вперед, хотя не понимал, куда они его выведут.

Сколько прошло времени, не понимал. Потом увидел решетку, через которую шел ясный желтый свет. Поднялся по шатким скобкам, тронул ее, и она легко открылась. Он вылез и обнаружил, что стоит под фонарем во дворе дома, где живет Саня Стеклов. Сил хватило добраться до Саниных дверей и позвонить.

Анна Александровна открыла дверь.

Илья сразу же упал. Руки он прижимал к животу, где под брючным ремнем сохранялся спасенный им «Федя».

Было одиннадцать вечера седьмого марта. Анна Александровна сделала, что могла: раздела Илью, отнесла с помощью соседа в ванну и дождалась, пока он откроет глаза. Потом вымыла большой лохматой мочалкой, осторожно обходя ссадины. Синяки сплошь покрывали тело, живот был сплошной синяк. Она подивилась еще и тому, что тощенький этот мальчик с совершенно детской мордой так хорошо снаряжен для мужской жизни. Из ванной он вышел сам, дошел до кушетки и рухнул. На него надели женскую ночную рубашку, накрыли пледом, дали крепкого сладкого чаю, а потом, подсунув под спину большую подушку, усадили и накормили супом. Он заснул.

Стекловы молча сели у стола.

— Нюта, я думаю, что сегодня много людей погибло, — шепотом сказал Саня бабушке.

— Наверное...

Потом Саня сидел рядом со спящим Ильей, ожидая, что тот проснется и расскажет ему, что там происходило. Чувство его к другу было сильным и сложным: он им гордился, немного завидовал, что сам не таков, как Илья, но быть таким, кажется, вовсе не хотел. Еще он понимал, что Илья мужчина — и об этом свидетельствовала не только темная поросль под носом, но и волосяная дорожка вниз по животу, ведущая к взрослому большому члену, который сделан был не для одного писания. Обнаженного мужчину он до сегодняшнего дня не видел: в общественные бани его не водили.

Обнаженных женщин он тоже не видел: с чего бы вдруг стали обнажаться перед мальчиком две интеллигентные женщины, мать и бабушка? Но про женское Саня догадывался, оно было ожидаемым — грудь под платьем, темное гнездо волос внизу живота. Обнаженный мужчина, его друг и одноклассник Илья, его поразил гораздо сильнее — Саня остро ощутил, что он не такой и никогда таким не будет. Обнаженные нарисованные женщины — Саня много их перевидал в музеях и в альбомах — не вызывали почему-то такого волнения и смущения, как нагота мужчины — он чуть сознание не потерял от этой грубости и силы.

«Войну и мир» он почти дочитал, женские тени нисколько его не тронули — ни Наташа с глупой восторженностью, ни княгиня Лиза с короткой губой, ни княжна Марья, заранее объявленная некрасивой, но мужчины... они были прекрасны — с их силой, щедростью, умом, благородством и чувством чести. Теперь, разглядывая лицо Ильи, он думал, на кого же из этих прекрасных мужчин похож Илья. Нет, не на сухого благородного Болконского, не на толстого умного Безухова и не на чудесного, любимого Петю Ростова, не на Николая, конечно же... Скорее на Долохова.

Марья Федоровна, мать Ильи, вторые сутки сидела на стуле возле входной двери. Телефона у них тогда еще не было, и Анна Александровна не могла ей сообщить, что ее сын жив. На улицу выходить было страшно. Да в любом случае перейти через трамвайные пути на перекрестке Чистопрудного бульвара и Маросейки было невозможно из-за военно-милицейского заслона.

Над городом стоял ужас — древний, знакомый лишь из греческой мифологии, он покрывал город, заливал его черной водой, тот ужас, который приходил лишь во сне, в детских кошмарах, поднимавшихся со дна души. Какая-то подземная прорва излилась наружу, угрожая любой человеческой жизни.

В оцепенении сидели и родители Бори Рахманова. Дозвониться в милицию, в больницы, в морги они не смогли. Все телефоны были заняты.

Борю они найдут только через четыре дня среди тел, лежащих на снегу возле переполненного Лефортовского морга. Опознают его по бельевой метке на рубашке — белые рубашки Галина Борисовна Рахманова не стирала сама, сдавала в прачечную. На руке погибшего сына был еще один номер, написанный фиолетовой краской, — 1421.

Хоронили этих задавленных людей тихо, скрытно. Никто их не пересчитал, и только номер на руке Бори свидетельствовал, что их было не менее полутора тысяч.

Венка от школы на могилу Бори Рахманова никто не возлагал. Да никаких цветов в те дни не было — все ушли на вождя. В эти страшные дни умер еще один человек, частной и домашней смертью, — композитор Сергей Прокофьев. Но до этого вообще никому не было дела.

Из всех снимков Ильи получилось только два. Освещенность, как и предполагал Илья, была недостаточной. Но других фотографий, кроме тех официальных, гробовых, из Колонного зала, что были опубликованы во всех газетах, не существовало.

«Люрсы»

По средам Виктор Юльевич таскал любителей русской словесности, «люрсов», как они себя называли, по Москве и выводил их, дуя в свою флейточку, из бедного и больного времени в пространство, где работала мысль, где жила свобода, и музыка, и всякие искусства. Вот, здесь все это обитало! За этими окнами!

Блуждания по литературной Москве носили изумительно хаотичный характер. В бывшем Гендриковом переулке заходили во двор дома, где, как ошибочно полагали, застрелился Маяковский, спускались по улице Дзержинского, бывшей Лубянке, к Сретенским воротам. Переименование московских улиц оскорбляло слух Виктора Юльевича, и он постоянно называл ребятам их старые имена.

По бульварам они доходили до площади Пушкина, где учитель показывал дом Фамусова, бродили по пушкинским адресам — дом Вяземского, дом Нащокина, дом, где помещались танцклассы Иогеля. Здесь Александр Сергеевич впервые увидел юную Натали.

— Тверской самый старый из всех бульваров. Были времена, когда его называли просто Бульвар. Он был единственный. Говорят, Бульварное кольцо, но никакого кольца на самом деле нет и не было — полукольцо. Упирается в реку. Все бульвары построены на месте каменной стены Белого города.

От площади Пушкина выбирали какой-нибудь нехоженый прежде маршрут. То шли через Богословский переулок к Трехпрудному, к дому Марины Цветаевой, доску на котором повесят спустя десятилетия, то через Тверской и Никитский выбирались к Арбату, пересекали Малую Молчановку возле домика Лермонтова, через Собачью площадку выходили к последней квартире Скрябина. Он здесь играл, и еще живы люди, сидевшие на его домашних концертах. Задавали вопросы. Имена застревали в памяти. Крутились по городу без всякого заранее продуманного плана, и ничего лучше этих блужданий нельзя было и вообразить.

Виктор Юльевич в связи с этими экскурсиями проводил много времени в библиотеках, ковыряясь в старых книгах и отыскивая редкости. В Историчке ему открылись залежи рукописных мемуаров, альбомов, писем. Некоторые материалы, судя по формулярам, не запрашивались вообще никогда. Он узнавал много ценного и неожиданного. Поражало, что многие, да все почти существующие разрозненно люди девятнадцатого века состояли между собой в родстве, несколько семейных кланов густо переплетались, их мир представлялся невероятно разветвленной семьей. В опубликованных до революции письмах постоянно присутствовали свидетельства этой удивительной взаимопроницаемости, и все эти связи, вместе с семейными ссорами, скандалами и мезальянсами, преображались в романах Толстого в нечто более важное, чем семейная хроника. «Русская Библия», — приходило в голову Виктору Юльевичу.

Он, как Гулливер в стране лилипутов, каждым своим волосом был привязан к почве русской культуры, и связи эти от него протягивались к его мальчикам, которые входили во вкус, привыкали к этой пыльной, бумажной, эфемерной пище.

С компанией мальчишек он проходил по улице Горького, мимо лучшего в столице продовольственного магазина, «Елисеевского», рассказывал своим «люрсам» о Зинаиде Александровне Волконской, которая была владелицей этого дома-дворца до его перестройки.

— Здесь был известный на всю Москву литературный салон, и весь московский свет сюда съезжался. Приглашали писателей, художников, музыкантов, профессоров. И Пушкин здесь бывал. Я недавно нашел в библиотеке один интересный документ — донесение полковника Бибикова от 1826 года, в котором черным по белому было написано: «Я слежу за сочинителем П. насколько возможно. Дома, которые наиболее часто посещает, суть дома княгини Зинаиды Волконской, князя Вяземского, бывшего министра Дмитриева и прокурора Жихарева. Разговоры там вращаются по большей части на литературе». Понимаете, что это значит?

— Да чего ж тут не понять? Слежка за ним была, — первым отреагировал Илья.

— Именно. Потому что во все времена бывают люди, которым интереснее всего «вращаться на литературе». Вроде нас с вами! — засмеялся учитель. — И есть полковники Бибиковы, кому поручено за ними присматривать. Да, такие времена...

Как будто ничего особенного не говорил, но все время — по краю. Он давно уже знал, что прошлое не лучше настоящего. Да и о чем говорить? Из всякого времени надо вырываться, выскакивать, не давать ему поглотить себя.

— Литература — единственное, что помогает человеку выживать, примиряться со временем, — назидал Виктор Юльевич своих воспитанников.

Все охотно соглашались.

Только Саня немного сомневался: а музыка?

Вслушиваясь в Моцарта, в Шопена, он догадывался, что, помимо литературы, есть еще и совсем иное измерение, куда сопровождали его то бабушка, то Лиза, то домашняя учительница Евгения Даниловна. Туда он совершал ежедневный побег из школьного времени, пока рука была цела. Но и теперь, со скрюченными пальцами, он все равно не расставался с музыкой — слушал постоянно, понемногу бренчал. Какая игра без двух пальцев? Иллюзий не было.

Для Михи эти литературные путешествия были одновременно побегом от удручающей тети Гени с ее мелочным существованием и полетом в поднебесные выси, где обитали благородные мужчины и прекрасные дамы.

Илья тоже не пропускал ни одной прогулки по Москве. У него была самостоятельная задача — он документировал все происходящее и составлял отчеты с фотографиями. Отчеты эти хранились частично дома у Виктора Юльевича, частично у Ильи в чулане.

Пройдет полтора десятилетия, прежде чем выродившийся потомок полковника Бибикова, полковник Чибиков (бессмертный Гоголь ухмыляется всякий раз, когда выскакивают подобные переклички имен), доберется до этого детского архива, и еще пятьдесят лет до того года, когда институт изучения Центральной и Восточной Европы в маленьком немецком городе со сказочным названием зарегистрирует этот архив за семизначным номером с косой чертой посередине, а примет этот архив на ответственное хранение один из «люрсов», тоже ученик Виктора Юльевича, но выпущенный годом позже.

Столкнувшись после деревенской школы с этими московскими мальчиками, Виктор Юльевич снова вернулся к размышлениям о детстве. Не хватало знаний. Он принялся за чтение научных книг.

Добывал полузапрещенные книги по психологии детства, от Фрейда, который стоял забытый на полках больших библиотек, до Выготского, изъятого и помещенного в «спецхран». Почти все его опубликованные работы он нашел у бывшей своей сокурсницы, бабушка которой в период гонений на «педологию» была уволена, научилась вязать кофточки и тем перебивалась, но хранила все публикации Выготского как драгоценности и давала читать только избранным, да и то не «на вынос». Виктор Юльевич приходил в воскресенье утром и сидел до вечера, прерываясь несколько раз на московские чаепития.

Все это было очень интересно, но с излишком «научности»: вещи само собой разумеющиеся, вроде известного факта, что в подростковом возрасте мальчики перестают уважать родителей, становятся раздражительны, ссорятся, испытывают острое сексуальное любопытство и что все это вытекает из гормональной бури, которая происходит в организме, предъявлялись как открытия, а авторские объяснения и интерпретация порой представлялись Виктору Юльевичу спекулятивными и недоказательными.

Того, что искал, он не находил. Очень важные слова он выловил у Толстого, который назвал этот мучительный период «пустыней отрочества». Это было ближе всего к тому, что он наблюдал в своих развинченных, взъерошенных воспитанниках. Был момент, когда они, казалось, теряли все, что накопили прежде, и жизнь как бы начиналась заново. И, похоже, не все выбирались из этой пустыни, а значительная часть оставалась в ней навсегда.

Почти единственным собеседником Виктора Юльевича был Миша Колесник, дворовый приятель детства, инвалид войны, биолог, дерзкий домодельный философ. Он слушал внимательно, но не выносил медлительности, поэтому перебивал, бурчал «дальше, дальше, уже понял», торопил друга, вставлял странные, не сразу понятные замечания — постоянные проекции на биологию. Виктор Юльевич постепенно привыкал к непривычному ходу мысли собеседника, проникался идеями универсализма знания, к которым подводил его хромой Колесник. Именно от него насквозь гуманитарный литератор узнал о принципах эволюции, о противоречиях ламаркизма и дарвинизма и даже о таких технических и частных явлениях, как метаморфоз, неотения, хромосомная наследственность.

Теперь он размышлял о своих подрастающих ребятах и догадывался, как близки происходящие в них процессы с тем метаморфозом, который происходит с насекомыми.

Несмышленые малыши, человеческие личинки, они потребляют всякую пищу, какую ни кинь, сосут, жуют, глотают все подряд впечатления, а потом окукливаются, и внутри куколки все складывается в нужном порядке, выстраивается необходимым образом — рефлексы отработаны, навыки воспитаны, первичные представления о мире усвоены. Но сколько куколок погибает, не достигнув последней своей фазы, так и не треснув по шву, не выпустив из себя бабочку. Анима, анима, душенька... Цветная, летающая, короткоживущая — и прекрасная. А какое множество так и остается личинками и живет до самой смерти, не догадываясь, что взрослость так и не пришла.

Там, у Выготского, речь шла о различении между процессом формирования навыков и процессом развертывания интересов. А Виктору Юльевичу виделась иная картина — он наблюдал у своих воспитанников развертывание крыльев, и на них отпечатывались смыслы и узоры. Но почему одни, как насекомые с полным циклом развития, претерпевают метаморфоз, а другие — вовсе нет?

Виктор Юльевич просто физически чуял эти минуты, когда роговые покровы куколки лопались, он слышал трепет и шорох крыл и наполнялся счастьем, как акушерка, принявшая ребенка.

Но почему-то метаморфоз этот происходил далеко не со всеми, скорее с меньшинством его воспитанников. В чем суть этого процесса? Пробуждение нравственного чувства? Да, конечно. Но почему-то с одними это происходит, а с другими нет. Есть какой-то загадочный модуль перехода: обряд, ритуал? А может, вид Homo sapiens, человек разумный, тоже переживает явление, сходное с неотенией, наблюдающейся у червей, насекомых, у земноводных, — когда способность к половому размножению появляется не у взрослых особей, а уже на личиночной стадии, и тогда не доросшие до взрослого состояния существа плодят себе подобных личинок, так никогда и не превратясь во взрослых?

— Ну, разумеется, это только метафора. Я понимаю, что физиологически мои недоростки вполне взрослые существа. Имаго, так сказать, — оправдывался он перед Колесником, но тот все быстро схватывал и не нуждался в истолкованиях.

Колесник поднимал круглые густые брови и, нажимая на «р», говорил с притворным удивлением:

— Ну, брат литератор, ты сильно поумнел за истекшую пятилетку! А можешь ли ты в этой ситуации дать определение имаго, то есть «взрослой» особи? Каковы критерии «взрослости»?

Виктор Юльевич задумывался:

— Не только способность к размножению. Ответственность за свои поступки, может быть? Самостоятельность? Степень осознанности?

— Качественные критерии, а не количественные! — тыкал пальцем Колесник. — Смотри, что получается у тебя: инициация — какая-то неопределенная вещь, и ответственность — как ее измерять? И что же, по-твоему, личинка человека превращается в имаго, пройдя процесс инициации?

Виктор Юльевич напирал:

— Ты же признаешь, Мишка, что мы живем в обществе личинок, невыросших людей, подростков, закамуфлированных под взрослых?

— В этом что-то есть. Я подумаю, — обещал Колесник, — вопрос ты ставишь чисто антропологический, а современная антропология сейчас в большом застое, вот в чем дело. Но какой-то элемент неотении действительно просматривается.

Виктор Юльевич перечитал прорву книг. Он все искал, не практиковался ли где-то и когда-то необходимый ему ритуал перехода от детства во взрослую жизнь.

Всяких переходов такого рода описано было множество — связанных и с половым созреванием, и с переменой социального статуса, и с вступлением в избранное сообщество воинов, колдунов или шаманов, но он все искал такого, когда от дикости и хамства юноша одномоментно входил в культурное состояние, в нравственную взрослую жизнь. Конечно, можно было бы считать таким обрядом выпуск из европейских университетов образованных господ, облаченных в мантии и дурацкие шапочки. Но не они ли, образованные врачи, психологи и инженеры, потом налаживали наиболее рациональную систему истребления и утилизации людей в Третьем рейхе? Объем переваренных знаний не обеспечивал нравственной зрелости. Нет, это тоже не подходило.

Чтение, хотя и не давало прямых ответов на вопросы, не было бесплодным: теперь он угадывал древние обряды и ритуалы, искаженные до неузнаваемости, выхолощенные и доведенные до абсурда, в правилах и привычках современной советской жизни, и даже прием в пионеры, сопровождающийся клятвой и переменой одежды, представлялся пародией на какое-то древнее таинство. Правда, это были не новые белые одежды древних христиан, не фартуки масонов, а всего лишь тупоугольник красной тряпки, повязанный на шею. Но близко, близко...

Гору книг прочитав, он вернулся к русской классике — источнику, которому доверял безоговорочно. Он заново перечитал «Детство. Отрочество. Юность» Толстого, «Былое и думы» Герцена, «Детские годы Багрова-внука» Аксакова. К этому прибавились и «Записки революционера» Кропоткина, и трилогия Максима Горького, уже за пределами Золотого века: как мучительно детская душа принимает полный несправедливости и жестокости мир, как пробуждается к сочувствию, к состраданию.

Он проводил своих мальчиков путем Николеньки Иртеньева, Пети Кропоткина, Саши Герцена, даже Алеши Пешкова — через сиротство, обиды, жестокость и одиночество к восприятию вещей, которые сам считал основополагающими, — к осознанию добра и зла, к пониманию любви как высшей ценности.

Они отзывались на его призыв, научились сами находить эти важнейшие эпизоды — гаринские страницы о Тёме, спускающемся, как в преисподнюю, в темноту склизкого колодца за упавшей туда собакой, о побежденном страхе, о кошке, убитой дворником на глазах юного Алеши Пешкова, и — дальше, дальше! — о казни декабристов, переживаемой Сашенькой Герценом. Происходило какое-то изменение в их сознании. Или нет?

Сам Виктор Юльевич, вынужденный оставаться в рамках школьной программы, искал постоянно то, что называл «стратегией пробуждения».

Давал все, что имел сам. В сущности, простые вещи — честь, справедливость, презрение к подлости и алчности... И подводил в конце концов к тому, что считал абсолютной вершиной русской классической литературы, — открывал дверь в комнату, где пятнадцатилетний недоросль, соблазненный шириной и добротой бумаги, из которой сделана была географическая карта, прилаживал мочальный хвост к Мысу Доброй Надежды, мосье Бопре спал пьяным сном, и батюшка выволакивал вон нерадивого «outchitel», к радости крепостного дядьки Савельича.

И Петруша Гринев, преодолевая жестокие испытания, сберегал честь и достоинство, которые становились дороже жизни.

Но все-таки была одна странность в этой прекрасной литературе: вся она была написана мужчинами о мальчиках. Для мальчиков. Все о чести, о мужестве, о долге. Как будто все русское детство — мужское... А где же детство девочек? Какая у них ничтожная роль! Наташа Ростова восхитительно пляшет и поет, Кити катается на коньках, Маша Миронова отбивается от посягательств негодяя. Все юные кузины и их подруги, в которых влюблены мальчики, славны своими локонами и оборками. Остальные — несчастные жертвы: от Анны Карениной и Катюши Масловой до Сонечки Мармеладовой. Интересно, интересно. Как обстоит дело с девочками? Они всего лишь объект мужского интереса? А где их детство? Претерпевают ли они тот внутренний переворот, который случается с мальчиками? Неужели только акт физиологии? Биологии?

В сентябре пятьдесят четвертого года произошло грандиозное событие — ввели совместное обучение. На фотографиях Илюшиного архива появились девочки.

Все сошли с ума, в первую очередь опытные учительницы, привыкшие к своим мальчикам и видевшие в присутствии девочек большую нравственную опасность.

Девочки всех безумно волновали. И не столько эти определенные девочки, сколько привлекательная и страшноватая стихия, которая за ними стояла. Мальчики «Трианона» в разговорах этого почти не касались, вероятно, из-за Сани, который не выносил «неприличия», куда относил множество разнообразнейших вещей: физическую нечистоплотность, грязную речь, ложь, любопытство. Илья, который в другой компании мог бы себе позволить и сквернословие, и грубую шутку, в присутствии Сани подтягивался. О девочках разговаривать было между ними не принято именно потому, что этот разговор с какой-то нечистой окраской постоянно велся одноклассниками. Но облако умолчания над этими тремя присутствовало, раннее предчувствие неизвестного еще правила: уважающие себя мужчины не обсуждают женщин.

Всякая школьная мелочь — первоклассники, второклашки — никакого стресса не испытала, зато восьмиклассники просто взбесились. Девочка сама по себе выводила из равновесия. Девочка была неприлична по своей сути. На них, девочках, были чулки, подцепленные резинками, подолы их форменных платьев иногда задирались, и там мелькало голое, розовое и голубое. Даже у самой плохонькой под черным фартуком были скрыты заметные груди. Не то чтобы мальчишки раньше этого не знали. Знали, конечно, но теперь все это было в такой невыносимой близости. А уроки физкультуры! У них была женская раздевалка, в которой они раздевались. Может быть, догола.

Возбуждение висело в воздухе, как пыль во время ремонта. Ото всех било током, всех колотила любовная лихорадка.

Мальчики преобразились и внешне: теперь они носили форму, похожую на гимназическую, кителя и гимнастерки голубиного цвета. Всем покупали на вырост, хорошо сидела форма только на Сане Стеклове, которому бабушка купила точно в размер. Ему, хоть и подрос за лето, не суждено было догнать Илью или Миху. Однако, как ни странно, именно мелкий Саня пользовался успехом у девиц. Записки летали по классу, как опасные, но медоносные пчелы, только что не жужжали.

К Новому году определились симпатии и антипатии и даже сложились первые любовные союзы. Те, кто не достиг успеха в завоевании особ иного пола, возлагали большие надежды на новогодний вечер.

В середине декабря все планы разрушились. В школе появилась корь. Началась с младших классов, потом перекинулась на более старшие, и к концу декабря был объявлен строгий карантин. Запрещали даже спускаться с этажа на этаж и пользоваться общей столовой. Больше трети учащихся восьмого «А» охвачены были корью. Саня все ждал, когда заболеет, по утрам рассматривал лицо в зеркале, но красноватой сыпи не наблюдалось.

Из классов выпускали только в уборную. На большой перемене медсестра и буфетчица приносили пирожки, винегрет и сладкий чай в чайнике прямо в класс. Сначала это было интересно, но быстро надоело. Самое же неприятное во всей этой эпидемической истории была отмена новогоднего вечера. Вторая четверть закончилась скучно, разошлись на зимние каникулы. Тридцать первого декабря Саня все-таки заболел, чем лишил своих друзей еще одного, самого любимого праздника — своего дня рождения.

Скучные каникулы скрасил Виктор Юльевич. Обычно в каникулы он отменял встречи «люрсов», но в тот год они встречались чуть ли не через день. Во всяком случае, у Ильи сохранилось много фотографий именно от этих дней. Это были многолюдные походы, собирались все, кого не сразила зараза. Гуляли часа по три, а потом еще заходили к Виктору Юльевичу домой, пить чай. На тех фотографиях впервые появились подруги Катя Зуева и Аня Филимонова, первые девочки, присоединившиеся к их мужскому до этого времени кружку.

У Кати еще не остриженные косы с черными бантиками на концах свешиваются на воротник пальто, а Филимонова в лыжной шапочке, мыском на лоб, похожа на мальчика, с прыщами на лбу. Их-то она шапочкой и прикрывает, догадался Илья. Он же первый и заметил, что Катя влюблена в учителя.

В школу она ходила, собрав косы в некрасивую «корзинку», а приходя на заседание «люрсов» — так называли они те встречи, которые проходили не на улице, а на квартире у Юлича, — выпускала всю гриву на волю и удивительно хорошела. Она сидела за круглым столом, всегда на одном и том же месте, положив на подогнутую ладонь подбородок, и лицо ее было почти закрыто волосами, и Миха все пытался пригнуться пониже, чтобы заглянуть в ее упрятанное лицо. Она ему очень нравилась, особенно вне школы. Кроме того, ему еще нравились маленькая Роза Галеева из седьмого класса и Зоя Крым из параллельного.

Всякий раз, когда Юлич обращался к Кате, она смешно краснела всем лицом так сильно, что белым оставался один нос. Катя была замкнута и молчалива, даже с Аней, близкой подругой, не поделилась своей великой тайной: была беспамятно влюблена в учителя, с первого взгляда, с первого сентября, когда увидела его в школьном дворе перед торжественным построением, окруженного мальчишками, оживленного, смеющегося.

Она по-школьному бегала за ним, издали провожала до дома. Иногда подходила к его подъезду вечером, но ни разу не встретила на улице. Решилась ходить в его кружок, но пошла, только подбив Аню, которую вообще-то больше интересовал волейбол.

Ближе к весне произошло событие, о котором Катя рассказала своему мужу два года спустя. Кате достали билет в Большой театр на балет Прокофьева «Война и мир». Вся Москва стремилась на этот спектакль, и Катина бабушка отдала ей единственный билет, добытый благодаря ее обширным связям. После первого акта Катя из познавательного интереса заглянула в театральный буфет. Там была толчея, теснота и шум, к буфету стояла длинная очередь. За ближайшим у двери столиком сидел Виктор Юльевич. Рядом с ним красивая женщина восточного облика. На столике лежал букет цветов. Они разговаривали, а потом он положил левую руку на ее плечо, и Катю по-настоящему затошнило. Она ушла домой, не досмотрев спектакля. Бабушке сказала, что страшно заболела голова.

Через неделю она подстерегла Виктора Юльевича в его подъезде и сказала, что любит его. Было очень страшно, что он ее засмеет. Но он не засмеял. Положил ей руку на плечо, как той восточной женщине, и сказал очень серьезно, что уже догадался, но не знает, что с этим делать.

— Ничего. Я просто умираю, когда думаю о той женщине, с которой вы были в театре. Вы на ней женитесь?

— Нет, Катя. Я на ней не женюсь. Она уже замужем, — ответил он совершенно серьезно.

— Тогда вы на мне женитесь! — И убежала.

— Когда вы школу закончите! — крикнул ей вслед Виктор Юльевич.

Хлопнула дверь подъезда. Он улыбнулся, покачал головой и, вытащив железный портсигар, ловко вытянул из него папиросу. Он многое умел делать одной рукой — чиркнул зажигалкой, закурил. Стоял, курил и улыбался. Он, потеряв руку, тогда же и принял решение, что никогда не женится, не поставит себя в унизительную зависимость от женщины, и вот уже больше десяти лет удачно увиливал от брака и сбегал — трусливо, решительно, иногда жестко, иногда мягко — в тот момент, когда начинала маячить семейная перспектива.

Но сейчас он улыбался: девочка была очаровательная, страстно и одновременно по-детски в него влюблена, и никакой опасности от нее не исходило. Ему и в голову не могло прийти тогда, что действительно женится на ней, как только она закончит школу.

Весь следующий год девятиклассники были погружены в девятнадцатый век. Издали он казался очень привлекательным. Обычные разговоры, точно как в салоне Зинаиды Волконской, «вращались на литературе». И «на истории». Как в донесении полковника Бибикова.

Декабристы — сердце русской истории, лучшая ее легенда — страшно их увлекали. Илья даже собрал собственную портретную галерею декабристов (еще одна зачаточная, впоследствии брошенная на произвол судьбы коллекция), переснимал их портреты из книг и здорово наловчился в ремесле репродукции. В какой-то момент Саня, разглядывая самодельный Илюшин альбом, ткнул пальцем в одного усатого и довольно лохматого и запросто, как вещь незначительную и обыкновенную, сказал:

— Какой-то там прабабки брат был этот Лунин. Бабушка говорит, что он был без страха и упрека. Двое декабристов было у нас в родне. А второй... деда моего Стеклова какой-то прапра... сами порасспросите Нюту. Она расскажет. У нее даже какие-то письма хранятся.

Миха с Ильей остолбенели: как? И немедленно понеслись к Анне Александровне.

Анна Александровна отвела руку с папиросой и заломила бровь:

— Да, были в родстве.

Как все люди ее поколения, она избегала разговоров о прошлом, даже о столь отдаленном. На всякий случай они засыпали ее вопросами. Она отвечала суховато. Да, Михаил Сергеевич Лунин был братом ее прабабки. А покойный муж Саниной мамы Степан Юрьевич Стеклов был потомком Сергея Петровича Трубецкого. Сын Сергея Петровича жил на Большой Никитской. Трубецких было множество, огромный род. Этот дом около ста лет принадлежал одному из Трубецких. Первый владелец Дмитрий Юриевич, но это другая линия, не та, от которой декабрист. Сама она кровного родства с Трубецким не имеет, а вот Саня — потомок по женской линии...

Тут Миха возмутился:

— И ты молчал?

— Да почему я должен об этом особо распространяться? — скривился Саня.

— Ну ты даешь! Да всякий бы гордился! — Миха смотрел на Саню изменившимся взглядом. — Да что ты! Это же про них: «Во глубине сибирских руд...» и все такое...

Такое умильное восхищение написано было на морде рыжего, что Саня его жестоко осадил. Склонившись к его уху, тихо, чтобы Анна Александровна не слышала, сказал ему:

— Ага! Во глубине сибирских руд два мужика сидят и срут. Не пропадет их скорбный труд, говно пойдет на удобренье!

Анна Александровна с детства перекормила его этими историями, и он был равнодушен к своим земным корням.

Илья то ли услышал, то ли догадался, залился своим длинным хохотом: уж больно смешным показалось ему Михино ошеломленное лицо. Длинными детскими ресницами похлопав, Миха сказал дрожащим голосом:

— Как ты можешь? Как ты смеешь? Да за такие слова тебя на дуэль...

Анна Александровна наслаждалась этой сценой: ее рыжий фаворит, предков которого и на порог аристократического дома не пустили бы, собирался вызывать на дуэль ее внука.

— Глупые вы детки, хотя усы уже растут. Поставь, Санечка, чайник.

Саня послушно пошел на кухню. Анна Александровна зашуршала в буфете. Сегодня там не было ничего особенного — сушки да сухари. Но запах ванили и еще чего-то, дореволюционного, всегда оттуда шел, когда верхнюю створку распахивали, и Миха его очень любил.

Чай пили в молчании. Миха с Ильей молчали, переживая открытие, что давно и хорошо знакомые люди состоят в таком высоком родстве, и даже ощущая свою сиюминутную близость к великой истории.

«Надо всех их сфотографировать, — решил Илья, — Анну Александровну, и Надежду Борисовну, и Саню. Чтобы была полная коллекция, — подумал Илья. — Первым делом Анну Александровну, а то ведь скоро умрет, наверное».

И уже прикидывал, что надо сделать настоящий портрет, чтобы и нос с горбинкой, и пучок, который держался на большой коричневой заколке, и маленькие завитушки седых волос, падающие за длинными ушами на морщинистую шею, — чтобы все это было видно. И он прикидывал такой поворот, чтобы в кадр попала и впалая щека, и длинное ухо с бриллиантом в отвисшей мочке.

Миха хрумкал сухариками и размышлял, прилично ли спросить Анну Александровну, почему полковник Трубецкой не вышел на Сенатскую площадь и предал тем самым своих товарищей. Но постеснялся.

Анна Александровна тем временем встала и удалилась за ширму. Скрипнула дверца шкафа, и она внесла и поставила на стол объемную шкатулку, обитую золотистым гобеленом, а из нее — драгоценную книгу, изданную в Лондоне, в Вольной русской типографии Герцена в 1862 году, — «Записки декабристов».

— Вот. Руки помойте, носы подотрите и листы переворачивайте с осторожностью. И не все слушайте, что говорят и пишут о декабристах, — она как будто услышала не заданный Михой вопрос. — История у нас в России, вне всякого сомнения, паршивая, но то время было не самым худшим, в нем было место и благородству, и достоинству, и чувству чести. Руки чистые?

Миха почтительно переложил кота с колен на подушку и понесся в ванную отмывать руки, чтобы достойным образом коснуться книжной редкости. Вернувшись, раскрыл книгу на случайном месте и прочитал вслух:

— «Тяжела мысль быть обязанным благодарностью человеку, о котором имел такое худое мнение».

— Ну-ка, ну-ка, дай сюда книгу. — Анна Александровна мельком взглянула на открытую страницу, улыбнулась торжествующе. — Вот о том я и говорю. Это Сергей Трубецкой пишет после допроса. В ночь с четырнадцатого на пятнадцатое декабря он был арестован, и допрашивал его сам государь Николай Павлович. Он ужасался, как мог князь, потомок Гедиминовичей, то есть более знатной семьи, чем сами Романовы, «спутаться с этой дрянью». И в конце разговора сказал: «Пишите жене, что жизнь ваша вне опасности». То есть государь принял решение до расследования! Но Трубецкой-то знал, что вина его велика, и брал на себя все, даже замышляемое цареубийство, против которого был на самом деле решительно настроен.

— Виктор Юльевич говорил, что все декабристы давали показания, все честно рассказывали, потому что думали, что царь их поймет и поменяет свою политику, — уточнил Миха. Ему очень хотелось хорошо выглядеть в таком благородном собрании.

— Да, они говорили правду. Трубецкой каялся на допросах горько, но никого не оговаривал. До вранья они не унижались. Что же касается Сергея Петровича, из многих воспоминаний следует, что в Сибири ссыльные его любили и уважали. Вообще, среди декабристов, насколько я знаю, был только один предатель, капитан Майборода. Он донес о готовящемся выступлении недели за три. Точно не скажу, может, еще один или два были. Но привлекалось-то по делу больше трехсот человек! Почитайте сами! В конце концов, протоколы допросов опубликованы. Доносительство тогда было не в моде, вот в чем дело! — с нажимом сказала Анна Александровна, но заметил этот нажим только Илья.

— История, надо сказать, с евангельским оттенком. Майборода удавился. Спустя много лет, но...

— Как Иуда! — воскликнул Миха, обнаружив знание Священной истории.

Анна Александровна засмеялась:

— Молодец, Миха! Культурный человек!

Миха осмелел от поощрения:

— Анна Александровна, а кто из декабристов самый... — запнулся, хотел сказать «лучший», но это было бы слишком по-детски, — любимый?

Анна Александровна полистала книгу. В нее было вложено несколько репродукций. Вынула вырезанный откуда-то портрет на пожелтевшей бумаге.

— Вот. Михаил Сергеевич Лунин.

Мальчики склонились над портретом. Они уже видели это лицо — в коллекции Ильи. Но там он был молод, пышноус и полногуб, а здесь лет на двадцать старше.

— Смотри, ордена, видишь, вон крест, и еще рядом что-то, не разобрать, — заметил Илья.

— Он был участником кампании восемьсот двенадцатого года. Про ордена я знаю только, что их публично бросили в огонь, когда он был осужден, — Анна Александровна улыбнулась, — но героем от этого он быть не перестал.

— Какие сволочи! — вспыхнул Миха. — Боевые награды — в огонь!

— Да. Его не было в Петербурге, когда произошло выступление. Его доставили в Петербург из Варшавы. Он был один из организаторов Северного общества, но к этому времени уже отошел от заговорщиков. Он считал, что они недостаточно решительно действуют. Лунин планировал цареубийство, но другие его не поддержали. И Трубецкой, выбранный впоследствии «диктатором», был против цареубийства.

— А ведь если бы Лунин тогда их уговорил, то и Октябрьская революция на сто лет раньше свершилась! — глаза у Михи округлились и слегка вылупились от восторга.

Все засмеялись.

— Миха, но тогда она бы была не октябрьской, — отрезвила Анна Александровна Миху.

— Ну да, Анна Александровна, это я не сообразил. А что дальше было с Луниным?

— Михаил Сергеевич после окончания срока каторги был снова арестован, уже за его письма. Там еще было сочинение с разбором донесений, представленных императору Тайной комиссией. Это опубликовано. Вот за это его арестовали второй раз, послали опять в тюрьму, а там он умер. Был слух, что не своей смертью. Вероятно, по приказу императора его убили.

— Какая низость! — воскликнул Миха.

Миха переживал смерть Лунина несколько дней. Написал стихотворение «На смерть героя».

Это была самая красивая, самая героическая страница русской истории, и под руководством Виктора Юльевича именно на ней ребята тренировали ум и сердце.

В сочинении, написанном Михой Меламидом, приведены были строчки из Герцена: «...я был на этом молебствии, и тут, перед алтарем, оскверненным кровавой молитвой, я клялся отомстить казненных и обрекал себя на борьбу с этим троном, с этим алтарем, с этими пушками. Я не отомстил; гвардия и трон, алтарь и пушки — все осталось; но через тридцать лет я стою под тем же знаменем, которого не покидал ни разу».

Дальше мальчик писал уже своими словами: «Так и остались они не отомщенными до сих пор».

Учитель был растроган Михиным сочинением: вот, его мальчик нащупал эту точку перехода, нравственный кризис ровесника, жившего сто с лишним лет тому назад.

Нет, жизнь, конечно, шире, чем волнующие знания о декабристах. В частности, надвигался Новый год, главный праздник, единственный не казенный, не краснознаменный, вполне человеческий праздник с реабилитированной елкой, легитимной выпивкой (для взрослых!), подарками и сюрпризами.

В этот год не было никаких эпидемий, и все ожидали с великим нетерпением новогоднего вечера. За две недели до назначенного на тридцатое декабря школьного праздника всех охватило волнение: вот-вот свершатся все любовные замыслы.

Это был первый вечер с девочками, и они пришли без форм, наряженные — в платьях и кофточках, цветные, как бабочки, некоторые — с распущенными волосами. Учительницы тоже принарядились. Виктор Юльевич с некоторым умилением отметил, что волнение праздника охватило всех без исключения. Даже директриса Лариса Степановна надела туфли на каблуках и пришпилила к воротнику брошку в виде разляпистой бабочки, существа, не имевшего к ней ни малейшего отношения.

Вечер старшеклассники готовили так долго и тщательно, с намерением не упустить ничего из арсенала разрешенных развлечений, что проект в течение декабря постоянно менялся. Сначала задумали устроить костюмированный бал, потом перерешили — пусть бал будет не костюмированный, зато с хорошо подготовленной самодеятельностью. Обсуждалось даже предложение пригласить настоящий оркестр, но оказалось не по деньгам. Может быть, капустник или, наоборот, культурная программа с Шубертом в исполнении Наташи Мирзоян и чтением стихов? Или какое-нибудь театральное действо?

Как всегда при таком изобилии замыслов, взяли всего понемногу, и всё вразнобой. Те, кто желал прийти в костюмированно-карнавальном виде, нацепил на себя что-то нелепое и смешное. Катя Зуева, в соответствии с давно вынашиваемым планом, явилась в виде почтальона, с кондукторской сумкой, изображавшей почтальонскую. На груди висела выкрашенная бронзовкой картонка с цифрой «5», изображавшая медную бляшку, но вместо синей форменной фуражки — треуголка из газеты. На спине для совсем уж недогадливых была привешена синяя картонка с белой надписью «Почта». Ее подруга Аня Филимонова вырядилась цыганкой: цветастая юбка, кольца в ушах, самодельное монисто и большая шаль, которую мать вытащила из сундука и велела беречь — старинная. В руках она держала колоду карт, которую собиралась пустить в ход и гадать всем желающим. Но застеснялась. Сначала она вообще не хотела рядиться, но Катя ее уговорила: ей нужна была поддержка.

Еще был запланирован стихотворный монтаж и гимнастическая пирамида «ёлка», которую разучила секция гимнастики в полном составе. Двенадцать человек, залезая друг на друга, должны были изобразить елку с игрушками.

Преподаватель труда хромой Иткин надел на пиджак орденские планки, а физкультурник Андрей Иванович впервые появился не в обычной «мастерской» фуфайке синего цвета на молнии, а вырядился в белый свитер. Оба благоухали одеколоном — трудовик «Тройным», физкультурник «Шипром». Заводили пластинки со старыми песнями, танцевать под которые могли бы только дрессированные медведи в цирке. Когда же зазвучала «Риорита», девочки стали перебирать ногами, но выйти в середину зала никто не решался до тех пор, пока физкультурник не пригласил старшую пионервожатую. Так они и протанцевали эту «Риориту» единственной парой под неодобрительные взгляды более старших товарищей. Спасла положение высокоорганизованная девятиклассница, член комитета комсомола Тася Смолкина, которая объявила несколько общих игр — «ручеек» и «кольцо» для тех, кто помоложе, и «почту» для тех, кто связывал любовные надежды с этим балом.

Почтальон Катя Зуева раздала номерки, все начали писать записки. Катя сновала по залу, разнося почту. Виктор Юльевич стоял у окна, выбирая момент, чтобы ускользнуть в учительскую покурить. Когда он шел к выходу, почтальонша перехватила его и вручила сразу два письма. Он сунул их в карман. «Я вас люблю» — было написано в записке без обратного адреса. «Любите ли вы прозу Пастернака?» — во втором, присланном от номера 56.

Виктор Юльевич спустился в учительскую, где две молоденькие учительницы начальной школы — одна хорошенькая, вторая так себе — шептались и хихикали точно как восьмиклассницы. Видно, что и они от этого праздника ожидали каких-то женских радостей, свою долю небольшого счастья.

Виктор Юльевич порвал любовную записку, обрывки бросил в пепельницу. Старшеклассницы разделились на два лагеря — часть обожала Виктора Юльевича, другая, меньшая, предпочитала физкультурника. Литератор развернул вторую записку — написано было круглым девичьим почерком, твердым грифелем, очень бледно. Принял вызов, написал ответ: «Кроме “Детства Люверс”», свернул, надписал адрес «56» и задумался: ему казалось, что в русской литературе нет ничего о детстве девочек. Как же он забыл об этой ранней повести Пастернака? Он читал ее еще до войны, совсем мальчишкой, и она ему тогда не понравилась своей путаностью, зыбкостью, невозможностью ухватить конструкцию, излишеством слов. Но ведь это была единственная в русской литературе, кажется, книга о детстве девочки. Как он упустил ее из виду? Там было все, что сегодня его занимало: пробуждение сознания, психологическая катастрофа не предуведомленной о грядущем огромном физиологическом событии девочки и первое переживание смерти! Ему захотелось немедленно, сию минуту ее перечитать. В его домашней библиотеке прозы Пастернака не было. Наверное, надо поискать в Ленинке...

Виктор Юльевич пошел в зал, сунул подскочившей Кате-почтальонше записку. Он пропустил гимнастическую пирамиду и Шуберта. Музыка упала до нуля — закончился вальс. Зашаркали к пристенным местам. И неожиданно ярко, среди пыльной тишины раздался звон пощечины. Все обернулись. Посреди зала стояла рослая пара — Аня Филимонова в своем нелепом цыганском обличье и Юра Буркин. Аня прижимала к груди снятую шаль. Юра прижимал руку к щеке, где зрел след волейбольной ладони его решительной дамы.

Сцена, достойная Гоголя. Но занавес не давали. Все замерли, ожидая развития сюжета. И сюжет завершился — Юра отнял от щеки руку, слегка отвел ее в сторону и шлепнул по лицу с чмокнувшим поцелуйным звуком свою партнершу.

Раздался всеобщий тихий «ах!», Катя кинулась к подруге, всё пришло в движение, все заволновались. Зарыдала на плече Кати побагровевшая Аня. Сквозь рыдания прорывалась басовитая прерывистая жалоба:

— Он... он... высморкался... в шаль!

Юра выскочил из зала. Катя огляделась.

— Неужели нет никого, кто вступится за честь... — Она была бледна, свирепа, и видно было, что она и сама готова разорвать обидчика. Весь год они только и говорили, что о благородных мужчинах и прекрасных дамах!

Миху вынесло из зала как на крыльях. Он настиг Юрку в мужской уборной. Тот дрожащими руками раскуривал отцовскую папиросу, которую стырил у него вчера вечером. Он вообще-то не курил — его от курева тошнило. Он с шестого класса все пробовал, но никак не мог научиться. Но курение ему нравилось само по себе, и в данный момент он предчувствовал, что его не затошнит.

Миха вырвал из его рук папиросу, сломал ее надвое, отшвырнул в сторону и холодно, спокойно, с презрением в голосе произнес:

— Дуэль! Я вызываю на дуэль!

Хотелось сказать «вас», но было бы уж слишком глупо. А «тебя» почему-то тоже не годилось.

— Миха, ты что, охренел? Она просто шуток не понимает, дура. Цыганка-засранка! Какая дуэль?

— Стреляться мы не можем, нет пистолетов. И вообще никакого оружия нет. Бой будет на кулаках, но по всем правилам!

— Ты что, Мих, охренел?

— Еще и трус. Мало того, что хам, — горестно произнес Миха.

— Ну ладно, если ты так хочешь, — неохотно, но вполне миролюбиво согласился Юрка. — А когда?

— Сегодня.

— Да ты что, Миха, полдесятого уже.

Миха использовал все свои организаторские способности, и дуэль состоялась через час в Милютинском саду.

Десятиклассники отговаривали Юрку, девятиклассники — Миху. Правила дуэли импровизировали на ходу.

Юрка всю дорогу ныл:

— Миха, ну на фига тебе это мордобитие? Мне домой пора, меня отец ругать будет, мать небось уже в школу побежала.

Но Миха был непреклонен:

— Дуэль! До первой крови!

Илья с Саней переглядывались, перемигивались, даже тихонько пересмеивались. Саня шепнул ему: «Христосик наш!»

Секундантами были Илья у Михи, Васька Егорочкин у Юрки. Снегу в саду намело много, секунданты утоптали небольшую площадку для боя. Саня предложил дуэлянтам надеть кожаные перчатки, но такой роскоши ни у кого не было. Саня почему-то был уверен, что нельзя драться голыми руками:

— Древние греки кожаными ремнями руки оборачивали!

Откуда это он взял? Но говорил уверенно. Ремней было сколько угодно. Секунданты вытащили ремни из брюк, сцепили два по два и положили на снег, вместо барьера. Теперь дуэлянты должны были сходиться по счету и начинать на счет «три».

Дуэлянты обмотали руки школьными ремнями, но пряжкой внутрь. Было очень неудобно.

— Может, без ремней? — с надеждой предложил Юрка.

Миха не удостоил его ответом.

Илья предложил Буркину принести свои извинения.

Миха резонно отверг это предложение:

— Извиняться надо перед дамой.

Юрка обрадовался:

— Да за ради бога! Хоть сейчас!

Ввиду отсутствия дамы перемирие было отклонено.

Миха снял очки и передал их Сане. Сбросили пальто.

— Может, хватит уже? — шепнул Саня.

— Держи! — неожиданно рявкнул распаленный Миха.

Илья начал считать. На счет «три» они сошлись.

Они стояли друг перед другом, плотный Юра, Миха пожиже, но и позлей. Миха подпрыгнул на месте и сразу двумя кулаками, почти одновременно неловко и небольно влепил Юре по лицу.

Юра наконец обозлился. Нанес один-единственный удар по носу. Первая кровь немедленно хлынула. Саня застонал, как будто ударили его, и вынул чистый носовой платок. Удар был не столько сильный, сколько точный. С этого времени Михин нос был немного сбит на одну сторону. Болело долго. Вероятно, это был все-таки перелом.

Дуэль можно было считать завершенной.

В это же время, когда школьники разошлись, пара молоденьких учительниц с Андреем Ивановичем культурненько заканчивали скромную выпивку, а в раздевалке оставалась только гардеробщица и уборщица, которая иногда, когда муж сильно запивал, ночевала в подсобке. Катя Зуева, уже без газетной треуголки, в коричневом пальто с надставленными черным драпом рукавами и подолом, сидела на стуле гардеробщицы, дожидалась Виктора Юльевича.

Когда он спустился в раздевалку, она протянула ему записочку:

— Вам письмо.

Он с недоумением посмотрел на нее, — уже забыл про игру.

— А-а-а, да-да, спасибо, — и рассеянно положил в карман пальто.

Нашел он этот клочок бумаги в кармане утром следующего дня:

«Я могу вам дать его новый роман. Хотите? Катя».

Он не сразу вспомнил, о чем идет речь.

Третьего января Катя ему позвонила и, все еще немного исполняя роль почтальона, принесла отпечатанную на машинке рукопись.

Новый роман Пастернака назывался «Доктор Живаго». Первые же страницы — до похорон Марии Николаевны Живаго — глубоко поразили Виктора Юльевича. Это было продолжение той русской литературы, которая казалась ему полностью завершенной, совершенной и всеобъемлющей. Оказалось, что эта литература дала еще один побег, современный. Каждая строка нового романа была о том же — о мытарствах человеческой души в пределах здешнего мира, о возрастании человека, о гибели физической и победе нравственной, словом, «о творчестве и чудотворстве» жизни.

Все каникулы Виктор Юльевич был полностью погружен в роман Пастернака. Он очарован был стихами, так неуклюже и необязательно прицепленными в конце — узнаваемо пастернаковскими, в то же время новыми по простоте. Это была, по всей видимости, та самая «неслыханная простота», о которой поэт давно уже грезил...

Дочитав до конца, начинал сначала. Он находил в нем всё новые драгоценности мысли, чувства и слова, но одновременно отмечал слабости, и слабости ему были тоже симпатичны. Они толкали к размышлениям. Схематичная Лара, постоянно совершающая поступки, свидетельствующие о ее глупости и себялюбии, не нравилась Виктору Юльевичу. Зато как она нравилась автору!

Виктор Юльевич сомневался, нужны ли такие нагромождения случайностей, совпадений и неожиданных встреч, пока не понял, что все они изумительно завязываются в сцене смерти Юрия Андреевича, в параллельном движении трамвая с умирающим Живаго и мадемуазель Флери, неторопливо шествующей в том же направлении, к освобождению — один покидал землю живых, вторая покидала землю своего рабства.

«Великий постскриптум к русской классической литературе», — вывел Виктор Юльевич свое заключение.

Десятого января, в последний день каникул, Виктор Юльевич позвонил Кате. Они встретились около магазина «Ткани» на Солянке. Он поблагодарил девушку за огромное счастье, которое она ему доставила.

— Я сразу, как только прочитала роман, поняла, что есть человек, которому надо его дать.

После чего она выложила ему то, о чем бы он ни в коем случае ее не спросил: откуда взялась рукопись.

— Моя бабушка дружит с Борисом Леонидовичем чуть не всю жизнь. Она его роман перепечатывала. Это бабушкин экземпляр.

Виктор Юльевич накрыл горячей рукой болтливый рот:

— Никогда и никому этого не говорите. И мне вы этого не говорили.

Он держал ладонь на ее губах, и они чуть-чуть двигались, как будто что-то шептали беззвучно.

Ей только что исполнилось семнадцать лет. Она едва вышла из детства, в ней еще проглядывали ухватки ребенка. Длинная голая шея торчала из пальто. Шарфа не было. Шапка была детская, капором, с завязками под подбородком. В светло-карих глазах — обида, слезная влага.

— Я же никому — только вам. Я знала, что вам понравится. Ведь правда?

— Не то слово, Катя. Не то слово. Такие книги меняют жизнь. Я вам благодарен по гроб жизни.

— Правда? — ресницы взметнулись, глаза вспыхнули.

Господи, да это же Наташа Ростова! Вылитая Наташа Ростова!

Перехватило дыхание.

После окончания Катей школы они поженились. Первыми об этом узнали, конечно, «люрсы». Они были в восторге. Катин живот к сентябрю был заметен внимательному глазу, и он вызывал у «люрсов» дополнительное восхищение.

Это событие сблизило их с учителем настолько, что после заседаний кружка они, случалось, совместно распивали бутылку хорошего грузинского вина, которое не переводилось в доме Виктора Юльевича. Даже стали звать его «Викой» — уже не за глаза. И он не возражал, сохраняя в общении старомодное и уважительное «вы».

Заседания кружка любителей русской словесности по-прежнему проходили в комнате Ксении Николаевны, но жил Виктор Юльевич теперь в квартире Катиного родственника, уехавшего на север и оставившего им в пользование квартиру у метро «Белорусская», в доме железнодорожников, окнами на пути и с круглосуточным аккомпанементом: поезд отправляется, поезд прибывает...

Последний бал

Это были лучшие годы Виктора Юльевича: увлекательная работа, поклонение учеников, временно счастливый брак. Образовался даже известный достаток — теперь два вечера в неделю он частным образом репетиторствовал.

Работал он очень много, но «люрсы» по-прежнему собирались у него по средам. Выпуск пятьдесят седьмого года был у Виктора Юльевича любимым, у них он с шестого класса был классным руководителем, знал пап-мам, бабушек-дедушек и братьев-сестер. Разница в возрасте в пятнадцать лет уже начала сокращаться: мальчики становились молодыми мужчинами, да и женитьба учителя на их сверстнице уменьшала расстояние.

Конец пятьдесят шестого года ознаменовался рождением дочки — первого декабря Катя родила восьмимесячную девочку, двухкилограммовую крошку, очень складненькую. Назвали ее Ксенией, в честь бáбушки. Но даже этот дипломатичный ход не смог залатать сердечной раны Ксении Николаевны, полученной от женитьбы сына. Она не допускала мысли, что другая женщина будет готовить Вике завтрак, разговаривать с ним по вечерам, ждать его из школы, будить по утрам. К тому же она испытывала к Кате особую неприязнь — химическая реакция крови, взаимоотношения свекрови и невестки! — считала, что малолетка его обольстила, совратила, обманула, словом, вынудила к женитьбе.

Педагогический коллектив придерживался на этот счет другого мнения. Учительская чуть не взорвалась от слухов, пересудов и сплетен, которые в среде учителей, вернее учительниц, были особенно злыми и грязными. А уж когда родилась дочка, педагогический состав зашелся от подлого засчастья. Преподавательница математики, Вера Львовна, загибая пальцы, наглядно продемонстрировала в учительской, в каком именно месяце третьей четверти должна была Зуева забеременеть, чтобы родить в декабре.

Парторг Рыбкина, она же завуч, советовалась с вышестоящим руководством и по линии роно, и по райкомовской линии, что делать с учителем-преступником, потому что налицо был факт растления несовершеннолетней. С другой стороны, малолетка за истекшие месяцы стала совершеннолетней, и одновременно нарушитель уголовного законодательства оформил брак. Но не оставлять же без наказания?

Учителя дружно и напряженно замолкали, когда Виктор Юльевич входил в учительскую. Руководство школы, ее святая троица — директор, парторг и профорг, — сначала было хотели собрать педсовет по этому поводу. Но Лариса Степановна предпочла провести предварительный зондаж начальства. Докладные были написаны в роно и в райком партии.

Именно в эту последнюю школьную зиму Виктор Юльевич начал писать книгу, к которой несколько лет готовился. Уже и название родилось — «Русское детство». Его не особенно заботил жанр книги: сборник эссе или монография.

Он не претендовал на открытие, но отчетливо понимал, что интересы его лежат между разными дисциплинами:

возрастной психологией, педагогикой, антропологией в самом широком смысле слова. При этом логика его мысли выстраивалась скорее по тем законам, которыми пользовались медики и биологи. Здесь сказывалось влияние друга Колесника.

Он описывал, как ему представлялось, зону нравственного пробуждения подростка, которая в норме является таким же обязательным этапом, как прорезывание зубов, гульканье, как первые шаги, совершающиеся в исходе первого года. То есть вся та волнующая и рутинная последовательность развития человека, которую он наблюдал теперь у себя дома.

> Так начинают. Года в два
> От мамки рвутся в тьму мелодий,
> Щебечут, свищут, — а слова
> Являются о третьем годе...

Эта поэтическая модель Пастернака была для него убедительней всех выкладок возрастной психологии. Нравственное созревание представлялось ему столь же закономерной особенностью человека, как и биологическое, идущее параллельно. Но пробуждение происходит по-разному, и зона эта сильно варьирует в зависимости от индивидуального склада и некоторых других причин. Нравственное пробуждение, или «нравственная инициация», как он полагал, происходит у мальчиков в возрасте от одиннадцати до четырнадцати лет, обычно при наличии специальных неблагоприятных обстоятельств — несчастье или неблагополучная семейная жизнь, унижение достоинства личного или достоинства близких людей, потеря родного человека. Словом, переворачивающее душу, пробуждающее ее событие. У каждого человека имеется своя собственная «болевая точка», и именно с нее и начинается эта персональная революция личности. Почти обязательным в этом процессе, по мысли Виктора Юльевича, оказывается присутствие «инициатора» — учителя, наставника, старшего друга, а если родственника, то достаточно дальнего. Как и в случае с крещением, в обычных условиях, вне опасности для жизни, кровные родители редко бывают восприемниками. В исключительных случаях таким «инициатором» может послужить даже вовремя пришедшая в руки книга.

Далее, после всестороннего анализа этого явления, автор описывал несколько случаев инициации такого рода, почерпнутых из русской классической литературы, рассматривал созревание современных подростков и анализировал причины столь позднего созревания, и, что самое существенное, отмечал катастрофическую тенденцию «избегания инициации».

Виктору Юльевичу приходило также в голову, что именно в этом возрасте у лютеран и англикан происходит процесс конфирмации, то есть «подтверждения», осознанного принятия веры, еврейские мальчики проходят «бар-мицву», принятие в сообщество взрослых, а мусульмане совершают обрезание. Таким образом, оказывалось, что сообщества людей религиозных придают особое значение этому переходу от детства во взрослое состояние, в то время как мир атеистический полностью утратил этот важнейший механизм. Нельзя же всерьез считать его заменой вступление в пионерскую или комсомольскую организации.

Общество опускается ниже нравственного минимума, когда число не прошедших в ранней юности процесс нравственной инициации превышает половину популяции, — такая точка зрения сложилась у Виктора Юльевича в ту пору.

У него возникли серьезные разногласия с покойным Выготским по части формирования и смены культурных интересов, но это не имело большого значения: возрастная психология была «закрыта» вместе с генетикой и кибернетикой. Собственно, никаких надежд на публикацию своей будущей книги Виктор Юльевич не питал. Но какое значение могли иметь эти прагматические соображения, когда жизнь летела на огромной скорости, и в ней было все, о чем можно мечтать: творчество, чудесная юная жена с той самой пеленкой с желтым пятном, крохотный ребенок с удивительными пальчиками, губками, глазенками, маленькое животное, с каждым днем все более очеловечивающееся, ученики, своим восхищением поднимающие его на невиданную высоту. Улыбался во сне, улыбался, просыпаясь.

Страна тем временем жила своей безумной жизнью — после невидимой свары у гроба Джугашвили, тайной борьбы за власть, после возвращения первых тысяч лагерников и ссыльных, после необъяснимого, нежданного XX съезда партии, — начались и окончились венгерские события.

Виктор Юльевич, погруженный в свое новое состояние, следил за происходящим вполглаза. «Внутренняя часть» жизни в этот период оказывалась важнее «внешней».

В сентябре, в первые дни занятий, старшая пионервожатая Тася Воробьева, симпатичная студентка-вечерница пединститута, с которой у Виктора Юльевича были хорошие отношения, сунула ему пачку «слепых» листочков с перепечаткой доклада Хрущева на XX съезде партии. Хотя прошло уже полгода с момента выступления, до сих пор он не был нигде опубликован. Этот полуправдивый и опасливый доклад распространялся только по высшим партийным каналам, рядовые партийцы получали сведения на закрытых собраниях, со слуха. Текст шел под грифом «Для служебного пользования», не для рядовых. Это была все та же советская фантасмагория. Секретный доклад для одной части народа, который он должен хранить в тайне от другой. Государство с поврежденным рассудком.

Виктор Юльевич внимательно прочитал этот текст, о котором так много говорили. Интересно, очень интересно. История вершится на глазах. Тиран пал, и через три года свора осмелела поднять против него голос. Где вы раньше были, такие умные? Документ, в сущности, великий по своим последствиям, был одновременно страшным и разоблачительным для партийного руководства страны. Этот перепечатанный доклад, ходивший по рукам, стал первым подпольным изделием самиздата, который в те годы еще не обрел своего названия.

Перепечатка доклада Хрущева уже ходила по Москве, а для рукописи «Доктора Живаго» час еще не пришел. Зато хождение начали стихи из романа.

«Странное дело, — размышлял Виктор Юльевич, — как во времена Пушкина, ходят по рукам стихотворные списки. Какая перемена! Глядишь, и сажать перестанут!»

Окоченевший от страха народ оживал, шептался смелее, ловил «враждебные» голоса, печатал, перепечатывал, перефотографировал. Пополз по стране самиздат. Это подпольное чтение еще не утвердилось как новое общественное явление, каким станет в последующее десятилетие, но перепечатанные смельчаками бумажки уже шуршали по ночам в руках жадных читателей.

Хрущев так все перебаламутил этим разоблачением культа личности Сталина, что вместо прежней ясности возникло нечто непонятное. Все замерли в ожидании. Судьба учителя литературы, который женился на своей ученице и произвел ребенка не совсем по расписанию, все не решалась, несмотря на все усилия школьного руководства.

В конечном итоге дело было рассмотрено. Роно оказалось более требовательным, чем райком. Было принято решение об увольнении, но спохватились, что прежде он должен «довести» выпускников. Чтобы не спугнуть учителя, о планирующемся увольнении решено было ему пока не сообщать — да и в самом деле, если он уйдет посреди года, то кем же его заменить? До Виктора Юльевича постоянно доходили какие-то неопределенно-неприятные слухи, но он к этому времени и сам решил уходить, как только закончит учебный год.

К весне пятьдесят седьмого кружок любителей русской словесности превратился в репетиторскую группу по подготовке к экзаменам — три четверти класса собирались на филфак. Миха регулярно ходил на эти занятия, хотя по литературе был в классе первым. Он знал, что евреев на филфак не берут, но знал также, что ничего другого ему не нужно.

Старший двоюродный брат Михи, Марлен, дразнил его, предлагал помочь с поступлением в рыбный институт, уверял, что рыба для еврея гораздо более пристойная профессия, чем русская литература, и выводил этим Миху из себя.

К весне слух о том, что Виктора Юльевича собираются выгонять из школы, дошел до десятиклассников. Говорили, что учителя написали на него какую-то кляузу, связанную с женитьбой на бывшей ученице. Ребята готовы были куда угодно идти и писать, чтобы защитить любимого учителя. Ему не без труда удалось внушить им, что он и сам собирается уходить из школы, давно хочет заниматься научной работой, писать книги, и уж они-то могли бы понять, как надоели ему школьные тетрадки, тетки, политинформации и все эти хренации, и только из-за них, своих любимых «люрсов», он не ушел из школы сразу же после женитьбы.

— Тем более, — добавлял он, — я свою замену вырастил. Сами знаете, сколько преподавателей литературы даст наша школа через несколько лет.

Это правда. С тех пор как он работал в школе, половина каждого выпуска шла на филфак — кто в университет, кто в педагогический институт. Девочки послабее шли в библиотечный, в архивный, в институт культуры. Небольшая, но славная армия ребят была обучена редкому искусству читать Пушкина и Толстого. Виктор Юльевич был убежден, что его дети тем самым получили достаточную прививку, чтобы противостоять мерзостям нашей жизни, свинцовым и всем прочим. Тут он, возможно, ошибался.

Гораздо более, чем последними экзаменами, «люрсы» были увлечены подготовкой к выпускному вечеру. Затевался грандиозный спектакль. Заранее было объявлено, что никакого алкоголя не разрешается. С одной стороны, запрет этот можно было легко обойти, с другой никого это особенно не волновало. Главное, всем было ясно, что прощание со школой было расставанием с Виктором Юльевичем, и прощание это было удвоено тем, что сам Виктор Юльевич покидает школу вместе со своим выпускным классом, о чем он им успел сказать.

Ребята держали в секрете свои приготовления, но Виктор Юльевич догадывался о широкомасшабности предстоящего события, поскольку до него дошло, что несколько мальчишек вместо усиленной подготовки к экзаменам проводят дни и ночи в мастерской скульптора Лозовского, отца Володи Лозовского, и строят там нечто грандиозное.

Илья увеличивал фотографии и делал теневые картинки, которые проецировались на стенку. Это была оригинальная сценография, никем до него не придуманная.

Миха, отодвинув в сторону учебники, писал пьесу в стихах. Там был миллион действующих лиц, от Аристофана до Иванушки-дурачка, от Гомера до Эренбурга.

Когда выпускные экзамены были успешно сданы, настал день выпускного бала. Это ежегодное торжество имело свои устоявшиеся каноны. Девочкам шили платья, даже белые. Они сооружали на головах парикмахерские прически, красили ресницы, и капроновые чулки в этот день тоже были разрешены.

Это была генеральная репетиция будущего первого бала, который у большинства никогда не состоится, ложное обещание грядущего сплошного праздника жизни, которого тоже не будет, расставание со школой, которое для всех без исключения было событием радостным, но в этот день окрашивалось фальшивыми романтическими красками.

На выставленных сплошными рядами стульях сидели родители, главным образом мамы, тоже принаряженные и не менее взволнованные, чем их дети.

Когда сложная рассадка почти закончилась, случился неприятный инцидент. Два девятиклассника, Максимов и Тарасов, затесались в толпу выпускников и намерены были совершенно контрабандно ухватить кусок не причитающегося им праздника. Их вывели с позором, и они оскорбленно удалились. Предполагалось, что они покинули здание школы.

Началась торжественная часть. Вручали аттестаты зрелости и произносили речи. Начали вручение с медалистов — их было в тот год четверо — три серебра и одно золото. Золотую медаль выслужила Наташа Мирзоян, восточная красавица и подлиза. Серебряные — Полуянова, Горшкова и Штейнфельд по прозвищу «Благдаряк», который получил его еще в младших классах за особенности речи: вместо общепринятого, но малоупотребляемого «спасибо» он говорил «благодарю».

«Трианон» до медальных высот не поднялся. Учились все прилично, но отличниками сроду не бывали.

После торжественной части произошла заминка. По плану должен был идти спектакль, но по десяти разным причинам дело не ладилось, нужно было как минимум сорок минут, чтобы собрать по кускам разваливающееся действие. Пустили музыку. Но для танцев вдохновение еще не пришло, и все немузыкально слонялись. В соседнем классе спешно пришивали последние цветы к венкам, накладывали грим и доучивали тексты.

Виктор Юльевич беседовал около окна с одной из родительниц. Заметил, что от двери машет рукой Андрей Иванович и делает знак — выйти!

Оказалось, что изгнанные из зала Максимов и Тарасов отнюдь не покинули помещение школы, а, напротив, забрались на чердак и распили там бутылку портвейна. На выходе с чердака они были взяты с поличным и доставлены в кабинет директора. Оба были пьяны, и это видно было невооруженным глазом.

Виктор Юльевич вошел, и директриса театрально обратилась к нему:

— Вот, полюбуйтесь, наши ученички!

Вид у тех был такой жалкий, что, ясное дело, они больше нуждались в утешении, чем в наказании.

Виктор Юльевич взял со стола директрисы пустую бутылку, повернул ее, рассматривая этикетку:

— Да, достойно порицания. Страшная гадость.

Директриса вела свою партию:

— Значит, так, родители ваши сейчас за вами придут, и это будет отдельный разговор. А вот если вы не скажете, кто там еще вместе с вами на чердаке безобразничал, будете из школы исключены!

Не было с ними никого, но Ларисе Степановне помстилось, что там была целая компания.

— Что ты смотришь на меня, Тарасов, наглыми глазами? К тебе, Максимов, это тоже относится. Называйте, называйте фамилии ваших сообщников. И не думайте, что вы их выгородите и им сойдет. Все равно найдем. Только себе хуже сделаете.

— Да, нехорошо, — кисло произнес Виктор Юльевич. — А где брали-то?

— В сотом гастрономе, — охотно ответил Максимов.

— И что же, дома у вас тоже этот портвейн пьют?

— Да мать вообще не пьет, — солгал Максимов.

Это мутное разбирательство длилось до тех пор, пока не приехал на служебной машине отец Тарасова, подполковник МВД. Лариса Степановна изложила ему сюжет. Тот стоял, наливаясь злобой.

— Разберемся, — хмуро сказал подполковник, и ясно было, что парню не поздоровится.

— А твоя мать когда придет? — Ларисе Степановне, видимо, тоже наскучило затянувшееся и бесплодное объяснение, тем более что ее место сейчас было в зале.

— Мать к тетке в Калугу поехала.

Работа мысли отражалась на лице Ларисы Степановны.

— Я возьму его под свою ответственность, а концерт кончится, отведу его домой. От греха подальше, а то ненароком в милицию заберут. — Виктор Юльевич положил левую руку на плечо Максимова.

— Идите, — махнула рукой. — И без матери, Максимов, в школу не приходи.

Замечание это не имело ровно никакого смысла, поскольку занятия уже закончились, а до следующего учебного года было три месяца каникул.

Виктор Юльевич привел бедолагу Максимова в зал, указал на стул:

— Сидите, Максимов, тихо и не привлекайте внимания.

Максимов благодарно кивнул. Мать ни в какую Калугу не поехала, к ней хахаль из Александрова притащился, и они дома выпивали.

Миха, готовя спектакль, пытался зарифмовать все свои обширные знания в области литературы. Будущие актеры тоже творчески отнеслись к Михиному сочинению, им тоже было что добавить к шедевру, и сценарий достиг двухсот страниц.

Недели за две до вечера, в самый разгар экзаменов, когда все зубрили алгебру и химию, Илья взял Михину либретку, постриг все в мелкую лапшу, как-то перетасовал, и образовался сюжет, который первоначально даже не прощупывался, а теперь получилось смешное путешествие группы идиотов с их подлинными именами, готовых вот-вот влететь в неприятность, из которой они выпутываются исключительно благодаря вмешательству высших сил, которые представляет Виктор Юльевич в разных обличьях, от Зевса до постового милиционера.

Виктора Юльевича изображал Сеня Свиньин, лучший в классе актер. Он, между прочим, и собирался в театральное училище. Ему сварганили довольно удачную маску из папье-маше, изображающую учителя, правую руку он не вдел в рукав, а рукав завернули до половины и пришпилили.

Глупо все это было до изумления, но и безумно смешно. Статуя Зевса падала, разбиваясь на куски, из обломков вылезал, отряхиваясь, Свиньин-Шенгели, Александр Сергеевич Пушкин искал какой-то потерянный предмет, и в конце концов оказывалось, что он ищет стройную ножку, и штук пятьдесят манекенных ножек с вытянутыми вверх носками проплывали по сцене, чеховское ружье в виде деревянной винтовочки для дошкольников попадало в руки тургеневских охотников и стреляло, и тряпочная чайка с отвратительным криком падала на середину школьной сцены...

И вся эта фантасмагория крутилась, конечно же, вокруг дорогого Юлича.

Санечка Стеклов в кудрявом парике и бархатном халате сидел за пианино и доводил своим сопровождением до блеска те места, где не совсем блистал текст.

Потом хором спели гимн, сочиненный, разумеется, все тем же Михой, и было бы непростительным упущением его не привести:

Он многорук и многоглаз,
От смерти каждого из нас
Он хоть единожды, да спас,
И потому идет рассказ
Начистоту и без прикрас,
Да, Виктор Юльевич, про вас!
Вы показали высший класс,
Что в жилах кровь течет, не квас,
Зовите, и в единый час

К вам соберется весь наш класс,
И от болот и до пампас
Сопровождать мы будем вас,
Куда б вы нас ни повели,
Хотя б на край земли.

Когда пение закончилось, в зале не было ни одного преподавателя. Все удалились в учительскую и тихо возмущались: нанесено оскорбление! По этой причине они не увидели заключительной сценки представления — ребята сбились в кружок и стали обсуждать, что бы им подарить на расставание любимому учителю. Были заслушаны разные более или менее комические предложения. Решено было, что дарить надо лучшее из возможного, что подарок должен быть безусловно ценным и «нерасходным», то есть ни съесть, ни выпить. А также полезным. И доставлять удовольствие! Наконец втащили на сцену огромную, в человеческий рост, коробку, сняли переднюю крышку, обнаружилась гипсовая скульптура — стройная девушка в тунике. Она довольно натурально стояла в положенной античной позе, пока ей не скомандовали:

— Вперед!

Статуя ожила. Это была покрытая побелкой Катя Зуева-Шенгели. Надо сказать, что они долго уговаривали ее сыграть эту роль.

Она прошла через зал и под аплодисменты села у ног Виктора Юльевича.

Из зала выносили лишние стулья, накрывали столы. Учителей видно не было. Виктор Юльевич отправился в учительскую, чтобы попытаться «сломать» забастовку педагогического состава.

Его ждали. Лариса Степановна вышла вперед:

— От имени учительского коллектива, Виктор Юльевич, мы вынуждены вам сообщить... — начала торжественно директриса.

Но Виктор Юльевич быстро сообразил, что именно ему сейчас скажут. И он сделал первое, что пришло ему в голову. Он вытащил из кармана пиджака очешник, вынул старомодные очки в металлической оправе, надел на свой длинноватый, правильно нарисованный нос, приблизился к Ларисе Степановне, склонился к ее знаменитой брошке-бабочке, прицепленной к белому воротничку, и сказал умильным голосом:

— Ой, какая прелесть! Какой миленький поросеночек!

— Вон отсюда! Вы уволены! — хрипло и тихо произнесла Лариса Степановна.

«Побагровевшим от ярости голосом», подумал литератор.

Из зала послышалась музыка.

— Да что вы так нервничаете? Пойдемте, выпьем лимонада и потанцуем! Ребята вас ждут!

Он улыбался своей обаятельной улыбкой, а про себя думал: «Сукин же я кот! Напрасно я их так унизил. А Лариса Степановна, бедняжка, у нее губки углами вниз, как у обиженной девочки. Того и гляди зарыдает... Какие же они плохие дети... но что теперь делать — не прощения же просить!»

На столе Ларисы Степановны лежал приказ об увольнении.

Она собиралась предъявить его в конце вечера. Было самое время. Дрожащей рукой она нашарила на столе судьбоносную бумагу:

— Вы уволены!

В дверь учительской стучали. «Люрсы» искали своего учителя. Если говорить с полной откровенностью, у них тоже было кое-что заготовлено. Не плохой портвейн, а хорошее грузинское вино.

Дружба народов

Шел пятьдесят седьмой год. Москва трепетала перед Всемирным фестивалем молодежи и студентов, который должен был вот-вот открыться. Выпускники готовились к поступлению в институт. Перейдя из простой молодежи в категорию студентов, кроме благ образования, они получали освобождение от службы в армии. Все вкалывали с утра до ночи, каждый день Виктор Юльевич занимался с абитуриентами. К своим частным ученикам он присоединил несколько «своих», бесплатных.

«Трианону» армия не грозила. Илья обладал исключительным даром плоскостопия, Миха был близорук, Саня, со своими скрюченными пальчиками, тоже в автоматчики не годился. Словом, все они имели небольшие дефекты, освобождающие от воинской повинности. Илья занимался лениво, Саня, подавший документы по совету бабушки в иняз, не занимался вообще, валялся на диване, слушал музыку и читал книжки, даже иностранные. Хуже всего дело обстояло у Михи: евреев на филфак не брали, а он определился окончательно и бесповоротно — только туда. Кроме всего прочего, он был единственный, кто всерьез думал о стипендии. Родственная помощь обещана была до окончания школы.

Конечно, на крайний случай можно было пойти на вечерний, но так хотелось пожить настоящим студентом.

— Я вообще не понимаю вашей гуманитарной страсти. Одно дело — книги читать, понимать, что там написано, удовольствие от них получать, но почему надо делать из удовольствия профессию? — Илья презрел филологию и принял самостоятельное решение — в Ленинградский институт киноинженеров, ЛИКИ.

У него в Ленинграде объявился дядя, который разыскал его вскоре после смерти отца. Он приглашал пожить до поступления у него. Получив аттестат, Илья сразу же уехал в Ленинград. Денег он скопил неправедным путем огромную сумму в полторы тысячи рублей, три материнские зарплаты. Кроме поступления в институт, было у него еще и намерение гульнуть.

В тот год, в связи с Московским фестивалем, сроки вступительных экзаменов в вузы были перенесены в разные стороны, чтобы абитуриенты не скапливались в столице и не мешали празднику.

Киноинженерный институт Илье очень понравился. Дядька Ефим Семенович сказал, что до войны отец Ильи там работал, и до сих пор сохранились несколько человек, которые его помнят. Он стал звонить по разным телефонам, но, к сожалению, тех, кто помнил Исая Семеновича, там не было, а кто был, тот не помнил.

Илья сбежал из Ленинграда в тот день, когда узнал, что начало экзаменов там как раз совпадает с открытием фестиваля. Этого великого события он не мог пропустить. Он подхватил свой фотоаппарат и вернулся в Москву с зажатым в руке паспортом, который он предъявил — с момента покупки обратного билета в кассе Московского вокзала до родного дома — пять раз: милиционерам, контролерам, дружинникам и просто желающим взглянуть на документ. В Москву пускали только москвичей.

Илья зашел к Михе. Оказалось, что Миха стал-таки студентом. Правда, поступил он не на филфак университета, а в скромный педагогический институт, где — известная шутка — по статистике, на восемь девочек приходилось два мальчика, один косой, другой хромой. Честолюбивые молодые люди без дефектов в пединститут не рвались.

Поступил Миха легко. Его удачный пол и хорошая подготовка перевесили плохую национальность. Но торжество было отравлено: в день, когда он нашел себя в списке принятых, умерла от воспаления легких бедная Минна, которую он ни разу не навестил в больнице. Она по три раза в году болела воспалением легких, и никак нельзя было предположить, что на этот раз болезнь окончательная.

Теперь он остался наедине со страшной тайной и с тяжким ощущением, что этот стыдный груз останется с ним до конца жизни. Слабоумная Минна была в него влюблена, и как-то постепенно он втянулся в странные сексуальные отношения, иначе не назовешь, хотя сексом в полном смысле слова происходящее между ними тоже назвать было нельзя. Минна подстерегала его в слепом отрезке коридора возле уборной, загоняла в угол и прижималась к нему теплыми и мягкими частями тела, пока он с большой легкостью не вырывался, красный, трясущийся и вполне удовлетворенный. Он готов был убить себя каждый раз после этого ужасного тисканья, клялся, что в следующий раз оттолкнет ее и сбежит, но все не мог этого сделать. Она была ласковая, мягкая, местами волнующе волосатая и совершенно косноязычная, и последнее ее качество исключало огласку.

Он просто умирал от чувства вины и отвращения, мысль о самоубийстве постоянно жила на задворках его сознания. О подсознании тогда еще не заикались.

Илья застал Миху в этом плачевном состоянии. Расспрашивать ни о чем не стал, но поволок его на улицу — развеяться.

Москва была необыкновенно чистая и относительно пустынная. Фестиваль открывался завтра. По пустому городу в разных направлениях шли колонны легковых машин, грузовиков с открытыми бортами, с закрытыми бортами, автобусов старомодных — «ЗИСов» и «ПАЗов» — и венгерских «Икарусов».

Всюду были флаги и огромные бумажные цветы, а девушки в то лето носили широкие пестрые юбки, натянутые на толстые нижние, как на зонтики, и талии у всех были перетянуты широкими поясами, а волосы взбиты на макушке.

Преодолев два легких заслона, ребята вышли к скверику у Большого театра. Тут сбилось довольно много народу. Илья указал Михе на двух растерянных и не особо красивых девчонок: давай закадрим!

— Да ну тебя, — обиделся Миха и повернулся, чтобы идти прочь.

— Прости, прости, Миха, я грубый человек! Хочешь, пойдем и напьемся, а? Пошли! В «Националь»!

Почему-то их пустили в кафе «Националь». Возможно, швейцар пошел отлить и забыл заложить щеколду, а может, понадеялся на убедительную надпись «Закрыто на спецобслуживание».

— Пьем коньяк, — твердо сказал Илья и немедленно заказал триста граммов сбитому с толку официанту.

Они выпили триста граммов коньяка с двумя пирожными, потом повторили заказ. Как раз между первым и вторым принятием Михе заметно полегчало, и тут к ним подошел молодой парень с камерой «Hasselblad» на ремне, с виду русский, и спросил, можно ли сесть за их столик.

— Конечно, — отозвался Миха и выдвинул парню стул.

И сразу же разговорились. Парня звали Петей, но оказался он не простым Петей, а бельгийским Пьером Зандом, русского происхождения, студентом Брюссельского университета. Вторые триста граммов они выпили уже втроем и пошли гулять по городу. Фотоаппарат по совету Ильи Пьер оставил в гостинице.

Они гуляли по московскому центру, лучшего туриста, чем Пьер, нельзя было и вообразить. Он узнавал места, в которых сроду не был, все это были ожившие воспоминания родителей и бабушки и прекрасное знание русской литературы.

А вчерашние «люрсы» были лучшими из проводников для тоскующего по России Пети.

В Трехпрудном переулке у маленького деревянного домика Илья остановился и сказал:

— Доски мемориальной на этом доме нет, но мы знаем, что здесь жила Марина Цветаева.

Пьер все мягчел и слабел, а возле домика Цветаевой чуть не заплакал:

— Мама моя хорошо знала Марину Ивановну по Парижу. У вас ее и не печатают...

— Печатать не печатают, но все же знаем, — сказал Миха:

> Кто создан из камня, кто создан из глины, –
> А я серебрюсь и сверкаю!
> Мне дело — измена, мне имя — Марина,
> Я — бренная пена морская.

Правда, я больше Анну Ахматову люблю. А Илья вообще увлекается футуристами.

Кто бы кого ни предпочитал, поразительно было то, что вот стоит перед ними живой человек, почти их возраста, мать которого знала Марину Цветаеву. Сам Пьер представлял огромную, давно уже не существующую страну, уехавшую в эмиграцию. Пока гуляли, Петя рассказывал о своей семье, о той бывшей России, которая казалась собеседникам таким же призраком, как Брюссель или Париж. Но как же яростно и остро Петя ненавидел большевиков!

Миха с Ильей, немало обсуждавшие недостатки социализма, впервые встретили человека, который говорил вовсе не о недостатках коммунистического режима: он определял его как совершенно сатанинский, мрачный и кровавый, и не видел никакой существенной разницы между коммунизмом и фашизмом. Каким-то неведомым образом Петя соединял в себе любовь к России и ненависть к ее строю.

Две недели они практически не расставались. Благодаря Пьеру, втиснувшись в бельгийский автобус, они попали на открытие фестиваля в Лужниках, где три с лишним тысячи спортсменов то расцветали единым цветком, то выстраивались в геометрическом порядке, их руки, ноги и головы согласованно вздымались и опускались, и это было потрясающе захватывающее зрелище.

— Такое же было на гитлеровских парадах, — шепнул Пьер. — Фильмы Лени Рифеншталь в свое время обошли весь мир. Великая сила массового гипноза. Но, правда, очень мощно! И здорово! — вздыхал Пьер и щелкал затвором фотоаппарата. Илья от него не отставал.

Потом был джазовый концерт, массовый заплыв с факелами, какие-то фигуристы в воде, не считая бесконечных песен и плясок ансамблей Советской Армии, флота, промышленности, торговли, профсоюзов поваров и парикмахеров.

Пьера совершенно не интересовали ни египтяне, скандирующие «Насер! Насер!», ни чернокожие граждане независимой Ганы, ни израильтяне, тоже пользующиеся большим успехом, особенно у советских людей, клейменных пятым пунктом. Пьера интересовала только Россия.

На третий день фестиваля к ним присоединился воскресший после очередной ангины Саня, и целых две недели они провели в беготне, в радости и веселье, так что Миха почти совсем забыл о Минне.

Илья ни разу не вспомнил о своем несостоявшемся поступлении в институт, а Саня временно отложил свои переживания по поводу рухнувшей музыкальной карьеры. Все влюбились в Петю, в Пьера, в Пьерчика, и никто из них и помыслить не мог о том, как иностранный друг повлияет на их судьбы.

Пьер, как выяснилось, был послан на фестиваль как представитель молодежной газеты, с заданием сделать цикл фотографий о жизни Москвы. Фотографии Москвы он сделал замечательные, в большой степени благодаря своим новым друзьям. Он снял булочную, когда туда доставляли свежий хлеб, речной порт с кранами и портовыми рабочими, детские ясли, дворы с бельевыми веревками и сараями, читающих в метро девушек, стоящих в очередях старушек, выпивающих и целующихся мужиков — и море радости.

Забегая вперед, скажем, что фотографии были забракованы редактором газеты. Они показались ему фальшивкой и коммунистической пропагандой. Пьер, которого нельзя было упрекнуть в симпатии к коммунистическому режиму, обвинил редактора в предвзятости, и они разругались.

За день до отъезда всей компанией пошли в Парк культуры пить пиво. Была там волшебная чешская пивная, прикидывающаяся рестораном. Очередь расползалась вокруг пивной, как пена около кружки, но они послушно стали в хвост — торопиться было некуда. К ним должен был присоединиться какой-то отдаленный родственник Пети — двоюродный или троюродный брат матери, работающий в Москве, во французском посольстве. Стоять было не скучно, все время происходило что-то занятное. Сначала группа людей на ходулях проскакала мимо, потом прошествовали шотландские волынщики, мексиканцы с трещотками и ряженые украинцы.

Саня с Михой держали очередь, а Илья с Пьером все отбегали, чтобы словить интересный кадр. И словили восхитительную драку могучего низкорослого негра с шотландцем в клетчатом килте неизвестного бело-зеленого клана. Бойцов окружила толпа зрителей, подбадривала:

— Врежь черномазому!

— Прибей пидараса!

Словом, народ развлекался древнейшим способом, точно как на гладиаторских боях. Бой шел под звуки все покрывающего Соловьева-Седого — вся Москва пела «Подмосковные вечера». Негр нанес сокрушительный удар, и шотландец в юбке рухнул.

Пластинку сменили: «Песню дружбы запевает молодежь, молодежь, эту песню не задушишь, не убьешь...»

Шотландец зашевелился. «Не убьешь, не убьешь...» — заливался громкоговоритель.

Через два часа, когда ребята уже входили в пивную, их разыскал Пьеров дядька, француз по имени Николай Иванович, с русской фамилией Орлов. Он был пожилой, розовый и толстенький, напоминал веселого поросенка Ниф-Нифа, говорил на петербургском наречии, давно вышедшем из советского словооборота. Одет был смешно — в соломенной шляпе и в украинской рубахе, вышитой по вороту, — точно как Хрущев. Иностранца в нем заподозрить было невозможно. По виду бухгалтер из провинции, с тертым портфельчиком.

Петя, когда его увидел, со смеху покатился:

— Ну и маскарад!

Знакомил их Петя с умыслом: через него держать связь.

Почте не доверяли. Обменялись телефонами. Звонить, ясное дело, можно было только из уличных автоматов, а встречаться договорились всегда на этом самом месте, возле чешского ресторанчика, чтобы по телефону не обсуждать место встречи.

Завязывалась преступная связь с иностранцем.

Знаменитое чешское пиво было светлое, в запотевших кружках, что свидетельствовало о его правильной температуре. Правда, оно стояло на соседних столах, а ко времени, когда компанию впустили в зал, как раз кончилось. Шпикачки тоже кончились, официанты подавали пиво «Жигулевское» и соленые крендельки, невиданную закуску. За соседним столом щипали, как корпию, внесенную контрабандой воблу, а в пиво подливали водку — под столом.

Хотелось сфотографировать, но было, во-первых, боязно, во-вторых — темновато.

Таинственным образом снова появилось чешское пиво, пришлось выпить еще по две кружки. Вышли нагрузившиеся, веселые. Пьер на прощанье подарил Илье свой «Hasselblad». То есть Пьер сначала предложил обмен, но Илья не смог отдать «Федю»:

— Подарок отца, не вещь, а часть жизни.

И тогда Пьер снял с себя матовый рубчатый ремень и сказал:

— Понимаю. Бери.

Дядя Орлов подарил им свой бухгалтерский портфельчик. Он был тяжеленький, с книгами. Около метро разошлись в три разные стороны: Илья с Пьером решили идти пешком до центра, Орлов тоже пошел пешком, но в другую сторону — он жил на Октябрьской площади.

Портфель Орлова, набитый книгами, нес Миха. Они с Саней спустились в метро. Праздник все еще продолжался, хотя официальное закрытие уже произошло.

Толпы веселых и пьяных людей, слегка приуставшие от двухнедельного праздника, догуливали последний вечер.

Иностранцев, украсивших на время московский пейзаж, было очень мало. Наверное, пошли собирать чемоданы, спать, завершать последние товарообороты, продавать остатки валюты и доцеловываться с советскими девушками, впервые познавшими прелесть романа с австрийцем, шведом и гражданином независимой Ганы.

Дружба народов торжествовала. Иностранцы, вопреки многолетним внушениям, оказались хорошими ребятами — никаких капиталистов, одни коммунисты и сочувствующие. Вроде голубиного Пикассо и прогрессивного Федерико Феллини.

Саня с Михой сидели за полночь во дворе дома-комода на Чернышевского, на скамеечке, говорили об улучшении нравов в России, хвалили Хрущева, который «вскрыл» железный занавес. Потом перешли к более личным темам: Миха поведал Сане то, что не вполне внятно изъяснил насмешливому Илье, — о бедной Минне, об их нечистых отношениях, о тягостном осадке, который теперь, видно, не смоется за всю жизнь.

Саня молча кивал: он всегда представлял себе эту тайну между мужчинами и женщинами нечистой и отталкивающе-притягательной. До самой сути невозможно было добраться — слов не было.

Погоревали, помычали и разошлись.

С улицы еще доносились обрывки — «Не слышны в саду даже шорохи, все здесь замерло до утра, если б знали вы, как мне дороги...».

Коричневый бухгалтерский портфельчик с книгами Миха забыл под скамейкой. Саня тоже не вспомнил.

Дворник дядя Федор, воспетый Юлием Кимом, протрезвев на скорую руку, пошел мести участок. Портфельчик нашел — ничего в нем хорошего не было. Какие-то книжки. Отдал при случае участковому.

Толстячка Орлова родители его бывшей жены считали полным балбесом, и назначение его на дипломатическую работу в Россию их взволновало — он был первый, кто пересек границу родины в обратном направлении после восемнадцатого года.

В портфельчике лежал богатый подарок — шесть номеров «Вестника РСХД» и только что переведенная на русский язык книга Оруэлла «1984» издательства «Посев». И в том было полбеды, что мальчишки прочитают эту книгу с пятилетним опозданием, с ксерокопии. Беда была в том, что в боковом отделении портфеля лежало письмо от Маши, ушедшей от него жены. Оно было прислано диппочтой, имя Орлова стояло на конверте, и разыскать его ничего не стоило.

Фестиваль закончился. Забеременевшие от чернокожих студентов девушки еще не успели обнаружить свою беременность, а у Орлова уже начались неприятности. К счастью, не посадили, но из страны немедленно выслали. Дипломатическая карьера закончилась. Его бывшая жена и ее родители получили подтверждение тому, что Николай Иванович полный балбес и не пригоден ни к какому делу.

Зато мальчики совершенно не пострадали.

Зеленый шатер

Оленька, луковка желто-розовая, плотная, в шелковистой тонкой кожице, без гнильцы и помятинки, нравилась и мужчинам, и женщинам, и кошкам, и собакам. И непонятно было, как это она, такая здоровая и веселая, в улыбчатых ямочках, родилась от сумрачных немолодых родителей, карьерных, партийных, с большими секретными заслугами и явными знаками благоволения властей — орденами, персональными автомобилями, дачей в генеральском поселке и продовольственными заказами в коричневых крафтовых пакетах и картонных коробках, прямо на дом доставляемых из закрытого распределителя.

Еще более удивительным и непонятным было то, как доверчиво она усвоила все хорошее, что они говорили, и совершенно не заметила того дурного, что они делали. Она выросла честной и принципиальной, общественные интересы всегда держала на первом месте, личные — на втором, и ненависть к богатым (где они, кстати?) она усвоила, и уважение к трудящемуся человеку, например, к Фаине Ивановне, домработнице, и к водителю черной отцовской «Волги» Николаю Игнатьевичу, и к водителю серой, материнской, Евгению Борисовичу.

Как легко и радостно быть хорошей советской девочкой! Пионерский Артек с синими ночами и красными галстуками прекрасно сочетался с продовольственным распределителем, а персональные машины родителей, возившие ее на дачу по субботам, — с равенством и братством. Она была ни в чем ни перед кем не виновата и любила радостно и безмятежно Ленина–Сталина–Хрущева–Брежнева, Родину и партию. Была она морально устойчива, как написали ей в характеристике, когда вступала в седьмом классе в комсомол, и в высшей степени политически грамотна.

Отец Оли Афанасий Михайлович служил по военно-строительной части, а мать была редактором журнала, не совсем литературного, скорее воспитательного толка.

Антонина Наумовна (она была из православных, имена своим детям дававших по святцам, а вовсе не из евреев), окончила ИФЛИ, так что была практически писателем. И учиться Олю, по родительскому решению, снарядили по филологической части, в университет.

Первый университетский год не предвещал ничего дурного: девица с охоткой взялась за общественную работу, избрана была в бюро комсомола, училась прекрасно и рьяно, завела жениха — доброго молодца. Из военной семьи, толковый паренек, и не филологический, а студент МАИ. Авиационный. Последний курс. Антонине Наумовне Вова очень нравился — плечистый, роста хорошего, волосы светлой волной на лоб, ходил он чистенько, в свитере с самодельными оленями, но по зимам носил кожанку авиационную, мечтанную одежку тридцатых годов, чем особенно Антонине Наумовне импонировал.

Свадьбу сыграли после окончания Олей первого курса, в начале июня, — чтоб всю жизнь не маяться майским браком, как сказала Фаина Ивановна, приходящая помощница по хозяйству, кладезь народной премудрости.

Вова переехал в генеральскую квартиру, в Олину комнату. Всего в доме было вдоволь еще для одного человека, только кровать купили новую, пошире. Покупал, как ни странно, сам генерал. Оля наотрез отказалась идти за такой двусмысленной покупкой, а Антонина Наумовна была страсть как занята по причине очередного съезда не то советских учителей, не то советских врачей. Афанасий же Михайлович вспомнил, что на Смоленской набережной он видел мебельный магазин, и сказал жене, что сам купит. Он туда и заехал после работы. Магазин оказался антикварный. Генерал долго ходил между мебелями всех времен и народов и вспоминал своего деда-краснодеревщика. Лет пятьдесят о нем думать не думал, и вдруг, посреди зыбких бамбуковых этажерочек, монументальных бюро с секретами и ампирного бело-золоченого мелколесья стульев и полукресел, воскрес тощий низенький старик с огромными коричнево-черными кистями и острыми глазами в нежных водянистых мешках подглазий... И запах дедовой мастерской всплыл — скипидарно-спиртовой, лаковый, густой и почти съедобный, и как учил дед его, мальчонку, пошкурить, поциклевать, полировочку навести.

Ходил, ходил Афанасий Михайлович, забывши, с чем пришел, потом вспомнил и купил двуспальную кровать волнистой березы, крепостной работы с фантазией, совершенно не подумавши о двух молодых комсомольцах, любителях палаток и ночевок под голым небом, которым предстояло теперь между витыми колонками, в кругу четырех херувимов потрудиться для будущего.

Кровать действительно произвела большое впечатление своей полной несуразностью и помпезностью, но супружеского дела не затормозила — внук Константин появился на свет ровно через десять лунных месяцев со дня свадьбы.

А генерал повадился с тех пор в антикварный магазин и, к удивлению Антонины Наумовны, начал постепенно менять добрую сталинскую мебель на заковыристые предметы большой давности, да еще и чинил их сам.

Был Афанасий Михайлович старше жены на десять лет, она давно уже чувствовала в нем приближение старости и теперь смотрела на это его новое увлечение как на старческую причуду, впрочем, безобидную. На даче он оборудовал себе мастерскую и ковырялся там с охотою, все более утрачивая военную бравость и политическую дальнозоркость, которую жена в нем высоко ценила.

Антонина Наумовна не в восторге была от появления столь раннего ребеночка — Оленьке и девятнадцати еще не стукнуло, когда привезли из роддома кулек в голубом шелковом одеяле. Кулек оказался образцовым, точь-в-точь как его родители: ел, спал и какал по часам, всем улыбался и давал Оле возможность заниматься словесной наукой, так что ей и академического отпуска не пришлось брать для подращивания ребенка до пешеходного возраста.

Фаина Ивановна, с послевоенных лет работавшая в семье, растившая Олю с младенчества, собралась было с рождением ребенка уходить — в другую семью из двух человек, где работы поменьше и куда давно ее сманивали, — но Костя так пленил ее пожилое сердце, что она до самой своей смерти за ним ходила.

К концу университетской учебы, которая шла вполне успешно, произошло событие, разрушившее семейный мир. Оля, чистая девочка, набралась в этом университете тлетворного влияния и, когда одного из университетских преподавателей, скрытого антисоветчика и врага, само собой, народа, посадили за пасквиль, опубликованный за границей, подписала вместе с некоторыми своими однокурсниками, с толку сбитыми дураками, письмо в его защиту. И ее, вместе с другими подписантами, из университета выгнали. Антонина Наумовна раскаялась, что отдала дочь в университет, но было уже поздно. Мужественный отец Оли, если б знал, что так обернется это почетное образование, непременно бы вспомнил: «кто умножает познания, умножает скорбь». Но Экклезиаста он не знал, и потому, когда тлетворное университетское образование повлияло на судьбу дочери столь драматическим образом, он с горечью выговорил своей жене Тоне:

— Дался тебе этот университет. Я ж говорил, проще надо быть, ближе к народу. Все мозги у девки перекосились... Отдала бы ее в инженерá, и никакой этой гнили не набралась бы... Упустили девку.

В этом Афанасий Михайлович был, может быть, и прав. В университете испокон веку происходило умственное брожение, а его генерал порицал не по партийному долгу, а по сердечной склонности.

— Все умничают, — сердился он всякий раз, когда сталкивался с тем, чего не понимал. Все чаще и чаще он не понимал свою дочь: даже о простых вещах научилась она говорить заумно, как будто специально, чтоб родному отцу мозги запудрить. Зять, надо отдать ему должное, Олиных взглядов не разделял. Они время от времени поругивались между собой — по вопросам политическим, потому что других-то проблем у них не было: на всем готовом жили, с няней, с дачей, с продовольственными заказами... Дело дошло до того, что вскоре после исключения Оли из университета Вова хлопнул дверью и переехал обратно к своим родителям.

Если б Оля послушалась родителей, покаялась на собрании, поплакала и написала бы заявление, какое от нее требовалось, до исключения дело бы не дошло. Но она, как было сказано, выращена была честной и принципиальной — родители с детства ей это привили — и потому наотрез отказалась каяться, признавать за собой ошибки и клеймить мерзавца-преподавателя, который был руководителем ее диплома.

Арест преподавателя произошел в начале сентября, Ольгу пригласили на первый допрос в конце месяца, и честная девочка говорила правду и только правду. А как иначе? Правда же ее состояла в том, что преподаватель — выдающийся ученый, что настроен он критически ко многим явлениям советской жизни, и критика его правильная, и она, ученица, полностью разделяет его взгляды на литературу и жизнь. Показания ее сильно не повредили арестованному, а за ошибки дочери ответили родители. Афанасия Михайловича вызвали в секретное место для строгой беседы, притопнули на него ногой, и он вскоре подал в отставку и переехал жить на дачу. В глубине души он даже и рад был этой перемене: хорошо было за городом — упражнялся там в наследственном ремесле и, храня на дочь тихую обиду, не портил себе ни настроения, ни кровяного давления пережевыванием семейной неприятности. Была у него, сверх того, и другая отдушина.

Антонина Наумовна сделала опережающий удар: еще до того, как начальство собралось намылить ей шею за плохое воспитание дочери, она успела опубликовать в своем журнале гневный материал по поводу очернительской книги бывшего преподавателя и подрядилась выступить общественным обвинителем на политическом процессе против негодяя. Отношения с дочерью с той поры полностью разладились.

Оля жила в доме как чужая. Ничего о себе не говорила, приходила, уходила, то с Костей погуляет, то вдруг исчезнет на день-другой. В феврале начался судебный процесс над преподавателем и его другом, тоже отчаянным писателем, передавшим рукописи на Запад, и Оля бегáла к Краснопресненскому суду и стояла в толпе молодых мужчин и женщин с интеллигентными и дерзкими лицами. Они все как будто были между собой знакомы, иногда кто-нибудь из мужчин вытаскивал бутылку из портфеля или фляжку из кармана, пускали по кругу. В эти минуты Ольга чувствовала себя одинокой и несчастной: ей не подносили. Однажды, зайдя в пельменную рядом с судом, скорее погреться, чем поесть, Ольга оказалась за одним столиком с этой компанией, и они признали в ней свою, как только она сказала, что делала диплом под руководством подсудимого и по этой причине из университета изгнана.

Высокий человек, которого она еще раньше приметила в толпе, потому что, несмотря на лютый мороз, он был без шапки, с заснеженными кудрями, и время от времени вынимал фотоаппарат, совал кому-то бумаги, а однажды его на глазах у всех затолкали в автобус и увезли, так вот этот самый веселый человек поднес ей незаконной водки, прямо под объявлением, что принос и распитие спиртных напитков строго запрещены, и она выпила почти полстакана.

И тут наступило счастье: пахло разваренными пельменями и мокрыми шубами, немного хлоркой и немного прокисшим алкоголем, пахло опасностью и дерзостью, и Ольга почувствовала, что ее приняли в партию сочувствующих обвиняемым. Чувство это было похоже на детскую коллективную радость пионерских сборов, искристых костров под синими электрическими небесами, комсомольских выездов на картошку и песен в электричке, только стало ясно, что все то, детское, было не то подменой, не то предвестником этого подлинного единения умных, значительных и смелых людей, и выглядели они верными товарищами, и хлопали друг друга по плечам, иногда взрывно смеялись, но чаще о чем-то потаенно шептались. Самым притягательным за столиком был тот высокий и кудрявый. Звали его Илья. Он и разливал.

Так и получилось, что Олина семья продолжала жить в прошлой жизни, а Оля оказалась в совершенно новой. Судебный процесс закончился, антисоветчики получили заслуженные сроки и отправились отбывать наказание, а круг людей, толпившихся во дворе Краснопресненского суда, сплотился.

Слово «диссиденты» еще не привилось к русскому языку, термин «шестидесятники» ассоциировался пока только с последователями Чернышевского, но в умных головах заводились тихие, как черви, и опасные, как спирохеты, мысли. Илья перелагал их Ольге в доступной форме в перерывах между объятьями, которые случались в комнате на улице Архипова, где жил Илья со своей матерью до женитьбы, но и после женитьбы не совсем съехал. Возил туда Оленьку от случая к случаю исключительно в утренние часы, поскольку его мать работала с восьми до трех медсестрой в детском саду.

С посаженным в лагерь преподавателем Илья был хорошо знаком, он знал почти всех людей, которые толпились тогда во дворе суда, но, помимо этого, он знал вообще все, а особенно то, что написано было в примечаниях мелкими буквами. Создавалось даже такое впечатление, что чем мельче шрифт, который использован для набора, тем это интереснее Илье. Особенно хорошо и много знал он про то, о чем в университетских книгах вообще не упоминалось. Свои знания он черпал в библиотеках, где провел школьные и послешкольные годы. К большому удивлению Ольги, образованнейший Илья высшего образования не имел, окончил только десятилетку и работать на государство не желал, а во избежание преследований со стороны власти числился секретарем у какого-то академика.

Роман Ольги и Ильи протекал главным образом на ногах, в прогулках по сокровенно-московским местам, которые он хорошо знал. Иногда он останавливался возле кривого домика с покосившимся крыльцом и говорил: это дом допожарный, сюда Вяземский захаживал... Здесь, у брата, Мандельштам останавливался... а в эту аптеку бегала жена Булгакова Елена Сергеевна за лекарствами для мужа...

Но лучше всего он знал про футуристов, про весь этот русский авангард. Часами они простаивали у прилавков букинистических магазинов, где он тоже всех знал и его знали, перебирал тонкие книжечки, напечатанные на серой сырой бумаге. Иногда покупал, иногда только причмокивал языком. Однажды заставил Ольгу бежать домой и занимать у родителей сторублевку для покупки редкого издания Хлебникова.

Так прошел год, а они все гуляли по переулкам, выпивали с друзьями, которые у Ильи все были особенными, как на подбор: один музыковед, другой жокей, к третьему, смотрителю заповедника, они ездили на Оку, и еще один был настоящий священник. Самым милым был рыжий учитель глухонемых детей! Оле раньше и в голову не приходило, какие интересные люди живут на белом свете и какие разные, со своими философиями и религиями. Мелькнул даже буддист! И Ольга читала книжки, и это было как еще одно университетское образование, но гораздо интереснее, да и книжки, которые давал Илья, были либо старинные, либо привозные, заграничные. Однажды он попросил Олю перевести с французского небольшую книжечку — католическую, про чудеса в Лурде.

Им было так интересно и так хорошо вместе, что Оле было трудно вообразить, что у него есть какая-то еще жена, к которой он уходит поздними вечерами. Потом что-то изменилось в его семейной жизни — все реже он сообщал, что ему надо в Тимирязевку, пока окончательно не вернулся к матери в коммуналку. Оля познакомилась с тихой Марией Федоровной.

По мере того как Ольга удалялась от своих родителей, зять Вова им все роднел: приходил по воскресеньям, получал из рук Фаины Ивановны собранного на прогулку сына, выгуливал его и приводил к обеду. Сам кормил, укладывал спать, а потом обедал вместе с тестем и тещей, каждый раз по особому приглашению, слегка отказываясь и давая понять, что в воскресном, не то чтобы парадном, но полупарадном обеде он никак не заинтересован, и не Фаинины пухлые недосоленные пироги привлекательны, а исключительно само родственное общение.

Оленька по воскресеньям отсутствовала, и о ней обычно и не поминали — больное место было общим, с теми же самыми оттенками оскорбленности, недоумения, совершенно необъяснимого предательства. У отставленного мужа вдобавок сильно чесалось молодое мужское самолюбие. К чести его надо сказать, что первую любовницу завел он спустя два года, когда Оля затребовала развода. До этого момента чувствовал себя женатым мужчиной в неопределенно долгой командировке, соблюдал бессмысленную верность и платил сорок рублей алиментов, которых никто с него не спрашивал. Ему все казалось, что Оленька опомнится, и они начнут дальше дружно жить с того самого места, где споткнулось их супружество...

Узнав, что Ольга подала на развод, Антонина Наумовна ушла в тихое бешенство. Но она умела быть сдержанной: ее страсти кипели в тайной глубине организма. Чем более она себя сдерживала, тем крепче сходились ее челюсти и сильнее выпирали из орбит тусклые глаза. Ольге она ни слова не сказала, паров она дома не спускала, умела разрядиться в редакции. Сотрудницы трепетали, одна от страху уволилась, а преданная ей всей душой секретарша слегла с микроинсультом.

Афанасий Михайлович с тех пор, как вышел в отставку, тихо радовался незамысловатой жизни. Он не обладал эмоциональной тонкостью своей жены и не торопился так уж решительно вычеркивать дочь, а лишь отодвинул ее подальше и не страдал так страстно, как Антонина Наумовна...

Видимо, и Ольга почувствовала отцову слабину: про изменившиеся обстоятельства своей жизни первому рассказала ему, а не матери. Но был в этом и расчет, о котором догадались позже...

В середине февраля Ольга приехала на дачу. Как простые жители, на автобусе. В будний день, ни с утра, ни с вечера — после полудня. Как раз привезли питание из недалекого военного санатория, вроде как по курсовке: обед из трех блюд и сладкая булочка собственной прекрасной выпечки. Афанасий Михайлович возился с судками, тут явилась Ольга. Он обрадовался, потому что давно ее не видел, а семейная ссора подзатуманилась со временем. Она же была веселая, совсем прежняя, располовинила безо всякого колебания отцов обед и даже составила ему компанию по части предобеденной рюмки. После обеда она с ногами забралась в кожаное кресло с алюминиевой биркой за шиворотом — были на даче еще остатки казенной мебели, которую генерал выкупил у своего ведомства за копейки вместе с самой дачей, — и выбрала Оленька по старой памяти это с детства родное чудовище, а не обновленное отцово старье, сплошь деревянное, лишенное ласковости и снотворности, купленное отцом все в той же комиссионке.

— Батяня, — назвала Оля отца детским прозвищем, — я хочу с тобой на даче пожить. Костю бы перевезла, а? Как ты?

Афанасий Михайлович обрадовался, никакого подвоха не почуял:

— Да живи ты, сколько хочешь, чего спрашиваешь? Только как с работой-то? Без машины тяжеленько...

Сообщение с городом было сложное: до Нахабина автобусом, который ходил не по расписанию, а по вдохновению, а от Нахабина на электричке до Рижского вокзала...

— А мне ничто, — засмеялась Оля. — Я не работаю, я учусь.

Афанасий Михайлович обрадовался: жена не говорила, что Оля опять пошла учиться. Недоразумение, однако, тут же и рассеялось — училась Ольга теперь не в университете, а на городских курсах испанского почему-то языка. Ходила на занятия не каждый день, вечерами, в университете восстанавливаться не собиралась.

Афанасий Михайлович медленно прикидывал, почему это вдруг задумала дочь такую перемену, и как жена к этому отнесется, и не следовало ли прежде согласия с женой посоветоваться. Но тут Ольга все сама и прояснила:

— Может, и друг мой тут поживет.

Старый генерал задохнулся от возмущения: развелась, не спрашивая, теперь завела полюбовника, хочет его в дом привести и его согласия-разрешения ждет. Но, минуту помолчав, махнул рукой:

— Да живи с кем хочешь, что мне за дело...

Насупился, доел быстро казенную котлетку и пошел принимать послеобеденную процедуру — сон.

Через несколько дней на огромный генеральский участок въехала старая «Победа», из нее высыпался Костя в цигейковой шубе, цигейкового же вида крупный щенок, Ольга со стопкой книг в руках и высокий кудлатый человек с лыжами. Окна мастерской, где Афанасий Михайлович возился со своими деревяшками, были обращены в другую сторону, и он не видел, как они, толкаясь, падая, роняя в снег варежки и книжки, подошли к крыльцу. Вышел на звонок, открыл дверь и увидел, как ему после дачного безлюдья показалось, целую толпу. Костя визжал, собака лаяла, Ольга преувеличенно хохотала, и над всеми возвышался длинный нескладный мужчина, в котором таился — сразу же понял отставной генерал — корень всех зол.

Корень назвался Ильей Брянским. Он протянул костистую, мясом не обросшую руку, пахнул дешевым табачным запахом, каким-то знакомым химреактивом и затаенной враждебностью. И от Ольги тоже шел новый дух — дерзкий и чуждый. Только внук Костя да его простопородный щенок были своими. Но Афанасий Михайлович не вдавался в анализ своих ощущений. Поцеловал дочь и внука и ушел на второй этаж рукодельничать: запах политуры, столярного клея и древесной пыли был ему полезней валерьянки. Он взял самую тонкую шкурку, принялся тереть боковину кресла, снимая оскорбительный лак, и рука его радовалась кривой плавности завитка, поддерживающего подлокотник.

Снизу доносился взрывчатый смех, фырканье, хохот, переходящий в стоны и повизгиванье, — звуки, совершенно не подходящие тихому и чопорному дому.

Все же бесстыдство какое: приехала с любовником и малолетним сыном, и как ни в чем не бывало, — осудил генерал дочь.

Зажили на два дома: Афанасий Михайлович — на своих военно-санаторских харчах, по привычному режиму: в семь подъем, в восемь чай, в одиннадцать сон. Ольгина семья перебивалась кое-как. То сварят себе что-то незначительное, но все больше бутербродничают, весь день холодильником хлопают, встают, ложатся не по часам, а как придется, — то гуляют, то чай пьют среди ночи, спят не ко времени, хохочут и стрекочут пишущей машинкой чуть не до утра. И работают не по-людски, то утром уезжают, то среди дня. Ольга на курсы едет в четыре, возвращается последним автобусом. Он встречает. Иногда с Костей. Ночью, по морозу, чего ребенка таскать?

Правда, одного Костю не оставляли, уезжали попеременно. А если уезжали с ночевкой, вызывали Фаину Ивановну. За два месяца только один раз попросили присмотреть Афанасия Михайловича: он взял мальчика к себе в мастерскую, и тот весь день ему помогал. Толково.

По субботам приезжала Антонина Наумовна на серой «Волге» — с тортом и с продовольствием. Устраивала воскресный семейный обед. Новый женишок долгое время ей на глаза не показывался: как суббота-воскресенье, так его и нет. Только в начале апреля они столкнулись. Предварительная неприязнь Антонины Наумовны оправдалась: не понравился. Да и чему нравиться? Разве что волосом кудряв. А так — лицо скудное, в обтяжку, нос с вороньей костью, а губы мясистые, красные, как в лихорадке. Несуразный весь: плечи узкие, ноги тощие, в поясе того и гляди переломится, брючата узенькие, а впереди торчит, много наложено. А сам ледащий! Тьфу!

Антонина Наумовна кивнула, поджав губы:

— Ну, будем знакомы. Антонина Наумовна.

— Илья.

— А по отчеству?

— Илья Исаевич Брянский, — подчеркнуто сказал.

Брянский-то Брянский, рассудила Антонина Наумовна, большой знаток по кадрам, однако Исаевич! — пророческие имена только у попов и у евреев в ходу... еще у староверов. Ей этот вопрос был хорошо знаком, всю жизнь отбивалась.

И чего девке надо было? Такого ладного парня, Вову, мужа хорошего, променяла на вихлястую жердину. И Костя, что неприятно, глаз с него не сводит, лазает по нему, как по тощему дереву.

За столом семейка молодая принялась хихикать. Антонина Наумовна приметила, как Илья Косте в тарелку хлебный катушек забросил, а тот ему как будто невзначай соли щепотку всыпал. А Ольга сидит с глупой улыбкой, щурится... Торта же женишок съел два куска. Крем слизывал сверху, как кошка. И за Костей доел. Сладкое любит. И ложечку обсосал. Противно! Все же напрасно Афанасий разрешил им здесь жить. Пусть бы сами устраивались, как могли. Все больно легко им дается. И глаз ее заволокся злой сухой слезой....

Бедные Ольгины родители и вообразить себе не могли, чем занимается ледащий женишок, о чем стучит по ночам машинка и куда он носится, покидая богатую дачу. Знала обо всем этом Оленька: это она перепечатывала антисоветчину на папиросных листах. Правда, за большие объемы Оля не бралась: не хватало скорости, квалификации. Она занималась перепечаткой стихов, более всего Осипа Мандельштама и Иосифа Бродского — считала это своей общественной работой, — а толстые книги отдавали более проворным, и за деньги, то Гале Полухиной, школьной подруге, то профессионалке Вере Леонидовне.

Илья иногда отвозил листы в переплет, к другу Артуру, а иногда распространял и так, голенькими. Артур делал чудесные поэтические книжечки в ситцевых переплетах. Книги религиозного содержания переплетал в соответствующий им солидный материал — ледерин, коленкор. Но дело с ним иметь было непросто: забывал о сроках, о договоренностях. Илья на самиздате зарабатывал. В отличие от большинства прочих «гутенбергов» своего времени, интеллигентским чистоплюйством он не страдал и за потраченное время желал получать приличное вознаграждение, которое достойным образом он и употреблял на свои фотографические увлечения и коллекции.

Сколько стихов! Сколько стихов! Не было другого такого времени в России, ни до, ни после. Стихи заполняли безвоздушное пространство, сами становились воздухом. Возможно, как сказал поэт — «ворованным». Высшее признание поэта, как оказалось, — не Нобелевская премия, а эти шелестящие, переписанные на машинке и ручным способом листочки, с ошибками, опечатками, еле различимым шрифтом: Цветаева, Ахматова, Мандельштам, Пастернак, Солженицын, Бродский, наконец.

— Наш школьный учитель литературы Виктор Юльевич Шенгели — вот с кем тебя надо познакомить. Он тебе очень понравится! Он, правда, давно уже в школе не преподает. Сидит где-то в музее на ставке. Главное, чтоб внимания не обращали.

Советская власть преследовала безработных, причисляя к ним тех, кому работать сама же и не давала. Тунеядец Иосиф Бродский уже освободился из ссылки в деревне Норенской, и ничто не предвещало, что через пятьдесят лет в местной библиотеке откроется мемориальная комната памяти бывшего ссыльного и потертая девушка средних лет будет водить экскурсию «Бродский в Норенской».

Оля поначалу немного, а постепенно все более уверенно занималась переводом: французский был университетский, к испанскому, выученному на городских курсах, прибавился итальянский, который сам собой освоился исключительно по дороге на дачу, в электричке. Образовались связи, иногда приглашали переводить фильмы, и она отлично с этим справлялась. Были и другие заработки-приработки — какие-то рефераты, патенты. Заработки были сначала маленькие, потом значительные. Но все работы были неофициальные, а официально она теперь числилась секретарем, как Илья. Это была ширма, ею многие пользовались.

После смерти бывшего тестя нашелся еще один человек, который оформил Илью к себе в секретари. Он и Ольге нашел старого профессора, который оформил ее к себе на работу секретарем, и оба они числились в каком-то загадочном профкоме, устроенном как будто специально для избегания советской власти.

На даче, в чулане рядом с ванной, Илья оборудовал себе фотолабораторию. Как в школьные годы, отвел трубу от сортира и ночами там химичил. Но Афанасий Михайлович ничего не замечал — мылся он по субботам, в другие дни в сторону ванной и смежного с ней чулана и не смотрел.

Какие счастливые были эти совместные годы! Илья развелся с прежней женой. С Ольгой они тихонько, без большой огласки поженились, и Ольга предалась ему всей душой. Все, что он говорил и делал, было увлекательно и ново: и самиздат, и фотографии, и путешествия, — он был любитель и русского Севера, и среднеазиатского Юга, часто срывался, ехал бог весть куда. Иногда брал с собой Ольгу и Костю.

Однажды поехали в Вологодскую область — в Белозерск, в Ферапонтово, — и осталась эта поездка в памяти Кости как волшебное путешествие. Все, что происходило, каждый прожитый день и час остались, как кинопленка, годная к новому просмотру: и ловля рыбы с лодки, и ночевка на сеновале, и как влезли на леса в монастыре, и он чуть не сверзился в бездну, но Илья ухватил его за куртку, и ужасная смешная история с пчелой, которую он засунул в рот вместе с куском деревенского пирога с вареньем, а Илья немедленно вытащил пирог прямо у него изо рта, и ловко вытянул из губы пчелиное жало.

Оля вспоминала другое: пропадающие фрески Дионисия, запущенный монастырь, медлительную и сонную северную природу, которою она с первого же слюдяного, прозрачного заката признала своей настоящей родиной.

Именно тогда, под Вологдой, она, пережившая разочарование в родительских идеалах, в самих родителях, во властях и начальствах страны, в которой родилась, в самой стране, с ее жестокими и бесчеловечными порядками, вдруг испытала новую, щемящую любовь к бедному смиренному Северу, откуда родом был ее отец, и комок застревал в горле, когда поздно закатывающееся солнце садилось в большое озеро, багровое небо делалось постепенно серебряным, и все вокруг серебрело — поля, вода, воздух. Этот зелено-серебряный оттенок тоже был открытием этой поездки, именно Илья первым его заметил и указал.

Генерал в эти годы окончательно перебрался в мастерскую, почти и не показывался оттуда. Мать боялась потерять свою должность, но никто ее не гнал из журнала: она была партийно-писательской шишкой почти крупного масштаба.

Когда Костя пошел в школу, они переехали в московскую квартиру, а Антонина Наумовна все чаще стала ночевать на даче — персональная машина курсировала почти каждый день по два раза туда-сюда — отвозила, привозила.

На десятом году брака произошел сбой.

Илья сделался нервным и настойчивым: чудесная веселая игривость характера сменилась мрачностью. В начале восьмидесятого года он объявил Оле, что им надо уезжать. Разговоры об отъезде давно уже велись между ними, но как-то отвлеченно. Тут вдруг Илья ни с того ни с сего страшно заторопился.

— Я буду просить приглашение на всю семью. Если ты не хочешь ехать, надо разводиться.

— Хочу, хочу я ехать. Но сам подумай. Вовка Костю ни за что не выпустит. Просто мне назло. Вот ему восемнадцать исполнится, тогда уже разрешения не нужно будет. — Оле казалось, что Илья напрасно капризничает. Не уехали десять лет тому назад, ну что вдруг теперь так загорелось?

Илья настаивал, торопил. Ольга встретилась с бывшим мужем. Совершенно безрезультатно. Вова показал себя злобным тупицей. Даже удивительно, какой бесчувственный боров из него произошел. Отказал твердо, окончательно, да еще и обругал.

Оля умоляла год подождать. Илья был как в лихорадке: ехать, скорее ехать. Он и вправду очень нервничал. Неприятные слухи клубились вокруг его имени, и он боялся, что до Оли дойдет. Как-то резко, не проговорив до конца всех деталей, Илья объявил, коли Ольга не может с ним ехать из-за Кости, то надо срочно подавать на развод.

Для Ольги это была катастрофа, но катастрофа какая-то странная, необязательная, что ли... И впрямь, не вполне было понятно, почему вдруг Илюша так заторопился. Подождали бы год, поехали бы вместе с Костей. Множество друзей уже эмигрировало кто куда. И можно было бы не торопясь...

Дошли до черты — подали на развод. Начался медовый месяц, только наоборот. Ожидание разлуки — на год, может, на два? — придавало остроты, сладости и горечи, и даже Косте передалось это смешанное чувство. Он был юноша в самом, казалось бы, отчужденном возрасте, но и он висел на Илье, постоянно норовя нарушить их уединение.

Любовь в экстремальных условиях так разгорелась, что в ее ночном пламени рухнули последние границы, и сделаны были ужасные признания, и даны такие клятвенные обещания, и взяты такие невыполнимые обеты, как будто им было по пятнадцать лет, а не по сорок. Поклялись, что если какие-то препятствия возникнут, то весь остаток жизни положат на то, чтобы соединиться....

Отъездный механизм был запущен. Процесс завершился необычно быстро: через две недели после подачи документов Илья получил разрешение. Летел он по известному маршруту: через Вену, далее везде. В качестве конечной точки намечалась Америка. Далекое место.

Отвальную устраивали на квартире у друзей, — московская генеральская квартира не подходила по множеству причин.

Проводы были шумными, с перепадами настроения: не то похороны, не то день рождения. В некотором смысле имело место и то, и другое.

В Шереметьеве, в толпе навеки покидающих страну нервных и потных людей, обремененных детьми, стариками и обширным багажом, Илья выделялся безмятежностью вида и полным отсутствием багажа. Свою книжную коллекцию он заранее переправил за границу дипломатической почтой через посольского приятеля. Этот же приятель переправил и негативы фотоархива. Полковник Чибиков об этом вряд ли был осведомлен.

Многие детали так и остались невыясненными. Почему, например, полковник Чибиков, который к тому времени уже был генералом, помогал ему с выездом, какие планы он строил относительно Ильи. Была ли работа Ильи на радио «Свобода» счастливым бегством на свободу или продолжением двусмысленной игры, в которую он был запутан до самой смерти.

Об этом вряд ли когда-нибудь кто узнает.

Илья уходил в черную дыру, разверзшуюся между двумя пограничниками. На шее у него болтался фотоаппарат без пленки, — ее вынули и засветили пограничники, — а на плече — полупустой туристический рюкзачок. В нем была смена белья и учебник английского языка, который он постоянно носил с собой уже два года.

Ночью после отъезда Ильи у Оли началось кровотечение, и ее увезли в больницу по «Скорой помощи». Болезнь, конечно, началась гораздо раньше, но именно с этого дня она себя проявила.

Первый год без Ильи прошел в переписке и в приступах. Оля страшно исхудала, потеряла аппетит и ела с отвращением, по ложке овсяной каши три раза в день. Старые подруги снова стянули свои войска — для дружеской жалости. Антонина Наумовна тоже жалела Олю, и чем больше жалела, тем больше ненавидела бывшего зятя.

Он к этому времени уже был в Америке, где все оказалось куда хуже, чем он предполагал. К тому же немец, вывезший в свое время коллекцию авангарда, собиравшуюся Ильей чуть не со школьных лет, тянул, ничего не отдавал. Стоимость книг, по аукционным сводкам, оказалась значительно выше, чем Илья предполагал.

Письма от Ильи были редкими, но очень интересными. Ольга жила от письма до письма. Сама писала ему много, не считаясь с почтовыми перебоями: на каждое его полученное письмо приходился десяток ею отправленных.

Через год Ольга получила ужасный удар. Ей донесли общие знакомые, что Илья женился. Она написала ему яростное письмо. Получила нежный и покаянный ответ: да, женился, слаб человек, женился практически фиктивно, с женой вместе не живет, поскольку та живет в Париже, и она, Ольга, должна его понять — здесь, в Америке, дела его совершенно не складываются, надо попробовать себя в Европе. Женитьба на русской француженке даст ему такую возможность. Другого выхода у него пока нет.

И легкий такой пробег в сторону прошлого-будущего: мол, все это временное, вынужденное, счастье наше еще впереди... И столь же легкий укор: ты же могла оставить Костю на год, а потом мы его забрали бы...

Ольгу охватила ревность: кто эта женщина, что собой представляет, откуда взялась? Узнала через знакомых ее имя. Она была родом из Киева, замужем за французом, жила много лет во Франции, овдовела. Ясно, что немолода. Больше никаких сведений не было. Ольга подхватилась и поехала в Киев. Общих знакомых — пруд пруди. Правдивая по природе, вдруг — с места в карьер — начала лгать киевлянам направо и налево, и все ей всё рассказывали. Даже удалось у дуры-подруги новой жены Ильи заполучить фотографию, на которой изображены брачующиеся: толстая пожилая тетка нахально положила пухлую руку на плечо улыбающегося Ильи, и все это в Парижской мэрии. Вот эта самая рука и стала главным обвинительным документом.

Провела полное расследование, узнала множество подробностей и вернулась домой, полумертвая от вороха противоречивых сведений и уверенная в том, что Илья ее обманывает и брак этот никакой не фиктивный.

В Москве сразу же попала в больницу. Опять кровотечение. Ее прооперировали по жизненным показаниям, удалили большую часть желудка. Но главная язва лежала в сумочке с умывальными принадлежностями — обутая в пластиковый пакет эта самая цветная фотография. Говорить она могла теперь только о подлости бывшего мужа. Очнувшись от послеоперационного наркоза, она сказала сидевшей рядом подруге Тамаре, взявшейся за ней ухаживать:

— Ты видела, какие цветы на фотографии? Огромный букет, да?

Часть желудка была уже удалена, но удалить кровоточащую рану сердца врачи не умели...

От всего мира Ольга требовала теперь принять ее сторону в конфликте. Конфликт был особенно интересен тем, что не было в нем никакой другой стороны: разведенный и уехавший муж женился неизвестно на ком на другой стороне земли. А обещания, обеты, клятвы вечной любви — это вообще не сторона конфликта, это одни слова...

Сын Костя тем временем готовился нанести матери еще один удар: он влюбился в девочку, с которой поступал в институт, влюбился навсегда, на всю оставшуюся жизнь. Самое в этом невероятное, но одновременно и банальное, что и по сию пору живет Костя с Леночкой и со своими уже взрослыми детьми все в той же генеральской квартире.

Оля требовала от Кости сострадания и сочувствия. Костя, ближайший на свете человек, резко воспротивился, сочувствия проявлять не захотел, да к тому же не пожелал принимать ничьей стороны. Он любил мать, но любил и Илью и не хотел слушать постоянных обвинений матери в адрес отчима. Ольга смертельно обиделась на сына. Оттянула двумя пальцами черный трикотаж свитера с его плеча и зашипела:

— Илюшкин свитер? Тебя купить недорого оказалось...

Илья время от времени присылал посылки на Костино имя: кроме шмоток для Кости, там были неопределенные предметы «для дома», «по умолчанию» адресованные Ольге. Ольга брезгливо передавала матери диковинные открывалки для консервов, клеенчатые скатерти в шотландскую клетку и прочую дешевую дребедень.

Антонина Наумовна любила всякую заграничную хозяйственную мелочь, но она умела поставить на место басурманов:

— В России вся мощь, весь интеллект наших ученых направлены на создание космических ракет, атомных электростанций, а они — об открывалках заботятся. Что ж, хорошие открывалки, ничего не скажу...

Она во всей этой истории была единственным счастливым человеком. Праздновала победу. Оля в ее сторону глаз поднять не могла: горела от ненависти.

Костя отмалчивался, дурного про Илью слышать не желал. А про заграничные открывалки тем более. Он был занят в тот момент своими собственными чувствами — ненаглядная Леночка была на третьем месяце беременности, и он не мог отвести от нее глаз. Такой у него оказался дар любви, как у Оли.

Ольга собирала на Илью досье: ей почему-то нужно было теперь, задним числом, получить доказательства того, что муж ее был человеком дурным во всех отношениях. Она стала общаться со своей скромной свекровью, которая прежде большого интереса у нее не вызывала, с Илюшиными двоюродными сестрами, с друзьями детства и всеми, кто фигурировал в старой записной книжке. Оказалось, что Илью в седьмом классе выгоняли из школы за кражу какого-то объектива в фотокружке Дома пионеров и даже занесли в какую-то милицейскую картотеку.

Оказалось, что был случай, когда его поймали на подделке документов — не очень важных документов, всего лишь читательского билета в Историческую библиотеку. Но ведь непорядочно же? Выяснилось и про первую семью Ильи. Что ребенок, которого он оставил, был больной, и помощи никакой он своей первой семье не оказывал. Что первая жена была тиха и глуповата, но все годы, что они жили вместе, Илью содержала.

— Да, да, конечно! — почти обрадовалась Ольга, когда какие-то дальние, седьмая вода на киселе, люди рассказали ей все эти гадости. Ведь и с ней, с Олей, он вел себя как паразит и потребитель: она работала, рук не покладая, зарабатывала немалые деньги, а он то сидел в библиотеке, то что-то фотографировал, то катался на велосипеде или путешествовал, и все за ее счет! То есть он зарабатывал своими книжно-фотографическими делами, но в дом никогда ни копейки: все на свои забавы и тратил. И советская власть здесь была ни при чем, просто это был такой паразитический способ жизни!

Подруга Тамара первой догадалась, что Ольга сходит с ума. Как будто в благородного и великодушного человека вселился бес. Когда Ольга говорила об Илье, у нее менялся и тембр голоса, и манера речи, и даже самый словарь. Прежняя Оля и слов таких не знала. Тамара долго колебалась и в конце концов объявила подруге, что с безумием надо бороться, и если она не сможет сказать «нет» своей разбушевавшейся ревности, то попадет в психушку.

Но Ольга была красноречива и всех умела убедить, что дело не в болезни и ревности, а в правде и справедливости, и пока она говорила, все звучало очень логично и доказательно, но стоило выйти за дверь, как все Ольгины построения снова выглядели как порождение сжигающего ее безумия. Такова была сила убеждения Ольги, и только один Костя не поддавался. Он все любил и любил Илью и совершенно не собирался осуждать его за нечеловеческую подлость.

Да что теперь вообще было говорить о Косте? Он весь с потрохами принадлежал маленькой хрупкой девочке с заусенчатыми ногтями. Ни о каком отъезде он и не помышлял: вся жизнь его была здешняя, понятная.

— Мамочка, ты, если хочешь, уезжай. Без меня.

Отдельный большой скандал Ольга устроила сыну, когда обнаружила у него в столе пачку писем от Ильи, присланных не на домашний адрес, а на домашнюю почту «до востребования». Почтовое отделение было у них в подъезде, на первом этаже. Сначала, уняв дрожь в руках и ногах, она прочитала письма. Длинные письма, замечательно написанные, — о впечатлениях человека, впервые покинувшего Советский Союз. Первое венское письмо Косте было приблизительно о том же, о чем писал ей: о преодолении миража, о недоверии к действительности, так сильно отличавшейся от того, к чему привык за всю жизнь глаз, нос, вкус. В другом письме, написанном Косте накануне отлета в Америку, она прочитала глубоко задевшую фразу о том, что «выживание здесь, на Западе, связано напрямую со способностью полностью отречься от всего, что было нажито там, в России». Теперь она и себя отнесла к тому, от чего надо было отречься для выживания. Дальше шли письма уже из Нью-Йорка, там многое дублировалось с тем, что он писал ей — о трагическом несовпадении культур, русской и американской, о «поверхностности» американской культуры не в банальном, общепринятом смысле, а с точки зрения поверхности как таковой: отмытая поверхность человеческого тела, пахнущие стиральным порошком и химчисткой вещи, сверкающий чистотой асфальт, и любая обложка, завертка, оболочка имеет не меньшее значение, чем внутреннее содержание. О том, как он целый день провел в поисках объекта съемки, пока не нашел большой свалки строительного и обычного, общечеловеческого мусора в центре Гарлема, на фоне которой сидел улыбающийся беззубый негр в белоснежной майке с банджо в руках. Последнее по времени письмо из Америки было печальным и странным. Илья писал совсем еще юному Косте: «Только полная смена кожи, приобретение новой поверхности с новыми рецепторами обеспечивает выживание. Как ни странно, это не касается внутреннего содержания. Свои мысли, самые оригинальные, самые несозвучные их малопонятной для меня жизни, ты можешь держать при себе. Это никого не интересует. Но, чтобы войти в это общество, надо выполнять его несложные ритуалы коммуникации. Идиотский балет западной жизни. Я готов, хотя это вынуждает меня к ряду тяжелых решений».

Письма эти представились Оле разоблачительными. Она даже подумала, что ей было бы легче пережить этот разрыв с Ильей, если бы он действительно влюбился в какую-нибудь молодую красотку и умницу. И тут же себя честно поправила: нет, было бы так же тяжело. В конце концов, не все ли равно, по какой причине он ее оставил, из-за новой любви или из корысти. Плохо было и то, и другое. Истинного мотива его отъезда она так и не вычислила. Из любви, из доверия, из душевной невинности.

Ольга укоряла Костю в предательстве, чувствуя одновременно несправедливость своих претензий к сыну, но письма у него конфисковала. Костя промолчал.

Он тоже жалел мать, но не мог с ней согласиться. В особенности с тем, что она влезла в ящик его книжного стола, где, кроме писем, в дальнем уголке лежали презервативы. Это обстоятельство его и смущало, и приводило в ярость. Он не понимал, что, погрязшая с головой в ревности, на бумажные пакетики она вообще не обратила внимания.

Тем временем выяснилось, что двоюродная сестра университетской приятельницы живет в Париже и хорошо знакома с этой самой киевской Оксаной. И от нее поступили новые сведения, подтверждающие Ольгины подозрения. Никакой это не фиктивный брак! Оксана, старая кошка, влюблена в Илью и даже увеличила свое жилье в Париже, с двухкомнатной на трехкомнатную, в ожидании молодого мужа...

Тамара заклинала: Оля, смени пластинку. Вырви и выбрось, так нельзя. Нет его, считай, что умер. Живи своей жизнью. Ольга только отмахивалась.

Года не прошло с отъезда Ильи, как умер Афанасий Михайлович. Похоронили на Ваганьковском кладбище, в хорошем месте, где высшие военные лежали, но без пальбы. Какой он там был генерал, никто не помнил. А ведь он в военные годы прошел ногами всю Европу, закончил в Вене, подполковником. Воевал не в штабах. Строил мосты, наводил переправы.

Смерти отца Ольга почти не заметила.

С яростью думала о том, что теперь она останется в этой партийной квартире с матерью, которая вот-вот выйдет на пенсию, с Костей, с его миловидной Леночкой. А что будет в жизни у нее?

Дура, дура, надо было ехать с Ильей! Но теперь было все испоганено, испакощено, истоптано. Как раз с этим смириться было труднее всего. Поехала бы тогда, и вся жизнь развивалась бы по-другому.

По мере того как ее бурные жалобы и претензии к бывшему мужу складывались в затвердевшие формулы, живая ярость превращалась в не менее живую ненависть. Она все худела и желтела, становилась похожей на сухую луковицу, и живот болел, и к этому прибавились другие неприятные симптомы.

Илья тем временем пробивал себе путь на Западе, но успеха все не получалось. Переписка с Ильей прервалась после того, как Ольга переслала его жене Оксане письмо, где он писал Ольге о необходимости фиктивного брака для устройства жизни и об их любви, вечной и бесконечной.

На второй год разлуки поставили Ольге новый диагноз — рак. Ее начали лечить в онкологическом институте, ей делалось все хуже и хуже, подруге Тамаре врачи намекнули, что процесс необратим и чтоб готовились к худшему. Антонина Наумовна перестала ходить в больницу. Боялась более всего, что Оля умрет на ее глазах.

Тамара, свежеобращенная христианка, старалась все делать по-хорошему и не оставляла до последнего попыток наставить Олю на путь примирения и любви. Но все не получалось: к церкви Ольга не испытывала ни малейшего интереса, от священника отказывалась и даже пугалась, когда Тамара о нем заговаривала, а все свои беды и смертельную болезнь взваливала виной на Илью. А он к тому времени наконец поднялся из безвестности и бедности, перебрался в Мюнхен, его взяли на радиостанцию «Свобода», он вещал на Россию. Оля его передач не пропускала. По ночам включала транзисторный приемник, ловила проникающий через глушилку голос из Мюнхена и слушала в окаменении. Что она при этом переживала?

Тамара, глядя на ее горькое лицо, решила написать Илье, что Ольга умирает, что Бог ждет от всех прощения и любви и надо бы ему, Илье, сделать первый шаг...

Ничего нового не узнал Илья из этого письма, поскольку переписывался с Костей и знал обо всех печальных событиях. Он был не бесчувственный. Письмо писал долго, каждую фразу взвешивал, обдумывал, примеривал к Олиному положению. Был конец декабря, многие больные выписывались к Новому году, некоторых отпускали на несколько дней домой. Тамара пошла к лечащему врачу просить, чтобы и Оле дали возможность справить Новый год дома.

— Под мою ответственность, — настаивала Тамара.

Врач посмотрела на нее внимательно и сказала:

— Хорошо, Тамара Григорьевна, выпустим. Если доживет...

Тут как раз и пришло письмо от Ильи. Не письмо, а шедевр. Возвысил их прошлое, описывая его как лучшие дни в жизни, каялся в грехах, прося прощения и намекая, с некоторым перебором пафоса, но очень убедительно, на их неизбежную встречу, которая с каждым днем приближается.

И произвело оно переворот в течении Ольгиной жизни и в ходе болезни. Она прочитала письмо, отложила его в сторону и попросила у Тамары косметичку. Посмотрела на себя в маленькое зеркало, вздохнула и напудрила нос, —

пудра легла розовым пятном по желто-восковому лицу, от Ольги это не укрылось. Она попросила Тамару купить ей другую пудру, более светлую.

— А эта розовая при моем цвете лица будет как румяна, — и улыбнулась своей прежней улыбкой, так что образовались сразу четыре ямки — две круглые в уголках губ и две длинные — посреди щек.

Она перечитала письмо еще раз, снова потянулась к косметичке и что-то подправила на лице. Перед Тамариным уходом попросила ее принести завтра хороший большой конверт.

Хочет ответ писать, подумала Тамара. Но ошиблась. Наутро Оля положила заграничный конверт в большой и спрятала на дно тумбочки. Тамара ждала, что Оля прочитает ей письмо от Ильи, но та и не думала. В конце концов Тамара не удержалась и спросила, что Илья пишет. Оля улыбнулась призрачной улыбкой и ответила очень странно:

— Знаешь, Бринчик, ничего особенного он не написал, просто все встало на свои места. Он умный человек, и он все понял. Мы же не можем жить порознь.

В тот день Оля встала и добрела до столовой.

Говорят, что иногда такое случается: начинает работать в организме какая-то запасная программа, включается заблокированный механизм, что-то обновляется, оживляется, черт его знает что... Бог его знает что... То самое, что происходит при чудотворных исцелениях. Святые, совершающие чудеса именем Господа нашего Иисуса Христа, не знают биохимии, а биохимики, прекрасно знающие о разрушительных процессах, связанных с онкологическими заболеваниями, совершенно не ведают, на какую тайную кнопку, запускающую эту запасную программу, нажимал Иоанн Кронштадтский или блаженная Матрёна.

После Нового года в больницу Ольга не вернулась. Стала лечиться сама, как больная кошка, убегающая в лес поесть целебной травы. Вокруг Ольги теперь крутились какие-то целители и знахарки, приезжал знаменитый травник с Памира, она принимала настои, ела землю с заповедных мест, пила мочу. И гадалки к ней приходили, ворожеи. Откуда она их брала?

Антонина Наумовна, примирившаяся с мыслью о близкой смерти дочери, находилась в большом смущении. Смерть от рака была понятнее исцеления такими вот отсталыми до неприличия методами. Врач, предвещавшая близкий исход, приезжала домой к Ольге, осматривала, ощупывала, просила сделать анализы и обследования, но больная только улыбалась загадочно и мотала головой: нет, нет... Зачем?

Врач недоумевала. Такие опухоли не рассасываются. Щупала подмышки, нажимала на пах. Железы уменьшились. Но если это распад, то должна быть интоксикация. А у Оли желтизна сошла, даже в весе немного прибавила. Ремиссия? Откуда? Почему?

Через полгода Оля начала выходить на улицу, и подруга Тамара стала навещать ее все реже. Тамаре было немного обидно, что свершившееся на глазах Божье чудо Ольгой недостаточно оценено. Тамара снова и снова заводила разговор о том, что надо креститься хотя бы из благодарности Богу за то чудо, которое совершается. Оля смеялась почти совсем прежним смехом, детским, со всхлипыванием:

— Бринчик, ты умная и интеллигентная женщина, большой ученый, ну почему ты выбрала такую смешную веру, такого Бога, который хочет от людей благодарности, или наказывает, как щенят, или награждает пряниками. Хоть бы ты в буддисты подалась, что ли...

Тамара обижалась, замолкала, но ставила свечки за здравие болящей Ольги и писала записочки на молебен. Однако, несмотря на постоянную обиду, Тамара не могла не заметить очень важной перемены. Ольга больше не говорила об Илье. Вообще. Ни хорошего, ни плохого. А когда Тамара сама подводила к нему разговор, Ольга уворачивалась:

— Да все в порядке! Он уже решение принял, теперь только вопрос времени. Не будем об этом.

И это тоже было чудо. После стольких месяцев непрестанного разговора только о нем, только о нем...

Ольга, увлеченная своей обновленной жизнью, не совсем заметила Костину женитьбу. Костя выехал из дому, поселились за городом, в Опалихе, у тещи, и вскоре родились у детей дети — мальчик и девочка, близнецы. Ольга растрогалась, но как-то однократно. Не было у Ольги никаких ресурсов ни для чего, кроме выздоровления. Все душевные силы уходили на это.

Хотя Ольгина болезнь бежала прочь, Оля не уставала ее преследовать. На окнах в столовой проращивались пшеничные зерна, хлеба кислого она не ела, пекла себе какие-то лепешки из отрубей и сенной трухи, варила травы на «серебряной» воде. Здесь же, на подоконнике, стояли два кувшина, в которых мокли серебряные ложки, отдавая водопроводной воде свою целебную силу.

Хитроумное провидение что-то встряхнуло, пересмотрело, подвинтило, за год Ольга почти совсем пришла в порядок, снова набрала работы и колотила по машинке по шесть часов в день, не меньше. Жили они теперь в большой квартире вдвоем с матерью.

Ольга была настолько сосредоточена на себе, точнее, на обещанном ей совместном будущем с Ильей, что не заметила, как исхудала и пожелтела Антонина Наумовна. Вероятно, заболела она той самой болезнью, которая отступила от ее дочери. Тоже началось с желудка, потом перекинулось в кишечник.

Когда это произошло, Ольга стала ухаживать за матерью умело и с большим вниманием. Чувство было очень странное — как будто она сама за собой ухаживает. Ведь совсем недавно все это с ней происходило.

Никогда не были они так близки и нежны друг с другом. Ольга радовалась, что не уехала с Ильей и может теперь погладить мать по руке, сварить ей бульон, который она, скорей всего, и пить не станет, перестелить простынку, протереть уголки рта. Антонина Наумовна все просила дочь отправить ее в больницу, но Оля только улыбалась:

— Мамочка, больницу может выдержать только очень здоровый человек. Тебе дома плохо? Нет? Тогда забудь про больницу.

Разум Антонины Наумовны слабел. Она забывала целые большие куски жизни, а другие, маленькие, вдруг откуда-то приплывали. В последние дни жизни она вспоминала только дальнее прошлое: как все куры у бабушки в один день перемерли, как лошадь понесла и вывалила ее с матерью из саней, и последнее — как познакомились с Афанасием на партучебе. Всей последующей жизни — никаких заседаний редколлегии журнала, никаких летучек в обкоме партии, президиумов, докладов, конференций — она не помнила. Одни только семейные мелочи.

— Ах, с головой что-то не так, что-то повернулось, — шептала она и силилась вспомнить недавнее. — Все как в яму провалилось.

В комнате, освещенной настольной зеленой лампой, она скончалась в одиночестве, легко и неосознанно, сказавши довольно внятно: «Мама, мама, батя...»

Но слов этих никто не слышал. Утром Ольга обнаружила мать холодной и сразу же позвонила в Союз писателей, была там специальная похоронная услуга...

Все спроворили самым достойным образом. Место уже было на Ваганьковском, возле генерала.

Похороны были горше горького. И не потому, что слезы и рыдания, и печаль, и тоска, и даже, может, страшное чувство вины. Наоборот. Ни у кого из провожающих ни слезинки, ни печали, ни даже простого сожаления. Слегка подмороженные лица, пристойные, приличествующие случаю. Отметил это обстоятельство — полнейшее равнодушие окружающих к смерти литературной деятельницы — устроитель похорон от Союза писателей Арий Львович Бас.

Костя, до смерти бабушки живший с женой и близнецами в Опалихе у тещи, вернулся в Москву. Без особого желания он пошел навстречу Олиной просьбе. Костя учился к тому времени на четвертом курсе, Лена на третьем — отстала из-за академического отпуска.

Все поменяли, перекроили. Костя, по настоянию Оли, перебрался в бывшую дедову комнату. Там был большой удобный письменный стол и второе рабочее место — секретер с откидной доской. Это был кабинет. Спальню устроили в бабушкиной комнате, «малой коммунистической», как звал ее Костя за аскетизм убранства, зеленый абажур на дубовом столе и Ленина с бревном на плече, глядящего со стены. Леночка купила тахту на место кожаного дивана, завела подушки с оборками, а Ленина заменила подсолнухами Ван Гога.

Оля уступила свою комнату внукам и перебралась в бывшую столовую. Знаменитая кровать с колонками и херувимами снова откочевала в антикварный магазин на Смоленскую набережную. Ели теперь на кухне, как те советские люди, которые уже выехали из коммуналок в отдельные квартиры, но про буржуазные «кабинеты» и «столовые» слыхом не слыхивали.

Тихая Леночка неприметным образом взяла дом в свои руки, обо всем заботилась, чисто убирала и вкусно готовила. Каждое утро приезжала Леночкина мать Анна Антоновна, кормила, гуляла, укладывала детей спать.

Героическая девочка была Леночка. Прибегала из института, выпроваживала мать и принимала смену. Ольга внуками не занималась, но Леночка вовсе не обижалась на свекровь. Напротив, была благодарна. Начало своей семейной жизни они провели в Опалихе. Их жилье там было — комната о двух окнах с покатым полом, так что приходилось под колесики детских кроватей деревянные чурочки подкладывать, чтоб не катились, и жили они в этой комнате вчетвером. Воды горячей в том загородном доме не было. Хорошо хоть водопровод и канализацию провели за два года до рождения детей.

Генеральская квартира ходила ходуном. Мебель, купленную и вычиненную дедом, беспощадно двигали с места на место. Мишка и Верочка, двухлетние, хватались лапками за карельскую березу. Мишка пристрастился ковырять птичьи головы гостиного гарнитура, пока Костя не вывез весь гарнитур в комиссионку на Смоленскую набережную. Директор магазина уже их знал, дал неожиданно большие деньги.

Преданная Тамара забегала довольно часто. Но по мере того как Ольга крепла, отношения между ними принимали прежнюю форму: Ольга командовала, Тамара исполняла распоряжения. Подруга Галя готовилась к перемене жизни, изучала иностранный язык на вечерних курсах и почти не появлялась. Да и муж Гена был против этой дружбы — неподходящая из Ольги подруга!

Про Илью Ольга как будто не вспоминала. Тамара радовалась, что прошло наваждение, удивлялась тому, как крепко оно было связано с болезнью....

Но кое-чего Тамара не знала. Ольга издали следила за Ильей. Хотя после его прощального письма отношения их как будто снова прервались, но теперь она знала, что Илья принял жизненно важное решение и для окончательной победы нужно только время. Оля знала, что Костя с отчимом продолжают переписываться, она видела знаки их общения: у детей откуда-то возникали невиданные игрушки и заграничные одежки. Но теперь ее это не раздражало, а, напротив, лишь служило подтверждением скорых перемен.

И еще был у Ольги тайный информатор, от которого она знала, что жена Ильи пьет, и он ее стесняется, никуда с собой не берет и отсылает ее время от времени из Мюнхена обратно в Париж. А она за ним таскается и страшно ему докучает.

Знать это Ольге было очень утешительно. Она затаилась и ждала, что скоро-скоро Илья сам объявится. Дальше не загадывала: на этом мысль ее останавливалась. Было достаточно.

Здоровье Олино наладилось, она снова обросла заказами, сидела в словарях и бумажках, работала даже с большим, чем прежде, увлечением. Ночами она ловила радио «Свобода», слушала все передачи, где пробивался голос Ильи, и теперь была уверена, что все кончится хорошо... Ей все еще было интересно слушать «против советской власти», но огонь прежнего негодования сильно поостыл с отъездом Ильи.

Ольга переводила теперь технические патенты, это были отличные заработки. Курсы соответствующие она прошла еще до болезни. Время от времени она не ленилась доехать до Центрального телеграфа, заказывала парижский номер телефона. Иногда там не подходили, но по большей части подходила женщина: чем ближе к ночи, тем пьяней было ее «Жекуте! Алло! Жекуте!», и Ольга сразу же вешала трубку. Илья никогда не подходил к телефону. Ясно, что разошлись или, по меньшей мере, разъехались!

Так, в работах и ожидании развязки своей судьбы, Ольга пребывала в полной уверенности, что скоро все разрешится и они с Ильей опять будут вместе.

Настал день, когда Илья сам позвонил из Мюнхена. Голос был узнаваемый, но какой-то спекшийся.

— Олька! Я все время о тебе думаю! Я люблю тебя! Всю жизнь только тебя. Я тебя догнал и перегнал. У меня нашли рак почки, операция на будущей неделе.

— Откуда ты знаешь, что рак? Пока не сделали биопсию, ничего не известно! Я все про это знаю! Ты же знаешь, я выскочила! Своими силами! — кричала она в трубку, а он молчал и даже не пытался ее перебить. — Главное, не допускай до операции!

Но главное было другое: он любит ее, только ее, и любит навсегда.

Второй раз он позвонил из клиники уже после операции. Теперь они разговаривали почти каждый день. Он читал ей по бумажке результаты анализов, она тут же говорила ему, какие травы он должен пить, и покупала их в московских аптеках и у своих травников, и находила оказии для отправки в Мюнхен, и посылала ему мази и притирки, подробно объясняя, что, где и когда мазать. Когда ему начали делать химиотерапию, она пришла в ярость и кричала в трубку, что он себя губит, что от химии вреда больше, чем от рака:

— Немедленно выписывайся и приезжай! Я все про это знаю! Я вытащила себя, я и тебя вытащу!

В воздухе что-то происходило, и Ольга, хотя совсем отошла от бывших друзей-диссидентов, чувствовала: восьмидесятые, неподвижные, тяжелые, клонились к закату, и вопль ее о приезде уже не казался сплошным безумием. Он ответил ей то самое, что ей больше всего хотелось бы слышать:

— Нет, Оленька, пока это невозможно. Если я выскочу из этой истории живым, устроим так, что ты сюда приедешь...

Он продолжал ей звонить, голос его становился все слабее и звонки реже. А потом раздался последний, как из-под земли:

— Олька, я звоню тебе по мобильному телефону! Мне приятель принес прямо в палату! Представляешь, до чего дело дошло! Вот прогресс! А я весь в проводах и трубках, как космонавт. Кажется, что скоро дадут старт, и я улечу...

И тихо засмеялся своим захлебывающимся, немного визгливым смехом.

Через два дня Ольге позвонили из Мюнхена и сообщили о его смерти.

— Ага, значит, так, — сказала Ольга загадочно и замолчала.

Вечером пришла Тамара, они выпили в молчании по рюмке водки. Костя разливал и подкладывал им на тарелки сыр и колбасу.

Через несколько дней Ольга обнаружила у себя на голове какие-то странные образования, вроде жировиков. Они безболезненно перекатывались под кожей. И под мышками тоже катались шары, скрепленные где-то, как гроздь винограда.

Сообщение о смерти Ильи лишило Ольгу сил, она слегла и не вставала. Тамара прибегала каждый вечер, сидела с ней до поздней ночи, все пыталась ее уговорить встретиться с врачом, но Ольга только улыбалась смутно и пожимала плечами. Тамара, хотя всю свою жизнь занималась эндокринологией и была уже доктором наук, собственно медициной никогда не занималась, никого не лечила, с больными почти не соприкасалась, тем не менее понимала, что идет бурное метастазирование и надо срочно делать химиотерапию. Но Ольга блаженно улыбалась, гладила Тамару по руке и светленько шептала:

— Бринчик, ты так ничего и не поняла.

Однажды вечером Ольга рассказала Тамаре сон, который приснился накануне: на огромном ковровом лугу стоит большой зеленый шатер, а к нему тянется длиннющая очередь, целая толпа народу, и Ольга становится в самый хвост, потому что ей непременно надо войти в этот шатер.

Тамара, с ее прорезавшимся мистическим чутьем, вся обмерла:

— Шатер?

— Ну да, вроде цирка-шапито, но очень большой. Осмотрелась и вижу, что очередь — все сплошь знакомые лица: какие-то девочки из пионерского лагеря, я их с детства не встречала, школьные учителя, и университетские лица, и доцент наш... Просто демонстрация целая!

— И Антонина Наумовна?

— Да, и мама, конечно, и бабушка моя, которой я сроду не видела, и все родные лица — Миха, рядом с ним какие-то мальчишки, детишки, Санечка, Галка со своим хмырем.

— Как, и живые, и мертвые вместе?

— Ну да, конечно. И собака какая-то прямо мне под ноги катится и вроде улыбается. Смотрю, а ее на поводке девочка держит. Была такая трогательная девочка Марина.

Забыла, как собаку... Гера! Гера собаку звали! И еще много-много людей... И вдруг, представляешь, вдалеке, возле самого входа, замечаю Илью, и он из самого начала очереди машет мне рукой: «Оля! Иди ко мне! Иди! Я занял тебе место!»

И тут я стала к нему пробиваться через толпу, и все заволновались, почему это я без очереди, и мама спросила, зачем это я лезу впереди других. Но тут появился большой дед с бородой, прекрасного вида, и я поняла, что это мой дед родной Наум, и он повел над всеми рукой, и они расступились, а я побежала к шатру. А шатер вроде уже и не зеленый, а золотом отливает. Смотрю — Илья улыбается, видно, ждет меня. Выглядит очень хорошо, совершенно здоровый, молодой, поставил меня с собой рядом, руку на плечо положил. И тут появилась эта Оксана, и она все лезет к нему, а он ее как будто не видит. А двери никакой нет, такая толстая ткань, как портьерная, что ли, и этот полог как раз отогнулся, а оттуда музыка — не могу сказать какая, с запахом таким, какого нельзя вообразить, и как будто светится.

— Чертог, — одними губами прошевелила Тома.

— Да ну тебя, Бринчик! Какой еще чертог? Черт-те что несешь.

— Ты что говоришь, Оля? — ужаснулась Тома.

— Ну ладно, ладно, не пугайся так. Пусть по-твоему, чертог. Все равно словами не объяснить. В общем, входим мы туда вместе.

— А там — что? — прошелестела Томочка.

— Ничего. Тут я проснулась. Хороший сон, правда?

Умерла Ольга на сороковой день после смерти Ильи.

Отставная любовь

В месяц раз вставал Афанасий Михайлович в пять утра, а не в половине седьмого, как обычно, брился особо тщательным образом, надевал чистое белье. Съедал хлеба с чаем, поверх старого кителя натягивал драповое пальто и ушанку. В штатской верхней одежде он чувствовал себя как коронованная особа на маскараде. И правда, никто его не узнавал, даже сторож в проходной у выхода из дачного поселка с ним не здоровался.

После вчерашнего снегопада все было чисто и свежо, как после генеральной уборки. Афанасий Михайлович дошел до автобусной остановки. На расписании, забитом снегом, не разобрать было, когда следующий автобус, и он встал под козырек. Две женщины ожидали автобуса — одна медсестра, не узнавшая его, вторая незнакомая. Но тоже, видно, из местных, деревенских. Он отвернулся, стал смотреть в другую сторону.

Он ехал на тайное свидание к сердечной подруге Софочке, поговорить-помычать, излить свою душу не душу, но что-то ведь и у генералов есть, услышать от нее, почему он так мается.

Дар у нее был объясняться от его лица. С того самого

дня, как пришла она к нему в секретари в тридцать шестом году, когда он работал в Наркомате обороны, по своей военной специальности, по строительству, она умела высказывать все, что он не смог сложить правильными словами.

Ни разу не ошиблась. Никогда. Что надо, то и говорила. А чего не надо, того не говорила. Так до самого сорок девятого, с перерывом на войну. После войны, когда Афанасия Михайловича назначили начальником военно-строительного училища, он разыскал свою бывшую секретаршу, и снова она была при нем, как Аарон при Моисее. Он промычит что-нибудь невнятное, а подчиненные к Софочке бегут за разъяснениями.

У нее было воспитание и чувство такта. Воспитание — от гимназии, которую она посещала до пятнадцати лет, пока гимназии не исчерпались по причине революции. А такт — от природы. От природы же — обильная красота. Голову с большими бровями и глазами носила она чуть запрокинутой, потому что могучая коса, свитая простым узлом, тянула ее назад — до самого сорок девятого года. Потом коса была острижена. И хотя роста Софочка была небольшого, но из-за величественности груди внутри просторных синих и зеленых платьев, полных рук с большими красными ногтями на конце широких округлых движений производила она впечатление женщины крупной. О, какой крупной — не по одним выдающимся статям, но по всему своему характеру. Прозвище было ее Корова. Она и впрямь была похожа на корову. На корову Европу. Но генерал об этом не знал. Хотя — что богиня — знал. И боготворил. Никогда не рождалось у него мелких мыслей, что изменяет жене. Жена была одно, а Софочка — другое. Совсем другое. И не случись ее в жизни Афанасия Михайловича, он бы и не узнал, что есть сладость любви, что есть женщина и какое глубокое забытье дает она утружденному строительной жизнью мужчине.

За все годы, что она у него работала, до самого сорок девятого года, один-единственный раз, уже перед самым концом, поставила она его в неловкое положение. Встала перед ним на колени, уткнула лицо в габардиновые галифе и оставила в нескромном месте след своей красной помады. А что он мог сделать? Сказал — нет, про брата своего молчи.

«Какие тут за брата хлопоты, — подумал он тогда, — тебя бы сохранить». Однако не удалось.

Вызвали генерала в ПУР и объявили — секретаршу убрать.

Он, со своей обыкновенной кашей во рту: необходимый, ценный работник. А собеседник — молодой капитан, блондин с остатками пеньковых волос, глаза рядышком, белесой восьмеркой, голубые погоны... не посмотрели, что фронт прошел, заслуженный генерал, хоть полковником уважили бы....

— Любовницу, — говорит, — прикрываете! Вы знаете, что я знаю, что вы знаете...

— А, делайте как знаете, — отступился Афанасий Михайлович на втором часу разговора, — у вас свое ведомство, а я по дорогам, по мостам, по подъездным путям.

Белесый улыбнулся недружественно, кивнул. Но ему согласия уволить ее было мало. Пошел дальше торг маломалу. Разговор почти деловой, но капитан теснил и теснил: все знал — и про кабинетные дела, и про посещения тайные. Намекал криво, прямо не говорил, потом вдруг — раз! — а в Даевом переулке разве не навещаете? А с сестрой Софочкиной Анной Марковной разве не знакомились? Профессорша, да? А Иосиф Маркович, братец, актер из еврейского театра ГОСЕТ, совсем незнаком вам?

«Да под Софочку ли только копают?» — доперло до Афанасия Михайловича. Взмок весь.

Разойдемся ли? Разошлись — одной только подписью. Назавтра новую секретаршу прислали, а Софочки уже больше не было. Четыре года с лишним не было. В начале пятьдесят четвертого года вернулась она из Караганды. Год прошел, прежде чем они снова встретились. Да и встретились где! Смешно сказать! На рынке в Нахабине, ранним утром, в июне. Афанасий Михайлович редиску с морковкой покупал. Гости намечались в воскресенье, Антонина Наумовна хлопотала, забыла прислугу на рынок послать. Афанасий Михайлович сам и вызвался — из дому прочь в воскресный день, во избежание кухонной толчеи. Уехал один, на частной «Победе», без шофера.

Она его узнала первая — и в сторону. Косы уже не было, пышность опала, лицо прикрывала рукой, а рука та же самая, большая, с ямками под каждым пальцем. Только маникюра красного нет — еле розовый. А он руку ее узнал. Она этой рукой по плешивой голове много лет гладила и легко снимала одним таким движением смуту и беспокойство. Он пошел за ней, нагнал:

— Софья Марковна!

— Афанасий! — сказала она, прикрывая рот. — Боже мой!

Зубки ее белосахарные стояли через один.

— Освободилась?

— Одиннадцать месяцев, в июле прошлого года.

— Что же не объявилась? — И назвать не мог ни по имени, ни по имени-отчеству.

Она махнула прекрасной своей рукой и вроде как пошла по дороге вперед, прочь от него. Он нагнал, тронул за плечо. Она остановилась и заплакала. Он снял соломенную гражданскую шляпу и тоже заплакал. Была она не прежняя, совсем другая, но через мгновенье слились в одно — та величественная красавица и теперешняя, похудевшая, подурневшая, но все равно лучше всех на свете.

Она жила на даче у сестры Анны Марковны, неподалеку. Он оставил машину возле рынка и пошел провожать ее до дачи. Шли молча, слов не говорили, — у обоих дух захватило. Он все думал об одном: знает ли она о той подписи? Не доходя до места, она остановилась:

— Здесь попрощаемся. Они не должны тебя видеть. Да и тебе не нужно. Знаешь, брата моего расстреляли.

«Знает, — подумал он. Сердце тошнотворно тянуло до самого живота. — Но что знает-то? Может, думает, что я на брата ее написал?»

Знакомила его Софа с Иосифом, веселый был парень, у Михоэлса в театре работал и еще писал на еврейском языке какие-то побасенки. Виделись раза два. Но подпись-то Афанасий Михайлович поставил одну-единственную. И брат был ни при чем.

— Ты в Даевом по-прежнему?

— У сестры. Комнату заселили. Дворник живет, — сказала равнодушно, а он вспомнил ее пропахшую духами «Красная Москва» комнату, стаю подушек, коллекцию флаконов и собрание котов — фарфоровых, стеклянных, каменных. — Обещают вернуть, выселить дворника.

Комнату вскоре действительно вернули. Афанасий Михайлович стал звонить изредка по старому, еще довоенному номеру из телефона-автомата, хотел навестить. Софья Марковна долго отказывала:

— Не надо, не хочу, не могу.

А однажды сказала: приходи.

И он снова поднялся по черной лестнице, со двора, потому что комната Софьи выходила туда стеной. Он и прежде не приходил со стороны парадной, где дверь была большая, увешанная семью звонками, и в прежние годы он стучал ей в стену, и она откидывала большой крюк, заполняя собой и своими сладкими духами всю темноту сеней, и брала его за руку, и вела в свое гнездышко, в свои подушки, одеяла, и он укрывался в тепло ее роскошного, оседающего под ним тела.

И вся былая близость вернулась, и даже еще сильнее — потому что теперь это было навсегда потерянное и нечаянно найденное.

Началась вторая серия длинного кино о большой любви. Одно, правду сказать, изменилось. О работе ни слова. Софья Марковна, как всегда, вела себя с большим тактом. Ничего и не спрашивала. Про черные свои времена не рассказывала.

Что он сам скажет, о том и речь. Разговор больше о домашних, о семейных делах. И все про Оленьку, про дочь. Оленьку же Софья Марковна от рождения знала, но заочно. Только по фотографиям. Однажды, незадолго до несчастья, еще в сорок девятом, он решился Софье Марковне показать Оленьку — купил три билета в театр, на детский балет «Айболит». Два билета в первый ряд дал Оле с подружкой, а третий, рядом, принес Софочке. Девочки сидели возле Софьи Марковны, и она смотрела на них, а они — на сцену.

Фотографии маленькой девочки висели теперь на стене в рамочках. Так и дальше пошло — очень Софочка интересовалась Оленькой. Может, сам Афанасий Михайлович и не знал бы столько о своей дочери, если бы не собирал для Софьи этого домашнего досье: какую оценку за диктант получила, в какой музей ходила в прошлое воскресенье.

Годы шли, и узнавала Софочка и про поступление в университет, и про раннее замужество. Неудачное Олино замужество она не одобряла с самого начала. Говорила — нет, наша Оленька его интеллектуально выше, она найдет себе кого-нибудь поинтереснее, попомни мое слово. Оказалась права. Да во всем она была права. А когда начались Олины неприятности, Софья Марковна тоже ему правильно насоветовала: иди, Феша, на пенсию.

Сам бы он не решился, а ушел — спас себе здоровье. И после выхода на пенсию жизнь изменилась, в сущности, в лучшую сторону. Весьма в лучшую сторону.

О своем ежемесячном визите Афанасий Михайлович Софочку не предупреждал. Заведено не было. Она его ждала всегда, до двенадцати из дому не выходила. В холодильнике держала для него замороженный фарш для блинчиков. Быстренько заводила тесто, жарила наскоро тоненькие, как бумага, блинчики, заворачивала трубочками два мясных и один со сладким творогом. К мясным — рюмку водки на чабреце, а творожный с чаем. Вся еда, которую она готовила, была чуть сладковата — и мясо, и рыба. И сладость эта была как будто не от сахара, а ее собственная, как и запах ее тела, одежды, постели.

Двадцатого марта ехал к подруге генерал последний раз, о чем не догадывался. Знал только, что месяца не прошло, как он ее навещал, а всего две недели с хвостиком, но вдруг одолела тоска, и сорвался он преждевременно. Автобус не опоздал, электричка не подвела. Приехал на Рижский вокзал по расписанию, в девять пятьдесят. За городом было тихо, а на площади мела метель. Пока он покупал цветы — мимозу, метель вдруг утихла, заиграло солнышко. Сел в троллейбус. По времени шло все обыкновенно, но почему-то забеспокоился Афанасий Михайлович. А вдруг дома нет? Мало ли что бывает — к врачу пошла или за покупками. Нащупал ключ в кармане. Софочка давно уже выдала ему ключ от комнаты на всякий случай. Что было бессмысленно, потому что от входной двери ключа не было. Он бы все равно без нее в квартиру не вошел, потому что черный ход всегда был заложен на большой крюк.

Когда подходил к дому, снова замело. Афанасий Михайлович заметил, что около дома людно, стоял автобус, несколько легковушек. Но это была чужая жизнь, к нему не имеющая отношения. Он поднялся по черной лестнице, постучал в стену и стоял под дверью, ожидая, что вот сейчас крюк откинется. Ждал довольно долго: не открывали. Он снова постучал — надо было предупредить, позвонить, что ли. Но звонки между ними были не приняты. Софья Марковна от прежних времен телефону не доверяла.

«Пойду с парадного», — решил Афанасий Михайлович и спустился во двор.

Автобус маневрировал возле подъезда, подъезжая задом поближе к парадному. Люди с цветами отбрызнули в стороны.

«Катафалк», — с равнодушием отметил Афанасий Михайлович.

А вслед за этим его ожгло: кого тут хоронят?

И понял мгновенно, что ее, Софью Марковну.

Он посмотрел на дальнее от подъезда окно — оно в этот миг распахнулось, как подтверждение догадки. Из растворенных на обе створки дверей парадного выносили огромный голый гроб. Выносили не по-людски, не ногами, головой вперед. И голова, высоко поднятая на подушке, была та самая — красивая голова, бледно-желтое лицо, красным накрашенные губы. И сладкий запах ударил ему в нос.

Генерал покачнулся и стал медленно оседать. Кто-то его подхватил — упасть не дали. Под нос ему сунули нашатырь, он очнулся. Женское лицо, которое он увидел прямо перед собой, было почему-то знакомым. Той же породы, что Софья Марковна, — большая голова, крупные карие глаза, мужской размах плеч. Конечно, это была ее сестра Анна Марковна, Анечка.

— Вы! Вы! — гневно, но очень тихо сказала ему Анна Марковна. — Что вы здесь делаете? Как вы посмели? Вон отсюда!

И он пошел прочь. Он не видел, как изготовленный на заказ гроб — для таких толстых готовой продукции не было — с трудом втискивали в распахнутую заднюю дверку катафалка, как погружались в автобус многочисленные еврейские родственники. Он не видел также двух своих прежних сослуживиц, с которыми Софья Марковна поддерживала отношения уже после возвращения из Караганды.

Они его узнали и переглянулись. Они еще долго будут судачить о нем, о Софочке, строить разные предположения. И в конце концов придут к мнению, что Софочка дурила им голову, рассказывая о высоком давлении, о старости и одиночестве, а на самом деле встречалась со своей отставной любовью. Подумали, посчитали. Получилось, с тридцать пятого-то — тридцать два годика, если не считать вынужденных перерывов.

Генерал, сжимая в посиневшей руке хвост мимозы, шел к троллейбусу. Выходило, что все знала Софочка. Значит, простила.

Все сироты

Похороны были горше горького — и не потому, что слезы и рыдания, и печаль, и тоска. Наоборот: ни у кого из провожающих ни слезинки, ни печали. Отметил полнейшее равнодушие окружающих к смерти литературной деятельницы устроитель похорон от Союза писателей Арий Львович Бас. Из своих семидесяти четырех лет шестьдесят он занимался похоронным делом. Ремесло это было наследственным. Еще дедушка был главой погребального братства в Гродно. Знал свое дело Арий Львович во всех деталях. Он был не только тончайший знаток умирающей профессии погребений, но также и поэт этого древнего ремесла.

Великий церемониймейстер, каких только знаменитых писателей он не хоронил — Алексея Толстого, Александра Фадеева, даже самого Горького — отчасти... Первые большие похороны, в которых он принимал участие еще не в качестве главного распорядителя, но первым помощником, были в тридцатом. Тогда-то он впервые и столкнулся с Антониной Наумовной. Запомнилось. Ох, запомнилось!

В тот апрельский день около полудня позвонили и велели ехать обмерять покойника-самоубийцу. Арий поехал в Гендриков переулок, да оказалось — не туда. Застрелился знаменитый поэт в другом месте, в Лубянском проезде, где была его рабочая комната. В Гендриковом вместо покойника Арий обнаружил троих живых: двух мужчин из ОГПУ и эту самую Антонину, вроде писательницу.

Мужчины выворачивали бумаги из стола, она что-то писала. Мужчина с большой черной шевелюрой сверкнул на Ария цыганскими бесстыжими глазами — вон отсюда! Арий, испугавшись до полусмерти, скатился с лестницы и только внизу пришел в себя. Умудренный профессией, мертвых он не боялся. Боялся живых. Через два часа покойника привезли, на носилках подняли на четвертый этаж, и только когда те трое, с двумя портфелями, вышли из подъезда, Арий снова поднялся наверх.

Несколько человек, среди них две дамы, одна сильно плачущая, стояли в коридоре. Дверь в комнату была распахнута, возле двери ругались двое. Речь шла о печати, которую один из них только что снял с двери, второй выговаривал:

— Вот сам и будешь отвечать. Раз опечатали, значит, нельзя туда входить.

Второй грубо отбрехивался:

— А куда, куда покойника-то? В коридоре ставить? Что же вы все бздите от каждой печатки? Мне приказали — на место определить!

Арий смерил — рост сто девяносто один. Гроб на заказ.

Похороны были невиданные. Тысячи людей запрудили улицу Воровского, а потом вся эта толпа шла пешком к Донскому монастырю вслед за грузовиком, на котором везли гроб и единственный венок, железное чудовище из странных деталей, серпов и молотов. И ни одного цветка. Странные и великолепные были те похороны. Весьма великолепные. Горя такого общего никогда прежде он не видел. Да и после. Разве тридцать лет спустя, на похоронах Пастернака.

Арий на своей похоронной должности окреп, без него теперь никого из писательского звания не хоронили. Если только случалась смерть далеко от Москвы. В послевоенные годы он постоянно встречал Антонину в почетном карауле при писательских гробах, а то и в числе выступающих.

Мог ли думать тогда, мальчишка, скольких похоронит. Арий любил своих покойников. Только покойников и читал. Пока живы писатели, руки не доходили читать, а уж тем более любить. Опять-таки настоящий их размер только на похоронах и определяется.

Антонина-то теперь оказалась совсем ничто, пшик. И провожающих всего ничего — шесть человек: дочь Ольга и внук покойной Костя с женой, подруга дочери, соседка по лестничной клетке и родная сестра покойной Валентина, которую семья не видела лет десять. Дочь находилась в состоянии глубокого удовлетворения: примирилась под конец с матерью, долг свой исполнила до копеечки, да и ушла Антонина Наумовна тихо, без особых страданий, под морфием. А любви давно между ними не было, надо признать.

В этот день Арий Львович, похоже, страдал больше всех прочих. Таких ничтожных похорон давно у него не было. Хоронили Антонину Наумовну, конечно, по писательскому обряду, гроб установили в Центральном доме литераторов, где и настоящие гражданские панихиды устраивали, человек по тысяче. Поставили ее в малом зале, да и он был пуст. Ни друзей, ни официальных лиц. Новая редакторша журнала прежнюю терпеть не могла и не пустила коллектив на похороны, назначив на этот день собрание. Однако отправила со старой секретаршей венок из похоронных елок и белых лент — «От коллектива ...». Арий Львович сам сказал казенное слово, он давно уже умел: что настоящая коммунистка и верный ленинец. Предложил проститься.

Потом гроб отвезли в Донской крематорий. Секретарша редакции не поехала от старости лет. Гроб поставили на подставку, и на этом возвышении серенькое лицо Антонины Наумовны, с запавшим ртом и выступившим вперед носом, выглядело картонным, и она поехала вниз под музыку, пока не сомкнулись створки подземелья.

Костя держал мать под руку и чувствовал через пальто, как тонко ее предплечье, как мала она ростом и как ничтожно время человеческой жизни, даже такой длинной, как бабушкина. И как грустны похороны человека, которого никто не любил, не жалел...

«Выбросили, как старый валенок в мусоропровод», — подумал Костя с горечью. Сознавал, что и сам бабушку не любил...

После утопления гроба в искусственной преисподней Арий Львович пожал руки Ольге и Косте и сказал, что если они напишут заявление о материальной помощи, то он постарается ее выбить.

Урну после кремации надлежало забрать через две недели.

«Все же лучше сразу в землю, — подумал Костя. — А то непонятно, где она будет эти две недели, как будто в камере хранения...»

Ольга пригласила всех домой помянуть ушедшую. Невестка Лена уехала из крематория к малым детям. Арий Львович считал, что его обязанности простираются до конца вечера, и он раскрыл дверь автобуса, пропуская тусклых женщин. Костя вошел последним. Хотел сесть с матерью, но она уже заняла место рядом со вновь объявившейся теткой. Тетка была помоложе Антонины Наумовны, но похожа на нее строгим носатым лицом. Арий Львович смотрел в окно. Ему было о чем вспоминать.

Стол Ольга накрыла еще перед уходом. Тело покойной сразу после смерти свезли в морг, и Ольга не торопясь, досконально, с подробностями, прибрала дом, проветрила квартиру. Но и через три дня лекарственный запах пробивался через мастику и полироль.

Сели за длинный овальный стол, отреставрированный отцом, и Ольга, положив вымытые руки на столешницу, покрытую грубоватой льняной скатертью, ощутила тоску по отцу. Вспомнила его рыхлый нос, набегающую верхнюю губу, мальчишескую серьезность, с которой он строгал свои деревяшки в мастерской на даче, запах политуры и стружек, идущий от отца. Это под конец жизни, на пенсии. Из-за нее, дуры, из-за университетской той истории... Как бесновалась тогда и орала мать и как строго, опустив глаза, молчал отец. Молчал, молчал — и подал в отставку.

— Батя, батя, — прошептала Оля.

Рядом сидевшая подруга Томочка услышала. Чуткая душа, все по-своему переиначила. Шепнула ей:

— Да, Олечка, и я думаю — встретились теперь твои родители.

Арий Львович, оглядев со знанием дела богатую мебель, руками покойного Афанасия Михайловича отреставрированную, сделал переоценку статуса. Ампирная мебель была в моде в богатых домах, и он не ожидал встретить в доме этой простовато-партийной покойницы такие редкости. Занятная, занятная история. Помедлив, не найдется ли кто более значительный, встал:

— Помянем по старому обычаю дорогую Антонину Наумовну. Не чокаемся, не чокаемся!

Все выпили. Костя, отглотнув каплю, поставил рюмку. Водка ему не нравилась. Он бы вина выпил, но ему не предложили.

Оля же выпила и мгновенно захмелела. Теплота поднялась в голову, опустилась в ноги, она как-то обмякла. Сидела, подперев осунувшуюся щеку рукой в заметных веснушках, порозовела, как в юности, даже помолодела. Волосы, после давнишней химиотерапии вылезшие дотла, росли у нее теперь новые, молодые, даже завивались надо лбом, и прежний ее цвет — праздничный, пасхальный, луковой шелухи — снова появился после того ужасного лечения.

Подруга Тамара смотрела на нее с изумлением, отметила ее миловидность, порадовалась: восстала, восстала

Ольга после такой тяжкой болезни. И еще подумала: Антонина Наумовна на себя Олину болезнь взяла. Такие были новые Тамарины мысли, складно вытекавшие из ее православного состояния: теперь все движения жизни, повороты судьбы виделись ей не случайными, а наполненными смыслом, непременно мудрыми и целесообразными.

Олины мысли шли в другом направлении, о другом она думала: если б она с Ильей тогда уехала, кто б мать похоронил. А вот теперь, когда родители умерли, Костя женился, как раз бы и уехать к Илье. Сколько же теперь надо ждать, чтобы оказаться с Ильей вместе...

Сестра Антонины Наумовны Валентина сидела с краешку, робко. Вид у нее был не то чтобы совсем деревенский, но простоватый. Она жила в Протвине, за сто километров от Москвы, в научном городке, и была там вовсе не уборщицей, как по ее виду можно бы сказать, а вполне уважаемым кандидатом биологических наук. Но Оля этого не знала. Помнила, что тетушку мать не жаловала и даже не без насмешки говорила что-то такое про овец, с которыми та всю жизнь провозилась. И это была правда. Валентина кончила какой-то ветеринарный институт. Но в устах старшей сестры, большой начальницы, звучало это всегда презрительно.

Сидела Валентина по правую руку от Оли, по сторонам не смотрела, все только в тарелку. Потом вдруг повернулась к племяннице и сказала:

— Я пойду скоро, Олечка. Ночую я сегодня здесь, в городе, у подруги. Но я тут кое-что тебе привезла. Это наше семейное...

Оля удивилась, но встала из-за стола и повела тетушку в материнский кабинет. Там мать всю жизнь спала кратким сном и работала — писала свои очерки о героических ткачихах, чесальщицах и доярках, доклады и выступления, приказы и выговоры. Однажды написала роман и чуть не получила Сталинскую премию. Старинная пишущая машинка в дерматиновом чехле, которую сама писательница любовно называла «страстотерпицей», стояла, как маленький гроб, посреди письменного стола. «Ундервуд». Рядом чугунный письменный прибор с мускулистым рабочим, бюст Толстого и фотография себя самой — лучшая за всю жизнь: девушка в кожанке, со сжатым ртом.

В свой кабинет Антонина Наумовна никаких мужниных старинных мебелей не допускала. Все здесь было сталинское, даже с металлическими бирками в интимных складках тяжеловесных предметов, полученных когда-то через распределитель. На кожаном государственном диване и умерла писательница.

Ольга сразу же, как тело увезли, сняла матрас. Костя вынес его на помойку. Выкинула пузырьки и флакончики от лекарств, кроме запаха ничего не осталось.

Валентина Наумовна вошла в сестрину комнату и удивилась про себя ее нежилому виду. Три казенных портрета на стене — Ленина, Сталина, Дзержинского. Села на край кожаного дивана и ровненько на колени уложила портфельчик.

«У мамы точно такой же портфельчик был», — отметила про себя Ольга. Тетка была ростом еще меньше матери, тоже сухая, тоже длинноносая. И одета была схожим образом: поношенная вязаная кофта, серенькая блузка внутри, юбка в кошачьих волосах.

«Надо ей мамину одежду отдать, шуба там, плащ», — решила Ольга.

— Олечка, не знаю уж, была бы твоя мама довольна... скорее нет. Но я все же решила отдать тебе сохранившиеся у меня семейные фотографии.

«Торжественное какое начало... Да, и обувь еще. Сапоги на меху, мама лет пятнадцать тому назад привезла из Югославии, не забыть...»

Валентина тем временем колупнула замочек и вынула тонкую пачечку, завернутую в газету.

— Это, если так можно выразиться, наш семейный архив, все, что сохранилось. — Она осторожно разворачивала газетные слои один за другим, пока не появились фотографии. Тогда она встала, разложила на столе одну картонку из старорежимного фотоателье и две блеклые любительские.

— На обороте я карандашом тоненько написала, кто да когда... — Она бережно поглаживала наклеенную на картонку фотографию, а те, мутные, любительские, все норовили скататься трубочкой, и она их распрямляла. — Если я вам с Костей не передам, наших предков и помянуть некому...

«Какие такие предки, какие потомки? Мать говорила, что рано осталась сиротой, родни не помнила, а кого помнила, погибли либо поумирали...»

— Это наш батюшка, Наум Игнатьевич, с матушкой. Твои, стало быть, дед и бабка. — Кривым старческим пальцем ткнула в край фотографии. В кресле сидел священник с гривой по плечам и бородой чуть не до пояса и черными, как наклеенными, бровями, а позади его кресла стояла миловидная женщина в темном, по-простонародному повязанном платке и в господском платье, шелковом, расшитом по вороту чем-то вроде стекляруса. Рядом с отцом — трое отроков, возле матери — двое малышей. Двухлетний сидит у нее на коленях, второго, постарше, держит за руку черномазая девочка со строгим и хозяйственным выражением лица.

— Матушка наша — Татьяна Анисимовна, урожденная Камышина, тоже из духовных. Отец ее инспектор Нижегородской семинарии. Все, все у нас были духовного звания — деды, прадеды, дядья.

— Мама никогда не говорила... — прошептала Ольга. Голос пропал.

— Тому была причина — все сплошь священники, — кивнула тетка и продолжала тыкать пальчиком в потертую сепиевую картинку. — Отец Наум Игнатьевич похож на свою мать Прасковью — черный, черноглазый, она была гречанка, тоже из поповской породы. После Прасковьи порода испортилась, чернота пошла.

— А мама ничего не говорила...

— Да, да, конечно, не говорила. Боялась. Расскажу тебе все, что знаю. Антонина, когда маленькая была, много по дому помогала. Хорошая была девочка. Она тогда была одна сестра на пятерых братьев. Трое старших было, а двое младших, она их нянчила. Андрей и Пантелеймон, оба в мать, светленькие. И умерли в один год, уже в ссылке. Она на десять лет меня старше была, я пятнадцатого года, на этой фотографии меня еще нет. Но я помню, она меня кормила, одевала. Очень хорошая была, — настойчиво повторила тетка.

Валентина поглаживала парадную фотографию. Любительские сворачивались в трубочку.

— В двадцатом году нашего отца, Наума Игнатьевича, священника Космодемьянской церкви, отправили в ссылку. — Она уперлась пальцем в девочку со строгим лицом, положившую руку на плечо мальчонки.

— Я родителей мало помню. Больше со слов тети Кати. Отца видела последний раз, когда он вернулся из ссылки в двадцать пятом. Мама к этому времени уже умерла. Тетя Катя меня к нему возила.

— Какая тетя Катя? — Ольга посмотрела на тетку, и открыла вдруг, что никакая она не простоватая и нисколько не убогая. Она тихая, спокойная, и выговор у нее очень правильный, даже правильнее правильного.

— Тетя Катя, мамина сестра, Екатерина Анисимовна Камышина, приняла меня, младшую, когда наших родителей сослали. Петр и Серафим уже большие ребята были, сразу отреклись, в ссылку не поехали. С отцом пошел Николай — он к тому времени уже закончил семинарию и служил диаконом в небольшом селе на Волге. На фотографии он в подряснике, он в семинарии тогда учился. Его рукоположили, он был священником, в лагерях пропал, не знаю, в каком году, ничего про него не знаю. С ним связь тетя Катя потеряла. С родителями в ссылку пошли два младших, Андрей и Пантелеймон, оба и умерли.

— А мама? — Ольга уже догадывалась, что услышит.

— Антонина ушла вслед за братьями. В пятнадцать лет ушла. Петр и Серафим уехали в Астрахань еще прежде нее, и все они там от отца-священника отреклись. Написали в газету, что Ленин им отец, а партия — мать.

Со стены, из деревянной рамки, смотрела на них девочка в кожанке, подтверждала эти слова.

— А с дедом что дальше сталось?

— Пять лет ссылки в Архангельскую область, потом вернулся в Космодемьянск. В двадцать восьмом его посадили, потом еще раз выпустили, а в тридцать четвертом — все, пропал. Не смогла тетя Катя его разыскать. Пришли мы с тетей Катей к твоей маме уже в тридцать седьмом. Стояли на коленях, просили похлопотать, хоть узнать, жив ли. Но Антонина сказала, что хлопотать ей не о чем.

В приоткрытую дверь вежливо постучали — Арий Львович заглянул проститься. В большой комнате, в застолье тихо разговаривали: Тамара с соседкой толковали о загадочной болезни, которая оставила Ольгу и перекинулась на Антонину Наумовну. Соседка Зоя расспрашивала Костю об Илье. Ольга, при всей соседской близости, вопросов о бывшем муже как не слышала.

Ольга благодарила похоронщика. Он почтительно кивнул головой. Уже в дверях, держа богатую меховую шапку на весу, поклонился светским образом и произнес с достоинством:

— К вашим услугам, Ольга Афанасьевна. Всегда к вашим услугам.

«Вот дурак безмозглый. Нужны его услуги!» — подумала и вернулась к Валентине.

Пока шла по коридору, готовилась услышать то, что могла предугадать. Ссылки, аресты, гонения, расстрелы.

Но ничего такого тетя Валя не сказала. Разгладила две блеклые фотографии: на одной старик в обвисшем пиджаке стоял возле плетня, на кольях которого надеты были две крынки, а лицо у него было такое, что у Ольги дух захватило. На другой он же — в черном подряснике в каком-то помещении сидел у стола, посредине которого возвышалась небольшая белая пирамида и три темных яйца на тарелке.

— Это Пасха тридцать четвертого года. Видимо, он служил Пасхальную Заутреню.

Сидели и молчали. Потом Валентина завернула все в газетку, положила в коричневый конверт:

— Олечка, мне оставить некому. Ты со своим Костей все, что от нашей семьи осталось. Я про тебя ничего не знаю. Не знаю, может, ты и не хочешь эти фотографии брать. Я их всю жизнь сохраняла. Сначала тетя Катя, потом я.

— Возьму, конечно, тетя Валя. Спасибо вам. Какой же кошмар! — Оля взяла газетный сверток из старческих рук, и тетушка сразу же заторопилась:

— Ну, мне пора, давно пора. В Теплый Стан ехать.

— Тетя Валя, старшие братья, с ними как?

— По-разному. Петр спился, Серафим в войну без вести пропал. У Петра, кажется, была семья, но ушла от него жена и дочку забрала. А про Серафима не знаю, остался ли после него кто.

— Ничего себе история. А вы приходите к нам. Я вам хотела кое-какие вещи мамины... — И запнулась, потому что увидела такое тети-Валино лицо, что про югославские сапоги говорить было невозможно.

— Я позвоню, позвоню вам, — промахнувшись с поцелуем, уткнувшись в серую вязаную шапку тетушки, бормотала Оля, провожая ее в прихожей. — Мы непременно увидимся, вы мне все расскажете, что помните.

— Да, да, конечно, деточка. Только на маму не сердись. Страшные времена были. Очень страшные. Все ведь были сироты. Теперь-то мы как хорошо живем...

Костя стоял за материнской спиной и не понимал, что это она вдруг так ослабла, расплакалась, а ведь так хорошо весь этот тяжелый день держалась. Ольга вернулась в материнскую комнату — снова разложила на столе эти вынырнувшие из бездны небытия фотографии.

Ушла мать, давно уже превратившаяся в сухую оболочку человека, в ворох гигиенических привычек и автоматических слов. И на ее место вошел вдруг незнакомый человек с прекрасным лицом, переживший предательство подросших детей, смерть жены и малолетних, тюрьму и еще бог знает что. Мутная фотография с пасхальным столом отворила слезы. Ольга, распустив поток, сидела в материнском кабинете и претерпевала какую-то неведомую операцию. Ее, как черенок, полоснув ножом, привили к семейному дереву, которое было дед Наум и все те многочисленные бородатые, с косицами, деревенские и сельские, ученые и не особенно ученые попы, их матушки и детушки, хорошие и не особенно. Она не могла найти слова, чтобы объяснить себе самой происходящее потрясение. И не было Ильи, который сказал бы те точные слова, которые расставляли все на правильные места...

Троллейбус «Б» вывернулся из-за поворота, звякнув штангами. Арий Львович прибавил шагу: в вечернее время троллейбусы ходили редко. Он уже забыл о сегодняшней покойнице. При смерти был один из секретарей Союза писателей. Арий заранее планировал большие парадные похороны, хорошо бы на той неделе, чтобы в эту пятницу уехать на дачу. Он спешил домой к молодой жене. Десять лет тому назад, будучи свежим вдовцом, он познакомился на очередных похоронах с чудесной ласковой Кларочкой и влюбился, и женился, и родил новую дочку, Эммочку, и жизнь его так обновилась, так осчастливилась, что и помыслить невозможно было, что и ему придется помирать. А со смертью отношения такие давние, такие близкие, служит ей не за страх, а за совесть. Неужто скидочки не заслужил?

«Может, доживу до девяноста пяти, как дед. А почему нет? От старшей дочери Веры, от первого брака, уже внуки взрослые, до правнуков рукой подать. А если до девяноста пяти дотянуть, то и от Эммочки внуков дождусь. А почему нет? Здоровье, тьфу-тьфу, хорошее, работа наилучшая — и достаток дает, и уважение. И ведь интересная работа, для души. Да, хорошо бы, чтобы секретарь этот — подлый, между прочим, человек — помер не сегодня, и не завтра, и не в понедельник, дотянул бы до вторника, тогда бы все можно было к той пятнице хорошо, без спешки организовать. И поминки в дубовом зале на сто кувертов».

Свадьба Короля Артура

С детства Ольга чувствовала успокоительную предсказуемость людей. Заранее было известно, что скажет подружка, учительница, мама. Особенно мама. С детства Антонина Наумовна воспитывала в дочери редкую добродетель, умение пожертвовать своими интересами во имя общества. Чувство социальной справедливости было у девочки, видимо, врожденное. Когда кто-либо из детей выносил во двор кусок хлеба с маслом, посыпанный сахарным песком, Ольге и только Ольге поручалась дележка на заданное количество ртов, а в случае особой кривизны ломтя она одна из всего двора умела прибавлять довесочки для соблюдения окончательного равенства. По возрасту своему она не знала о хлебных пайка́х — родилась в конце войны — и про лагерные па́йки тоже ничего не знала. Но спинной мозг знал.

Антонина Наумовна любовалась своим поздним ребенком — удачная! Все лучшее взяла от родителей: от матери — принципиальность, твердость, от отца — добродушие и светлую миловидность. Греческого наследства с материнской стороны — черноволосости, излишней носатости — ни капли. И ни капли отцовской рыхлости, которая смолоду в Афанасии Михайловиче замечалась.

В годы Олиного детства Антонина Наумовна возглавляла журнал для молодежи и воплощала свои научно-педагогические построения в практике личной жизни, в дочери, а опыт, возникающий из отношений с дочкой, применяла в своих статьях. Так, наблюдая за игрой деток в песочной куче — они поливали песок водой и лепили корявый замок, — создала даже художественный образ: песок — это отдельные рассыпающиеся личности, а вода — идеология, которая замешивает тесто, и из этого строительного материала создается великое здание. Эту метафору она использовала и в редакционной статье, и в докладах. Ее выступления всегда отличались образностью, особенно когда доводилось выступать в партийной среде. Она была ифлийка, в тех кругах редкая птица. Писателей этим не удивишь, каждый умел словцо завернуть, но с ними у нее были другие козыри. Зато в партийной среде ее уважали как мастера слова.

И все-таки никогда не было Антонине Наумовне так уютно в коллективе, как ее дочери. Руку на сердце положа, Антонина Наумовна признавала: завидуют! Как ни печально это осознавать — есть еще мелкие люди, которые завидуют ее положению, авторитету, уважению со стороны вышестоящего начальства.

А вот маленькой девочке Оле всегда было хорошо в коллективе. Детский коллектив здоровее, — решила совершенно ошибочно Антонина Наумовна. Хотя дело было в другом: Олечка родилась вожаком и пользовалась своими дарованиями, о том совершенно не задумываясь. Ей подчинялись без всякого с ее стороны насилия, девочки и мальчики готовы были за ней хоть на край света... Миловидная, заряженная веселой энергией, доброжелательная, она всегда таскала за собой подружек. Ей нравилось литься в общем потоке, его все-таки возглавляя, нравилось чувство общности и единения, достигающее апофеоза в майской демонстрации трудящихся.

Однажды мать взяла дочку на гостевую трибуну Мавзолея, и Ольга от первой до последней минуты всасывала в себя зрелище, а позже сказала матери:

— Да, здорово! Но когда сама со всеми вместе идешь, все же лучше!

О, сладостное чувство общности и единения! Равенство и взаимозаменяемость песчинок, их способность сливаться в единый и мощный поток, все сметающий на своем пути. И счастье быть его мелкой частицей. Любимый Маяковский! Любимый Владимир Владимирович!

Но появился Илья и открыл глаза. Про все, о чем знала Оля, он знал по-другому. Ранний Маяковский — лучшая часть коллекции Ильи: на газетной бумаге, желтый и шелушащийся, ломкий, ветхий, огненный Маяковский... Сколько же Илья рассказал сверх того, что печатали в школьных учебниках! Трибун революции — с его страхом заразы, детским фанфаронством, пожизненной любовью к женщине, причастной тайной полиции, — он оказался куда как сложнее и интересней, чем представлялся Оле и нескольким миллионам ее сверстников. Но главное, конечно, сам Илья: рядом с ним все делалось другим, открывало новые качества, даже погода. А как он фотографировал! Вот, например, дождь... деревья через окно, искривленные течением капли по стеклу, меховой воротник с застрявшими в нем бусинами воды... лужа, в середине которой плывет газета с утопающим словом «коммунистическая».

Прежде Ольге и в голову не приходило, какие интересные люди живут на белом свете и какие разные, со своими философиями и религиями. За всю свою жизнь Оля встретила одного особенного, может, даже гениального человека — того самого университетского преподавателя, руководителя ее диплома, подпольного писателя, публиковавшего свои книги за границей, за которого ее выгнали из университета. А вокруг Ильи все были вот такие — особенные. Не каждый, конечно, писатель. Но каждый — личность выдающаяся, со странными интересами, редкостными знаниями в немыслимых, в нормальной жизни совершенно лишних областях: пожилая дама с кимберлитовыми трубками, хромой специалист по несуществующему театру, художник из пригорода, рисующий помойки и заборы, исследователь неопознанных летающих объектов, составитель гороскопов и переводчик с тибетского языка... И все они, кроме дамы с алмазами, сторожа, лифтеры, грузчики, фиктивные литературные секретари, приживальщики при работающих женах или матерях, творческие, рук не покладающие бездельники, тунеядцы, изгои, опасные и притягательные. Не вполне понятно было: это они отказываются работать на государство, или государство не желает иметь с ними дела...

Первым, к кому потащил Ольгу Илья, был Артур Королев по прозвищу Король Артур, отставной моряк. Жил он в Тарасовке, в большом покосившемся доме с печкой, с колодцем у калитки и с дощатой уборной в дальнем углу участка. Калитка была заперта на ржавый калач, и Илья довольно долго стучал по железному листу, подпиравшему изнутри калитку. Наконец на крыльце появился огромный лысый человек в офицерском черном кителе. Не торопясь, морской походочкой враскачку подошел к калитке, пихнул калитку пальцем, и она легко открылась. Он сунул Илье кисть-лопату, каждый палец как большая морковина и цвета желтовато-розового, как будто только что после стирки. Ольга таких необычных людей отродясь не видела. Пригляделась — в лице странность: нет бровей. Сам румян, цвет лица крестьянский, даже лысина загорелая. Голос басовый, трубный, но смеется тоненько, как будто из другого горла смех. На Ольгу едва глянул, совсем без внимания. Даже имени своего не назвал. Оля растерялась — до чего же невоспитан! А еще бывший морской офицер!

Вошли в дом — хозяин шел первым. Ноги в резиновых вьетнамках — по талому снегу. Оригинал. Дом — под стать: пыльно, захламлено. Встали в дверях и услышали шуршание: огня в печи, мышей в стенах, старых книг, которые повсюду громоздились горами, тюками, связками. Книги на полу, на столе, на верстаке, который здесь же в комнате стоял.

Илья снял со спины большой туристический рюкзак, вытащил бутылку водки. Хозяин сел в кресло с подвязанным тряпкой подлокотником, посмотрел на бутылку с неодобрительным интересом. Илья перехватил взгляд:

— Король, можно и не пить. Не обязательно.

Король хмыкнул:

— А если не пить, что с ней делать? Вы, красавица, на стол накрывайте, там в сенях вилки-тарелки... все, что надо. Я, признаться, хозяйством не люблю заниматься.

Ольга просто захлебнулась от возмущения: нахал! Каков нахал! Красавица! Еще бы «дорогушей» назвал!

Стрельнула в Илью разъяренно, а он не то смеется, не то подмигивает...

Защиты не найдя, Оля улыбнулась, дрогнув знаменитыми ямочками, глядя в лицо Короля прямо и просто:

— Признаться, я тоже не люблю. Да еще в чужом доме.

— Понятно, — кивнул хозяин и вышел в сени. Очень естественно.

— Молодец, Олька. Ты молодец! — шепнул Илья, и Оля от этого одобрения почувствовала себя счастливой, гордой и правильной.

Король Артур принес черную кастрюлю, три глубокие тарелки вместо крышки, а сверху, пирамидкой — большой соленый огурец, нарезанный крупно хлеб и три стопочки. Вилки торчали из кармана кителя. Двигался он с точностью то ли спортсмена, то ли танцора — маленькие предметы льнули к его рукам как намагниченные. Ничего не падало, все вставало ровно, точно. Он пошарил в кармане, вынул из глубины луковицу и большой складной нож. Отсек донце, разрезал, не счищая кожицы, на четыре части, и они раскрылись посредине деревянной доски, как лепестки белой водяной лилии. Поставил перед каждым по тарелке — в кастрюле лежала не успевшая остыть картошка в мундирах. Протянул, не глядя, длинную руку назад и поставил на стол маленькую серебряную солонку в виде лебедя. Все было так правильно и хорошо. Счастье в Олиной душе поднималось как на дрожжах, она вся всходила пузырчатым тестом.

— Ну, открывай, — ласково сказал Артур Илье, тот сорвал жестяную крышечку с зеленоватой бутылки.

«Ах, вот оно почему — зелено вино, — догадалась Ольга. — Штофы были зеленые!»

Ольга слегка прикрыла рюмку рукой:

— Нет, не надо. Не хочу водки.

— Коньяка? — спросил хозяин.

— Нет, спасибо. Среди бела дня — не хочу.

Он кивнул. Располосовал огурец тонко, взял картофелину, очистил, порезал. Выпили они с Ильей. Ел он руками, солил картошку щепотью, но красиво, даже аристократично у него получалось.

— Как Лиса? — спросил Илья. Ольга уже знала, еще по дороге Илья рассказал, что у Артура жена-красавица, недавно от него ушла.

— Куда денется? Приезжала на днях.

— Обратно просится? — полюбопытствовал Илья.

— Нет, Илья, вернуться не вернется. А вот уйти не может. Развод оформила, замуж собирается, а уйти — слаба. Посмотрим. Пятнадцать лет прожили. Ей за границу хочется. Говорит, нашла себе финика.

— Да ты что? — удивился Илья. — Вроде какой-то из Ирака был?

— Был. Богач. Отставку дала. Говорит, европейская женщина на Востоке жить не может. А финик из Лапландии. Лиса к холоду привычна, она же с Дальнего Востока. Вообще-то она в Италию нацелилась, но итальянца ей не подвернулось.

У Оли от этого разговора глаза на лоб полезли. Что это за девица такая — среди иностранцев выбирает? Как проститутка, что ли? Надо будет потом Илью порасспросить.

Потом пили чай — заваривал его Артур медленно, развел целый театр вокруг чайника. Чайничек был, надо сказать, выдающийся, металлический, эмалевый, в драконах и в языках голубого пламени.

— Китайский, — Артур ласково погладил его по круглому боку. Ласково и посмотрел, как мужик на девушку. — В Сингапуре купил. Красавец!

Ну да, говорил же Илья, что Артур в торговом флоте служил, по всем океанам плавал. Ольгин глаз уже привыкал к этой необычной фигуре, он нравился ей все больше и больше. Хотя при ближайшем рассмотрении оказалось, что безволосость его странная — как будто волосы никогда и не росли ни на голове, ни на детской коже лица. И еще: руки тряслись мелко-мелко, не сразу и заметно.

Потом Король унес тарелки, тем же порядком, водрузив на кастрюлю, вытер стол, и тогда Илья выложил на него большую стопу тончайшей бумаги с машинописью. И несколько растрепанных древних книжек. Зашуршала бумага.

— Матерьяла подходящего нет, могу только в ситец, — сказал Артур.

— Главное, чтоб не в цветочек, — попросил Илья.

— В синий переплету, — кивнул Король.

Потом, сделав еще более значительное лицо, чем оно было, он вынес из соседней комнаты, держа на весу, как младенца, старинную книгу в темном кожаном переплете и предъявил ее Илье.

— С ума сойти! Восемнадцатый век. Тысяча семьсот девяносто девятый год! «Полный винокур и дистиллатор».

— Колоссально! — выдохнул Илья и радостно засмеялся. — Как гнать самогон?

— Не в этом дело. Да ты на титул посмотри! Тогда и ахай! — И Король Артур поднял крышку переплета.

Илья присвистнул:

— Ни фига себе! Макулатурная?

— Ага. Владельческая надпись — Бердяев. Правда, все же надо проверить.

— Специалист нужен. Надо Сашке Горелику показать, — посоветовал Илья.

— Нет, я из дома не выпущу. Ты приволоки Сашку сюда. Я ему бутылку поставлю, — предложил Артур.

— Да он сам тебе поставит. Может, еще и книгу купит.

— И не подумаю продавать!

Оля тянула шею поверх плеча Ильи — лиловыми чернилами было выведено: «Николай Бердяев».

Имя как будто знакомое, в компаниях его называли, подумала Ольга. Но спрашивать не стала, чтобы не терять заявленного высокого класса. Впрочем, и так было ясно, что Илья, хоть никакого формального образования не имел, знал историю и литературу гораздо лучше, чем она, почти закончившая университет. Да и этот отставной моряк, судя по книгам, которыми забит его дом, человек образованный. Что он тут же и подтвердил, вытащив из-под дивана маленького, с ладонь, английского Диккенса:

— Вот автор чудесный, Илья. Что за чушь мы в детстве читали! — Тут он махнул рукой, засмеялся. — Впрочем, я в детстве почти ничего не читал, во всем городе Изюме, я думаю, ни одной английской книжки не было. Казачьи места. У нас мальчишек на лошадь сажали прежде, чем они ходить начинали. Шашкой машут, а грамоты не знают.

Оля, хотя и приказала себе накрепко вопросов никаких не задавать, не удержалась:

— Так вы и шашкой можете?

— Нет, деточка моя, я всю эту казачью вольницу с детства ненавидел, в тринадцать лет из дому сбежал, в нахимовское училище поступил. Романтиком был. То есть идиотом. Что такое настоящая армия, не понимал.

«Деточка» была, конечно, обидна, но тон Артуровой речи — вполне дружеский. И посмотрел он в глаза, а не мимо.

Вскоре стали собираться: Илья положил в опустевший рюкзак завернутую в газеты и аккуратно увязанную пачку книг, отдал Королю Артуру небольшую стопку денег, и они заторопились к станции — время шло к десяти, в такую пору электрички ходили редко. По дороге Оля расспрашивала Илью, он коротко отвечал. Да, бывший морской офицер, переживший какой-то взрыв. Списали через психушку с флота, пенсионер, работает подсобником в конторе по приемке макулатуры.

Сначала в книгах мало что понимал, но за годы насобачился. Чутье оказалось. Впрочем, особого чутья и не нужно — люди тащут книги мешками. Он там среди старых газет и изрисованных учебников чего только не выуживал — то том Карамзина прижизненного издания, то Хлебникова. Штайнера нашел. А его и в букинистическом не найдешь, издание начала века.

Не знаешь? Это все не мое, но знать надо. А в последнее время Артур в йогу по уши влез. В макулатуре Вивекананду нашел. Практикует, медитирует.

— Я тоже хочу... Вивекананду. — Оле всего хотелось: всех книг, всех разговоров, и музыки, и театра-кино, и Бердяева, и индийского Вивекананду, и немедленно прочитать Диккенса на английском, и, как в детстве, когда хотелось поскорее вступить в пионеры и в комсомольцы, чтобы быть в передовом отряде, теперь хотелось, чтобы ее приняли в неопределенную компанию Ильи, Короля Артура и тех, кого она еще не знала, но о ком уже слышала. Это они стояли во дворе суда, когда судили ее доцента, и быть среди них было гораздо интереснее, чем заседать в комитете комсомола филологического факультета.

Илья принес Ольге и Вивекананду, и Бердяева, и совершенно поразившего ее Оруэлла. Времени свободного было теперь у Ольги немерено — из университета отчислили. Целыми днями валялась она у себя в комнате, пока Фаина кормила, гуляла, укладывала на дневной сон Костю, а ближе к вечеру, к возвращению матери с работы, Оля уходила на свидание. У них было несколько излюбленных мест встречи: возле первопечатника Ивана Федорова, у стены Китай-города, в букинистическом магазине, в старой аптеке на площади Пушкина. К лету ближе они стали встречаться в Аптекарском огороде, маленьком ботаническом саду, основанном еще Петром Первым.

Прошло полгода, прежде чем Илья снова пригласил Олю в Тарасовку, на этот раз на свадьбу. Ольга удивилась: да кто же за него, странного такого, пойдет?

Тут настало время удивляться Илье:

— Оля, ты что? Пока он на Лисе не женился, очередь стояла из баб — мечтали его портки стирать. Из Москвы во Владивосток знаменитая актриса два раза в месяц к нему летала, чтобы трахнуться. Прилетит, а он ей: извини, увольнительной нет. И к буфетчице. А потом, когда Лиса появилась, — все. Стал ей верным мужем. На баб не смотрел. Тогда уже Лиса заблядовала, — Илья засмеялся.

Оля всегда восхищалась, как свободно и просто говорил он о таких вещах, которым прежде она и названия подобрать не могла. Оля даже слово «говно» сказать вслух не умела, в горле застревало, а в устах Ильи даже непроизносимые ругательства звучали естественно и смешно...

— На ком же он теперь женится? — полюбопытствовала Оля.

— История занятная, как и полагается. Он женится на старшей сестре Лисы. Это ее интрига. Сама увидишь.

Свадьба Короля пришлась на середину июня. Лето было еще свежее, первый солнечный день после месячных дождей. Накануне мать Ильи Мария Федоровна уехала к сестре в Киржач. Ольга с вечера приехала к Илье, и у них случилась впервые длинная, полностью принадлежащая им ночь, без спешки, помех и неловкости, которую испытывала Ольга в чужих постелях, куда время от времени затаскивал ее Илья. Утром оба они были притихшие, опустошенные, и эта восхитительная пустота сообщала телам и душам чувство, близкое к невесомости. Оба они переживали уникальность происшедшего: через это предельное, на границе возможностей, телесное самовыражение, через сексуальный подвиг совершился переход общеположенной границы — как будто произошло откровение там, где его не ожидаешь. За высшим наслаждением секса открылось другое, словами не выразимое блаженство растворения собственного «я» и немыслимой, неизведанной свободы парения и полета.

— Так хорошо, что даже страшно, — шепнула Оля, когда они уже сидели в электричке.

— Нет, не страшно. Показали седьмое небо. Такое чувство, что надо какой-то благодарственный поступок совершить.

— Какой? — удивилась Ольга. — Какой может быть поступок?

— Ну, не знаю. Может, пожениться? Буду тогда е...ть тебя по-честному. — И он захохотал, как будто сказал бог весть какую остроумную шутку.

Ольга почувствовала, что нецензурное слово ошпарило ее, но тело ее ответило почему-то немедленным согласием. Она покраснела скулами — «я совсем сошла с ума, нельзя же так» — и сказала неловко:

— Нет. Я думаю, ребенка надо рожать после всего этого.

Илья перестал смеяться. У него был ужасный опыт отцовства, и повторять его он не хотел.

— Нет, это уж слишком. Ни за что и никогда. Запомни.

Что-то рухнуло и обвалилось: такие американские горки! Что это? Жестокость? Тупость? Как он мог это сказать? Но он не был ни жестоким, ни тупым: сразу же понял, что обидел, взял за руку повыше локтя, сжал сильно:

— Ты не понимаешь. От меня родятся уроды. Я сам урод. Нельзя от меня рожать.

Ольга вцепилась в его руку, — обида мгновенно превратилась в острейшее сочувствие, он и прежде намекал ей, что ребенок его не вполне здоров. Теперь она поняла, что там не просто так, детская проходящая болезнь, а неисправимая катастрофа. Они замолчали и уставились в окно. За окном показывали такую свежую и промытую долгими дождями лиственную зелень, что можно было и помолчать. После этого признания их близость стала еще большей, как будто это было возможно.

Столы были накрыты прямо на дорожке к дому. Участок так зарос лопухами, малинником, крапивой, что другого места не нашлось. Гостей толпилось человек сорок, и еще не все приехали. На задах участка догорали дрова в самодельном мангале, тянуло дымом, пахло сырой травой и жасмином. Двое ребят туристически-песенного вида суетились у мангала.

За стол пока не садились, хотя миски и тазы с салатами занимали всю середину стола. Гости, найдя подходящие точки, кое-где уже выпивали: в беседке, давно собиравшейся развалиться, возле бочки с дождевой водой, на бревнышке за уборной. Из дому шли громкие начальственные выкрики — руководила всем Лиса. И тут она вышла на крыльцо: красавица, секс-бомба, звезда — от тонких кривых ног на высоченных шпильках до взбитого на макушке фонтана, в больших немного затемненных очках, с улыбкой, открывающей острые клычки по бокам. Вурдалак? Ведьма?

— Панночка! — шепнула Оля Илье в ухо. — Вот прямо сразу — на экран. Панночку играть.

— Пожалуй, — легко согласился Илья.

Тут Оля увидела Короля. Он развалился в шезлонге — не то спал, не то медитировал: глаза закрыты, большой гладкий подбородок устремлен в небо.

— Король! Пора за стол! — крикнула Лиса, и Король открыл один глаз. — Ну что разлегся? Без тебя не начинаем!

Началось шевеление в зарослях — гости, уже немного поддавшие, выползли к столу, устраивались на скамьях. Илья перекинул длинную ногу через скамью, сел едва ли не первым. Ольга — рядом. Она кое-кого уже знала, но не всех.

Но какие же это были лица! Разного возраста — молодые и средние, двое совсем стариков и одна забавнейшая пожилая дама. Все сплошь — несоветские. Более того — антисоветские! Восхитительно антисоветские! И, конечно, посаженный в тюрьму доцент был из этой же компании.

— Ты скажи мне, who is who... — шепнула Оля.

— Кто именно тебя интересует?

— Ну, вот этот, рыжий?

— А, Вася Рухин, философ, богослов. Энциклопедических знаний человек. С ним поговорить очень интересно. Правда, быстро напивается, а как напьется, то сразу про жидомасонский заговор...

Философ-богослов был совершенно трезв, и, видимо, это его тяготило. Он наливал какую-то неопределенную алкогольную жидкость в стакан, а сидевшая рядом с ним женщина, то и дело поправлявшая сзади на шее тугую косу-колбасу, тихо противодействовала. Сутулый, даже почти горбатый мужчина с кавказским резным лицом и декоративными усиками, подняв правую руку вверх и отведя левую в сторону, медленно произносил что-то вроде стиха:

— Ах, у печали мерило, но лире мила чепуха...

— А, это Дамиани — он гений. Вроде Хлебникова. Палиндромы, акростихи, всякие формальные штуки. Да и стихи прекрасные у него есть. Он, правда, совершенный гений. Опоздал родиться. Жил бы в начале века, Хлебникова бы за пояс заткнул. Я не вижу пока что Сашу Кумана, это его враг закадычный, они всегда вдвоем ходят. Тот тоже поэт, но совсем в другом роде. Как сойдутся, непременно скандал на поэтической почве.

Илья уже не ждал Олиных вопросов, сам рассказывал:

— А эти двое из правозащитников, толстый — математик, Алик его зовут. Теоретик. Логика у него железная. По-моему, он единственный, с кем ГБ связываться боится. С ним вообще разговаривать нельзя — что хочет, то и докажет. За ним никто не поспевает, башка как скорострельный автомат. А тот, что рядом, в ковбойке, еврей евреич, — Лазарь его зовут — он создатель машинного перевода. Лингвист и кибернетик. А рядом, в синем платье, его жена, Анна Репс, тоже поэтесса. По-моему, ничего особенного.

— Откуда у Королева такие знакомые? — спросила Ольга.

— Это определенный круг. Здесь все на книгах завязано. Король хороший переплетчик, его все знают, к нему хорошо относятся. Несколько разных компаний только через Короля и общаются. Это круг такой, — повторил Илья с нажимом, как будто это слово все объясняло.

Тут Лиса с криком «Шура! Шура! Где же пирог?» ветром пронеслась к крыльцу — открылась дверь, и в дверном проеме возникла крупнотелая краснолицая женщина в белом платье, которое было ей мало на два номера и грозило лопнуть. Она держала на вытянутых руках противень, из которого вылезал толстый деревенский пирог. Поперек розового предплечья краснел свежий ожог, из-за ее плеча высовывалась молодая девица, такая же краснолицая, тоже в белом платье, с двумя полными ведрами. Ольга вытянула шею — ведра были полны резаным мясом. Шашлычные парни подскочили, выхватили ведра и исчезли.

— Оленька, а тот, худой, черноглазый, знаменитый Синько. Мы его песни в записи у Боженова слушали, — напомнил Илья.

— Да, помню, конечно. Замечательные песни.

— Он с гитарой. Так что попоет.

— Шура, ты пирог-то поставь и селедку неси. Забыла, что ли? — прикрикнула Лиса на толстуху. Острый кончик носа у Лизы шевелился, как у зверька, и Оля поняла, что прозвище ее не от имени Елизавета, а именно от этого вострого подвижного носа, живущего самостоятельной жизнью. Толстуха побежала в дом, потряхивая задом. Лиса покачала головой со снисходительной улыбкой — мол, до чего нерасторопна и бестолкова помощница. Молодая в белом подошла к Лисе, что-то тихо сказала, но та отмахнулась:

— Твое дело помогать. Холодец-то не принесла!

И молодая тоже понеслась рысцой в дом.

Король Артур вылез наконец из шезлонга и переместился во главу стола. Там стояло его кресло с подвязанной ручкой и венский стул. Девушка с выразительным восточным лицом, большими глазами, губами, ноздрями, коротко стриженная, в белых джинсах и белой майке, села рядом с Артуром на венский стул. Он обнял ее за плечи.

— А невеста какая стильная, — шепнула Ольга Илье.

— Нет, это Ленка Вавилон, она никакого к Артуру отношения не имеет. Осетинка, кончила ИВЯ, кавказские языки знает. И фарси. А невесту Королева я и сам никогда не видел.

В этот самый момент Лиса подошла к этой стильной и выдернула из-под нее стул:

— Ленка, место освободи.

Лена нисколько не смутилась:

— Лиса, ты мной-то не командуй.

— А ты место не занимай, это невестино! — крикнула скандальным голосом Лиса, и Лена развернула стул спинкой к столу, а сама села на колени к Артуру.

Похоже, он не возражал.

— Шура, начинаем! Иди к столу! — крикнула Лиса, и тут же дверь дома распахнулась и появилась Шура с полотенцем в руках.

— Иду, иду! — Она вытирала руки на ходу, потом обмахнулась полотенцем и сказала тихо, но Оля услышала:

— Лизочка, ты Машу усади, а то, ты знаешь, ей не сказать, она и не сядет.

Маша, растопырив пальцы, несла на каждой руке по две селедочницы.

Шура, подойдя к венскому стулу, развернула его к столу, повесила на спинку полотенце и тяжело села. Она-то и была невеста. Ленка Вавилон тем временем исчезла с Артуровых колен, как и не бывала. С прической у Шуры был непорядок — рано утром она сгоняла в парикмахерскую, где ей уложили такого барана, что Лиса рассердилась, долго кричала и велела немедленно вымыть голову: смыть кудри и лак заодно. Шура извела целую бутылку заграничного сестриного шампуня, и теперь ее волосы были чисты, как никогда в жизни, и распадались так, что никакими шпильками-заколками невозможно было собрать. Шура ежеминутно поправляла рыжеватые простые волосы, показывая потемневшие подмышки белого платья. Лицо Шуры было распарено, как из бани. Понятное дело — от плиты.

И снова раздался пронзительный, с металлическим отзвоном голос Лисы:

— Ну, наливайте! Наливайте! Артур, ну что расселся? Вставай, жених! Кто слово скажет? Сергей Борисович, вы у нас заглавный!

Невысокий узкокостный человек лет пятидесяти с виду, в очках, с лицом недовольным и собранным отмахнулся:

— Лиза, втянула всех в комедию, сама и отдувайся!

— Кто? Кто это? — встрепенулась Оля.

— Чернопятов. На нем много чего держится. Несгибаемый человек. Он лет с четырнадцати в лагерях, первый раз посадили, он еще школьником был. Потом про него расскажу.

Лиса недовольно махнула рукой:

— Ладно! Свадьба, в конце концов, моя! Мой муж на моей сестре женится.

Она сделала легкий жест сестре — мол, отойди-ка в сторонку. Шура встала, и Лиса вспрыгнула на освободившийся стул. Бог знает что было на ней наворочено: белая шелковая блузка, поверх которой нацеплен черный кружевной лифчик, короткие шорты выглядывали из-под блузки. Она шатко стояла на стуле, потому что слегка колебались ножки стула на мягкой и неровной земле, и высокие каблуки покачивались. Взлетали на легком ветерке пряди беспорядочных волос. Артур смотрел с вниманием, приготовившись ловить ораторшу. С другой стороны, растопырив руки, топталась Шура, озабоченная шаткостью положения. То есть Шура еще не предвидела, насколько оно шатко, это положение: вдруг обнаружилось, что Лиса вдребезги пьяна!

— Ну, ну, где же? Шампанского!

Лисе услужливо всунули в руку стакан, она подняла его и вскрикнула визгливо:

— Горь-ка-а!

Артур подхватил ее, она уцепилась за шею и стала его обцеловывать: в лысину, в щеку, в нос — пока не добралась до губ и не впилась в невозмутимого Короля.

— Любимого мужа замуж выдаю! За любимую сестру! Маша! Где моя племянница? Иди сюда, Машка! Я тебе папочку нарисовала!

Маша уже стояла возле матери, и вид у нее был — не до шуток!

Скандал не скандал, но назревало что-то тревожное.

Ольга смотрела во все глаза. Не заметила, как исчез Илья. Он появился через три минуты с полными руками шампуров, в сопровождении кострового парня.

Лиса выхватила шампур и сунула его Королю:

— Шура! Ты, б..., смотри! Первый кусок — всегда ему! Машка! И ты смотри! Если что, я глаза вырву!

Но Шуре уж точно не надо было вырывать глаз — они и так были полны слез, и она готова была провалиться сквозь землю, но стояла в растерянности пень пнем. Илья раздал шампуры, шашлыки отвлекли внимание от главной свадебной церемонии — горького целования.

— Илюш, да она просто хулиганка! — возмутилась Ольга, когда Илья подошел к ней с шашлыком.

— Ну, конечно, хулиганка. Гениальная хулиганка! Она же Короля из тюрьмы вытащила, в психушку засунула, демобилизовала. Кому платила, кому давала. Она юристом стала. Нет, нет, в самом деле! Юрфак вечерний закончила. Ты себе не представляешь, что она вытворяет. Я ведь сначала с ней познакомился, а потом уже с Королем. Девчонка с Дальнего Востока, у нее отец охотник. Она с ним в тайгу с малолетства ходила. И пьет как мужик. Железная баба, на переднее место, правда, слаба. А Король импотент, но это она сейчас сама объявит.

И точно. Небольшой перерыв, во время которого гости дружно жевали шашлыки, подходил к концу. Лиса, покончив с шашлыком, размахивала шпажкой:

— Ребята, я с вами прощаюсь. Все, уезжаю в страну фиников! Белого безмолвия. Вы мне все осто...ли! — дернув носом, хихикнула. — Но я вас обожаю. Имейте в виду, я вернусь и прослежу! От меня ничего не скроете! Это вам не КГБ! Я сама себе агент! Короля — не обижать! И Шурку не обижайте. Она телка, но человек хороший. Всех накормит, исцелит добрый доктор Айболит. Медсестра. Если укол, хоть в жопу, хоть в вену — в лучшем виде. Но — не приставать! Она этого терпеть ненавидит. Ноль гормонов. Все достались мне! Идеальная пара — два импотента!

Она, обвиснув, обхватила Короля за шею и завыла роскошным простонародным воем:

— Ой, сударик ты мой, бедняжечка! Импотентушка! Ну, чего скалитесь? Да он всех лучше! Ему бы х...шко какой стоячий, цены бы не было!

Король терпеливо и снисходительно терпел завывания бывшей жены. Он нисколько не реагировал на смертельное для каждого мужчины разоблачение и возвышался над всеми и ростом, и достоинством, и даже привилегией быть импотентом среди всех сексуально озабоченных, страдающих, влюбленных, любимых и нелюбимых мужчин и женщин.

«Точно, Король», — подумала Ольга.

Шура с Машей укрылись от позора в доме, на кухне. Шура ревела, дочь ее утешала:

— Мам, ты что, тетку не знаешь? Уедет, все нормально будет!

Маша плевала на весь этот столичный сброд, у нее был свой проект жизни — устроиться в Москве, выйти замуж с жилплощадью и закончить институт. Она была такая же целеустремленная, как тетка, но срублена топором, а не тонким инструментом...

Свадьба набирала обороты. Большую бутылку «Абсолюта» из «Березки» стрескали в несколько минут, зато самогон в трехлитровых банках, купленный у соседки, не кончался. Болгарская кислая «Гамза» в оплетенных соломкой красивых бутылях успехом не пользовалась, в отличие от портвейна, ящик которого был уже высосан. На придвинутом к раскрытому окну столе стоял магнитофон «Ampex», трофей Короля, привезенный им из последней «загранки», и изливал во двор мощный и прекрасный бибоп, и это было взаимно неуместно и даже оскорбительно, они не шли друг к другу: американский магнитофон, диковинка, шедевр, игрушка для мальчиков, отточенная музыка чужой культуры, нелепая пьяная свадьба на фоне нежной июньской зелени, в которой было все, кроме необходимейшей составляющей, взаимной любви мужчины и женщины... Вскоре магнитофон, устав, немного пошипел и замолк.

Тогда Синько взял в руки гитару, и все подтянулись поближе к музыканту. Он провел по струнам длиннопалой рукой с отросшими и обломанными ногтями, и гитара издала какое-то женское воркование, он снова прикоснулся к струнам, и она опять ему что-то ответила.

— Они как будто разговаривают между собой, — восхитилась Ольга.

Илья положил ей руку на плечо, и она обрадовалась — они уже несколько часов сидели за столом, и ей так хотелось к Илье прикоснуться, снова испытать это «чувство тела», которое начало испаряться... Первой прикоснуться к его руке, к плечу она стеснялась. Но он коснулся ее, и это было доказательством того, что ничего не выветрилось.

— А ты его живьем не слышала?

— Нет, только в записях.

— Ну, совсем другое дело. Он настоящий артист. Песни Галича лучше самого Александра Аркадьевича поет.

Лиса в этот вечер уезжала в Хельсинки. Поездом. В половине десятого Сергей Борисович Чернопятов, который весь вечер издали приглядывал за Лисой, подошел к ней, положил руку на плечо и сказал:

— Пора, Лиса. Поехали.

Лиса как-то съежилась, пошла с Чернопятовым в дом, и вскоре они вышли с чемоданом. Сергей Борисович отвозил Лису на Ленинградский вокзал, об этом заранее было договорено. Все высыпали на улицу, к машине. Сергей Борисович был деловит и выглядел раздраженным. Он открыл багажник старого синего «Москвича», но тут Лиса вдруг загудела, завертелась, опять повисла на Короле, довольно бессвязно укоряла его за старые грехи, опять вспомнила про импотенцию. Артур гладил ее по голове лысой розовой рукой и вдруг начал уговаривать остаться:

— Да брось ты этого финика, Лиса, оставайся с нами, никто тебя не гонит!

Лиса вдруг взвыла и напустилась на бывшего мужа:

— Не гонит! А Шурка? Я Шурку тебе здесь поселила! Куда я ее теперь? Она и дом продала! Девку с собой притащила! Нет уж, я тебе не жена! Хватит! Шурка тебе жена!

Далее она переключилась на Шурку:

— Ну что ты вылупилась? Что? Собирайся, проводишь! Артуру без тебя пятки почешут! Вот Ленка Вавилон! Ленка, почешешь? Шурка, ну что ты стоишь? Поехали!

Чернопятов остановил Лису:

— Слушай, я обратно не возвращаюсь. Как она добираться до Тарасовки с вокзала будет среди ночи?

Лиса вытащила из сумочки деньги, довольно толстую пачку, помахала:

— А меня моя сестричка до Питера проводит. Правда, Шурочка?

Вид у Шуры был бесконечно усталый — она ни куска за весь день не съела, выпила рюмку шампанского, у нее болела голова и сводило живот.

— Щас, только кофту возьму! — и, сгорбившись, потрехала в дом.

Сергей Борисович мрачнел. Он стоял возле машины с

раскрытыми дверками, потом решительно сел, захлопнул водительскую дверь и завел мотор. Лиса протрезвела, подпихнула Шуру с кофтой к машине, та села. Потом села и Лиса. Открутила стекло и крикнула:

— А вы гуляйте, гуляйте! У нас в поселке свадьбу меньше трех дней не гуляли!

Машина тронулась, увозя жен Короля. Король добродушно помахал рукой.

Ольга тронула Илью за плечо:

— Поехали домой. Что-то мне вся эта история надоела.

Илья с трудом разыскал в доме свой рюкзак, и они покинули праздник в высшей степени по-английски — ни с кем не простившись. Они пришли как раз к электричке, ждать не пришлось. Сели, обнялись и сразу же заснули. И спали до Москвы.

Утром рано Король в своей берлоге разбирался с магнитофоном.

Спали в неожиданных местах сраженные весельем гости. Лена Вавилон проснулась, вышла во двор, увидела писающего незнакомого мужика возле уборной. Удивилась, потому что уж совсем до уборной дошел, можно было бы и войти. Потом вошла сама, поняла, почему он мочился на улице. Поискала в малиннике удобное место, убедилась, что она не первая обшаривает местность в поисках уюта и интима.

На столе пировала стая воробьев, а на ветках осинки сидели две синицы и прикидывали, найдется ли им место среди вульгарного простонародья. Лена Вавилон собрала грязную посуду со стола, вылила остатки воды из ведра в кастрюлю, включила баллонный газ и стала сгребать объедки в помойное ведро, выуживая окурки — позаботилась о соседском поросенке.

Шура проводила Лису до Питера. Лиса купила ей билет, правда, не в спальный вагон, а в купейный. Шура была обижена, но молчала. Уложила сестру спать и пошла в свой вагон.

«Дура бесхарактерная, всю жизнь по Лизкиной команде живу, а ведь на шесть лет старше», — ругала себя Шура.

Спала Шура как убитая, но утром первая вышла на перрон. Последней из своего вагона вышла Лиса. Она, еще не вполне протрезвевшая, просила прощения, целовала Шурины шершавые руки, особо выцеловывая вчерашний шрам от ожога. Шура была поспешна и неловка. Всегда на этом месте руку жгла, когда пироги из духовки вынимала. Лиса, сама несвежая, была в свежей блузке — Шура не забыла заранее отгладить. На этот раз лифчик поверх не надевала, а повесила на шею ворох бумажных самодельных бус, скрученных из порванного на мелкие куски журнала «Америка». Пальцы с недоразвитыми ногтями ломились от груза дешевого серебра и копеечных камушков, юбка голубая, короткая. Новые колготки, которые Винар привез на свадьбу — пачку целую приволок, дюжину! — пустили широкую дорогу на икре, на видном месте.

Сестры поцеловались последний раз, и Лиса кричала Шуре вслед, давала последние указания.

Спустя полтора часа на советско-финской границе Лиса проходила таможенный досмотр. Сначала смотрели наши, вытрясли чемодан, сумочку. Лиса, еще пьяненькая после вчерашнего, вытаскивала пачки фотографий, показывала таможенникам, где папа, где мама, где старшая сестра, где охотничьи трофеи, где виды дальневосточной природы. Денег валютных у нее не было, русские — все! — отдала сестре. Документы были в порядке — новый заграничный паспорт, виза, свидетельство о браке. Пограничники над ней добродушно посмеивались — чудо в перьях! Проституточка, нашла свое финское счастье.

Один, морально мало устойчивый, даже успел положить руку на ее тощую задницу, и она захохотала. Второй, пожилой, дал отеческий совет:

— Ты, подруга, того, не балуй там с алкоголем. Финны все сплошь пьяницы, хотя сухой закон!

Поезд переполз границу — она была незаметная, что по ту, что по эту сторону редкий неказистый лес, проплешины, валуны.

Потом поезд остановился. Пришли финские пограничники, таможенники, все повторилось, только вещи из чемодана не вытряхивали. И было гораздо быстрее. Финны ушли, поезд тронулся. Лиса, покачиваясь и размахивая сумочкой на тонком ремешке, пошла в туалет. Повесила сумочку на крючок. Посмотрела на себя в зеркало, не понравилась — высунула язык. Потом присела над унитазом, вытащила из сокровенного места трубочку гораздо меньшего размера, чем то, что обычно туда помещалось, сняла с нее презерватив. Презерватив выбросила в унитаз, а трубочку, не раскатывая, положила в сумку. Потом еще раз высунула язык. Три микрофильма — переснятая книга — ехали по сложному маршруту. Но главный участок, самый опасный, был уже позади.

Винар обожал свою русскую жену. Он с самого начала ей говорил: «Я знаю, ты меня бросишь. Но я никого не любил до тебя и после тебя никого не полюблю».

Одно время он работал журналистом в России, теперь работу потерял. Это не имело значения. Послезавтра они полетят в Стокгольм, оттуда в Париж, и запрещенная рукопись, автор которой сидит в лагере, ляжет на стол издательства, которое эту книгу давно ждет.

Винар ненавидел коммунизм, любил Россию и обожал жену Елизавету. Илья любил свою работу. Микрофильм, вывезенный из зоны женой автора книги в укромнейшем месте, был сделан первоклассно. Сергей Борисович Чернопятов, руководитель этой, по меньшей мере, трехступенчатой анально-гинекологической манипуляции, знал, что все будет в порядке. Лиса никогда никого не подводила.

Маловатенькие сапоги

Проводив сестру, Шура вернулась к новому мужу и застала там остатки своей свадьбы. Большинство гостей, конечно, разъехались, но особо заядлые гуляки и на третий день еще праздновали, забыв и о хозяине, и тем более о новой хозяйке. Шура принялась за уборку. Пустила две старые Артуровы рубахи на новые тряпки, начала с кухни и тихим, но мощным трактором пятилась по дому, отскребая археологические пласты грязи. Маша ей безмолвно помогала: таскала воду из колодца, мыла окна и стирала ветхие занавески. В свою комнату Артур их не пускал, но Шура знала, что и туда она со временем доберется. Хотя теперь Артур числился в мужьях, она по-прежнему относилась к нему как к любимому зятю.

На четвертый день, когда гости, кроме одного Толика, который все никак не мог протрезветь, кое-как отбыли, Артур позвал ее в свою берлогу, открыл ящик письменного стола и, сунув в его глубину огромный палец, сказал:

— Шура, деньги отсюда бери.

Денег там лежало много, Шура застеснялась, махнула рукой:

— Ты сам давай.

Он, не глядя, взял в руку, сколько ухватилось, сунул ей. Она удивилась: выходит дело, богатый. А Лиса всегда говорила, что карман пустой, сама крутится как может... Не сходилось.

Неловко ей было и самой из ящика брать, и вот так, из рук...

Много лет на свои жила: муж погиб на сплаве, когда Маше всего два года было.

— Я бате хотела послать, — находчиво сказала Шура, хотя прежде о том и не думала.

— Пошли, пошли Ивану Лукьянычу. Побольше возьми. — Он опять сунул руку в ящик и вытянул еще пук бумажек. Забавно ему было, что жену поменял, а тесть все тот же остался.

— Спасибо, Артюша. Отец последнее время плохой стал.

На другой день Шура послала Машу на Центральный телеграф отправить деньги отцу в Угольное. Маша в городе, несмотря на свои неполные восемнадцать, лучше ориентировалась, чем Шура. Лиса два раза брала племянницу в Москву, последний раз Маша прожила у Лисы на съемной квартире полтора месяца и все полтора месяца гуляла с утра до ночи одна. Ей нравилось одной гулять и с городом знакомиться.

Теперь Маша заторопилась на телеграф отправить перевод и пойти на Красную площадь и, если повезет, в Мавзолей. Но нужное окно на телеграфе оказалось закрыто, висела самодельная лживая надпись: «Технический перерыв 15 минут». Маша постояла пятнадцать минут в очереди и пошла в сторону Красной площади. Ничего не поменялось за три года, только народу, показалось Маше, поприбавилось. Как-то вдруг, без предупреждения, открылась Красная площадь. Сразу подумала о подружках с Угольного, Кате и Ленке, — им хоть бы глазком глянуть на такую красоту.

«Приживемся здесь, приглашу. Вперед Ленку, потом Катю», — решила Маша.

Очередь в Мавзолей стояла предлиннющая, Маша свернула в ГУМ. Там тоже стояла очередь — выпирала из боковой двери. Девчонка Машиных лет вытащила из длинной белой коробки сапоги и показывала другой. Та от зависти вся побелела. И у Маши дух захватило: такого она еще не видела! Высокие, как бурки, чуть ли не до колена, они были на небольшом каблуке, из такой красивой коричневой замши, что дед — хотя он хорошо умел с кожей работать — сроду бы так не выделал.

Никогда не было у Маши никаких безумных желаний, но тут вдруг она загорелась: все бы отдала за такие сапоги. Отдать, правда, было нечего. Она в этот миг даже забыла, что завязанные в носовой платок деньги лежат в кармане, заколотом английской булавкой.

— Вы крайняя? Я за вами! — слегка пихнула ее девушка с большой прической.

Тут Маша вспомнила, что деньги-то у нее есть, сто рублей денег! И она оказалась в хвосте очереди, и уже не последняя.

Четыре часа отстояла. Два раза проходил по очереди слух — кончаются! Оказалось, что кончился тридцать седьмой, а другие размеры еще были. Когда Машина очередь подошла, то кончились все — и маленькие, и большие. Но стояли на прилавке горы коробок: безденежные женщины выписывали чеки на два часа и бежали добывать деньги. А кто не успевал выкупить сапожки в указанное время, лишался их навек, потому что другие, с наличными бумажками в потных руках, стояли нервной толпой в ожидании счастья. И Маша стояла. И достоялась. Получила тонкую картонную коробку с коричневыми, нежными существами... Она всю дорогу руку просовывала внутрь, трогала в темноте коробки ласковые бока...

«С ума, совсем с ума сошла», — сама себе говорила Маша, но ничего не могла с собой поделать. Возвращаясь электричкой на дачу в Тарасовку, в свой новый дом, Маша плакала: что она теперь скажет маме, дяде Артуру? Деньги дедовы потратила на сапоги, стыд какой. Что, что теперь говорить им?

Подошла к дому, остановилась. Решение было простое, хотя не окончательное. Она шмыгнула в калитку, проскользнула в угол двора, за уборную, и закопала коробку в большой куче прошлогодних листьев.

Шура так волновалась, что дочь в городе затерялась, что и не поругала. Только спросила, отправила ли деньги. Маша кивнула:

— Я, мам, заблудилась. Не на той станции вышла. А потом еще поехала на университет посмотреть.

Так правдивая Маша врала и сама себе удивлялась, как легко получается. На другое утро Шура с Артуром пошли в хозяйственный магазин. Шура ремонт затеяла. Артур ремонта не хотел, но по мягкости характера согласился, тем более что Шура все делала сама: и обои клеила, и потолки белила. Сестра всегда над ней посмеивалась, говорила, что Шура свои сексуальные потребности удовлетворяет с помощью хорошей половой тряпки, а она, Лиса, с помощью хорошего... в выражениях Лиса не стеснялась.

Когда Маша осталась одна, она вытащила коробку из кучи слежавшихся листьев, принесла, прижимая к груди, в дом. Вынула сапоги из коробки, обтерла ступни ладонями, стала голые ноги в сапоги пихать, но они не налезали. Нашла материнские чулки в чемодане, натянула их, затолкала ноги в сапоги. Маловатенькие оказались сапоги, жали. Но поскольку мягкие они были и нежные, как ребячья кожа, то ноги влезли.

Летом нога распарена, зимой посуше, утешила себя Маша. Но решила набить их туго бумагой, чтоб раздались немного. Туда, сюда — во всем доме одна грязная газета. Ну, куда ее в небесные эти сапожки? Полезла под стол, там нашла толстенную пачку подходящей бумаги — тонкая, папиросная. Маша каждый листочек отдельно помяла, скатала и катышками каждый сапог набила до самого верху.

 Всю пачку до последнего листочка в сапоги затолкала. Они стояли, как будто живыми ногами наполненные. Маша прислонила сапог к щеке — ну точно детская кожа. «Dorndorf» — было написано на коробке. Где этот самый «Dorndorf»? В Германии? В Австрии? И куда теперь их прятать, не в кучу же листвы за уборной...

Подумала, подумала, но в доме не решилась оставлять. Отнесла на этот раз в уборную. Там наверху, под самым потолком, была полка прибита, вся в паутине. Никто туда не лазал. Две пустые банки из-под краски давным-давно поставили и забыли. Маша проверила, там было сухо: на крыше уборной хороший кусок толя лежал, даже немного с крыши свешивался.

«А потом, — решила Маша, — устроюсь на работу, денег заработаю и деду пошлю, и никто не узнает. Зима придет, а я в сапогах! А институт, да фиг с ним, в будущем году поступлю».

Вот такая революция произошла в один день у Маши в голове. И даже на душе легче стало — она школу окончила хорошо, почти с медалью, задумывала, что сразу в институт, и замуж, и квартиру московскую со временем, чтоб не на шее у матери и дядьки, но ради сапог она на год все отложила. Затолкала коробку на полочку в самый угол, банки впереди выставила... Очень, очень хорошо встала там коробка. Заметить никак невозможно.

Мать с Артуром вернулись не скоро. Пришлось из Тарасовки еще в Пушкино ехать, в тамошний большой хозмаг. Там они купили обоев, и клею, и побелку на потолок, и белила на окна. Приехали на машине уже ближе к вечеру. Шура была довольна, вся сияла как медный таз, суетилась, таскала сама рулоны обоев. Артур, как всегда, добродушно-усталый, неторопливый.

«Барин», — подумала Маша неодобрительно.

Еще все не перетаскали в дом, ввалилась вдруг компания: трое в форме, двое в штатском. Спросили Королева Артура Ивановича. Старший, с белесым лицом, с ладони книжечку показывает, потом бумагу вынимает — в лицо Артуру сует.

Артур сел в свое кресло, улыбается своей безадресной улыбкой:

— Давайте, давайте, работайте, ребята. А ты, Шурочка, поесть собери. Пока люди работают, мы покушаем.

Обыск длился чуть не полсуток — с половины пятого до трех ночи. На чердак поднимались, в подпол лазали, простучали все стены. Ходили в беседку, сломали там стол, из сарая все дрова повыбрасывали, все переворошили. В уборную заглядывали, фонариком там светили. Забрали книг множество, переплетные все инструменты взяли. Артур и бумагу об инвалидности им показывал, и наградные бумаги.

— По закону ответите, — хмуро мычал капитан. — Лицензии нет, налоги не платите. Переплетаете черт-те что, антисоветчину всякую...

Стопы старых книг, в новых переплетах и трепаные, громоздились на верстаке.

— Да какая ж тут антисоветчина, — разводил огромными руками Артур. — Гамсун, Лесков, а это вообще поваренная книга... Вы что, ребята, антисоветчины не видели?

Маша тоже немного беспокоилась: что, если найдут сейчас в уборной на полке ее сапоги, и ее проделка откроется.

Ушли добры молодцы, когда уже восток светлел. С собой забрали и книги, и инструменты.

— Чаю завари, Шурочка, — попросил Артур.

Маша сидела и переживала: а ну как Артура теперь посадят, и придется им с мамой ехать обратно в Угольное, да и хватит ли денег на самолет, а то ведь поездом четверо суток...

Артур залез под стол — там прежде лежало множество книг, а теперь было пусто, искальщики все вывернули. Артур сел в свое перевязанное кресло, поскреб безволосый розовый подбородок:

— Мистика, ну просто мистика какая-то! Шура, у меня вот тут, под столом, экземпляр «Архипелага» лежал. Они точно за ним приходили. Настучала какая-то сволочь. Ну, и куда он делся? Здоровенная пачка здесь лежала! Я же не сумасшедший!

Ну, положим, Шура-то знала, что сумасшедший: просто так в психушку не сажают. А Маша уже спала, истомленная сапожными переживаниями, ночным обыском и счастливым чувством тайного обладания.

Высокий регистр

Дом в Потаповском переулке, сменивший сотни жильцов, переживший на своих стенах обои шелковые, ампирные, в полосочку, в розах, грубую масляную краску, зеленую и синюю, слои газет, дешевые обои пористой бумаги, обдираемые неоднократно, дом, испытавший за полтора столетия своего существования богатство и обнищание, рождения и смерти, убийства и свадьбы, уплотнение и коммунализацию, ремонты хуже пожаров, и мелкие пожары и потопы, в шестидесятые годы прошлого века стал украшаться изнутри чешской мебелью и треугольными столиками. Дом пребывал в медленном, почти геологическом движении, и только одно помещение — дворницкий чулан под лестничным пролетом первого этажа — совершенно сохранило свой первоначальный облик, смысл и содержание: стены были, точно как после постройки, натурального кирпича, даже неоштукатуренные, и там по-прежнему хранились прутяные метлы, ломы, ведра с песком. И еще там был бухтами уложен длиннющий шланг, главная драгоценность.

Чулан был под замком. Железный огромный калач мог бы защитить и более весомые драгоценности, но дворник Рыжков, известный в округе свирепым обликом и исключительной кривоногостью, любил солидные вещи, в частности, и полупудовый замок. Внучка его Надька всякий раз, когда завлекала в чулан кавалера, с замком долго ковырялась. Надька любила это дело, то есть всяческое ковыряние. Она была девицей раннего зажигания и предосудительного поведения и даже вспомнить не могла, когда освоила это увлекательное занятие. К девятому классу она была мастером своего дела и, как любой мастер, имела свой особый почерк и маленькие пристрастия. Она не любила взрослых мужиков, которые к ней липли, и отдавала предпочтение мальчишкам. Одноклассники и дворовые, часто и годом-двумя моложе, ценили ее, не давали в обиду, и никто о ней дурного слова не говорил, потому что она была общим и ценным достоянием.

Дед Надькин вставал рано, ложился с курами, которых давно уж не держали, но организм его помнил времена, когда во дворе двухэтажного особняка была конюшня, две пристройки, и в одной держали кур. Вот тогда-то, когда дед задавал раннего храпака в куриное время, Надька и снимала с гвоздя ключ и на часик-другой удалялась в свой будуар под лестницей.

Там, в павловском кресле карельской березы с попорченной спинкой, на бухтах шланга и между метлами происходило много чего интересного — тощие мальчишки, иногда даже не доросшие до возраста обливных прыщей, пробовали свои силы и вострили оружие для будущего. Половина мальчишек ближних домов приобретала свой первый опыт общения здесь, в дворницком чулане, и надо сказать, что никого, кроме одного-единственного, Надька не отвратила от этого простого и здорового занятия.

Илья сюда захаживал, пользовался благосклонностью Надьки в порядке общей и честной очереди.

Надька, как было сказано, имела слабость к нетронутым мальчикам и со свойственной ей строгой прямотой спросила между делом у Ильи: «А что Стеклов ко мне не ходит? Ты приведи его».

Саня был в самом ее вкусе — светлый, тонкий, ручки чистые, самый из всех вежливый мальчик.

Илья пригласил Саню. Он немедленно, покраснев не хуже рыжего Михи, отказался. Отказавшись, стал мучиться. До этого предложения никакого интереса не было у него к Надьке — толстая, грубоватая деваха из параллельного класса, с черными глазами из-под челки, и двух слов с ней не сказали. Но после слов Ильи ходил целую неделю взъерошенный, не шла из головы Надька, и он решил, что если Илья еще раз предложит, то он согласится пойти — уже известно было, куда и зачем.

Илья предложил, и на этот раз уговорились. Пришли в половине десятого. Надька ждала их, книжку читала — «Поднятая целина», по программе.

Илья сразу же ушел, и Надька наложила крюк в железную петлю изнутри.

— Тебе показать или так? — предложила опытная Надька, которая могла показать, а могла и без показу.

Саня молчал: ему очень хотелось увидеть живьем то, что он видел только в анатомическом атласе Урбана и Шварценбергера из маминого шкафа. Но молчал.

— Ты не бойся, это очень хорошо.

Она расстегнула пуговицы синей шерстяной кофточки, на него пахнуло теплым потом, и он увидел под кофточкой начало ее груди, выпирающей сверху из тесного бюстгальтера, из-под розовой комбинации с белым кружевом.

Саня попятился. Надька показала белые зубы и перламутровую полоску десны:

— Да ты не боись, руку дай.

Саня протянул руку — как для рукопожатия. Она повернула его ладонь и сунула себе за пазуху. Грудь была как свежий батон — плотная и теплая.

— Ты прям как неродной, — проявила Надя легкое недовольство и для пробуждения родства погасила свет.

Она была опытная совратительница, но об этом не догадывалась по полнейшей своей животной невинности.

Она и сама взбодрилась, погасивши свет. Окна в чулане не было, темнота была полнейшая, беспросветная.

— Ну чего ты, Санёк, как бревно, ты шевелись...

Он и был как бревно. Она взяла его холодные руки в свои, теплые и большие, и стала водить ими по своему телу, как по дереву. Хотелось убежать, но куда... В какую еще тьму из этой кромешной...

Что-то зашуршало сбоку, пискнуло. Он схватился за Надино плечо. Оказалось, что она вся раздета и вся как свежий батон — не одна только грудь.

— Не бойся, это крыса с крысятами, здесь гнездо. Я тебе потом покажу.

Крыса почему-то успокоила Саню. Он боялся, что Надька перестанет водить по себе его руками и сама за него примется. Так и было. О, как хотелось убежать, но теперь уж было поздно, совсем поздно... Она уже держала его мягкими ладонями и приговаривала:

— Маленький мой, миленький...

Замечание формально было совершенно бестактным, но по существу ободряющим, выражало полнейшую симпатию. Соблазнительница была сострадательна, держала в руках его робкое мужество крепко и ласково.

— Видишь, как хорошо, — глубоко вздохнула невидимая Надька. Она победила, вот что она чувствовала. Опять она победила. Прижала Санькину голову к своей груди — какая власть, вот так она всех их побеждает.

«Я не хочу, не хочу», — твердил Саня про себя, но это не помогло. Он был уже внутри, и деваться было некуда.

Тихий удовлетворенный смешок:

— Ну вот, вода дырочку найдет.

То, что могло быть началом, было одновременно и завершением.

Сжало и выбросило. Липко, горячо. И безумно стыдно. Это и есть оно?

Надька искала ртом его губы. Он вежливо их предоставил. Она облизала его рот большим языком и немного всунула язык под верхнюю губу. Всосала воздух. Раздался чмокающий звук.

— Умри, но не давай поцелуя без любви, — сказала она шепотом.

Это уж точно. Лучше умереть, чем все это...

На улице стоял нескончаемый мелкий дождь. Илья ждал его на противоположной стороне переулка. Подошел.

— Все нормально? — спросил без всякой улыбки, деловито.

— Нормально. Довольно мерзко, — ответил Саня легким голосом, так что Илья даже не догадался, насколько ему мерзко.

Они молча дошли до Саниного дома, простились у подъезда.

Назавтра Саня не пришел в школу. Заболел. Всегдашняя болезнь — температура под сорок, и ничего больше. Сквозь сон мерещилось, что умирает, что у него сифилис или еще что-то похуже. Но ничего такого не было. Через три дня температура спала, он еще несколько дней провалялся в постели, бабушка варила ему морс, делала трубочки со взбитыми сливками и терла зеленые яблоки на самой мелкой терке, а он боролся с набегающими постоянно приступами отвращения к себе, к своему телу, предавшему его и ответившему на чужой зов вопреки его, Саниному, желанию... Или не вопреки?

Лежал и читал «Одиссею». Дочитал до места, где Одиссеевы спутники гребли мимо острова сирен и уши их были залиты воском — а то бы попрыгали в воду и поплыли на голоса сирен, — а Одиссей, привязанный ремнями к мачте, корчился и пытался содрать с себя узы, чтобы кинуться в море и плыть навстречу нестерпимо зовущему пению. Он был единственный, кто услышал эти звуки и выжил. Каменистые берега были усыпаны ссохшимися кожами да сухими костями достигших острова путешественников — клюнули на приманку чарующего двухголосья и были высосаны сиренами-кровопийцами.

— Нюта, как ты думаешь, эпизод с сиренами — о власти пола над мужчиной?

Анна Александровна замерла с блюдечком в руках:

— Санечка, я об этом никогда не думала. Ты совершенно прав. Но не только над мужчиной — и над женщиной тоже. Вообще — над человеком. Любовь и голод правят миром — ужасная пошлость, но, видно, так оно и есть.

— И никак нельзя увернуться от этого?

Анна Александровна засмеялась:

— Наверное, можно. Но у меня не получилось. Да я и не хотела, чтобы получилось. Всех в эту воронку рано или поздно засасывает.

Она положила прохладную жесткую руку на лоб, и прикосновение было чистейшим, врачебным:

— Температуры нет.

Саня взял ее костлявую руку в кольцах и поцеловал.

«Взрослый мальчик. И такой хороший. Но слишком нежный, слишком чувствительный... — с грустью подумала Анна Александровна. — Как ему будет трудно...»

Но Санины трудности начались гораздо раньше, чем предполагала Анна Александровна. С самого раннего возраста, дошкольного еще, его мучило подозрение, что он отличается от своих сверстников, да и вообще от других людей, каким-то изъяном. В лучшем случае особенностью. Сомнения не было в том, что каким-то неявным образом это связано с музыкой. Мама и бабушка, как архангелы с мечами, ограждали его от чуждого мира, и на тридцати двух метрах их сказочно огромной комнаты они создали для него прекрасный заповедник, и сами же испугались: а как он будет жить без них, за порогом комнаты, и еще дальше — после их смерти? Поначалу хотели его обучать дома, в школу не водить, но не решались на столь радикальную меру.

Василий Иннокентиевич, вызванный на совет, чтоб было с кем поспорить, не подвел; он высказывал убийственные аргументы, и самым сильным был: если мальчик с детства не приспособится, в школе не обомнется, то будет так глаза мозолить своей социальной невинностью, что не избежит тюрьмы.

Мать с бабушкой переглянулись и послали его обминаться. Первые пять лет обучения провел он почти как в одиночной камере. Странным образом его не замечали, как будто он был прозрачным. А он прозрачность свою берег, от мальчишеской грубости отгораживался вежливой улыбкой, и, кроме отчуждения, не возникло у него с коллективом никаких решительно отношений.

Чудо произошло в начале шестого класса — котенок, затравленный собакой и одноклассниками, положил свою жизнь в основание дружбы Сани с Ильей и Михой. И скреплена она была взаимными признаниями о самом тайном, что тогда было на душе.

Но к концу школьных лет наросли новые тайны, не исповеданные. Друзья были уже почти взрослыми и смирились с тем, что есть у каждого право на тайную часть жизни. Санина тайна не имела имени, но он боялся какого-то разоблачения: вдруг Илья и Миха узнают о том, чего он и сам в себе назвать не мог. Его будущее еще не успело прорасти, созреть и не создавало пока острых переживаний, лишь мутную тоску. Повсюду чудились умолчания, хотя эти умолчания не мешали их дружбе. Они никогда не ссорились, любые несовпадения во мнениях они научились превращать в забавный диалог, в минутный театр, законы которого были известны только им троим — «Трианону».

Но если бы Саня и захотел, он не смог бы высказать друзьям свое тайное открытие — слов не хватало. А говорить кое-как, первыми попавшимися словами, не стал бы из внутренней точности.

Понять могла только Лиза, родственная во всех смыслах душа, внучка Василия Иннокентиевича, пианистка уже почти настоящая, хотя в консерваторию еще не поступила. Но поступит. А он, Саня, никогда.

Только с ней он поделился подозрением, что мир, в котором утром чистят зубы мятным порошком, готовят еду, едят, потом избавляются от этой еды в уборной, читают газеты и вечером ложатся спать, положив голову на подушку, — ненастоящий. Убедительным доказательством существования иного мира была музыка, которая рождалась там и пробивалась таинственным образом сюда. И не только та, которая наполняла зал консерватории, или неорганизованным гулом гуляла по коридору музыкальной школы, или была уложена в черных дорожках пластинки. Даже та, которая изливалась из радиоприемника, с провалами и плывущими нотами, и то проникала из трещины между мирами.

Саня замирал от ужасной догадки, что здешний мир, в котором бабушка, зубной порошок и уборная в конце коридора — обман, иллюзия, и если трещина разойдется чуть пошире, то все здешнее лопнет, как мыльный пузырь в корыте.

— Ты понимаешь, здесь тошно, невозможно, а туда не пускают. Я какой-то урод, что ли?

Лиза только пожала плечами и сказала:

— Ну да, конечно! А что урод — ерунда! Конечно, есть граница между этими мирами... Играй — и ты там.

Она была уверена, что многие об этом знают. Наверное, оттого, что она училась в ЦМШ, и ее соученики все играли по восемь часов в день на фортепиано, на скрипке, на виолончели и прикованы были к нотному стану невидимыми цепями.

Саня в последний школьный год почти не прикасался к инструменту. Кончено, для него все кончено. Он отказался от частных уроков, и Анна Александровна только вздохнула.

Ходили на концерты.

Ходить с Лизой на концерты было даже лучше, чем с бабушкой. Слушали и сверяли, посылали мельчайшие знаки понимания — полукивок, полувздох, задержка дыхания, самое большое — прикосновение руки. Все совпадало. Потом он провожал ее до троллейбуса, иногда ехал с ней до самой Новослободской, и они говорили о Шопене и о Шуберте, а спустя какое-то время уже о Прокофьеве и Стравинском, о Шостаковиче. И вообразить было невозможно, что эти музыкальные разговоры они будут вести всю жизнь, до смерти первого из них, — о Бахе, о Бетховене, об Альбане Берге. И будут прилетать на один-единственный концерт какого-нибудь великого музыканта в Париж, в Мадрид, в Лондон, чтобы вместе насладиться сначала музыкой, потом разговором до утра, до разлета в разные стороны света.

И что же — разве возможно рассказать Лизе о дворницкой, о темноте, о соитии с этой тьмой, о тоске, которая его охватила после этого славного мужского дела? О Надьке с блестящей десной?

Вскоре после Нового года Надьку из школы выгнали, что было несправедливо: училась она вполне прилично. Природа одарила ее не одним только большим мясом, но и хорошо соображающей головой. И поведение в школе тоже плохим было назвать нельзя, — она сонно сидела на уроках, учителям не дерзила, отвечала на верную четверку. Директриса вызвала, выложила все известные ей факты по поводу просочившейся тайны дворницкого чулана и предложила забрать документы. Надя заплакала и забрала — перешла в школу рабочей молодежи, что оказалось и правильно.

Прежние друзья к ней захаживали, правда, времени у нее теперь было мало — с утра работала в булочной на Покровке, вечером ходила в школу.

Хотя они еще много лет жили в одном районе, встретились только однажды около кинотеатра «Уран», на Сретенке, совершенно случайно — Саня был с Анной Александровной, а Надя с подругой Лилькой. Саня поклонился ей издали, а она стала что-то живо шептать на ухо подруге и хихикать.

Саня отвернулся: забыть... забыть... Никому ни слова... Никогда... Ушло как будто, уложилось на самом дне памяти.

Ах, Лизка, Лизка, какая же ты... не высказать!

Она была кристаллической, хрупкой, и нелепо было предположить, что она того же состава, что мясистая Надька, и на ней надета та же резинчатая сбруя — лифчик, пояс с резинками, пристегнутые чулки. Кощунство было даже думать об этом. Саня отмел низкие подозрения: ангелы, конечно же, не носят на себе резинок.

Здесь Саня жестоко ошибался. Ангел носил все эти причиндалы и вовсе не чужд был той стихии, которая открылась Сане в дворницкой. Медленно, но вполне определенно у Лизы развивался роман с молодым скрипачом, студентом консерватории из знаменитой музыкальной семьи. Медведеобразный, с красноватым пористым лицом и черной лохматой головой, толстый Борис — поверить невозможно! — нравился Лизе. Может, имя его дедушки на мраморной доске в фойе Малого зала консерватории добавляло ему привлекательности. Только спустя четыре года, незадолго до свадьбы, Саня узнал об их отношениях и был сильно травмирован: все плотское, мужеско-женское имело грязный привкус дворницкой, и было абсолютной противоположностью чистейшему миру звуков. И какое отношение это могло иметь к Лизе? Она играла все лучше, совершенно выросла из ученичества и приобретала свой собственный звук, личную интонацию. И этот толстый Борис? Нет, не ревность, скорее — недоумение...

За две недели до бракосочетания Лиза с Борисом играли дуэт — сонаты Моцарта для скрипки и фортепиано. Саня сидел в неполном зале и страдал: он знал эти сонаты и переживал фальшь отношений двух партий — не взаимную поддержку, не союз голосов, а тревожное взаимное неслышание. Никакого душевного совпадения не происходило между фортепианной партией и скрипичной, и он ненавидел Бориса за то, что тот туп, эгоистичен и страшно самовлюблен! Нельзя, нельзя Лизе выходить за него замуж!

Ушел, не поднеся цветов. Три красные гвоздики, завернутые в белую бумагу и заткнутые в рукав пальто, выбросил в урну возле памятника Чайковскому.

Свадебный обед был домашний — одновременно скромный и роскошный. Приглашенных было немного: родители, ближайшие друзья. Всего двадцать четыре человека, в соответствии с количеством предметов парадного сервиза, сохранившегося в целости свадебного подарка, подаренного бабушке и дедушке Бориса на их свадьбу.

Дедушка Григорий Львович, известный скрипач и педагог, висел в рамке рядом с портретом юной бабушки Элеоноры работы Леонида Пастернака. Дед умер от космополитизма, а бабушка, в далеком прошлом певица, пережила и космополитизм, и мужа, и сына и поныне железной рукой вела свой высокоорганизованный дом высшим светским курсом — как никто уже не умел.

Стол сиял, как айсберг под солнцем, сверкало вычищенное добела серебро, перемигивался хрусталь бокалов, на овальных и круглых блюдах лежали прозрачные пластинки рыбы и сыра. Она тоже сумела бы, как известный Учитель, накормить пятью хлебами множество людей, потому что умела очень тонко резать. Правда, никогда ничего не оставалось. Еды всегда было маловато, зато посуды много. Молодожены были в концертных костюмах — Борис в смокинге, Лиза в палевом платье с кружевом, которое ей удивительно не шло.

В числе приглашенных — четыре лучших музыканта этой части света с женами. Отсвечивал лысый купол великого пианиста, великий скрипач мягким телом влился в полукресло. Пятая исполнительница, тоже из числа музыкальных гениев, — единственная без сопровождения, замуж никогда не выходившая, — поставила рваную сумку с торчащим из нее зеленым кефирным горлышком на стол, рядом с сияющим прибором. Великий виолончелист, ближайший друг покойного хозяина дома, ковырял в зубах отточенной спичкой. Знаменитый, но не вполне великий дирижер пожевывал тонкими губами, разглядывая, что на каком блюде лежит, и делал вид, что не замечает грозных взглядов жены. Если не считать новых родственников, немузыкальную часть общества представляла пара ближайших соседей по даче — академик-химик с супругой. Элеонора Зораховна, гений светских связей, была огорчена — жена великого композитора только что позвонила и сообщила, что они не смогут прийти.

Созданная ею композиция века расстраивалась.

— Дежавю, — шепнула Анна Александровна внуку. — Я была на свадьбе Элеоноры пятьдесят лет тому назад. В этой же самой квартире... В одиннадцатом году...

— С теми же гостями? — усмехнулся Саня.

— Приблизительно. Александр Николаевич Скрябин был. Он как раз приехал из-за границы.

— Скрябин? Здесь?

— Да. Но он пришел, в отличие от Шостаковича, который не снизошел. Все любили Григория Львовича, и никто — Элеонору.

— А еще кто был?

— Леонид Осипович и Розалия Исидоровна Пастернаки. Она чудесной была пианисткой, ее Антон Рубинштейн еще девочкой заметил. Узкий круг. Родство, свойство, профессия... Я была в этом доме в твоем возрасте, нет, моложе, конечно. На всю жизнь ту свадьбу запомнила. А ты эту запомнишь... — вздохнула.

— А как ты сюда попала? — пришло в голову Сане.

— У меня был первый... муж, музыкант. Он был друг жениха. Когда-нибудь расскажу.

— Странно, что прежде не рассказывала.

Анна Александровна рассердилась на себя: ведь давно было решено не все свое прошлое вываливать перед нежным мальчиком. Друг жениха сидел в данный момент времени напротив нее и ковырял в зубах. Вот так, расчувствовалась, лишнего сказала.

— А Лизе здесь будет трудно, — переменила довольно резко тему.

Лиза держалась великолепно. Василий Иннокентиевич и его сын Алексей, Лизин отец, были здесь чужаками, но оба были известные врачи, и это до некоторой степени уравнивало их в правах с музыкантами. А вот Лизина матушка никуда не годилась: толстая, плохо выкрашенная блондинка, она и сама чувствовала свою неуместность в этой гостиной. Когда-то она была операционной сестрой в полевом госпитале. Брак фронтовой, случайный и неравный, оказался крепким: дочка удержала его. На лице новой тещи все было написано: гордость, хамство, растерянность, неловкость. Лиза посадила мать рядом с собой, поглаживала изредка по руке и приглядывала, чтобы та не напилась.

Анна Александровна сидела от Сани справа, а по его левую руку — с львиной распадающейся пополам гривой мужчина богемного вида, в шейном платке с ягуаровыми черно-желтыми пятнами — певец? Актер? Назвался Юрием Андреевичем.

Перед подачей горячего, когда обед перевалил за середину, унесли бульонные чашки и пустое блюдо из-под двадцати четырех, по числу приглашенных, крошечных пирожков, сосед встал с рюмкой в руках:

— Милые Лиза и Боба!

«Ага, домашний, близкий человек, зовет Бориса “Бобой”», — отметил Саня.

Рот у говорящего был необыкновенно подвижный, верхняя губа рассечена глубокой выемкой, нижняя слегка выпячена:

— Вы встали на опасный путь брака! Возможно, он не столь опасен, сколь непредсказуем. Я желаю вам самого, с моей точки зрения, главного в браке: чтобы он не помешал вам слышать музыку. Это величайшее счастье — слышать в четыре уха, играть в четыре руки, быть причастным к рождению новых звуков, которых до вас в мире не бывало. Музыка, выходящая из-под рук, живет лишь мгновения, пока не угасли, не рассеялись в пространстве волны. Но сиюминутность музыки — изнанка ее вечности. Простите, Мария Вениаминовна, что я при вас говорю такие глупости... Бобочка, Лиза, дорогие! Я от души желаю вам, чтобы музыка вас не покидала, чтобы открывалась глубже и полнее.

— Нора! — раздался низкий, немного скрипучий голос. — Чудные пирожки! Дай мне, пожалуйста, парочку с собой!

Элеонора ответила злобным взглядом:

— Вам завернут, Мария Вениаминовна, завернут!

— Это, Санечка, в мемуары. Не забудь, — шепнула Анна Александровна.

Саня и так сидел, как в первом ряду партера, перед столькими великими сразу, и сосед в леопардовом платочке был не просто так, случайный человек в застолье, он знал что-то важное, — по лицу было видно — и кто он, кто? Старуха эта, которая просила завернуть ей пирожков на дом, — Мария Вениаминовна — была Саниным кумиром с первого же ее концерта, на который его привели в детстве.

После обеда — без всяких древнерусских «горько!» — перешли в кабинет. Это была одна из последних барских квартир на улице Маркса и Энгельса, в бывшем Малом Знаменском переулке, позади Пушкинского музея, и, может быть, единственная во всей стране семья, проживавшая в квартире с самой постройки дома, с шестого года — прадед, дед, отец, Борис — никого не выселяли, не уплотняли, не арестовывали. Семейная легенда гласила, что именно в этой квартире, а вовсе не в квартире Пешковой слушал Ленин сонату №23 Бетховена в исполнении Исая Добровейна, младшего брата Элеоноры Зораховны. Здесь в соседней комнате были сказаны вождем, или Горьким зачем-то придуманы, знаменитые слова: «Изумительная, нечеловеческая музыка... Но часто слушать музыку не могу, действует на нервы, хочется милые глупости говорить и гладить по головкам людей, которые, живя в грязном аду, могут создавать такую красоту...»

И глупости оказались далеко не милые, и головки летели от его поглаживания тысячами...

Все эти легенды, ставшие теперь ее семейными, Лиза тихонько рассказала Сане, вытащив его на балкон. И еще: играл-то Добровейн в тот вечер совсем не «Аппассионату», а фортепианную сонату №14! «Лунную»! Знатоки перепутали.

В кабинете мужчины закурили. Прислуга внесла на подносе кофе.

— Все весьма British, — шепнул Саня бабушке.

— No, Jewish, — поправила Анна Александровна Саню.

— Нюта, звучит как-то антисемитски. Я за тобой не замечал.

Анна Александровна затягивалась глубоко, раздувая тонкие ноздри. Выпустила дым, покачала головой:

— Саня, антисемитизм в нашей стране — привилегия лавочников и высшей аристократии, а наше семейство по всем признакам — интеллигенция, хоть и дворянского происхождения. Евреев я люблю, ты же знаешь.

— Знаю. Ты Миху любишь. Мне это совершенно безразлично — еврей, нееврей. Только почему-то из двух моих ближайших друзей — полтора еврея.

— В том-то и дело. Может, чувствительность повышенная?

Анна Александровна антисемитизмом действительно брезговала, смысл ее чувства был иной. Когда-то в юности она отказала влюбленному в нее пожизненно Васеньке, и теперь осуществилась месть судьбы: Лизка, его внучка, отказала ее утонченному Санечке, предпочтя ему еврейского юношу расплывчатой внешности.

Эта концепция Анны Александровны не вполне соответствовала действительности, поскольку Саня ничего

Лизе и не предлагал, кроме дружеской верности и душевной близости, так что Лизе отказывать было не в чем. Но Анна Александровна с их ранних лет была уверена, что эти дети созданы друг для друга. Лизин выбор в душе осуждала, считала его исключительно карьерным и корыстным. И еврейство как-то вставало в общий ряд неприятных черт Лизиного жениха.

Подошла Лиза с бокалом — на пальце блестело новое обручальное кольцо. Под руку вела Саниного соседа.

— Вы уже познакомились с Юрием Андреевичем? Профессор теории музыки, Санечка. Вот человек, который может разрешить все твои музыкальные проблемы.

— Не так часто встречаются люди, у которых вообще есть музыкальные проблемы, — Юрий Андреевич смотрел на Саню с живейшим интересом.

— Ах, что за ерунда, Лиза, — Саня и смутился, и обиделся на Лизу: ну разве можно вот так бестактно?

Саня не успел ничего сказать, потому что к роялю направилась она — грузная старуха с сумкой под мышкой, с кефирной головкой, торчащей из разверстой пасти.

Элеонора Зораховна не планировала ее выступления. По замыслу хозяйки, далее следовал десерт — кофе, мороженое и маленькие пирожные, которые уже вносила с кухни прислуга. Но гостья, не замечая подноса с пирожными, шла к роялю, как боксер на ринг — опустив расслабленно массивную голову и свесив вдоль тела руки. Она грохнула справа от педалей нагруженную сумку, порылась в ней, вынула ноты и поставила на пюпитр. Потом села на вертящийся табурет, немного покачала на нем свое большое тело, посмотрела вверх, словно разглядывая на потолке смутно написанное сообщение. Прикрыла глаза, видимо, получив ожидаемое сообщение, взяла крепкий, как арбуз, аккорд. Потом другой, третий. Они были странны сами по себе и готовили к необычному.

— Садитесь, — шепнул Юрий Андреевич. — Восемнадцать минут при хорошем темпе.

Такой музыки Саня прежде не слыхивал. Он знал, что она существовала, какая-то враждебная, отвергающая романтическую традицию, попирающая законы и каноны, до него доходили волны неодобрения, неприятия, но впервые он слышал ее живьем. Он слышал нечто вполне новое, но не понимал, как оно устроено. Он хранил в себе опыт слушания другой музыки, «нормальной» — гораздо более внятной, привычной, любил ее внутренние ходы, почти навязчивые соприкосновения звуков, предвкушал разрешения, предугадывал окончание музыкальной фразы...

Знал, как глупы и несостоятельны попытки пересказать содержание музыки специально выработанным псевдопоэтическим языком, — всегда получалось напыщенно и фальшиво. Музыкальное содержание не переводилось на литературные и зрительные образы. Он ненавидел все эти кошмарные аннотации на программках — как понимать Шопена или что имел в виду Чайковский.

Так маленький ребенок смотрит на занятия взрослых с великим недоумением — до чего же они глупы!

То, что он слышал сейчас, требовало напряжения и острого внимания. «Это текст на незнакомом языке», — мелькнуло у Сани.

Музыка из-под рук старухи поднималась ошеломляющая. Такое телесное переживание музыки случалось с Саней изредка и прежде. Саня чувствовал, что звуки наполняют череп и расширяют его. Как будто в теле включался какой-то неизвестный биологический процесс — вроде созидания гемоглобина или работы мощного гормона в крови. Нечто, как дыхание или фотосинтез, связанное с самой природой...

— Что, что это? — забыв о приличиях, шепнул соседу.

Тот улыбнулся вырезной губой:

— Штокхаузен. Его никто у нас не исполняет.

— Это конец света...

Саня не имел в виду конец света в религиозном или научном смысле. Это была лишь расхожая молодежная фразочка, нарождающийся жаргон десятилетия. Но Колосов взглянул на юношу с интересом. Он, теоретик, полагал, что эта новая музыка означает конец одного времени и начало неизвестного нового, и придавал этой невидимой, укрытой от большинства людей перемене огромное значение, а тех, кто, как он, чувствовал этот сдвиг — возможно, сдвиг в самой эволюции мира, в сознании человека — особенно ценил. Их было немного, этих редких, ушедших вперед во времени людей, которые не только предчувствовали новый мир, но способны были его анализировать, исследовать.

— Я не понимаю, как она устроена, — совершенно попадая в тон мыслям Колосова, сказал Саня. — Может быть, это даже не новый стиль, а какое-то иное мышление. Ошеломляет...

Колосов почувствовал себя счастливым:

— Вы музыкант, конечно?

— Нет, нет. Я должен был быть... но травма. Дикая детская история. Музыку я теперь только слушаю. — Он приподнял правую руку с двумя подогнутыми навеки пальцами. — Иняз в будущем году заканчиваю.

— Приходите ко мне, побеседуем. Мне кажется, нам есть о чем...

Все происходившее после Штокхаузена совершенно забылось, даже сама Мария Вениаминовна немного потускнела. Саня помнил только, что он проводил молодоженов до вокзала — они уезжали в свадебное путешествие в Прибалтику.

Важным было другое: предчувствие огромного события. На следующий же день Саня пришел к Юрию Андреевичу на службу после занятий, которые тот вел в консерватории. Разговор начался с того места, где прервался накануне.

Потом поехали в далекий район, от станции метро «Войковская» полчаса на трамвае — в печальный промежуток между изжившейся деревней и несостоявшимся городом, в безликую новостройку. Договорились, что Юрий Андреевич будет давать ему уроки.

В унизительной, почти замятинской клетушке однокомнатной квартиры с железным номером на двери, — роман «Мы» был только что прочитан, — не было никаких вещей, кроме пианино и полок, стеллажей и шкафов с книгами и нотами. Отсутствовал стол, за которым едят, диван, на котором спят, шкаф, где висят пальто. Юрий Андреевич выглядел в своем доме, как будто пришел сюда в гости — в отглаженном костюме, в шейном, цвета «курочка-ряба» платке, в эстрадно-блестящих туфлях. Долгое время Саня считал, что эта квартира — только кабинет учителя, а живет он где-то в другом, более человеческом месте. Потом разглядел на кухне заварной чайник из терракоты и деревянную шкатулку, в которой хранился китайский чай. А еще позже Саня догадался, что Юрий Андреевич в отглаженном костюме, с его шейными шарфиками, подтянутый почти по-военному, в сущности, отшельник, а под его маскарадным костюмом скрывается настоящий аскет.

И как ему удавалось нести свое музыкальное монашество в миру, пошлом и грязном, в толчее тошнотворной и опасной советчины? Невероятно, невероятно...

В тот первый вечер и началась подготовка Сани к экзаменам в консерваторию, на теоретическое отделение. Юрий Андреевич учил так, как плотник учит с одного удара забивать гвоздь, повар шинковать с миллиметровой точностью лук и морковку, хирург — вести скальпелем разрез легко и художественно. Учил ремеслу. Но дело было даже не в самом объяснении — чтó следует удваивать при разрешении в тонику вводного септаккорда, как именно играть модуляцию на тритон, как в «точке золотого сечения» отвечают соответствующие регистры крайних голосов... Колосов учил с тем же наслаждением, с каким Саня учился.

— Вы еще не понимаете, как вам повезло с рукой. Настоящий музыкант — не исполнитель, а композитор, теоретик. И даже в большей степени — теоретик. Музыка — квинтэссенция, до предела сжатое сообщение, она есть то, что существует вне нашего слуха, восприятия, сознания. Это высшая степень платонизма, спустившиеся с небес эйдосы в чистейшем виде. Понимаете?

Саня не вполне понимал, скорее чувствовал. Но подозревал, что учитель немного перебирает, — слишком хорошо помнил детское счастье, когда рождение музыки происходило прямо из-под рук.

Это был счастливейший год в Саниной жизни. Скорлупа грубого и грязного мира треснула, в прогалины хлынул новый воздух. Единственный, для дыхания души необходимый воздух. То самое потрясение, которое десятью годами раньше пережили шестиклассники, когда в школе появился Виктор Юльевич со стихами, бросаемыми при входе в класс. Он возвращал им «ворованный воздух». Разница заключалась в том, что Саня теперь был взрослым, успел болезненно пережить расставание с музыкой навеки, навсегда, — и теперь оказалось, что после разлуки любовь стала только глубже. Его дарование, пролежавшее на дне, после десятилетней спячки пробудилось и рванулось вверх. Скучноватое детское сольфеджио обернулось увлекательной наукой об устройстве музыки. Несколькими годами позже Саня будет уверен — об устройстве самого мира рассказывало тогда сольфеджио простенькими словами, в самом первом приближении.

По полтора часа дважды в неделю Саня проводил у Юрия Андреевича: писал сложнейшие диктанты, делал бесконечные упражнения, развивающие музыкальную память и грамотность. Юрий Андреевич играл на фортепиано, а Саня определял на слух отдельные интервалы и аккорды, их последование, с переходом из одной тональности в другую.

Снова пригласили Евгению Даниловну, и она вырвала для Сани два часа в неделю из своего тугого графика — в ту пору она растила вундеркиндов, не менее десятка ее выучеников прославили впоследствии ЦМШ. Знаменитая преподавательница, нацеленная на создание суперисполнителей, с покалеченным Саней только драгоценное время теряла, но в этом поколении — подруг Анны Александровны — и речи не могло быть о том, чтобы отказать родному, пусть даже и вовсе бесперспективному ребенку. В конце концов, справившись с новой аппликатурой, учитывающей два покалеченных пальца, Саня выучил очень хитроумно составленную программу, венчало которую исполнение «Чаконы» Баха в обработке Брамса для левой руки.

Анна Александровна в тот год продала остатки драгоценностей — бриллиантовые серьги и подвеску. На оплату уроков.

Саня летел на занятия как на любовные свидания, да и Юрий Андреевич был увлечен новым учеником — тот хватал все на лету, иногда задавал вопросы, опережающие пройденный материал, и Юрий Андреевич расцветал, улыбался, но тут же и собирал на лице строгость: баловства не любил. Заканчивал занятие обыкновенно минута в минуту, а когда случилось Сане однажды опоздать на четверть часа из-за поломки автобуса, не подарил ему лишние пятнадцать минут.

Кроме сольфеджио, гармонии и истории музыки, Сане надо было сдавать обычные общеобразовательные экзамены: сочинение, иностранный язык, историю СССР. Эти экзамены его совершенно не беспокоили. Самым сложным для Сани было «общее фортепиано». Надо было сыграть подготовленную программу, а также прочитать с листа пьесу. Конечно, от теоретиков не требовали владения инструментом на профессиональном пианистическом уровне, но Саня все-таки беспокоился: с тех самых пор, как сухожилие было испорчено «выкидухой» Мурыгина, он потерял всякий исполнительский кураж.

Теоретические дисциплины Саня сдал очень хорошо, да и «общее фортепиано» прошло вполне удовлетворительно: не зря Евгения Даниловна тратила свои силы. Что самое замечательное, никто в комиссии и не заметил, что два пальца на правой — инвалидные. Это и была главная победа.

Осенью, когда однокурсники по инязу пошли на пятый год обучения, Саня был зачислен на первый курс теоретического отделения консерватории. Анна Александровна была счастлива. Евгения Даниловна — еще более. От радости подарила Сане ноты с автографом Скрябина. Но к этому времени Саня в Скрябине уже усомнился.

Прав, тысячу раз прав был Виктор Юльевич, и Саня был с ним полностью согласен: правильный учитель — это второе рождение. Только теперь не Юлич, а другой учитель вводил в жизнь ученика новую систему координат, указывал новые смыслы, расширял представление о мире. Наиболее чуткие ученики с ощущением холода в позвоночнике открывали, что речь идет не только о музыке, но о структуре всего мироздания, о законах атомной физики, молекулярной биологии, о падении звезд и шорохе листьев. Туда вмещалась, кроме науки, и вся поэзия, и искусство всякого рода.

— Форма — то, что превращает содержание произведения в его сущность. Понимаете? Музыкальный характер поднимается из формы, как пар от горячей воды, — говорил Юрий Андреевич. — При хорошем понимании общих законов формы, сформулировав все, что поддается формулированию, можно, нащупав общее, увидеть индивидуальное, характерное. И вот тогда, вычитая это общее, можно ощутить некий остаток, в котором и прячется чудо в самом незамутненном виде. В этом и есть цель анализа: чем полнее постигнуто постижимое, тем чище сияет непостижимое.

— Слушайте и вникайте! — Он ставил черный диск на проигрыватель. Игла извлекала не вполне совершенные звуки, а совместное смотрение в ноты, впитывание их глазами, а через глаза ушами и мозгом, давало новое описание мира, уводило мысли в неоткрытые пространства.

При этом учитель презирал патетику, возвышенные слова, пустословие и пресекал всякие попытки обсуждения музыки с помощью изящной словесности.

— Мы с вами алгеброй гармонию не поверяем! Мы гармонию изучаем! Это точная наука, как и алгебра. А поэзию временно отодвинем в сторону! — Он говорил с азартом, как будто вел спор с невидимым оппонентом.

Ученики его обожали, чуткое начальство относилось с подозрением: что-то в нем было потенциально антисоветское.

Юрий Андреевич Колосов был структуралистом в те времена, когда термин этот еще не утвердился. А начальство во все времена особенно остро реагировало на то, чего не понимало.

Колосов расширял границы учебных курсов гармонии, истории музыки, истории музыкально-теоретических систем, то погружая учеников в ускользающую древность, то открывая перед ними новую, самоновейшую музыку. Это был второй авангард, только-только начавший проникновение в СССР, — дети Веберна: Булез, Штокхаузен, Ноно. А совсем рядом по коридорам консерватории уже ходили местные авангардисты — Эдисон Денисов, София Губайдуллина, Альфред Шнитке...

Все было еще зыбко, не расставлено по местам, и новое-преновое. Да и Шёнберг еще звучал новинкой.

Голова у Сани шла кругом: все шло мощной волной, одновременно — барокко, ранняя классика, всеобъемлющий Бах, отвергнутая, а с годами вернувшаяся романтика, подошедший к последней, казалось бы, границе классической музыки Бетховен — и все эти новые композиторы, и новые звуки, и новые смыслы...

На улицах шел дождь, сыпал снег, летел тополиный пух, стояла нестерпимая политическая трескотня о свершениях и победах — уже догнали и почти перегнали. На кухнях пили чай и водку, шелестели преступные бумаги, шуршали магнитофонные ленты с Галичем и молодым Высоцким, там тоже рождались новые звуки и новые смыслы. Но этого Саня почти не замечал. Это был мир Ильи и Михи, его школьных друзей, которые все более от него отдалялись.

Хрущевскую оттепель еще не отменили, но Хрущев уже пошел на попятный, провозгласив публично на каком-то партийном камлании: «Понятие о какой-то оттепели — это ловко этот жулик подбросил, Эренбург!»

Сигнал, таким образом, был дан, похолодание началось.

Правительственных знатоков музыки сменили на этом историческом отрезке знатоки изобразительного искусства. До Сани доносились лишь отзвуки баталии в залах Манежа, главным образом через Илью.

Миха почти исчез с горизонта, перебрался в загородный интернат. Чаще других видела его Анна Александровна — именно ей рассказывал он о своей работе с глухонемыми детьми, к которым прикипело его неосторожно распахнутое сердце. Впрочем, сердце его не в полной мере принадлежало мычащему племени, вторая половина его трепетала об Алене, которая то снисходила до него, то исчезала, как Снегурочка под дождем. В ней и впрямь проглядывала эта сказочная стихия: ледяная, водная, изменчивая, с неожиданными всплесками и угасанием.

Миха познакомил Саню с Аленой. Саня почувствовал ее прелесть, встревожился: опасная девочка. Он никак не хотел бы примерить на себя нервную влюбленность Михи. Но и уверенный успех Ильи, напоминавший о кошмарной дворницкой, не вызывал зависти. Женская природа пугала его. В консерватории он больше общался с молодыми людьми, хотя тесной дружбы ни с кем не заводил. Поглядывавших на него мальчиков Саня боялся не менее, чем атакующих девушек, пахнувших чуланом в Потаповском переулке. А музыкальная среда, бурлившая за бронзовой спиной Петра Ильича, располагала к греху, проклятому в Библии. Впрочем, гораздо более — к зависти и тщеславию. Но за них не сажали.

Консерваторские страсти Сани не касались. Да и ветры с улицы до него почти не долетали. Ни оттепель, ни похолодание не имели к нему ни малейшего отношения.

Где-то на верхах трепетало пугливое начальство, но, по счастью, Хрущев не интересовался музыкой, «изумительной и нечеловеческой», «сумбурная» его тоже мало занимала. Он полностью удовлетворялся несложной мелодией «Во саду ли, в огороде». Примитивный, малообразованный, опьяненный властью, он правил огромной страной как умел: замахнулся на Сталина, выбросил мертвеца из Мавзолея, выпустил заключенных, поднял целину, засеял Вологодскую область кукурузой, пересажал производителей подпольного трикотажа, анекдотчиков и тунеядцев, придушил Венгрию, запустил спутник, прославил СССР Гагариным. Он разрушал храмы и строил машинно-тракторные станции, что-то сливал, что-то разливал, укрупнял и разукрупнял. Ненароком подарил Крым Украине... Дворовыми матюгами вправлял мозги творческой интеллигенции и даже почти научился выговаривать это сложное слово из чуждого словаря. Зато дикторы на радио меняли произношение на хрущевское — «коммунизьм», «социализьм». Всюду чуя гниль, подвох и буржуазное влияние, Хрущев продвигал понятного Лысенко и задвигал генетиков, кибернетиков и всех, кто был выше его понимания. Враг культуры и свободы, религии и таланта, он давил тех, кого мог разглядеть близоруким взглядом невежды... Главных врагов не разглядел: ни большой литературы, ни философии, ни живописи. И уж тем более до Бетховена не дотянулся, до Баха не достал, Моцарта прохлопал по простоте душевной. А ведь запретить-то следовало всех!

В шестьдесят четвертом году взошел Брежнев. Происходили партийные перестановки, одни упыри сменяли других. Их бедственный культурный уровень задавал стиль жизни страны и устанавливал планку, выше которой подниматься было опасно. Литературный и художественный общепит наводил тоску. Незначительная во всех отношениях горстка людей — недобитые умники, упрятавшиеся в математику и биологию, среди которых была и пара академиков, но гораздо больше маргиналов, прозябающих на мелких должностях, таящихся в третьесортных научно-исследовательских институтах; двое-трое гениальных студентов химфака, физтеха или консерватории, — эти невидимки с духовными запросами существовали нелегально.

Да и много ли их было, между собой незнакомых, сталкивающихся в раздевалках библиотек, в гардеробах филармоний, в тишине пустующих музеев. Это была не партия, не кружок, не тайное общество, даже не собрание единомышленников. Пожалуй, единственным общим знаменателем было их отвращение к сталинизму. И, конечно, чтение. Жадное, безудержное, маниакальное чтение — хобби, невроз, наркотик. Для многих книга из учителя жизни превращалась в ее заменитель.

В те же годы эпидемия чтения — особого рода — захватила и Саню: ему в полной мере открылось чтение клавиров. Все свободное от занятий время он проводил в нотной библиотеке. К сожалению, далеко не все выдавали на дом. Его дефектная рука накладывала такие ограничения, что утешался он лишь изредка навещавшим его сновидением, которое показано было ему не менее пяти раз за последнее десятилетие: он играл и получал острое физиологическое наслаждение от самой игры. Тело его превращалось в музыкальный инструмент. В какую-то невиданную многостебельчатую флейту — от кончиков пальцев он наполнялся музыкой, она шла по костным трубочкам и собиралась в резонаторе черепа. Возможности его расширялись безгранично. Инструмент, на котором он при этом играл, напоминал фортепиано, какое-то особое, усложненное, нездешнего звучания. При этом он осознавал, что слышится музыка одновременно безумно знакомая, но прежде никогда не слышанная. Она была первородной, только сотворенной, и в то же время его, Саниной...

Свободное чтение «с листа» позволяло сразу охватить музыкальный текст и даже давало некоторые преимущества: «чтение» глазами оказывалось идеальнее, технические трудности как будто переставали существовать — музыка переливалась с листа прямо в сознание.

Саня с удовольствием разбирал партитуры. Наслаждался искусством инструментовки, огромными возможностями интерпретаций. Зрительное — и через него мысленное — восприятие музыки давало и дополнительное наслаждение — звук и знак сливались воедино, и возникала волнующая картина, имеющая, возможно, какое-то собственное, нечитаемое содержание. Еще до прочитывания нот он смутно улавливал какую-то фактурно-смысловую формулу, переплетение фактурных пластов, и ему казалось, что где-то очень близко лежит разгадка самой тайны музыки. Музыка, как казалось ему тогда, подчинялась закону эволюции, тому самому, по которому мир самоорганизовывался, поднимаясь от простейших форм к сложным. Эта эволюция прослеживалась не только в звучании, но даже в нотной записи, в знаковом отражении музыкального мышления эпохи. Он обнаружил — открытие невелико, поскольку было сделано задолго до него, — что сама нотная запись, нотация, хотя и с большим опозданием, отражает изменения, произошедшие в музыкальном мышлении в течение веков. Отсюда было недалеко до мысли попытаться найти законы развития этого мышления — иначе говоря, закон эволюции звуковысотных систем. Когда Саня очень осторожно стал излагать Колосову свои мысли по поводу эволюции музыки, тот остановил его запинающуюся речь и вытащил точным движением из кучи нот, лежавших под столом, американский музыкальный журнал, мгновенно открыл на нужной странице: это была статья о композиторе Эрле Брауне. Журнал воспроизводил партитуру вещи, которая называлась «Декабрь 1952». Это был лист белой бумаги, на который было нанесено множество черных прямоугольников. Пока пораженный Саня рассматривал эту страницу, Колосов, похихикивая, сообщил, что это не конец пути. Позже Эрл написал сочинение под названием «25 страниц», и это было действительно двадцать пять нарисованных страниц, которые могли исполняться в любом порядке, любым числом музыкантов. Картина, которую пытался выстроить Саня, обретала, как ему показалось, замечательную перспективу...

Если б только Юрий Андреевич не издавал при этом ехидных кашляющих и насмешливых звуков. Тогда Саня понял, что учитель не принимает его всерьез, расстроился и замолчал.

Но смутные эволюционные идеи не покидали его. Он испытывал прилив невиданной смелости и втайне замахнулся на создание единого закона, некоей общей теории музыкальных систем. Сравнить этот замах можно было разве что с созданием общей теории поля. Как шелкопряд, постоянно вытягивающий из себя драгоценную нить, он выстраивал вокруг себя блестящий кокон и готов был окуклиться в нем, чтобы прорваться в конце концов к умозрительному, но подлинному миру. Это было опасно, потому что, оступившись, был риск попасть в мир чистого безумия.

Колосов, с которым они по-прежнему проводили много времени, в конце шестьдесят седьмого года, когда Саня оканчивал консерваторию, выхлопотал ему место ассистента на кафедре истории зарубежной музыки. На теоретической кафедре места для него не нашлось. С осени Саня начал преподавать, но по-прежнему был озабочен своими теоретическими построениями. Отношения с Колосовым у Сани разладились. Он ждал от него поддержки, но встречал лишь скептическую ухмылку. Было обидно.

В сердце Анны Александровны закрадывалась временами тревога за Санечку: не слишком ли высокий регистр выбрал ее мальчик для жизни?

Одноклассницы

Галя Полухина, сокращенно Полушка, и Тамара Брин, прозванная Олей удлиненно-ласкательно «Бринчик», с самого малолетства чувствовали себя немного скованно в присутствии Оли, единственной подруги каждой из них. Как бы чего лишнего не сказать. Не по какой другой причине, а исключительно из любви, чтобы не огорчить подругу недостаточно возвышенным или вовсе мещанским суждением.

Обе подруги преданно любили Олю, и кроме нерациональной составляющей любви, которую обсуждать бессмысленно, у каждой был свой резон, вполне понятная причина для восхищения.

Галя Полухина была из бедной семьи, жила в полуподвале Олиного почтенного дома, собой была не особо хороша и училась еле-еле средне. Олю еще в третьем классе назначили «подтягивать» Галю в учении, и Оля прониклась к ней сочувствием. Великодушие Оли было безукоризненным. В нем полностью растворялась снисходительность богатого и красивого к бедному и плохонькому, а это бедное и плохонькое существо вьюнком обвивало плотный ствол, запуская в него воздушные корешки и подсасывая понемногу. А Оля от изобилия даров и талантов этого и не замечала.

Полушка была смиренной душой, зависти не знала, во взаимной человеческой энергетике ничего не понимала и чувствовала благодарное обожание.

С Тамарой Брин дело обстояло иначе. В отличие от Оли, старательной и усидчивой, Тамара была отличницей «легкой» — школьную премудрость она оценивала быстрым карим глазом и впитывала, махнув печальными крыльями ресниц. Она была диковинна собой: напоминала ассирийского царя из учебника по истории Древнего мира, только гофрированная борода волос торчала вверх над невысоким лбом, а не вниз, из-под нижней губы, как у того царя. Она была красавица, в некотором смысле. Красавица на любителя. Будучи, само собой разумеется, еврейкой, она обитала в коконе неприкасаемости, горько и достойно несла всеобщее отвержение, а к Оле испытывала особого рода восхищенную благодарность: зимой пятьдесят третьего года, когда ужасное слово постоянно шелестело за спиной девятилетней Тамары, Оля, единственная из одноклассниц, кидалась на защиту идеала интернационализма, в частности, на защиту Томочки. Услышав брошенное Томочке вслед «жидовка», она кричала сквозь злые слезы:

— Вы фашисты! Вы гады! Советские люди так не поступают! Как вам не стыдно! В нашей стране все нации равны!

Тамара никогда не забывала этой чистейшей Олиной ярости, и только благодаря этому праведному гневу лучшей девочки класса можно было примириться с ужасной школой, с миром вражды и унижения.

С годами Тамара все более ценила в Оле независимость и мужество. Еще Оля никогда не лгала, говорила, что думала. Правда, думала она почти всегда правильно, как ее учили дома. Сама Тамара в силу происхождения, семейной истории и не совсем советского воспитания никак не могла разделять ни Олиной правды, ни ее энтузиазма и пафоса. Но никогда бы Тамара не осмелилась и словом ей перечить — из страха потерять подругу, из желания, чтобы никто, и Оля в первую очередь, не расчувствовал ее трагическую чужеродность.

Так они и дружили все школьные годы втроем. Дружба была крепкой, но весьма кособокой: Ольга говорила, а подруги слушали и молчали, одна восхищенно, но нисколько не вникая, вторая сдержанно и критично.

Тамара позволяла себе высказываться — самостоятельно и интересно — только в театрально-литературных дискуссиях и при обсуждении мелких, но волнующих школьных событий: новые туфли преподавательницы истории или коварное поведение Зинки Щипахиной, обманщицы и предательницы. Полушка и Бринчик терпели друг друга ради Ольги.

В пятом классе Галя пошла в секцию, где у нее прорезался свой собственный талант — спортивный. Она занималась гимнастикой, после шестого класса ее взяли на сборы, и она получила второй, а вскоре и первый спортивный разряд. В восьмом классе она тренировалась по программе мастеров спорта, выполнила ее в пятнадцать лет, но еще полгода ждала вручения знака, потому что «мастеров» давали только с шестнадцати. Так она стала школьной знаменитостью, хотя для настоящей славы не хватало успеваемости. Училась она, как всегда, плохонько, за Олиной спиной.

После окончания школы случилось непредвиденное — все три подруги поступили в институты: Ольга в университет, и в этом как раз ничего непредвиденного не было, Тамара со своей серебряной медалью в медицинский, на вечернее отделение, что по обстоятельствам того времени было исключительным достижением, а Галя — в институт физической культуры и спорта. К этому времени Полушка входила в молодежную сборную Москвы по спортивной гимнастике, но с грамматикой отношения были по-прежнему натянутые.

По поводу этой тройной победы устроили в квартире у Оли большую вечеринку для одноклассников. Антонина Наумовна самолично заказала в буфете Дома литераторов всякую мелочную закуску — пирожки, тарталетки, канапе — кто бы знал, что это такое! — и великодушно уехала на дачу. Верный Олин рыцарь Рифат, два года тому назад окончивший их школу, вызвался обеспечить настоящим пловом, доставил его на квартиру ровно к восьми часам вечера в огромном, взятом напрокат из ресторана на ВДНХ казане. Отец его был правительственным азербайджанцем в столице, связи были большие, сверху донизу.

Вечеринка вполне удалась — два мальчика и одна девочка напились до полной отключки; Вика Травина и Боря Иванов доцеловались до успешного финала, чего не удавалось в течение полутора лет усердных упражнений; насмерть поссорилась другая классная парочка — о чем всю последующую жизнь оба горевали; у Раечки Козиной начался первый в жизни приступ крапивницы, с которой ей предстояло жить до самой смерти.

Много, очень много важнейших событий произошло в ту ночь, но только один человек, хозяйка дома Оля, ничего не заметила. В эту ночь она осознала, что от рождения была счастливицей — по природе, по расположению звезд на небе или генов на хромосомах, — но до этого дня не догадывалась о своем редком жребии. Теперь она была совершенно уверена, что ей уготовано и впредь множество достижений, побед, даже триумфов, и три самых красивых мальчика — персидский принц Рифат с усиками, как фигурная скобка, его друг Вова, которого он притащил с собой, студент МАИ, плечистый, хорошего роста, со светлой волной на глаза, как у Сергея Есенина на тех ранних фотографиях, где он еще в рубашке, а не в пиджаке с галстуком, и Витя Бодягин, отслуживший на подлодке четыре года, свежедемобилизованный, в тельняшке под форменкой, в смешных штанах с детскими застежками на боках, вместе с Олей пробившийся на филфак, — смотрят на нее мужскими жадными глазами, с разными оттенками: требовательно, просительно, искательно, нагло. С любовью, с предложением, с обещанием.

«Вот будет номер — возьму и замуж выйду. За любого из них. За кого захочу!» — опьянела Оля от успеха и загадала, что выйдет замуж за того, кто пригласит ее танцевать следующий танец. Танцевала она лучше всех — и рок-н-ролл, и танго. И талия у нее была самая тонкая, и волосы самые длинные — хотя и подрезала надоевшую косу, но остатки, рыжеватые, с искрами, хороши, почти до пояса. Она смотрела на себя со стороны и страшно себе нравилась. И всем нравилась. Все ее любили, и мальчишки, и подруги, и соседи, и даже мамаши из родительского комитета.

Поставили новую пластинку «Rock Around the Clock» Билла Хейли — Рифат принес. И все взорвалось. Понеслись по музыке как по ветру, и бешеные звуки в них проникали, и никаких там нежных прикосновений, а одни только столкновения, разлеты, и снова столкновения, и широкоплечий Вова как будто перекидывал ее с руки на руку. Да и приглашал ли он ее танцевать? Через четыре месяца она вышла за него замуж.

Танцевали и выпивали, курили на балконе и в кухне. Потом все устали. Кто ушел ночью, кто под утро. Вика и Боря заснули в родительской спальне, ошеломленные великим событием, то есть соитием. Им предстоял долгий и счастливый брак, они об этом пока не знали. На ковре в гостиной спали кучкой человек пять, которым не выпало подобного везения. Слегка пахло блевотиной.

Потом все разошлись, кроме надежных Бринчика и Полушки. Подруги помогли убрать все следы молодого гулянья. Оля сварила кофе. Они по-взрослому пили кофе из парадных маленьких чашек, но немного еще играли в кукольную посуду, особенно Галя. Разошлись к вечеру, собирались встретиться на будущей неделе. Но увиделись только в начале следующего года. Жизнь после школы покатилась со страшной скоростью.

Выселили Тамарин дом на Собачьей площадке, доживавшей свой последний год. Семью Тамары переселили на дальнюю окраину, в Рабочий Поселок, за Кунцево. Станция метро «Молодежная» значилась в ту пору только в архитектурных планах.

Тамара энергично моталась между новым домом, новой работой и медицинским институтом. В год переезда умерла любимая Тамарина бабушка, Мария Семеновна, подруга Елены Гнесиной, всю жизнь прожившая возле знаменитой семьи, проработавшая секретарем в этом музыкальном гнезде. Не снесла арбатская старушка катастрофы переселения.

Гражданскую панихиду устроили в институте Гнесиных. Тамара, знавшая с детства почти всех живых представителей этой удивительной семьи, напоследок увидела их остатки — в инвалидном кресле великую Елену Фабиановну, создательницу единственной империи, музыкальной, которая устояла при советской власти и — о чем тогда и помыслить не могли — даже, как выяснилось, пережила.

Собрались музыканты, но среди прощавшихся были и «люди из публики», собеседники и соучастники музыкальной жизни, которая существовала как бы поверх советской, поверх коллективизации и индустриализации, всей большой государственной возни и еле различимой на фоне музыки Бетховена, Шуберта, Шостаковича и даже Миши Гнесина, совершенно забытого композитора, младшего брата знаменитых сестер.

Ошеломленная Тамара, знавшая многих бабушкиных «старушек-подружек», напоследок, у ее гроба, в полной мере поняла, в каком мире жила ее бабушка, ходившая в растянутой кофте с прилипшей к вороту яичницей и коллекцией разноцветных пятен на юбке.

«Старушки-подружки» почти все, кроме, может быть, Анны Александровны, которая жила на Покровке, были здешние, арбатские, пришли пешком, стояли круглой кучкой поодаль. Они были не самые «свои», не педагоги и исполнители, но «причастные...».

Прощались музыкальным способом — играли музыку Михаила Гнесина, написанную к пьесе Гоголя «Ревизор» для постановки Мейерхольда. Это была дань любви вымирающих Гнесиных покойной Марии Семеновне.

Потом к Тамаре и Раисе Ильиничне подходили старые музыканты, говорили хорошие слова про Марию Семеновну, про музыку и про дружбу. И казалось, что они вкладывают во все привычные слова совершенно новый смысл. Подошла и Анна Александровна, просила, чтобы та не бросала друзей Марии Семеновны и заходила бы в гости. И погладила Тамару по грубым волосам.

В новой квартире была полностью воссоздана старая, и теперь в большой проходной стояло пианино, сбоку от него пыльный диван, покрытый красным истертым ковром, а над ним все те же картины и в том же порядке, как в старом доме на Арбате. Только не было бабушки, на пианино игравшей. Тамара вскоре перебралась с дивана в проходной в бабушкину, запроходную, лучшую из всех комнат. И неожиданно оказалась хозяйкой этого нового дома, старавшегося не отличаться от прежнего.

Раиса Ильинична, которая всю жизнь стремилась занимать как можно меньше места, поселилась в маленькой комнате, у входной двери. Робкая и неудачливая, она совершила за всю жизнь один-единственный поступок — родила внебрачного ребенка, Тамарочку. Переезд и смерть матери надорвали сердце Раисы Ильиничны, и она, всегда обессиленная жизнью, теперь и вовсе еле двигалась. Было ей под пятьдесят, но дочери своей она казалась старой и малоинтересной. Раиса Ильинична была о себе того же мнения.

На новом месте, без руководящего слова матери, она робела, долго не могла привыкнуть к дальнему району, за хлебом ездила на Арбат, а возвращаясь, тайно от дочери плакала в своей девятиметровке.

Но Тамара этого не замечала, а если б заметила, не придала бы значения слабым и бессмысленным слезам. Новая Тамарина жизнь была скоростной и наполненной. Разом кончилась сонливость последних школьных лет, все колесики покатились, шестереночки сцепились, и полетело все, и замелькало так, что она едва успевала дух переводить. Везло — невероятно: учиться было интересно, работать — еще более. Научный сотрудник, к которому ее приставили, Вера Самуиловна Винберг, послана была с небес: немолодая умная женщина, прошедшая лагеря, оказалась главным элементом сложной картины Тамариной жизни. Пробел закрылся, все вопросы разъяснялись, страхи развеивались.

Маленькая и сухая, как блоха, Вера Самуиловна трясла нержавеющими кучерявыми спиралями, вылезающими из большого пучка на лоб и на щеки, и учила новую лаборантку так, словно знала заранее, какой прекрасный специалист из нее получится. Вера Самуиловна смотрела на пышные Тамарины волосы, на маленькие ловкие пальцы, отмечала ее сметливость — девочка могла бы быть ее дочкой, скорее внучкой.

Вера Самуиловна даже собиралась пригласить Тамару домой, познакомить с мужем, ввести в семью. Но пока не решалась. Муж Эдвин, при кажущейся общительности, не любил впускать в дом новых людей.

Тем временем судьба суетливо подготавливала запасные дорожки, на которых могла бы встретиться Тамара со своей великой любовью. Дом Винбергов был из тех, куда Томочкина не случившаяся еще любовь регулярно захаживала.

Но пока все самое интересное было сосредоточено в старом учебнике эндокринологии, который дала Вера Самуиловна своей лаборантке со словами:

— Томочка, это — наизусть. Для начала. С химией попозже разберемся. Сначала надо разобраться в связях, которые существуют в этой умнейшей системе.

Вера Самуиловна была помешана на своей эндокринологии, в лаборатории синтезировали искусственные гормоны, с которыми исследовательница связывала чуть ли не бессмертие рода человеческого. Вера Самуиловна веровала в гормоны, как в Господа Бога. Все мировые проблемы она разрешила бы с помощью адреналина, тестостерона и эстрогена.

Перед Тамарой открылась новая картина мира: человек представлялся ей теперь марионеткой, управляемой молекулами гормонов, от которых зависел не только рост, аппетит, настроение, но и умственная деятельность, привычки и навязчивые идеи. Главным режиссером всего этого спектакля жизни Вера Самуиловна назначила эпифиз, маленькую, скрытую в глубинах мозга железу. Дивная, загадочная, только посвященным доступная картина! Другие ученые отдавали первенство гипофизу, но в данной сфере право на заблуждение не каралось тюремным заключением.

Тамарина личная эндокринная система работала как часы — эпифиз или кто другой посылал возбуждающие сигналы, надпочечники производили сверхдозы адреналина, щитовидная железа посылала серотонин для срочного восстановления затрат: откуда бы иначе взяться энергии, которой было через край? Излишки эстрогена расцветали мелкими прыщами на лбу. Их было немного, можно было бы прикрыть челкой, но она топорщилась вперед и вверх, так что приходилось прихватывать ее невидимками. Все было отлично. Только времени не хватало...

Не хватало времени и у Полушки. И сил лишних не было — все уходило на тренировки. Учить их, спортсменов, в институте особенно не учили, не педагогов растили, а чемпионов. Поначалу все шло хорошо, от небольшой победы к большей, грезилось олимпийское золото, в крайнем случае серебро. И так — до серьезной травмы.

На четвертом курсе Галя участвовала в первенстве Москвы и при соскоке с брусьев, выполнив программу без сучка без задоринки, приземлилась так неудачно, что в одну секунду получила перелом колена и повреждение сустава. После чего о чемпионской карьере можно было забыть. А ведь чуть не вошла в сборную страны. Три месяца провалялась в институте травматологии, где лучший хирург Миронова сделала ей две операции. Колено сгибалось, но для спорта оно не годилось, подвижность сустава была ограничена.

Кончилась яркая жизнь со сборами, соревнованиями, обещаниями. Из института, правда, не отчислили. Галя взялась за учебники и завяла. По-прежнему она жила в своем полуподвале, но никто ею больше не интересовался, короткая слава закончилась, снова она почувствовала себя ничтожной, некрасивой, малоценной. Полушкой.

Оля со всегдашней своей энергией взялась опекать подружку. Даже посоветовалась с матерью. Антонина Наумовна, отзывчивая в рамках возможного, вопрос разрешила: определили Галю на вечерние курсы машинописи.

— Научится хорошо печатать, возьму к себе в журнал. — И сразу же усомнилась: — Хотя, кажется, Галка безграмотная?

Окончив институт, Галя осталась в деканате. Должность ей дали незавидную — секретаря. Достижение невеликое, зарплата никудышная. Зато, благодаря вечерним курсам машинописи, появился приработок. Печатала Галя быстро, брала работу. Правда, своей машинки не было, приходилось на казенной халтурить, допоздна сидеть на рабочем месте.

Оля, когда дела Галины наладились, отдалилась: у нее была жизнь нарядная, значительная. Даже неприятности у нее случались какие-то исключительные, не как у всех — выгнали скандально из университета, потом разбежалась с мужем Вовой, глупость, конечно, ужасная, как понимала Галя, но сразу же появился новый мужик. Оля немного ей о себе рассказывала, но вкратце, без подробностей, и удивительно было, что, несмотря на все неприятности, она все сияла и сияла глазами, волосами, улыбками в ямочках.

Тут впервые Галя ей позавидовала. Она-то от своей беды потерялась, сразу облезла и даже преждевременно начала стареть. Бедная Полушка.

Полушка, конечно, не знала о тех страшных тайнах и опасностях, которыми была полна теперь Ольгина жизнь. Новый Олин муж немуж, на Галин вкус, уступал прежнему, Вовке. Этот Илья тоже был ростом высок, кудряв, но без Вовкиной молодцеватости. Зато Олин сынок Костя висел на нем, у отца Вовы в отношении к ребенку преобладала военная строгость и дисциплина, а Илья с ним играл в шумные игры, скакал лошадкой и кувыркался, постоянно они вместе что-то изобретали, и стал Илья Косте любимым старшим другом. Всю ту детскую радость, которую невозможно было получить от несчастного и скованного сынка Илюши, получал Илья от Кости. Костя его обожал. Родной отец, встречаясь еженедельно с сыном и понимая, что «мальчик попал под влияние», негодовал и все меньше хотел с ним общаться. А Костя и не особенно рвался.

Галя никаких этих семейных подробностей не знала. Не знала Галя и того, что Оля с Ильей тихонько, без огласки расписались. Обиделась, когда об этом узнала спустя полгода, случайно. Событие это представлялось ей космически значимым. А тут даже самой скромной свадьбы не устроили. О собственном жизнеустройстве она уже и не мечтала. Ей было двадцать девять лет, и с тех пор, как карьера ее рухнула, ни одного заинтересованного взгляда не бросил на нее хоть сотрудник, хоть студент, хоть прохожий... А судьба между тем косвенным образом, через Олю, готовила Гале драгоценный, на всю жизнь подарок.

Интересно проследить траекторию неминуемой встречи двух людей. Иногда встреча такая происходит как будто без подготовки, следуя естественному ходу событий, скажем, люди живут в одном дворе, ходят в одну школу, знакомятся в институте или на службе. В других случаях организуется что-то неожиданное — сбившееся расписание поездов, запрограммированная свыше небольшая неприятность в виде мелкого возгорания или протечки воды с верхнего этажа, случайно купленного с рук билета на последний сеанс кино. Или вот так, случайная встреча, когда стоит человек в наружном наблюдении, пасет своего клиента, а тут вдруг посторонняя девушка проскользнет раз, другой, третий. И чахлая улыбка мелькает, и вдруг как озарение — родненькая, своя, жена...

Да всякий ли человек достоин таких усилий провидения? Ольга, безусловно, да. Но Галя?

Будет ли судьба тратиться на незначительную и малокрасивую парочку, дочь местного водопроводчика, пьяницы, и сына такого же водопроводчика из Твери, но уже покойного. Собственно, и Галин отец, по прозвищу «дядя Юра-краники», тоже вскоре умрет. Как только им всем дадут новую квартиру, так и помрет, к досаде и огорчению жильцов высотки на площади Восстания, которые никогда уж не будут иметь столь умелого мастера водопроводного дела, знающего каждый вентиль и каждую заглушку в лицо и на ощупь. Трубы в его присутствии подтягивались, засоры, крякнув, прочищались сами собой.

И стоит ли усилий судьбы белесый, недоверчивый, мстительный мальчишка, чемпион двора по длинноссанью: равных не было по дальнобойности струи во всем дворе и во всей школе.

Возможно ли, что и он, как Ольга, избранник судьбы, и судьба водит его пристально, плетет для него сети, назначает на дежурство в те дни, когда белобрысая, как он, девушка прошмыгивает в подъезд, где проживает его объект.

Непостижимо, невероятно, но щедрость судьбы простирается и на этих, третьесортных статистов.

Илье так и не удалось узнать, какой из его грехов — распространение книг, мелкие услуги связи между разными недружественными группами, близость с посаженными к тому времени Михой и Эдиком — привлек к нему пристальное внимание органов. Весной семьдесят первого года заметил слежку.

Для Полушки это было судьбоносным событием.

Первый раз Галя его увидела, столкнувшись в дверях подъезда. Роста невысокого, но ладный и симпатичный, в серой кепке и длинном пальто. Он придержал дверь, она улыбнулась. Буквально на следующий день опять встретила его во дворе. На этот раз он сидел на лавочке с газетой в руках, видно, кого-то ждал. И Галя снова ему улыбнулась. А потом, уже в третий раз, он стоял в парадном, и они поздоровались, и он спросил, как ее зовут. Тогда-то Галя поняла, что он не просто так стоял, а поджидал ее здесь, и обрадовалась. Теперь он понравился ей еще больше. Звали его Геннадий. Имя красивое. Внешность — ничего особенного. Но ничего плохого. Они с Галей, как потом выяснилось, были похожи, если присмотреться: глаза близко у переносицы, носик долговат, подбородок маленький. И мастью похожи, он чуть посветлей, волос, правда, не особо много. Гладко так на голове лежат. Но аккуратный — исключительно. Очень культурное впечатление. Только Галя размечталась, как он исчез на неделю. Каждый вечер, возвращаясь с работы, она все искала его во дворе, но больше его не было.

«Вот и вся любовь», — думала с огорчением и жила целую неделю со скучным чувством, что никогда у нее ничего не случится, так и пройдет жизнь в полуподвале, хотя всех уже переселили, а их семья последняя, и сама она последняя и бессчастная, как бабушка говорила.

Идет она, ко всему безразличная, из института к Курскому вокзалу по улице бывшей Казакова, ныне Гороховской, чтобы ехать домой на метро пять остановок. Здесь пройти минут пятнадцать, там от «Краснопресненской» пробежать — час занимает. По дурной погоде, в плохом настроении идет, как мышцы приучены, с прямой спиной, головку в береточке синей высоко держит, в старом плаще, от Оли доставшемся в прошлом году, и сзади крепкой рукой берут ее под руку. Подумала — кто-то из студентов. Оглянулась — он!

— Галя, — говорит, — я вас давно поджидаю. Пойдемте в кино!

Как разыскал-то? Видно, очень хотел! Дальше и было все как в кино. И замелькало с такой же быстротой. А главное, все в точности, как Галя того хотела: сначала под руку осторожно, крепко, потом за руку, потом поцеловал прилично, без всяких лапаний. Обнял — опять хорошо, без похабства. Через месяц сделал предложение. Хотел идти к родителям с тортом, с бутылкой вина свататься. Галя отца заранее предупредила:

— Если вытащишь водку и напьешься, вообще уйду из дому.

Отец покрутил коричневой разбухшей рукой возле виска:

— Испугала! Куда ты денесси-то?

Он был прав, конечно. Только не знал, что у его Галки теперь образовалась настоящая защита от жизненных бедствий.

Сватовство задуманное не получилось: мать в намеченный вечер вызвана была на внеочередное дежурство, а брат с женой последнюю неделю собачились до драк, так что Галя честно все разъяснила про свою семейную жизнь. Геннадий был понятлив:

— Галюша, мои такие же. Ну ее, эту родню... Всю жизнь только препятствуют. Запишемся и докладывать не будем.

Все Геннадию в ней подходило: молчалива, вопросов не задает, мастер спорта, между прочим, с высшим образованием, и семейное происхождение понятное — про такую родню забыть, как нет ее.

Торопился Геннадий с женитьбой по своей причине, о которой Галя была осведомлена: у него по месту работы дом сдавали, ему была обещана однокомнатная квартира, а если женится, может, и двухкомнатную малогабаритную дадут, как перспективной семье.

Подали заявку, назначили регистрацию. Галя пришла к Оле, сообщила, что выходит замуж, пригласила в свидетельницы. Оля к тому времени прочно была замужем за Ильей, обе же школьные подруги увядали в одиночестве: Бринчик хотя бы взасос со своими гормонами, а Полушка вообще без всякого смысла.

Оля обрадовалась, но и удивилась:

— Что ты за подруга такая, даже не сказала, что роман завела.

Еще бы Бринчика выдать замуж, и все будут пристроены!

Оля не подозревала, что и Бринчика судьбу тоже ненароком решила: Тамара уже год встречалась со старшим другом Ильи, блестящим Марленом.

Посадила ее Ольга в день своего рождения за стол рядом с Марленом, и вышли они вместе, и он проводил Тамару на «Молодежную». Оказалось, почти соседи. Тамара влюбилась беспамятно, страсть вспыхнула нешуточная, и много лет Марлен ходил между двумя домами, благо в пяти минутах. В каждом из домов Марлен держал зубную щетку, бритву, трусы-рубашки. Жизнь его была всегда разъездная, командировочная, и порой на несколько дней выписывал он себе командировку в соседний дом, где и отсиживался в тихом убежище и в любви. В большой, разумеется, тайне. Тамара чуть не с первого дня их знакомства дала обет молчания: о Марлене никогда и никому ни слова, а особенно Ольге с Ильей. Так Оля, невольный конструктор чужих судеб, всех устроив и определив, и не замечала своей организующей роли.

Свадьбы у Гали никакой не было. Геннадий сказал, что нечего деньги бросать на ветер, впереди расходы большие — обстановку покупать. Галя закивала — да, да. Жалко было немного свадьбы, но прав был Геннадий.

Про обстановку. Расписались, и она поехала к мужу в общежитие. Комната хорошая, кровать старую Геннадий сдал коменданту, купил диван раскладной. В тот же вечер на новом диване принял Геннадий от жены неожиданный подарок, над которым пришлось немало повозиться. Честная была девушка Галя Полухина. Для мужа себя берегла. Одно только обстоятельство омрачило Геннадию великий день его жизни: подружка Галина Ольга. Ну, как мог он допустить, что свидетельницей у него на регистрации будет жена его подопечного Ильи Брянского, которого он два года время от времени пас. Образовывалась личная линия, отчасти совершенно ненужная, отчасти интересная.

Пока они барахтались на новом диване, пока Геннадий делал свое мужское дело, преодолевая природные трудности, радуясь мягкому соучастию жены, маленькая заноза все-таки свербила: узнала ли его эта Ольга.

Ольга узнала. Вернувшись из ЗАГСа, сообщила Илье, что Полушка вышла замуж за Грызуна. Так они прозывали Геннадия с тех пор, как обнаружили слежку за Ильей. Грызун был из тех троих сотрудников отдела наружного наблюдения, которых Илья знал в лицо.

Илья сначала посмеялся — породнились, значит! Потом стал чесать в кудрях — а что ты ей давала печатать?

Последние годы Галя часто брала от них работу. Печатала быстро, аккуратно. И как-то не вникая.

— Ох! Я и не подумала! Черт!

— Что давала-то? — нажимал Илья.

— У нее моя «Эрика» и Солженицын, «ГУЛАГ», вот что!

— Срочно забирай. Прямо сегодня.

Ольга побежала в полуподвал, уже по дороге соображая, что Галя переехала к мужу. Пьяный дядя Юра, обиженный на дочь, что свадьбу не сыграли, а так по-темному все устроили, был неприветлив. Ольга спросила — не оставила ли Галя ее пишущую машинку.

— Все манатки собрала, ничего не оставила. И адресочка даже не оставила, — отрезал дядя Юра и захлопнул дверь перед Олиным носом.

Вернулась Оля расстроенная, сбитая с толку. И тут уж Илья стал ее утешать:

— Ладно, Оль, обойдется. Галя у вас в доме всю жизнь толкалась, не побежит же сразу доносить. Погоди, еще чаек вместе с ее муженьком пить будем, — хмыкнул Илья.

Насчет чая Илья не совсем ошибся, но до совместного чаепития еще надо было дожить. Немало лет.

Бринчику было рассказано о скоропалительном браке Полушки с Грызуном, подробности про машинку и перепечатку были опущены. Она и без этого пришла в ужас:

— Полушку в дом не пускать!

— С ума сошла! Она моя подруга чуть не с рождения! Как это? — рассердилась Оля.

— Опасно. Как ты сама не понимаешь? Будет стукач в доме, — мрачно предсказала Тамара.

— Глупости, глупости! Это мерзко — всех подозревать. Тогда я и тебя могу тоже подозревать! — взорвалась Оля.

Бринчик побагровела, заревела и ушла.

Назавтра Оля позвонила Гале на работу, там сказали, что она в отпуске с сегодняшнего дня. Странно — Полушка про отпуск ничего ей не говорила. Сама не знала, что был это мужнин подарок. Медовый месяц! Про отпуск подтвердила Галина мать, еще и добавила, что молодые поехали в дом отдыха в Кисловодск. Оля спросила про машинку — давала Гале, и теперь ей срочно понадобилась. Галина мать тетя Нина велела подождать, потом вернулась — машинки никакой в доме нет. Вещь не маленькая, она бы нашла.

Явилось подозрение, не пропил ли машинку дядя Юра. Поди узнай.

Новенькая «Эрика» стоила целое состояние, а главное, не достать. А как была нужна! Ольга и сама печатала хорошо, но скорости профессиональной не было, и за большие вещи она сама не бралась, давала в перепечатку Полушке и другим машинисткам.

Однако пропажа «Архипелага ГУЛАГ» в данном случае казалась еще худшей бедой.

Через две недели Галя прибежала сама, посвежевшая, почти хорошенькая, но в большом смятении, в слезах, с чистосердечным признанием: машинка и рукопись пропали из родительского дома безвозвратно, куда все делось, неизвестно, она, Галя, ей отработает, месяца через три вернет деньгами. Исчезло все, скорей всего, когда молодожены отбывали свой медовый отпуск в доме отдыха.

— До того, еще до того! — сказала на это Оля. — Я хватилась в тот день, когда вы с Геннадием расписывались, я на другой день вечером к твоим забегала!

— Быть не может! — ахнула Галя.

Домашнее расследование, которое Галя немедленно провела, ничего не дало. Отец как раз запил, что было косвенным указанием на домашнее воровство. С другой стороны, папаша запивал ежеквартально, по своему стойкому расписанию, и тут как раз время подошло.

Брат Николай, которого она пыталась порасспросить, вдруг взбесился, стал трястись и орать, чтоб отвязалась. С головкой у него было плохо, он был на учете в психдиспансере еще со школьных лет.

Пришлось Ольге Полушку еще и утешать, поить чаем. Снисходительно расспросила, как идет ее замужняя жизнь. С жизнью все было как раз замечательно, муж непьющий и серьезный, на хорошей работе работает, и даже обещал навести справки, чтобы и Галю на хорошее место пристроить.

Потом с катка пришли Илья с Костиком, оба замерзшие, обледенелые. Обычно они ходили на Петровку, а в этот раз пошли на залитый льдом пятачок в соседнем дворе, где и вывалялись вволю. Правда, под конец гулянья кто-то из ребят залепил Костику снежком в нос, потекла кровь, но они быстро ее ледышкой подморозили.

От одного вида Ильи Гале всегда хотелось поскорее ноги унести, и она сразу же ушла. Ольга застирала шарф и носовые платки. Ужинали втроем — любимые дни, когда мать оставалась на даче. Потом Оля отослала Костю спать.

— Илюша, и машинка, и рукопись у Полушки пропали. В неизвестном направлении, — сообщила мужу тревожную новость.

— Точно, это Грызун! Срочно все надо почистить в доме, — быстро сообразил Илья. Они кинулись шарить по полкам и по тайникам, собирая опасные бумажки. Некоторые папиросные, сколотые скрепками, Илья жег в уборной. Собрали самые опасные бумажки — выпуски «Хроники текущих событий». В материнских шкафах, за Роменом Ролланом и Максимом Горьким, тоже было коечто засунуто. К трем часам ночи все опасное было собрано в старый чемодан, задвинуто под вешалку, и до утра отложено окончательное решение: везти ли на дачу или, подальше от греха, в деревню к Илюшиной тетке.

Долго не могли уснуть, строили всякие фантастические предположения о неведомом будущем, обсуждали, надо ли сообщить через Розу Васильевну автору, что, возможно, машинопись попала в КГБ. Уговорились завтра же утром ехать к Розе Васильевне с подробным отчетом о происшествии. Потом Илья обнаружил, что Оля заснула на полуслове. И тут как молния ударила — завтра арестуют! Даже вспотел. Сколько же следов оставлено — записные книжки со всеми телефонами не убрал, и надо немедленно поехать к матери, чтобы вынести и спрятать где-то коллекцию фотографий. А негативы отдельно. Вернее всего, к тетке в Киржач. Успеть бы! Надо встать часов в шесть, и сразу к матери — с этой мыслью он крепко заснул.

В начале девятого Оля сунула Костику яблоко и отправила в школу. Илья еще спал. Оля поставила кофе, и тут, в десять минут десятого, раздалась ясная трель телефона и одновременно звонок в дверь. Илья проснулся, взглянул на часы и понял, что не успел.

— Иди быстро в ванную, — скомандовала Ольга. Илья шмыгнул в ванную и защелкнул задвижку. Ольга пошла открывать, соображая по дороге, что говорить, чего не говорить.

Давным-давно знала, как это бывает, но первая мысль была: маме позвонить, чтоб выручала. Но тут же и устыдилась.

Шесть человек вошло. В форме — никого. Высокий, шапки не снявши, сунул одновременно удостоверение и ордер на обыск. Очень делово, не валяя дурака. Открыли все двери, кроме ванной.

— Там муж ваш? — спросил высокий, снимая одновременно шапку. Она снялась вместе с прядью заема, который он механически прибил к голове. «На Косыгина похож», — мелькнуло у Ольги, и она вдруг освободилась от страха.

— Муж, — кивнула она.

Подскочил парень пониже, постучал в дверь:

— Выходите!

— Выйду, — раздался голос Ильи.

Он вышел через несколько минут, в старом халате генерала, с заплатами на рукавах, торопливо выбритый.

«Молодец», — одобрила его Ольга про себя.

— Вы поедете с нами, по месту прописки, — сказал тот, что в куртке. Он переглянулся с высоким. Со значением.

Илья неторопливо одевался.

Трое стояли у книжных шкафов.

— Ваша библиотека? — спросил самый мелкий.

— Что вы, большая часть книг принадлежит матери. Она ведь известная писательница. А в той комнате, там книги по военному строительству. Отец генерал, у него большая военная библиотека.

Ольга повеселела, потому что сама почувствовала, что голос ее звучит хорошо, без подлой дрожи. Илья сразу догадался, что у нее страх сменился отчаянным сложным чувством, в котором было много чего, но и веселье тоже.

«Молодец, девочка», — теперь уж Илья одобрил Ольгу и сам взбодрился. И, помахав рукой, вышел — справа один хмырь, слева другой.

Обыскивающих было трое, еще один стоял у двери.

«Понятой», — догадалась Ольга.

Это был первый в ее жизни опыт непосредственного столкновения с гэбистами, но она слышала много рассказов о том, как это происходит. Они оказались гораздо вежливей, чем она предполагала. У одного было симпатичное лицо — тракториста или конюха. И даже цвет лица деревенский, красновато-воспаленный, какой бывает у людей, которые много времени проводят на морозе. Вяло тыкали книги, сразу поняв, что все прибрано. Потом сделали находку — из уборной вытащили пепельницу, полную жженых спичек и скрепок.

— Чего жгли? — улыбнулся тот, что с заемом. Он представился Александровым, следователем из прокуратуры, но Оля сразу же забыла его фамилию. Оля не различала, что за гости пришли: милиция, ГБ или прокуратура. Не знала, что рейды эти составлялись по-разному, с тонкими различиями: одни интересовались исключительно антисоветчиками, подписантами, другие книгами, третьи вообще только евреями.

— Бумагу туалетную жгли, чтоб в уборной не воняло, — дерзко ответила Ольга.

— А скрепками подтираетесь? — находчиво ткнул в пепельницу Александров. Он догадывался, что именно прищепливалось скрепками: протестные письма, под которыми собирали подписи, сборники «Хроники».

— Дом полон канцелярскими принадлежностями, что вы хотите, у меня мать — редактор журнала!

«Заносчивая, сука», — подумал Александров. Он был опытный человек.

Ольга старалась не смотреть на потертый чемодан, стоявший под вешалкой, полуприкрытый длинной старой шинелью отца и материной шубой. Заметят? Не заметят?

Его тут же и заметили. Похожий на Косыгина Александров попросил Ольгу открыть чемодан. Она открыла, он бросил внутрь небрежный взгляд, сразу все понял и расплылся:

— Теперь вижу, что хорошо подготовились.

Покопались для приличия еще часа полтора. Кроме чемодана, взяли две материнские пишущие машинки, отцовский бинокль, любимый фотоаппарат Ильи, все записные книжки, включая материнские, даже календарик отрывной сняли со стены. Еще забрали фотографии его «золотой коллекции», портреты самых ярких людей времени: Якира, Красина, Алика Гинзбурга, священников Дмитрия Дудко, Глеба Якунина, Николая Эшлимана, писателей Даниэля и Синявского, Натальи Горбаневской.

Это был единственный в то время фотоархив, который годы спустя стал называться диссидентским. Там были среди прочих фотографии, опубликованные в западных газетах. Те, что продал Илья немецкому журналисту Клаусу и еще одному американцу, и те, что ушли через бельгийского дружка Пьера, который распоряжался ими на Западе.

Когда Александров вытащил папку из глубины Костиного письменного стола, Ольга поняла, что Илья крепко засветился.

У подъезда стояла черная «Волга», а на улице еще одна, серая. Чемодан, машинки и мешок с бумагами погрузили в серую, а самое Олю — в черную. Она сидела на заднем сиденье, зажатая двумя сотрудниками. Везли недалеко, на Малую Лубянку, в одноэтажный дом, на котором было честно написано: «Управление Комитета Госбезопасности по Москве и Московской области».

В третьем часу начался, как показалось Оле, настоящий допрос. Александров, которого Ольга про себя звала Косыгиным, сидел в кабинете, но еще сидел почти бессловесный капитан. Первый за день человек в форме. Она и не узнала, что это был не допрос, а всего лишь собеседование.

Что говорить? Чего не говорить? Врать Оля приучена не была. Илья предупреждал: по-умному себя вести — значит ничего не говорить. Но это и оказалось самым сложным. И Оля, вопреки намерению, заговорила — час, второй и третий. Вопросы все были какие-то незначительные — с кем дружите, куда ходите, что читаете. Поминали про эмигранта-доцента, знали, конечно, что письма подписывала, что из университета выгнали в шестьдесят пятом. И даже сочувственно: вот этот воз антисоветчины, зачем он вам? Вы же из советских людей, с кем связались-то?

Ольга слегка валяла дурака, что-то плела о подругах, которых почти и не осталось, все семейные, дети, работа... мстительно назвала в числе близких подруг только Галю Полухину, ни одного лишнего имени, как самой казалось, не назвала.

Александров, удивив Ольгу, спросил о Тамаре Брин.

— Нет, и не видимся. Раньше дружили, а теперь она с головой в науку ушла, ни с кем не общается.

— Почему же ни с кем? С Марленом Коганом, например, общается. Иврит изучает.

Ольга вскинула брови:

— Да вы что? Правда?

— Здесь я спрашиваю, а вы отвечаете. Вы, видно, Ольга Афанасьевна, считаете себя очень проницательной и умной. — Он улыбнулся, показав большие зубы, и Оле на минуту стало жутко. Обнаженной, доступной укусу и уколу, мягкой, как моллюск без раковины, почувствовала она себя. Но мгновенно поняла, что надо сделать перебивку, и попросилась в туалет.

Александров позвонил, вошла толстозадая сотрудница, проводила по причудливо меняющему направления коридору в туалет. На гвоздике в кабинке висели квадратики газетной бумаги. Присев над чисто вымытым унитазом без сиденья, подумала: интересно, как выглядит сортир в ФБР? И засмеялась так громко, что сотрудница встрепенулась. Эта минутная передышка помогла: собралась с мыслями, даже и с силами. Интересно, врет ли он про Тамару? Наверное, не врет. Почему же та ничего о себе не говорила? Странно,

странно. Неужели какие-то отношения с Марленом? Никогда ни слова Тамара не говорила. Партизанка! А Марлен хорош! Такая у него подчеркнутая семья, соблюдение законов, вся эта кошерная фигня. Вспомнила, что Марлен у них в доме ничего не ест, только водку пьет. Водка, говорит, всегда кошерная. Борода неопрятная, лохматая, фигура нелепая — большая голова в свалявшихся кудрях, широченные плечи, короткие ноги. Но умница, умница, целая библиотека в голове, по полочкам — история, география, литература. Блестящий, конечно, но все же... странно, что Томка на него польстилась! Но — все может быть.

Потом капитан посмотрел на часы, вышел, минут через пять вернулся, снова посмотрел на часы и что-то буркнул Александрову, и тот поменял тон, — как будто на капитанских часах была написана для него команда.

— Так. Хватит. Это ваши книги или вашего мужа?

— Мои, конечно. У меня дома мои книги.

— Все книги ваши?

— Ну, некоторые, может, кто-то у меня оставил. В основном мои.

— Которые из этих книг не ваши?

— Да мои, мои, — исправилась Ольга.

— Откуда они у вас?

Ольга, подготовившаяся именно к этому вопросу, с готовностью сказала:

— Покупаем книги. Мы читающие люди, покупаем много книг.

— Где?

— Ну, знаете, в Москве есть черный рынок, там все можно купить, и барахло заграничное, и духи, и книги...

— Где же этот рынок находится?

— Ну, по-разному. Кое-что на Кузнецком Мосту покупала.

— Точнее, точнее. Где на Кузнецком?

— Толкучка есть книжная в Москве. Там много чего продается.

— Прямо вот так стоят на улице люди на Кузнецком Мосту и предлагают вам, — он вытащил из стопки Авторханова, — «Технологию власти»?

— Ну да, — кивнула Оля.

Потом он вытаскивал книги одну за другой, пока ему не надоело. Капитан два раза выходил, потом приходил снова.

— Ну, что я вам могу сказать, Ольга Афанасьевна? Вся эта книжная деятельность квалифицируется как антисоветская и подпадает под действие статьи 191.1, часть первая, Уголовного кодекса. Мера пресечения — от трех до пяти лет. Может, вы не знали? — Последнее он сказал даже с сочувствием.

Ольга, с малолетства избалованная всеобщей симпатией, любовью и восхищением, мучилась более всего от полнейшей неопределенности отношений с собеседником. Он был малоприятный человек, враг по определению, но инстинктивно она продолжала полагаться на свое обаяние. Кокетство и уверенность в себе невольно пробивались через сдержанность, которую она себе наметила как линию поведения. Но собеседник был глух и бесчувствен, и она все сбивалась, ловила себя на внутренней непоследовательности и страшно от этого измучилась, потому что никак не могла понять, чем все это кончится: отпустят, арестуют, убьют... Нет, не убьют, конечно, но минутами вдруг бросало ее в страх, животный, физиологический, который явно превышал человеческие возможности. И длилось это все ужасно долго.

Много спрашивали об Илье. Про его работу. Он был кое-как прикрыт справкой, что работает секретарем. У него был уже третий патрон. После сельскохозяйственного тестя, академика, короткое время был вздорный старик-писатель, который, оформив его, через полгода расторг договор. Теперь же был человек приличный, тоже писатель, но проживающий в Ленинграде. Так было уговорено — если что, Илья работает на него в московских библиотеках.

На все вопросы, связанные с Ильей, Ольга отделывалась одной трудно опровергаемой фразой: не знаю, этого мне муж не говорил. Выстраивала картину послушной и подчиненной жены.

— Вы подумайте, Ольга Афанасьевна, подумайте. Может, не стоит нам ссориться. Уверен, что и родители ваши огорчатся. Мы с вами сегодня побеседовали, познакомились. Книжечки эти останутся здесь, само собой разумеется. Их предостаточно — на пять лет потянет. Опись, пожалуйста. Да, да, уже подписали. Вы все обдумайте, мы с вами в ближайшее время встретимся, нам есть о чем поговорить. Мы понимаем, что ваш муж втянул вас в эту антисоветскую деятельность. Вы должны подумать, решить, с кем вы... И вот здесь подпишите. О неразглашении нашего с вами разговора.

Похоже было, что дело идет к концу. Висящие в кабинете часы показывали без четверти одиннадцать.

Александров расписался на клочке бумаги, отдал его давно уже сидящей здесь сотруднице. Это был, как выяснилось, пропуск на выход. Коридор был сущий лабиринт, заламывался под странными углами, и длина пути к выходу как-то не соотносилась с небольшим, в общем-то, размером дома снаружи.

Выйдя, Ольга хотела взять такси. Ни одна машина не остановилась, и она потащилась через всю площадь Дзержинского к метро.

Родной дом был выпотрошен, растерзан и унижен. И как только они за такое короткое время успели разрушить приличие и достоинство их холеной квартиры? На паркете отпечатки обуви, книги свалены кучами, сложенное стопками генеральское белье — простые кальсоны и рубахи, чуть не с военных времен накопленные на полках, — кривым веером разъехалось по большому коридору. Хорошо, что мать третью ночь на даче и ничего этого не видела.

Ильи не было. На столе лежала записка от домработницы Фаины Ивановны: «Оля! Костика забрала из школы к себе. Переночует у меня, утром отведу в школу. Позвони, когда придешь. Фаина».

Такую бы маму иметь, как Фаина, — никогда никаких вопросов, и всегда делает именно то, что нужно. И Олю вырастила без единого лишнего слова, и с Костей помогает так, как никто на свете. Какое счастье, что мать сегодня поехала на дачу, не заезжая домой.

Позвонила Фаине.

— Фафочка, ты меня всю жизнь спасаешь. Просто слов нет.

Фаина поворчала, поругалась тихо и сказала, что если Оля так себя будет вести, то она уйдет от них.

— Хоть бы дитя пожалела! — прошипела напоследок и повесила трубку. Золото, чистое золото, а не человек.

Поколебавшись, Ольга решилась позвонить Марии Федоровне, Илюшиной матери. Набрала номер, но сразу там не ответили, и Ольга положила трубку. Усталость была сильнее страха. Оля рухнула на диван и мгновенно заснула. Через пятнадцать минут проснулась с сердцебиением в самом горле. Сна как не бывало.

В половине третьего ночи затеяла уборку. К утру привела дом в порядок.

«Что будет с Ильей?» — свербело внутри.

Позвонила Гале на работу: надо срочно повидаться. Через час Галя сидела на Ольгиной кухне.

— Галя, у нас был обыск. Ты понимаешь, вся история началась с машинки? — начала Ольга, но Полушка уже вся тряслась и заливалась слезами. — Скажи честно, ты мужу своему говорила, что печатаешь? Что машинку у меня взяла?

Полушка клялась, что муж ничего не знает ни о пишущей машинке, ни о том, что Галя подрабатывала перепечаткой. И вообще ни одному человеку она об этом ни слова не говорила. Клялась столь горячо, что пришлось ей поверить. Как все попало в ГБ, оставалось загадкой. И почему, черт подери, они ждали, не пришли сразу же?

— Олечка, ты только пойми одну вещь, что как раз теперь я Гене должна все рассказать. Получится, что я всех подставлю: и тебя, и Антонину Наумовну, и Гену. У него ведь тоже неприятности могут быть! Ну что мне, вешаться теперь? Может, ты думаешь, я неблагодарная, не понимаю, сколько твоя семья для меня всю жизнь делала? Но Гена-то этого не понимает. Это его вообще не касается. У него вообще другая жизнь и понятия обо всем другие. Он идейный! Оля, но ведь и ты была идейная! Кто секретарем комсомольской организации в школе был, я, что ли? Ты была вообще самая из всех советская! Тамарка, хоть и молчала, антисоветская, а я вообще никакого отношения не имела, мое дело с двенадцати лет было брусья разновысотные да бревно, и все!

Тут щелкнул замок, ввалился Илья. Обнялись, как после длинной разлуки, припав друг к другу в изнеможении.

Полушка сообразительно быстро оделась и выскользнула.

— Когда отпустили? — спросил Илья, не выпуская Ольгу из рук.

— В одиннадцать вечера. А тебя все держали?

— Сначала повезли к матери, все забрали подчистую. Все. Лаборатории у меня больше нет. Потом на Малую Лубянку отвезли и до сих пор держали.

С тех пор как Костя пошел в школу и они перебрались в московскую Олину квартиру, лабораторию он перевел к матери, в чулан.

— Одноэтажный дом? И я там была.

— Ну да, Московское управление. Черт с ними, черт с ними, — бормотал Илья, и все было неважно, все, кроме ясноглазой Оленьки, жены, любимой, которая стоила всего, всего... Отбивал ее как мог, все взял на себя. Да ведь и в самом деле — он книги в дом затащил! Выпутывал Олю, как мог. Сам как-нибудь выкручусь, только бы Олю не подвести.

Теперь Оленька с чуть потрескавшимися губами, с веснушками, заметными по белой коже, самая главная часть жизни, самая сердцевина, гладила его по лицу. Ему еще предстояло разбираться с конторой, но он твердо решил, что Олю должен отбить любой ценой.

Антонина Наумовна, вернувшись с работы, получила от дочери полный отчет о происшествии. Антонина схватилась за сердце, а потом за телефонную трубку. Назначила на завтра свидание с генералом Ильенко, курировавшим Союз советских писателей со стороны жизненно важных органов. Они были в приятельских отношениях с тридцатых годов, когда она только начинала свою большую карьеру, пережили чистки, потом сами их успешно проводили, выдержали бои с формалистами, работали совместно еще по Эренбургу.

Сложная работа и очень неблагодарная. Но архиважная, уверена была Антонина Наумовна.

Ильенко своим помогал, помог и Антонине Наумовне на этот раз.

Она встретилась по его звонку с другим генералом, побеседовали унизительным для писательницы образом, но в конце концов и это уладилось — вернули ей все ее машинки, старый «Ундервуд» и новую «Оптиму», записные книжки, рукописные материалы, извлеченные при обыске. Среди возвращенного оказались даже книги Ильи — какие-то религиозные, дореволюционные, которые Антонина Наумовна и в руки взять брезговала. Илье, между прочим, вернули и аппараты, и фотоувеличитель. Только «Эрика» Олина вернулась через три месяца, по специальному заявлению. Как она туда попала, кто стукнул, не сказали.

Антонина Наумовна не была скандалисткой, к тому же после изгнания Ольги из университета она испытала всю горечь разрыва по известной русской линии «отцы и дети». Поэтому не высказывала дочери никаких упреков, — уже вырвана была из сердца надежда на единомыслие. А ведь растила девочку для себя, по лучшим образцам. Ольге бы ее родителей, темных религиозных фанатиков, — что́ бы сказала?

Глаза горели сухим пламенем, губы ее сжались окончательно — в жилах текла суровая греческая кровь. В молодые годы ее часто принимали за еврейку, что раздражало безмерно. Зато теперь она приобрела сходство с византийской иконой: яростное одухотворенное лицо, без милости и сострадания. Параскева Пятница или святая Ирина... Только вместо нимба крючком вязанный берет или топорная каракулевая шапка из литфондовского ателье.

Первой мыслью Антонины Наумовны было — разменять квартиру на две. Не видеть ни дочь, ни зятька. Потом одумалась: вторая-то квартира после ее смерти, что же, государству отойдет? А внук? Паренек хороший, добрый, к деду привязан. Его-то за что наследства лишать? Нет, не надо. А кроме того, за ними нужен глаз, решила старая писательница. Хотя и раньше знала, что государственное око давно держит под присмотром паршивца этого, мужа, а заодно и Ольгу.

С этого времени Антонина Наумовна поменяла жизненное расписание: на дачу ездила непременно на выходные и на праздники, а в будни не всякий день, и на каждой неделе пару раз навещала молодую семью. Всегда без предупреждения, чтобы всегда ожидали ее прихода и не устраивали никаких антисоветских сборищ, шума и безобразия.

Фаина продолжала свое служение, отпускала легкомысленных родителей по вечерам, даже ночевать оставалась. Оля с Ильей много шастали по гостям, все это были новые, интересные люди.

Школьных подруг жизнь развела. Виделись они теперь раз в год, второго июня, в Олин день рождения. Изредка перезванивались. Такое разбегание случилось по естественным причинам: у каждой была теперь своя жизнь, своя личная тайна.

У Тамары, кроме возлюбленной науки, был еще возлюбленный Марлен, а у Гали, кроме мужа и работы, — тайное занятие: лечила обнаружившееся бесплодие во всех возможных лечебных заведениях, у гомеопатов, травников, а также у шарлатанов всякого рода.

Общим у подруг оставалось лишь школьное прошлое, которое становилось все более далеким и все менее значительным.

Шли самые счастливые годы Олиной жизни. Все катилось как по тонкому льду: опасно и весело. Тот доцент-писатель, который свел Олю с Ильей у дверей суда в шестьдесят шестом году, отсидел свой семилетний срок, вышел и укатил в эмиграцию.

Ни Оля, ни Илья не встретились с ним в предотъездные месяцы и долго потом жалели. Но оказался он недоступен. Может, сам никого не хотел видеть, может, жена выстроила вокруг него железный занавес. И уехал он как-то незаметно, без большого скандала — видно, власти предпочли от него избавиться. К тому же пошли дурные слухи о его связях с ГБ.

Все подпольщики тех лет, читатели и делатели самиздата, переругались и разбились по мелким партиям, на овец и козлищ. Правда, разобраться, кто овцы, кто козлища, не удавалось. В мелких стадах тоже простого единомыслия не было. Куда там «западникам», «славянофилам», «шестидесятникам» девятнадцатого столетия. Теперь было гораздо разнообразнее. Теперешние одни были за справедливость, но против родины, другие против власти, но за коммунизм, третьим хотелось настоящего христианства, а были еще и националисты, мечтающие о независимости своей Литвы или своей Западной Украины, и евреи, которые твердили только об отъезде...

И была еще великая правда литературы — Солженицын писал книгу за книгой, они уходили в самиздат, гуляли по рукам в догутенберговском виде, рассыпанные, мягкие, еле читаемые листочки папиросной бумаги. Противиться этим листкам было невозможно: такая сокрушительная правда, голая и жуткая, о себе, о своей стране, о преступлении и о грехе. И тут, уже из эмиграции, доцент университетский, писатель подпольный с подмоченной репутацией, с западной славой, умный, язвительный, злоязыкий, как черт, написал, не стыдясь, слова убийственные, обозвав Россию «сукой», а великого писателя «недообразованным патриотом».

Чай и водка лились рекой, кухни пузырились паром политических дискуссий, так что сырость ползла от стены возле плиты вверх, к запрятанным микрофонам.

Илья всех и всё знал, был спокойным и примирительным в спорах, потому что у него всегда было гармонизирующее «с одной стороны» и «с другой стороны»... И Ольге говорил:

— Понимаешь, Олюша, любая позиция оглупляет. Нельзя стоять на чем-то одном. Табурет и тот на четырех ногах!

Оля скорее догадывалась, что он имеет в виду, но внутренне была согласна: устойчивость была ей созвучна как идея.

Бринчик тем временем под влиянием Марлена временно впала в сионизм, но эндокринология препятствовала полному погружению в еврейское движение. Диссертация была почти готова, и результаты получались потрясающие. Гормоны синтезировались, работали как миленькие в пробирках, оставалось только научить их работать на уровне живого организма, хоть кроличьего.

Вера Самуиловна нарадоваться не могла на свою бывшую аспирантку, которая после окончания института, получив ничтожное место старшей лаборантки с зарплатой в восемьдесят рублей, выросла в настоящего ученого.

Тамара просиживала до ночи в лаборатории, возле станции метро «Молодежная» встречал ее Марлен, от одиннадцати до двенадцати выгуливавший любимого своего сеттера Робика, которого полюбил еще больше за предоставленную собачьим режимом возможность уходить вечером из дому.

Происходила великая и тайная любовь, со всеми признаками ее исключительности и божественности: полнота всяческой близости, свежий ожог от каждого прикосновения, сверхсловесное всепонимание, блаженство общего молчания и наслаждение беседой. Марлен поражался невиданному Тамариному великодушию, она же принимала и недостатки его как достоинства, не уставая восхищаться его умом, познаниями, а заодно и благородством.

Последнее качество она выводила из его преданности детям, семье, еврейским традициям, которые он ввел в своем доме. С некоторых пор его русская жена накрывала вечером в пятницу субботний стол и читала молитву на иврите над двумя свечами. Коммунистические предки Марлена ворочались бы в гробах, но колымских заключенных не хоронили в гробах. Одной только матери, чудом избежавшей лагерей, спятившей от страху, удалось лечь в гроб на Востряковском кладбище.

Родители Лиды, милой Марленовой жены, страшно бы удивились «ожидовению» дочери. Но, во-первых, они ничего о пятничных семейных развлечениях не знали, во-вторых, любили Марлена за веселость, приветливость и всегдашнюю готовность умеренно, не по-русски выпить и всех напоить. Простые советские люди без затей, добрые, инженер и учительница, не были пока информированы, что Марлен собирается увозить семью в Израиль.

Марлен же после встречи субботы брал на поводок Робика и вел его в стоящую неподалеку пятиэтажку, к Тамаре, чтобы провести субботу в полном соответствии с указанием Талмуда. Робик лежал на половике и тоже получал свое удовольствие — грыз заготовленную на этот случай косточку. Раиса Ильинична затаивалась в своей девятиметровке и даже в уборную не выходила — как нет ее.

Галина жизнь шла в гору. Муж нашел ей подходящее место, работала она теперь в спортивном клубе ЦСКА — и по специальности, и на хорошей зарплате. Геннадий ни в чем жену не разочаровал: оказался верный, честный — что обещал, всегда выполнял. Жизнь его была нелегка. Он много работал, ездил по командировкам, учился заочно. Говорил, надо для роста. Он и рос лет пять. И дорос до квартиры в Кунцеве, в кирпичном доме, до хорошей должности. Завет вождя — учиться, учиться и учиться — никогда не забывал: ходил на разные курсы повышения квалификации, второе образование между делом получил.

Единственное, что не получалось, — потомство. Какая-то злая насмешка судьбы. В стране, занимавшей первое место в мире по количеству абортов на женскую душу, именно у Полушки не завязывалась завязь, не проклевывалось зернышко, заурядного чуда не происходило.

В эти счастливые для Ольги годы Тамара мало общалась с ней — мешало умолчание: тайная любовь Бринчика давно уже перестала быть секретом, но Тамара никогда о Марлене в разговорах с Ольгой не упоминала, и это было не по-дружески, не по-женски и вообще обидно для Оли. Женская дружба, не смазанная обсуждениями интимности жизни, как-то засыхала и теряла всю прелесть. И даже когда неожиданно выпроводили в Израиль Марлена с семьей, Тамара ни слова не сказала Оле. А сказать было что.

Потом настали тяжелые для Оли времена. Эмигрировал Илья. Все поменялось в Олиной жизни: прежнее совершенно потеряло смысл, а новых смыслов не поступило. Отсутствие Ильи оказалось даже сильнее его присутствия. Он превратился в навязчивую идею, и мысли Ольги, как стрелка безумного компаса, все рвались в направлении Ильи. В эти месяцы, когда Ольга еще не оправилась от первого удара, Тамара оказалась рядом. Сначала это выглядело как классический приступ язвенной болезни. Но Тамара видела и все симптомы депрессии: лицом к стене, молча, почти не поднимаясь с постели, без еды и почти без питья. Медицинским чутьем Тамара уловила неблагополучие.

— Оля, тебя заклинило, надо спасать себя, ты сойдешь с ума, ты заболеешь, выброси и вырви, с этим жить нельзя.

Тамара пыталась вытащить Ольгу из депрессии. Сначала повела к психологу, принимавшему пациентов в подпольном во всех отношениях подвале. Потом потащила к психиатру. Природный автопилот, попечение Тамары и антидепрессанты подняли Ольгу. Но вскоре после отъезда Ильи у Ольги началось кровотечение. Тамара почти обрадовалась: ей казалось, что пораженная соматика спасет психику. Но навязчивые мысли и разговоры об Илье продолжались. Болезнь пригасили, а огонь обиды, ревности и озлобления не затухал. Оленьки прежней, улыбчивой и уравновешенной, почти не осталось — слезы, вопли, истерики.

Подруги принимали на себя все эти тяжкие выхлопы: Полушка регулярно навещала, тихо сочувствовала и поддакивала. Жестокий поступок Ильи, оставившего Ольгу, прекрасно вписывался в ее картину мира, где все мужчины — подлецы, красавицы — бляди, начальство несправедливо, а подруги завистливы. Ольга, подруга-красавица, составляла исключение. Равно как и личная история самой Полушки: муж у нее был порядочный — на чужих баб не заглядывался, зарплату всю отдавал жене. Но на всякий случай о привалившем ей семейном счастье она суеверно молчала — чтобы ненароком не сглазили подруги.

Бринчик видела все в ином свете. Простенькие идеи Полушки вызывали в ней одно презрение. Тамаре было не до Полушки, она металась вместе с Олей по специалистам. Обнаружился рак, который развивался одновременно и наперегонки с медицинскими обследованиями. Диагноз поставили очень рано, но клетка была агрессивная. Возможно, Олино озлобление и обида питали болезнь. Но наука про это ничего не говорила.

Временами Ольга отказывалась от лечения, однажды даже сбежала из лучшей клиники, куда Тамара, употребив все свои и Веры Самуиловны медицинские связи, ее устроила. В конце концов под сильным Тамариным давлением Ольга прошла тяжелый курс химиотерапии и теперь понемногу приходила в себя.

Конфигурация отношений между подругами изменилась: Ольга утратила верховную власть и как будто этого не заметила. Руководила теперь Тамара. Полушка это изменение сил игнорировала. Она научилась в совершенстве искусству молчать, держать паузу, не замечать вопроса, неопределенно кивать. Тамара, всегда считавшая Полушку ничтожеством, едва ее переносила.

Историю с пишущей машинкой, давно забытую, помнила только Тамара.

Подруги встретились втроем последний раз в день Олиного рождения, на генеральской даче, в восемьдесят втором году. Всем было по тридцать восемь. Полушка и Бринчик приехали на дачу порознь, одна на автобусе, вторая по привычному маршруту — электричкой с Рижского вокзала. Столкнулись у ворот дачи. Ворота выглядели какими-то дровяными, ветхими, участок был огромный, а теперь казался еще больше. Вошли в перекошенную калитку. На участке был пруд, который давно не чистили, и он зарос по бережкам ряской. Полусгнившая лодка отражалась в черной середине пруда. Двухэтажный дом обаятельно обветшал. Генерал умер, Антонину Наумовну свалили с ее начальственной должности, дача выглядела разрушенной дворянской усадьбой. Встретил подруг Костя, высокий, с есенинской волной светлых волос, которые он все пытался смахнуть со лба. Фигурой и лицом — вылитый родной отец Вова, мимикой, всем строем речи — Илья. Но без Илюшиной остроты. Расцеловались.

— Мама там, — и повел их на веранду.

Ольга сидела в вольтеровском кресле, головой упиралась в ковровую подушку, маленькими ступнями в толстых джурабах — в подножную скамейку. Рука, похожая на костяную резную более, чем на живую человеческую, лежала на книжном столике, притороченном к креслу. Все лишнее ушло из Ольгиного лица, остались одна голая острая красота и болезнь. Шелковый платок плотно охватывал маленькую голову. Потом она его стянула с головы, и выглянул чудесный рыжий ежик. После химии волосы выросли детские — новые и веселые.

Прошло полгода с тех пор, как Ольга выписалась из клиники и категорически отказалась продолжать медицинское лечение. Письмо от Ильи делало свое дело. Теперь все шло не по науке, а по волшебству.

Костя вынес на веранду бутерброды с икрой и копченой колбасой. Продовольственные заказы Антонине Наумовне не отменили, подумала внимательная Галя, уже приобщенная к кормушке. В этот день она приехала с Ольгой проститься, как тогда казалось, навсегда. Но все не находила слов, чтобы сообщить об этом: Тамарино присутствие ее, как всегда, смущало.

Сказала перед самым уходом, что прощается надолго, потому что уезжает с мужем за границу. Оля спросила довольно равнодушно куда.

Галя усмехнулась:

— Представь, на Ближний Восток. Конкретно не скажу. Тамара бы мне позавидовала.

Намек был более чем понятный. Тамара отвернула свою шарообразную голову в прическе «афра». Шея у Тамары была длиннющая, даже непропорционально, и поворачивалась, как Оля когда-то шутила, на все триста шестьдесят градусов.

В школьном детстве Бринчик воспринимала Полушку как необходимое приложение к любимой Оле, в виде налога на дружбу. Равнодушно терпела. И никогда бы не призналась Ольге, какого она мнения о Полушке: подлая плебейская душа, прилипала и паразитка, неумная, неодаренная, недобрая... И к тому же опасное существо. Тамара всегда вспоминала пишущую машинку.

Тамара смотрела в сторону пруда. И там они сидят, гэбэшники, всюду, всюду... И в Израиле! Нигде нельзя от них укрыться!

— А-а-а, — протянула Оля, — на Ближний Восток. Французский учи...

— Почему французский? — удивилась Галя. — Я на английские курсы хожу...

— Надолго уезжаешь? — спросила Оля.

— Наверное, на три года...

Затем два раза, приезжая в отпуск, Галя навещала Олю — оба раза во время Олиной сказочной ремиссии, которая длилась четыре года, от получения Ольгой письма от Ильи и до самой его смерти.

Привозила сувениры — иерусалимские крестики, иконки, ладанки. Олю этот благочестивый мусор не интересовал, все это добро постепенно перекочевывало к Тамаре, которая ему радовалась. Ольга снова становилась прежней, веселой и энергичной.

В третий раз Галя приехала в Москву, когда Оли уже не было в живых. Она уже знала о ее смерти. Позвонила Косте, зашла в их дом, совершенно не изменившийся с Олиного ухода. Только беспорядок был страшный. Галя принесла Костиным близнецам роскошные подарки: пластмассовых солдатиков с механической начинкой, машинки на батарейках и длинноногую куклу вместе с одежками к ней.

Вернулась домой, долго плакала об Оле, а потом позвонила Тамаре. Был непоздний вечер, они вместе поплакали по телефону, и Галя попросила разрешения приехать к Тамаре.

— Когда? Можно сейчас?

Взяла такси и приехала через пятнадцать минут. Нельзя сказать, что они разговаривали — так, проплакали весь вечер в обнимку, перед остывшим чаем, не зажигая света. Сначала плакали об Оле, которую обе очень любили, потом о себе, обо всем том, что жизнь обещала и не дала, перемежали молчание слезами, слезы — молчанием. Потом они плакали друг о друге, сочувствуя друг другу в том, о чем и не говорили, и снова об Ольге. Потом Тамара нашла полбутылки коньяка, и они выпили по рюмке, и Тамара все-таки задала главный вопрос о пишущей машинке. Ведь с этой машинки и началось главное предательство.

— А тебе Оля не рассказывала? Я, как только сама узнала, сразу ей рассказала. Брат Николай, Царствие Небесное, — Галя широко, до пупа и до плеч, перекрестилась, — снес машинку и «Архипелаг ГУЛАГ» в районное отделение КГБ. Он сам-то никогда такое не сделал бы. Райка, его жена, Царствие Небесное и ей тоже, — и она снова перекрестилась, но помельче, — она меня ненавидела, вот она его подговорила. Геннадию потом и заявление его показали. «Для пресечения антисоветского заговора врагов народа и выселения из квартиры моей сестры Галины Юрьевны Полухиной», — написал. Подвал-то выселяли. Райка думала, что им больше метров дадут. В новой квартире оба и сгорели. По пьянке. — И опять торжественно перекрестилась.

Видно, совместно пролитые слезы размочили невидимую кору Тамариного сердца. И она рассказала ей то, о чем так долго молчала. А рассказав, возопила мысленно: «Господи, Господи, прости меня!»

Тамара, после отъезда Марлена в Израиль, а может, и раньше, сильно полюбила Иисуса Христа, и от этого многое в ней переменилось:

«За что же я эту несчастную дуру ненавидела?»

Полушка бы выпила еще, но стеснялась. Впервые Олина подруга, умная Тамара, которая всегда еле-еле ее замечала, была с ней так сердечна.

«Видно, Олечка нас примирила», — с умилением подумала Полушка.

Потом Тамара показала Полушке новую, уже ставшую старой, квартиру. В прежней комнате, на Собачьей площадке, Полушка бывала пару раз, а в эту ее не приглашали. Все вещи были из прошедшей жизни — пианино, кресло, книжные шкафы и фотографии. Только картин не стало. Галя спросила, куда делись картины.... Тамара засмеялась:

— Ты заметила? Картины ушли.

— Я их помню — ангел был головастый такой, голубой. Да я была ведь у тебя, Бринчик, даже два раза или три, Оля меня к тебе затаскивала. Я и картины помню, и бабушку твою.

Во втором часу Тамара пошла провожать Галю к такси. Обе они, как молочные бутылки в руках хорошей хозяйки, только что не звенели от стеклянной промытости. Растворилась и смылась скрытая многолетняя неприязнь. Они еще не знали — это им предстояло друг другу рассказать, — какими странными путями пришли они к этому вечеру: Тамара, еврейка, бывшая сионистка, так и не уехавшая в Израиль, а теперь православная христианка, и Галя, жена служащего при Русском Подворье в Иерусалиме на ничтожной с виду, но очень значительной по существу должности, возненавидевшая за эти последние годы всех на свете «религиозников», попов, раввинов и всех прочих мулл, а заодно и весь Восток с его хитросплетениями, таинственностью, подлостью и фальшью. Зато прониклась теплым чувством лично к Иисусу Христу...

— А Израиль сам — отличная страна. Жаль, что ты не уехала. Если, конечно, без всяких этих религий, — заключала Полушка.

Тамара смеялась:

— А чего же ты лоб свой глупый крестишь? Дурочка ты, Полушка. Как была дурочка, так и осталась. Как это можно Христа почитать, а христианства не признавать?

Полушка напрягла свое бедное личико и ответила впервые в жизни наперекор:

— А вот можно!

Отношения — после стольких лет неприязни — сделались легкими и родственными.

И Полушка нисколько не обижалась, бойко отвечала:

— Сама ты дурочка, хоть и доктор наук. Это у тебя мозги набекрень.

Они с мужем должны были там еще три года служить, но случилось несчастье, тяжело заболел муж, и Полушка окончательно вернулась, выцветшая, белесая, покрытая мелкими трещинами морщин от сухого солнечного жара. Ближе подруг, чем Полушка с Бринчиком, не бывало.

Однако история необходимо должна быть досказана. Тамара Григорьевна Брин, доктор наук и уважаемый член научного сообщества, отволокла-таки Полушку на эндокринологическое обследование не в поликлинику, а в научно-исследовательский институт, где нашли какое-то вещество — гормон, не гормон, — который вкололи прямо в вену, и еще раз, и Полушка забеременела. В сорок шесть лет, первый раз. Если бы родилась девочка, то назвали бы Ольга. Но родился мальчик, назвали Юрочка.

Тамара его крестила с молчаливого согласия гэбэшной семьи. Каждое воскресенье Тамара приезжает к Полушке, чтобы погулять с крестником. Милый мальчик, потомок двух водопроводчиков — беленький, светлоглазый. Тамара таскает его то в церковь, то в музей. Он зовет ее «кресна».

Вернувшись с прогулки, Тамара пьет чай с Геннадием. Как предсказывал когда-то Илья. Он, конечно, как был Грызун, так и остался. Бог с ним. Он после инфаркта перенес еще и инсульт и жив был только наполовину — здоровая часть таскала парализованную больную. Галку жалко. Но Тамаре теперь что — побормочет свое: «Ей, Господи, дай мне видеть мои прегрешения и не осуждати брата моего...» И ей легко.

Бредень

Выйдя из такси, Илья взглянул на часы — три минуты шестого.

«Три минуты не опоздание», — успокоил себя.

Возле входа в гостиницу замедлил шаги. Шел слабосильный дождь. В то же время было душно.

«С ума сошел! Боюсь опоздать? С какого времени я стал таким пунктуальным?» — И остановился прямо перед швейцаром, похожим на оперного певца двуспальной грудной клеткой и литой шеей. Тот посмотрел на него подозрительно.

Тогда, после обыска, Илью продержали на Малой Лубянке восемнадцать часов. Трое собеседников сменилось: двое первых пугали, последний вербовал грубо, но вполне убедительно. Расстались на том, что еще встретятся. Теперь, через неделю, вызвали по телефону и назначили свидание в казенном доме. Гостиница «Москва», седьмой этаж, номер семьсот двадцать четыре.

Теперь Илья ругал себя за глупость: можно было не подходить к телефону, не ходить на свидание, сказать, чтобы прислали повестку. И уж не приходить точно в назначенный час.

«Я им ничего не должен, — убеждал себя Илья. — Захотят посадить, все равно посадят. Надо освободиться от страха. Надо. Я беспечный, я легкомысленный, легкий-легкий, как воздух... и глуповат.

Простите? Не понял. Как вы сказали? Да что вы! Не может быть! Неужели? Никогда бы не сказал!» — готовил себя Илья к встрече.

Швейцар пропустил, но подскочил другой, глистоватый, в сером костюме:

— Простите, вы к кому?

— В семьсот двадцать четвертый номер.

— Пжалста, — московской холопской скороговоркой, и осклабился.

Илья, тренируясь на идиота, радостно ответствовал:

— Здравствуйте!

В лифте с ним ехали две француженки, одна настоящая дама в черной волосатой шубе невиданного меха, совершенно не по сезону, вторая — молоденькая, со светлым узким личиком и тоже не по сезону одетая — в белом чуть ли не кисейном плаще. И говорили друг другу что-то радостное, и через слово — très bien, très bien. А молодая при этом немного поглядывала на Илью с легким женским интересом. И он так увлекся их разглядыванием, что забыл, зачем поднимается на седьмой этаж.

Перед дверью взглянул на часы — опаздывал на десять минут, и теперь это его даже порадовало: «А что? Я всегда опаздываю, и к вам тоже. Чем вы всех других лучше?»

Постучал и вошел.

— Заходите, заходите. Добрый день... вечер.

Человек сидел за письменным столом, против света, и лицо его было в тени.

— Опаздываете, Илья Исаевич, опаздываете. Как барышня на свидание, — снисходительно заметил сидящий.

— Да, да, — улыбнулся Илья, — дурная привычка, всегда опаздываю. — И почувствовал, что тон правильный, без испуга и заискивания.

— Ну что же, вольный художник может себе позволить. Я-то человек служивый, подчинен и времени, и обстоятельствам, — интонация ироничная, речь старомосковская, редкая для гэбэшника. — Вы садитесь, пожалуйста. Прошу вас за тот столик, а то слишком официально получается. — Он вышел из-за письменного стола и отодвинул одно из кресел.

Такой номер назывался «полулюкс», советское изобретение, две смежные комнаты, дверь в спальню приоткрыта. В проеме топорщился бордовый гобеленовый занавес.

В гостиной, кроме письменного стола, круглый столик, два кресла и картина. Илья бросил взгляд на картину: топорное советское искусство, густое масло, золоченая рама — два мальчика по колено в воде тянут бредень.

— Давайте знакомиться, — протянул руку гэбэшник, — Анатолий Александрович Чибиков.

Илья пожал протянутую руку, чувствуя, что начинает проигрывать. Не собирался он никому тут руки пожимать.

Худой, а морда одутловатая, мешки под глазами. Достал начатую пачку болгарского «Солнца» — пальцы никотиновые, с желтизной на среднем и указательном.

«Курильщик, и сорт мой курит, — отметил про себя Илья. — На русского не похож — волосы черные, блестящие, падают косо на лоб, на макушке прядь дыбом. Глаза немного азиатские. Интересное лицо, как будто выстиранное и подсевшее, как шерстяной свитер, а под подбородком как будто небольшой зобик».

— У нас с вами, Илья Исаевич, — без предисловия, поделовому начал Анатолий Александрович, — есть общая область интересов, — и сделал интригующую паузу, предполагая, видимо, что Илья немедленно поинтересуется, какая такая область.

Илья наживку проглотил, но тут же и выплюнул:

— Не думаю.

— Есть, есть. Коллекционирование. Я не имею в виду вашу коллекцию футуристов, коллекцию достойную. Я имею в виду историю. Да, да, современную историю. Я по профессии историк, и у меня есть свои излюбленные темы, и за пределами современной истории. В области истории новейшей!

Илья почувствовал, как тяжелеет голова, запульсировало в затылке и даже внутри глаз что-то напряглось: это про Миху, про их с Эдиком журнал. А может, про «Хронику»?

Сразу забыл о роли дурачка, которую собирался разыгрывать. Оба одновременно закурили болгарское «Солнце», без фильтра.

— Общая область интересов, общие вкусы, — ухмыльнулся Чибиков, положив свою пачку сигарет рядом с Илюшиной.

— Относительно вкусов — большой вопрос, — отпарировал Илья, и немного отлегло. Остался собой доволен: независимая, отчасти дерзкая реплика.

— Как знать... — вздохнул гэбэшник. — Я, видите ли, нахожусь в таком чине и в такой должности, что оперативная работа вне моих интересов. Но тем не менее именно ко мне на стол положили изъятые у вас материалы.

«Полковник, никак не меньше», — решил Илья.

— С большим интересом прочитал ваши юношеские труды. Не скрою, история «люрсов» меня тронула. Вам отчасти повезло, что времена смягчились и ваши углубленные занятия литературой не привели вас в такие места, где орудуют кайлом и лопатой, а не ручкой и гусиным пером. Но эти протоколы встреч «люрсов» с пятьдесят пятого года по пятьдесят седьмой, фотографии, отчеты, сочинения — это профессиональная работа историка и архивиста, и я не могу не оценить, что делал все это ребенок, школьник. Замечательная работа! И ваш учитель — какая яркая фигура! Я был с ним немного знаком в молодости. Вы продолжаете встречаться с ним, с одноклассниками?

— Практически нет, — отбил Илья даже не удар, а скорее маленький шарик. «Ясное дело, сейчас на Миху свернет».

— На самом деле очень интересно следить, как складываются судьбы людей. Даже на примере людей из одного класса, из одного двора...

«Точно, он к Михе подбирается. Или к Виктору Юльевичу?» — прикинул Илья. Естественно, переписка с заключенным и посылки от его имени... Но тот все разглагольствовал и про Миху не поминал.

— Весь пятьдесят шестой год ваш кружок занимался декабристами. Прекрасные сочинения ребята писали. Все, конечно, зависит от педагога. Моя дочка сейчас оканчивает десятилетку, у нее литературу ведет старушка, которая мало что смыслит. В результате у ребят нет ни малейшего интереса к предмету.

— Да, конечно, здесь от педагога очень много зависит, — согласился Илья.

— Но вам повезло с педагогом!

«Пауза. Передышка. Может, спросить про машинку или нет? Да все равно не вернут!»

На лице «полковника» — задумчивость:

— Я в свое время тоже очень интересовался декабристами. Меня в первую очередь интересовало следственное дело. Записки Следственного комитета — необыкновенно увлекательное чтение. В мемуарах декабристов написано очень много о пребывании в крепости, об этапах, о каторге и поселении, но почти ничего нет о допросах. Все декабристы, пожалуй, кроме Трубецкого да Басаргина, об этом умалчивают. Как вы думаете, почему, Илья Исаевич?

Илья совершенно об этом не думал — другое его заботило: он никак не мог понять, к чему этот разговор о каторге и поселении...

— А разве от тех, кого допрашивали в тридцатых годах двадцатого века, много свидетельств сохранилось? — вывернулся Илья.

— По процессам сталинского периода сохранилось огромное количество материалов! Хотя, между прочим, с декабристов не брали подписки о неразглашении, а сто лет спустя это стало общепринятой практикой. Я прочитал все, что было доступно из архивов Следственного комитета, и могу сказать, почему декабристы избегали вспоминать о допросах.

Подглазные мешочки дрогнули, изобразилась грустная улыбка:

— Они давали показания друг на друга. Да, да. И не из страха, а из чувства чести. Как это ни смешно звучит в наше время, но они руководствовались тем, что лгать — дурно.

«Сукин кот, он мне будет говорить, что лгать дурно! Нарочно всю эту вязь плетет, чтобы меня с толку сбить...»

Но Илья вполне собой владел:

— Нас в школе учили, что декабристы вели себя героически, что их заговор был обречен на неудачу, потому что это был дворянский заговор, и у них не было никакой связи с народом, с крестьянством... — вяло произнес Илья.

Чибиков поморщился:

— Ну, это пишут в школьных учебниках! Дело не в этом. К сожалению, весь их героизм привел к результатам, совершенно противоположным всему задуманному ими: они затормозили те реформы, которые уже готовились государем. Те, кто судил декабристов, — а это были их родственники, однополчане, друзья, — работали на укрепление государства, а они — на его ослабление. И те и другие знали, что реформы необходимы, но провели эти реформы в жизнь не декабристы, а их противники. История диалектична, как сама жизнь, и порой кажется парадоксальной. Но государственную политику делали не радикалы, а консерваторы!

«Опять: к чему клонит? Они меня вызвали, чтобы на теоретические темы поговорить? Внимательно, внимательно», — Илья не терял контроля.

— Россия никогда не была так сильна, как в наше время. Только один период в истории России можно сравнить с сегодняшним — Россия императора Александра

Освободителя. В начале девятнадцатого века Россия освободила Европу, как и в середине двадцатого. Восстание декабристов отбросило Россию назад на десятилетия! Но в истории слава досталась Муравьеву-Апостолу, а поношение — Муравьеву-Вешателю. А ведь это была одна семья, один круг! Знаете ли вы, что князь Сергей Волконский, декабрист, уже стариком, после ссылки, перед отъездом за границу, пошел попрощаться на могилу Бенкендорфа, начальника Третьего отделения, своего друга и однополчанина?

Речь у Чибикова была интеллигентная. И словарь, и интонации... Неужели и впрямь полковник? Ой, как серьезно...

— У вас и у ваших друзей превратное представление и об истории, и о Государстве Российском.

История Государства Российского в данный момент совершенно не интересовала Илью. Его занимало другое: они изъяли у него коллекцию портретов, часть этих фотографий была передана на Запад и опубликована там в газетах и журналах. Если эти издания им доставляют, то его авторство открыто. Из множества уплывших и улетевших фотографий было опубликовано как минимум одиннадцать. Или двенадцать. И вот тут не отвертеться.

Илья вздохнул.

«Полковник», кажется, читал мысли.

— Портретная галерея лиц, которая у вас изъята, через сто лет, возможно, будет опубликована в учебниках по истории. Как портреты Каракозова или Каляева. А может быть, и нет. В любом случае это принадлежит истории.

Все еще непонятно, сверили они его архив с западными публикациями или нет. Хорошо, раз ты такой умный, получай...

(Забыл, забыл Илья, что собирался прикидываться дурачком.)

— История — одно дело, а КГБ — другое. Все-таки нельзя в одну кучу. Это моя личная коллекция, и не для тайной полиции я эти портреты делал, между прочим, — произнес Илья.

— Боюсь, Илья Исаевич, у вас нет ни малейшего представления о том, какова функция тайной полиции. Но могу вас заверить — в библиотеках, в частных архивах, в музеях экспонаты исчезают. Их крадут, продают, меняют, иногда уничтожают сознательно. А в архивах тайной полиции никогда ничего не пропадает. Другое дело, что доступ туда имеет ограниченное число лиц. Но, поверьте мне, это самое надежное место хранения. Там — не пропадает! И именно там сохраняется историческая правда.

— Простите, я бы предпочел, чтобы моя коллекция хранилась у меня дома.

— Об этом надо было заботиться раньше. Теперь у вас ее уже нет. — «Полковник» встал из глубокого кресла с гримасой боли — радикулит или геморрой — и, откинув театральный занавес, вышел в другую комнату.

Илья взглянул на часы. Почти два часа шла беседа, а он и не заметил. Полпачки сигарет было выкурено, дым висел под потолком. Плохая вентиляция. Ушедшие в тень мальчики на картине все еще тянули сеть из воды.

Из соседней комнаты послышалось не совсем бумажное шебуршание, и Илья с опозданием понял, что в спальне с самого начала кто-то сидел. В засаде. Через минуту Чибиков вернулся с папочкой в руках.

— У вас там засада? — не заржавело за Ильей.

Анатолий Александрович улыбнулся, покачал головой:

— Полиция, Илья Исаевич, есть вьющееся растение, охватывающее все части государственного устройства и управления. Один умный человек дал такое определение тайной полиции. А там небольшой побег, веточка, так сказать, — кивнул в сторону спальни.

И вынул из папки экземпляр эмигрантской газеты на русском языке: на первой полосе был портрет Анатолия Марченко.

— Вот, видите, как интересно! Фотография из вашего архива. История, надо сказать, нелепейшая. Одна девушка очень активная размножала воззвания в защиту этого самого Марченко, которого вы фотографировали. Целую кампанию затеяли, чтобы освободить обыкновенного уголовника. Представьте, эта милая девушка забыла в такси сумку с пачкой воззваний и со своими документами. Вы бы лучше ее сфотографировали. Большая конспираторша! А портрет Марченко хороший. Вы давно с ним знакомы? Это ведь фотография довольно ранняя, не так ли? Между шестьдесят шестым и шестьдесят восьмым? Он после первого срока где-то скрывался. Хорошая фотография! Конечно, в газетной перепечатке качество теряется. Тут еще несколько ваших работ есть, не все хорошего качества. Но на этот счет какие могут быть претензии? В журнале «Штерн» качество получше.

«Миха здесь ни при чем. Гораздо хуже. “Русское слово” и “Штерн”. Что там у него еще?»

Корешок папки довольно жесткий и широкий, непонятно, полная она или там всего две бумажки...

— Каким-то таинственным путем фотографии попадают в западные газеты. Может быть, ваш бельгийский друг Пьер Занд? Очень скользкая личность, между прочим, работает на западную разведку. И нам иногда помогает.

«Ой, как сгорел! Насчет Пьера — врет, конечно. Но свели, сволочи, все концы с концами. Надеялся, как дурак, что проморгают. Те, с Лубянки, были примитивные следаки, а этот — высокий класс».

— Нет, нет, меня этот вопрос совершенно не интересует. Меня беспокоит другое: этот материал необходимо сохранить. То, что у вас отобрали, уже не пропадет. Будет храниться вечно. Или относительно вечно. А вот что будет с теми вашими работами, которые вы будете делать завтра, послезавтра, через год? Конечно, если вас завтра не посадят. Я должен признаться, что вы мне симпатичны, Илья Исаевич. Я бы не желал вам ни тюремного, ни лагерного опыта. Но это вопрос вашего личного выбора. В течение очень короткого времени это решится. Да, строго говоря, это уже решено.

Пауза.

Илья сидел неподвижно, бровью не повел, но в затылке опять застучало. Казалось, что сердце остановилось, а потом закудахтало со страшной силой. «У меня же порок сердца, — мелькнуло в голове. Они все, что угодно, могут пришить, вплоть до шпионажа. Это не три года.

Что там самое страшное? Портрет Сахарова, может быть? Его в доме нет. Когда он отправил “Памятную записку Советскому правительству”, я передал эту фотографию Клаусу. Но по газетам немецким это не прошло. Или уже где-то тиснули?»

— Но у меня, скажу откровенно, есть некоторые особые возможности. Я сейчас вам сделаю предложение, над которым вы подумайте. Возможно, вас это предложение удивит. Даже не исключаю, что возмутит в первый момент. Но прежде подумайте.

Пауза. Чтоб подумал?

— У вас превратное представление о нашей организации. Она уже не та, что была в тридцатых или в сороковых. Есть новые идеи, новые силы, новые люди. В стране идут глубокие перемены, которые пока не всеми ощущаются. И перемены могут быть гораздо глубже и радикальнее, чем вы себе представляете. Не так все просто, как вам представляется. Я хочу, чтобы эта портретная галерея не прервалась на последнем портрете, который вы сделали. Я имею в виду портрет академика Сахарова. Я хочу, чтобы вы продолжали свою работу. Я готов стать вашим гарантом. Мое условие — все, что вы делаете, должно существовать в двух экземплярах. Один у вас, дубликат — у меня. Я подчеркиваю — у меня. Считайте, что в моем личном архиве. Это — в интересах истории, если хотите. И в ваших интересах тоже.

«Кажется, я попал. Уже не до машинки. Похоже, рукопись “ГУЛАГа” их тоже не интересует. Им я нужен, со всеми потрохами». — В голову уже больше не стучало, теперь надо было головой работать, искать какой-то выход, — Илья лицом владел, задумчивое у него было лицо, но ладони вспотели.

— Вы играете в свою опасную игру, и я испытываю к вам уважение, хотя свои взгляды на радикальные движения в нашем обществе вам изложил. После революции семнадцатого года все они обречены на провал и, главное, лишены смысла. Это — простая диалектика. Вы это поймете спустя какое-то время, надеюсь, не слишком поздно. Откровенно говоря, меня не особенно беспокоит, каким образом вы будете распоряжаться той работой, которую вы будете делать в будущем. Вы поняли уже, что оперативная работа — не мой уровень. Если вы примете мое предложение, вы сможете сделать много интересного. К тому же я понимаю, что человек, который мог создать такой прекрасный архивный материал в пятнадцатилетнем возрасте, — я имею в виду ваших «люрсов» — способен работать и на более серьезном уровне.

Он взглянул на часы:

— Надеюсь, вы понимаете, что наш разговор носит совершенно конфиденциальный характер. И в ваших, и в моих интересах.

— Я не могу считать наш разговор конфиденциальным, Анатолий Александрович. — Илья проглотил слюну и сделал жест в сторону приоткрытой двери.

— Это пусть вас не беспокоит. Вас здесь никто не видел. И не увидит. Станьте, пожалуйста, лицом к окну. Да, да, именно так. — И, повысив голос, Анатолий Александрович сказал начальственным голосом: — Вера Алексеевна, вы можете идти.

Процокали каблуки, входная дверь скрипнула, замок защелкнулся.

— Не все так просто, как вам кажется, Илья Исаевич, — грустно сказал Чибиков.

Илья молчал.

— Решать надо сегодня. Сегодня я еще могу что-то для вас сделать, — голосом глубоким, черно-бархатным заметил «полковник». — Завтра уже не смогу.

«Так, я сейчас говорю “нет”, и отсюда меня уже не выпускают. А все мои материалы все равно уже у них. Речь идет лишь о том, что дальше я живу как жил, но работаю уже не на себя, а на них. Нет, не могу себе этого представить...»

— К тому же — это я просто для полноты картины добавляю, — если я сейчас не вмешаюсь и дело вернется на свой... —

Пауза...

— ...рутинный уровень, то вы и ваша жена будете нести ответственность. Положим, книги вы ей в дом своими руками занесли, но машинка — на ней. И рукопись Солженицына на ней. Вы ведь не только себя, вы и ее ставите под удар. Между нами говоря, ведь это вы ее втянули в сомнительную деятельность. И это серьезный аргумент. Пока я имею возможность остановить это дело.

«Попал. Выхода нет. Детский мат. Девочка моя любимая, тебя-то я не сдам».

— Это наше джентльменское соглашение. Я вам дам номер телефона. Домашний номер. Наша связь не будет регулярной — вы будете мне звонить всякий раз, когда будет что-то интересное. Вы печатаете столько экземпляров, сколько сочтете нужным для вашей работы, а мне передаете негативы.

— Негативы — это слишком, — отрезал Илья.

Но «полковник» уже понял, что выиграл. Он засмеялся:

— Да вы мне руки выкручиваете!

— Нет, если речь идет о деловом соглашении, я должен защищать свои интересы.

Чибиков посмотрел на него с уважением.

— Хорошо. Негативы — у вас. И последнее — ваша подпись!

— Но соглашение джентльменское! — возмутился Илья.

— Но я тоже должен защищать свои интересы! — засмеялся Анатолий Александрович.

Обе пачки выкурили. Расплывчатые мальчики в мерцающей дымовой завесе все еще тянули свои сети.

Когда Илья вышел, уже стемнело. Но осенний дождь, меленький, нудный, все шел.

Головастый ангел

«Это невероятно и неправдоподобно», — ранним утром, проснувшись, глаз не открывая, размышляла Тамара о вчерашнем вечере. Столько лет, как консервная банка, держала в себе паршивую свою тайну о великой и запретной любви, и вдруг как взорвало: выложила все человеку, который всю жизнь казался лишним, чужим, случайно к ее жизни прибившимся. Столько лет ни единого слова: ни матери — чтоб не огорчать ее, ни Ольге — чтоб не нарушить запрет, ни лучшему другу и учителю Вере Самуиловне Винберг — чтобы тайна не прорвалась в чужую жизнь, не нарушила счастливого существования чужой семьи... И вдруг ни с того ни с сего выложила все Полушке, гэбэшной жене. Впрочем, теперь все это происшествие потеряло свою актуальность.

Нет, вообще-то Тамара уже однажды признавалась в этом всём — перед крещением священнику, тот выслушал терпеливо, без всякой реакции, а потом сказал, улыбнувшись:

— Теперь все это уже прошлое. С крещением начинается новая жизнь, станете как непорочный младенец. Это преимущество своего рода — креститься в разумном возрасте, сознательно. Вам дается новая чистота, и ее берегите.

Новая чистота довольно быстро поблекла. Прошлая жизнь никуда не девалась, бросала свою длинную тень в будущее, и даже оставленный Марленом старый Робик еще два года, прежде чем издохнуть, пролежал на том коврике, где немало лет по субботам поджидал хозяина. Молчала собака, молчала Тамара.

А вчера вечером как прорвало — все выложила. Зачем? Нет, нет — все есть как есть. И если бы заново все начиналось, так же точно и поступила бы. Маму жалко. Раиса Ильинична плакала. Не о Коровине, не о Борисове-Мусатове, а именно об этом маленьком, небрежном эскизе Врубеля, на котором только что и было — большая голова и крыло, задранное противно законам анатомии. Хотя какая там анатомия у ангелов, кто ее изучал... Все были бабушкины картины, из дома Гнесиных, полученные, подаренные в разные годы. Елена Фабиановна была ее с гимназических времен пожизненная подруга. Бабушка этому семейству посвятила жизнь, и много в доме и по сей день остается следов той девичьей дружбы: чашечки, открыточки, перышки, книжечки бумажные с дарственными надписями мелким почерком с пышной подписью. Но тех трех картин уже нет. Ушли. Нет, нет, нисколько не жалко. Другое плохо — горячка, многолетнее затмение, пылающие страсти, от которых не осталось ничего, кроме чувства обокраденности. Нет, нет, нет — не про то речь.

Все было тогда ужасно: Марлена с работы выгнали, отказ шел за отказом, таскали на Лубянку, обещали посадить, а совсем уж под конец признался: жена беременна, вот-вот родит. Он всегда так пренебрежительно говорил о жене и так горячо о дочках, что у Тамары сложилась такая картина их семейной жизни, что новому ребенку как будто не от чего было завестись. Ведь он был весь ее мужчина, единственный. А тут — еще и жена беременная...

Он похудел и пожелтел лицом — Тамара даже повела

его в лабораторию анализы делать. Но кровь была спокойная, печень на месте. Только разрешения на выезд не давали. Прежние препятствия давно ушли сами собой. Давно умерла бедная инвалидка-сестра, а потом тихонько мать, которая об Израиле слышать не хотела. Ненавидела эту вражескую страну, от которой всем одно горе. С этого ее было не свернуть. И разрешения на выезд сыну никогда бы не дала....

В предпоследнюю субботу декабря пришел к Тамаре Марлен. Собака еле дотащилась. Робик, единственный свидетель их любви, стал совсем старый. Они его не стеснялись.

Раисы Ильничны тоже можно было не стыдиться — она за все эти годы Марлена в глаза не видела. Когда он приходил, она забивалась к себе в девятиметровку. Даже ночной горшок бабушкин реанимировала и поставила под кровать.

Чем хуже становились обстоятельства, тем жарче делались объятия. Теперь, годы спустя, Тамара испытывала запоздалое недоумение: да с чего она так бесновалась, забывая все на свете от простенькой этой механики: туда-сюда-обратно? Почему воспаряла в какие-то неизреченные выси? А ведь все дело-то было в двух стероидных кольцах, одно к другому прилепленных, и еще одно к верхней правой стороне, и сбоку полукольцо, да в некоторой суете радикалов, вокруг этих колец образующихся. Кто, как не она, знал на память биологическую формулу, обладающую полнейшей властью над телами и душами...

А теперь вот чувство неловкости и даже запоздалого стыда. И за него тоже: бедный Марлен, почему он так плохонько себя вел? Тоже — гормоны им руководили...

В ту предпоследнюю декабрьскую субботу, когда сердцебиение еще не успокоилось и его мохнатая грудь еще прижата была к ней плотно и влажно, он сказал делово:

— В среду меня опять вызвали для беседы. Они теперь новую политику придумали — вы не просто сионисты, вы еще и в правозащитники лезете. Это по поводу моей подписи насчет разрешения эмиграции. Они, конечно, после демонстрации озверели. Лысый всегдашний говорит: вы на этот раз пятнадцатью сутками не отделаетесь. Возьмите лист и рассказывайте в письменной форме, как это письмо к вам попало. Кто принес? Может, академик Сахаров? А там подписей штук пятьдесят. Я сказал, что не собираюсь сам на себя донос писать. В общем, сказали, что дают три дня сроку. Если не напишу, кто мне принес письмо, арестуют. Так что, Томик, возможно, мы очень долго не увидимся.

Тяжесть ширококостного мужского тела, наполненность им, неразделенность... вот сегодня я забеременею и рожу... и будь что будет... и никаких абортов больше не будет... сегодня... и если его посадят, я смогу сама... мальчика вырастить...

— И тут, понимаешь, возникло одно новое обстоятельство.

Опершись на руку, привстал, обтерся краем пододеяльника, сел, опустив шерстистые ноги на пол.

Тамара его едва слышала. Она к другому в эту минуту прислушивалась: как дрейфуют друг другу навстречу два микронных зерна, медленно, устремленно, наверняка. Пусть толстуха его Лида рожает еще одну девочку, а она родит мальчика и сама, сама его вырастит... теперь уж точно. И спрашивать не буду.

Лежала на спине и гладила свой живот. «Дура, какая дура, сколько времени упустила. Уже в школу бы ходил мальчик, если б сразу решилась», — навоображала себе Тамара другую жизнь, которая не была ей на роду написана.

— Очень интересное обстоятельство. Я давно уже слышал, что эти сволочи евреев за деньги выпускают. Поверить не мог. Просто как в тридцать девятом в Германии: богатые тогда из концлагерей выкупались. Но позже уже было невозможно. Представь, и сейчас этот механизм работает.

— Да что ты? У нас? — изумилась Тамара, мигом позабыв о своем воображаемом зародыше.

— У вас, у вас! У кого еще? — нахмурился Марлен. — Представь, к моей тетке зашел ее односельчанин. Ну, из их местечка человек, портной, как полагается. Очень хороший портной. Он шьет одному высшему чину. Большой начальник, имени называть не хочу. — Он легонько постучал в стену. Потом склонился к Тамариному уху и что-то прошептал.

— Ты с ума сошел! Никогда не поверю.

— А ты поверь! Вот так, представь себе! И портной этот шьет ему с довоенных времен, и семью его обшивает. Он его даже в Москве поселил, в свою квартиру. Ну, не в свою личную, у него есть несколько квартир для нужных людей. И мужик он хороший, ну, в каком-то смысле...

— Портной? — переспросила Тамара.

— Да при чем тут портной! Начальник этот, мистер Икс, он в своем роде приличный человек. Не кровожадный, просто деньги любит. Собственно, даже не деньги сами по себе. Он картины собирает. Серьезные картины, знаменитых художников. Серов, Перов, ну, эти ваши передвижники. Из Германии после войны целый вагон этого добра вывез, но немецких. А теперь русских собирает.

— Коллекционер? — все никак не могла вместить Тамара новых сведений о начальниках.

— Ну, если хочешь, коллекционер, — скривился Марлен. — Портной этот нам дальняя родня. Он сказал, что имеет подход к этому начальнику. Тот не от всякого возьмет, сама понимаешь. А этот родственник наш знает, как к нему подойти, и однажды такой же номер проделал. За Саврасова семью из четырех человек выпустили. Небольшая такая картинка. — И Марлен развел руками нешироко, примерно как портной ему показывал.

Тамара поняла мгновенно:

— Марлен, у нас передвижников нет. Самое ценное — один Коровин и один Борисов-Мусатов.

— Этих он не называл. Он сказал, что тот последнее время за Врубелем охотится.

— Врубель передвижником не был, — ответила Тамара. — У нас Врубель есть, только не картина, а эскиз.

— Да какая разница? Главное, надо быстро действовать. Если меня посадят, никакие картины уже не помогут, другое ведомство.

Тамара зажгла свет. Ангел с надломленным крылом висел над изголовьем Тамариной кровати. Голова большая, лоб слишком выпуклый, лицо не прописано, все мазком, нервно и торопливо. Зато крыло голубоватое, перистое, переливалось и мерцало. Удалось крыло.

— Бери, — легко сказала Тамара. — Все бери.

— Но, ты понимаешь, есть риск, может и не получиться... — Он как будто сомневался, следует ли пускаться в эту авантюру, но Тамара чувствовала, что глаз его ожил, и он думал уже вперед — куда везти, как передавать картины, и дальше, дальше....

— Может. Но ведь тебя могут и посадить.

Наготы не прикрыв — ее уже не существовало, — полезли за картинами. Все три торопливо сняли со стены, завернули в простыни, потом оделись.

— Ты уж меня извини, Томочка, но дело-то спешное. Я сейчас схвачу такси, отвезу картины к тетке, портной этот завтра часов в десять обещал к ней прийти. Чтобы все было у нее к тому времени. Я оставлю Робика до утра.

Дальше события понеслись со скоростью сверхъестественной.

Через три дня вместо обещанного ареста Марлен был вызван в районное отделение КГБ, где ему вручили постановление о лишении гражданства и разрешение на выезд со всем семейством в трехдневный срок. В следующую субботу он не пришел на всегдашнее свидание к Тамаре. Забежал в пятницу утром. Привел Робика на поводке. Сообщил, что завтра они улетают в Вену.

— Я твой должник до конца жизни, — сказал Марлен. — Ты лучшее, что было у меня. Если все-таки надумаешь возвращаться, — он всегда говорил «возвращаться», а не «эмигрировать», — свяжешься через Илью, я тут же пришлю вызов. Оставляю тебе Робика на память.

На проводы Тамара не пошла. Оля потом рассказывала ей, какое множество народу набежало прощаться с Марленом, как ошарашены были родители Лиды, как все это было неожиданно: высылка вместо обещанного ареста. Праздник вместо похорон. И все равно это были немного похороны.

— Но ты ведь никуда не уедешь, правда? Или, ты думаешь, в конце концов все евреи из России уедут? — Оля заглядывала в Тамарино остановившееся лицо.

— Нет. Что касается меня, я — нет. Даже если все уедут. Можешь быть уверена.

Так в самом конце восемьдесят первого года Марлен уехал. В ноябре восемьдесят второго года умер Брежнев. Большого начальника, любителя живописи и друга бровастого орденоносца, сняли с министерской должности, открыли дело о каких-то бешеных хищениях, об использовании служебного положения в корыстных целях. Портной быстро съехал с предоставленной ему квартиры и исчез. Так в плохих романах исчезают служебные персонажи, введенные, чтобы двинуть неумело построенное действие. Имущество бывшего начальника конфисковали, а сам он застрелился из двуствольного «гастин-раннета». А может, свои же пристрелили, чтобы закрыть дело, из которого могло произойти много лишних неприятностей.

Тамара с головой ушла в свою науку, написала докторскую диссертацию.

Марлен с семьей живет в Реховоте, научном городке недалеко от Иерусалима. У него все в порядке.

Неизвестно только, кому в конце концов достался головастый ангел с голубым крылом. Как и маленький Коровин и Борисов-Мусатов.

Дом с рыцарем

Когда Илья вышел, уже стемнело. Но дождь все шел. Странное чувство. Проиграл — чудовищно. Но и выиграл — неописуемо. Бывает ли так, чтобы сразу и проигрыш, и выигрыш? Шел медленно вверх по улице Горького. Выхода на самом деле не было. Впрочем, был один — запись об отце в его метрике. Отец Ильи был наполовину еврей, можно было бы восстановить документы, вытащить свою еврейскую четвертинку на поверхность и попробовать подать на выезд. Но тут-то они и сгноят.

Свернул к «Арагви» — там телефон-автомат стоял. Нашел «двушку», набрал номер:

— Кать! Привет! Виктор Юльевич дома? В Большевистском? Спасибо. У вас все в порядке? Пока.

Позвонил по старому телефону. Илья знал, что после смерти матери Виктор Юльевич часто ночует на старой квартире. Подошла соседка. Илья долго ждал, пока тот возьмет трубку. Спросил, можно ли прямо сейчас прийти.

Зашел в «Елисеевский». Купил армянского коньяку «пять звездочек» — раньше учитель их хорошими грузинскими винами угощал, теперь они учителя — армянским коньяком.

На Пушкинской сел в троллейбус и доехал до Чистых прудов. Потом пешком, как в дом родной, к рыцарю, который стоял в нише над парадной дверью. Железный человек под псевдоготическим козырьком перестоял здесь революцию, пережил переименование переулка из Гусятникова в Большевистский и не ведал, что ему еще предстояло, с места не двигаясь, вернуться на старый адрес.

Илья поднялся на четвертый этаж. Пять кнопок. «Шенгели» — на одной из табличек. Позвонил. Шесть личинок на высокой двери, довольно высоко — раньше здесь жили более рослые люди, чем теперешние? Все замки, кроме одного, сломаны.

Сколько лет он сюда ходит? С пятьдесят шестого? Или даже с пятьдесят пятого? Лет с тринадцати. И сейчас ему столько, сколько учителю было тогда. Или около того. Странно, долго не открывает. Отворила круглая соседка в фартуке:

— Он дома, не слышит, наверное.

Бронзовая, асимметрично-округлая ручка двери — дом «модерн» — сколько раз ее отжимал вниз, до щелчка. Вошел. На кушетке, некрасиво закинув голову и приоткрыв рот, спит, немного похрапывая, учитель. Рукав свитера вшит внутрь. Интересно, а как выглядит культя?

Спит небритый, пожелтевший, пожилой человек. Темно-красная скатерть откинута с половины стола, на обнаженном пятнистом дереве толстая тетрадь, ручка, стакан темного, как йод, чая. Да, на этой плюшевой скатерти писать нельзя.

Илья снял плащ, сел за стол. Не будить же старика. Да, с виду старик. Как быстро он сдал. Лет на пятнадцать нас старше. Конечно, не так давно сорок пять праздновали. Неужели год уже прошел? Бедняга. Был такой блестящий, элегантный, помесь Дон Кихота с Сервантесом. Мальчишки ходили за ним табуном. Да и девчонки. Всем мозги прочистил, а сам сник. Постарел. Катя его бросила. А может, он ее бросил? Из школы выгнали. Потом сколько лет смотрителем в музее Советской Армии. Говорил, книгу пишет. И там, в музее, материал богатейший — документы Второй мировой войны. Новая идея его посетила: инициация страхом. Там, где нет инициации взросления через положительные импульсы, работает инициация страхом.

Послереволюционные поколения в очень раннем возрасте получали прививку страха, и она была так сильна, что другие импульсы уже не работали, — вот какое открытие вывел Виктор Юльевич. Обсуждал с друзьями, бывшими учениками. Миха от этой идеи впал в большой ажиотаж, Илье тоже понравилось. Интересно бы почитать. Предлагал ему, что передаст на Запад. Но книгу Виктор Юльевич так и не дописал. Может, слишком долго о ней говорили, и она вся ушла в воздух. И висит в воздухе, и невидимо что-то меняет в сознании тех, кто вообще об этом задумывается...

В принципе, во всем учитель прав. Илья закрыл глаза. Да, гениальный неудачник. А Миха — бесталанный поэт, идеалист. Саня — несостоявшийся музыкант. А я теперь стукач... Хорошая компания.

Впрочем, я просто делаю свою работу. Мне важно, чтобы все это осталось. Если никто ничего не будет знать, то ничего этого как бы и не было. Мой архив сохранит это бездарное, ползучей чумой пораженное время. А что страх? Он был, есть и будет...

Что-то в этом есть, только непонятно, что случилось с самим Виктором Юльевичем. Надо как-нибудь спросить, что с ним самим случилось: почему он лежит здесь один, полупьяный, среди лучших русских книг.

Может, мир спасет красота, или истина, или еще какая-нибудь прекрасная хрень, но страх все равно всего сильней, страх все погубит — все зародыши красоты, ростки прекрасного, мудрого, вечного... Не Пастернак, а Мандельштам останется, потому что у него больше ужаса времени. А Пастернак все хотел со временем примириться, объяснить время положительным образом.

Сидеть надоело, Илья тихо постучал пальцем по голой столешнице. Спящий встрепенулся, захлопнул рот.

— А, я вас жду, Илья.

Илья вытащил из кармана плаща бутылку, поставил на стол. Виктор Юльевич встал, пошатываясь.

— Да, да, — засуетился, — сейчас.

Вынул из горки две рюмки, улыбнулся слабой улыбкой:

— Еды никакой в доме.

Илья углубился на дно кармана и вытянул лимон:

— Давайте сахарный песок, что ли...

— Это есть.

Разлили по рюмкам — коньячным, брюхатеньким. Рука учителя прекрасная, с длинными бледными пальцами без костяшек, с ровными ногтями. Держит рюмку за ножку, ласково.

— Ну что, друг мой дорогой! Видите, куда мы с вами приехали? — улыбнулся Виктор Юльевич. Двух зубов с левой стороны не было. А что он, Илья, хотел у него спросить? Что хотел сказать? Да ничего. Вот именно этого хотелось: сидеть, выпивать, испытывать друг к другу сострадание, сочувствие, бескорыстную любовь. Пили молча. Становилось лучше.

Кофейное пятно

Ирка Троицкая, сто восемьдесят три сантиметра живого роста, по прозвищу Верста, с мужскими руками-ногами, никому не говорила, что ее отец генерал. Тем более — по какому ведомству. Одевалась как все. Хотя в стенном шкафу их генеральского дома возле метро «Сокол» висело все, о чем девчонки мечтали.

И вообще у нее было все, о чем они и не мечтали, и даже более того. Но дружить с ней в студенческие годы не хотели. Она подходила — замолкали. И не только в столовой, даже в курилке, хотя стрелять — стреляли. Но — молча. То есть не все ее избегали, а именно те, с которыми ей хотелось дружить: Ольга, Рихард, Ляля, Алла и Воскобойников. Что самое обидное, Ольга сама из генеральской семьи, у Рихарда отец министр в Латвии, у Ляльки — посол в Китае. Почему они к ней свысока и презрительно? Не станешь же всем встречным объяснять, что отец у нее, хоть и генерал ГКБ, но высшей лиги игрок — всю жизнь внешней разведкой занимается.

Старшая сестра Ленка заканчивала МГИМО, там ничего подобного не наблюдалось, даже наоборот: деток начальников очень уважали. На особом счету девочки.

Они все замуж выходили перед распределением, за своих же. Это поощрялось. Самостоятельной карьеры никто из них не делал, но любому дипломату подготовленная жена в плюс.

За Ленкой чуть ли не в очередь стояли лучшие мальчики с курса, и со старших курсов тоже. Отец шутил: ребят у них, как попов, без венчанья не рукополагают. И правда, такие пары получали очень хорошие назначения.

Отец был вообще умница, весельчак и красавец. Мама во всем уступала. За исключением роста. Игорь Владимирович всегда так и говорил: женился на Ниночке для поправки породы, чтобы сыновья были рослыми, а она девок принесла. На что им такой рост, хоть в баскетбол играли бы!

Правду сказать, обе дочки на полголовы его переросли и обувь носили на два номера больше. Отца своего малорослого они обожали. С ним было интересно. О чем ни заговори, все знает: историю, географию, литературу. Библиотека дома была — как у профессора университета. Сам он профессором не был, но профессором был дед, преподавал римское право в Казанском университете в те допотопные времена, когда марксизма-ленинизма в помине не было, а основоположник задней части будущей науки сидел на студенческой скамье перед профессором и мало интересовался предметом.

Игорь Владимирович своих дочек наставлял: учитесь, у образованных людей жизнь интересней, чем у неучей.

К полкам подводил, пальцем тыкал:

— Если читать не можете, вы хоть корешки изучайте: Аристотель, Платон, Плутарх. Тебя, Ирка, хоть в университете чему-нибудь обучат, а ты, Леночка, почитывай иногда книжечки, оно не вредно...

Лена с Ирой скользили взглядом рассеянно по дорогим книгам, с детства знали, где что стоит.

Шкафы были старые, шведские, низы закрытые, а верхи — полки с опускающимися стеклянными створами. В низах у отца стояли книги особые — на русском, но заграничной выпечки, он их с работы приносил.

Лена ими совершенно не интересовалась, а Ира иногда брала на прочтение. Там было много интересного, чего в библиотеках не найдешь: и Гумилев, и Ахматова, и Цветаева, и Мандельштам.

Вот эти самые книги изменили Ирин статус на факультете. Эта давно не переиздававшаяся поэзия оказалась таким крючком, что вся компания на нее клюнула. Потом стала носить с отцовских тайных полок и другие книжечки — по одной. Отцу, конечно, не объявляла. Он, между прочим, и сам эту редкую поэзию любил, много и наизусть знал.

Престиж Иры Троицкой возрос, она вела себя умно, не открывала сразу всего богатства, а кормила желающих дозированно. Приносила в курилку и опасные редкости, и редкие драгоценности — все тамиздатское, новенькое, с иголочки. Главным образом книги издательства ИМКА-Пресс. Вот тогда-то и мелькнуло впервые перед Олиными глазами имя Бердяева, но в то время предпочитала она поэзию. Взяла томик Ходасевича и залила случайно кофе — на обложке изобразилось смутное дерево и дорога — хоть гадай по этой картинке. Оля расстроилась, всполошилась, но Ирина только плечами пожала: не переживай!

Потом пришел в Россию первый Набоков. Это было «Приглашение на казнь». Читала «своя компания». Ошеломляюще. Потрепанная книжечка, изданная на русском в Берлине в тридцатом году. На обложке дарственная надпись по-немецки: «Дорогому Эдвину в день рождения. Анна». Изъята была при аресте одного немецкого еврея, эмигрировавшего в Россию из Германии в тридцатые годы. Вышеупомянутый Эдвин изучал по этой книге русский язык — на полях карандашиком немецкий перевод отдельных слов.

Генералу Троицкому принес его друг в подарок, тоже на день рождения, но много лет спустя. У книг была разная судьба. Некоторые были уничтожены, а другие пошли по рукам. «Дар» с рук на руки передавали — открыли нового автора, которого ни в каких библиотеках, ни в каких учебниках не было.

Ольгу распирало желание отнести книжечку любимому доценту. Спросила его аккуратно о Набокове — он поднял бровь. «Что именно?» — спросил.

— «Дар».

Доцент и сам только недавно ознакомился — один студент, канадец русского происхождения, принес первого Набокова.

— Да, да, — кивнул сдержанно доцент. — Поразительный автор. На русском языке давно ничего подобного не было.

Но не спросил: а что еще есть?

«Приглашение на казнь» ходило по рукам юных филологов. Пролом в железном занавесе. Руки трясутся, сердце останавливается. Как найти этому место? Полный пересмотр всей иерархии. Новое небесное тело вошло в Галактику, и все связи затрепетали, вся небесная механика на глазах меняется: половина литературы самовозгорается и превращается в пепел...

Чистый алмаз. Все Ира Троицкая несла.

По случайному стечению обстоятельств у доцента во время обыска отобрали тот самый генеральский экземпляр «Дара», который пришел к нему по цепочке, из надежных рук. То есть Ира и не знала, что редкая книга попала в достойные руки. Нашли у доцента и выписки, которые он при чтении делал. Он уже начал писать статью «Возвращение на родину». Не успел. Но и эти несовершенные, незавершенные, к огорчению доцента, наброски тоже забрали.

Случился скандал, доцента и его соавтора посадили — не за Набокова, конечно, а за их собственные книги, изданные на Западе под псевдонимами. Началась подписная кампания, полетели головы, студентов трясли по инстанциям, Ольгу из университета отчислили за подпись на письме в защиту доцента. Иру Троицкую никто не трогал. Писем она не подписывала, никто из Олиной компании не показал на нее как на источник антисоветчины.

Ира запоздало рассказала отцу о своей просветительской деятельности. Отец в этой жизни мало чего боялся, но тут крякнул. Потом, когда всех, кого надо, посадили, выгнали и отчислили и все затихло, он восстановил утраченный экземпляр. Но это было уже американское издание. Набокова генерал тоже высоко ценил, как и доцент.

Книжки посаженных писателей любознательный генерал тоже прочитал, сказал дочери: недурно, но такого скандала они не заслужили. Ира глубоко пережила эту историю, хотя и выскочила совершенно незапятнанной. Олю она больше никогда не встречала и жалела, что она исчезла. Теперь с Ирой все дружили, хотя книг она больше в университет не таскала — отец запретил.

Ира окончила университет, распределение было шикарным: иностранная комиссия при Союзе писателей. Старый товарищ отца курировал этот Союз, через него и место вышло.

В семидесятом году в одночасье от инфаркта умер Игорь Владимирович. Незадолго до смерти дошел до него слух, что Солженицына выдвинули на Нобелевскую премию, и был он недоволен:

— Что там за комитет такой? Толстому не дали, а Солженицыну дают?

Ира после смерти отца впала в депрессию: от всего тошнило, и от шикарной работы тоже. А сестра Лена жила в Стокгольме. Ее мидовский муж служил атташе по культуре в посольстве СССР в Швеции.

Понятное дело, ему намерение Нобелевского комитета грозило одними неприятностями.

С Ирой в том году случилась удивительная вещь — ее выловила на улице из толпы немолодая элегантная дама и предложила прийти на просмотр. Дама оказалась известнейшим в стране модельером. Ирину такое предложение развеселило. Она пришла на просмотр, и ее немедленно взяли. Таких высоких манекенщиц тогда еще не было, она была первой.

Благодаря надежности происхождения Ирина Троицкая в первый же год выехала за границу. Сначала это был Белград, потом Париж и, наконец, Милан. В Милане она и осталась, получив молниеносное предложение от журналиста, ведущего колонку моды в провинциальной газете. Он не был ни красавцем, ни миллионером, но они были совершенно счастливы на юге, под Неаполем, откуда он был родом. Итальянский муж вскоре бросил коммунистическую партию, в которой состоял, заодно и никчемную журналистику, открыл ресторан, а впоследствии даже стал мэром микроскопического городка. Ни слависткой, ни переводчицей Ирина не стала, Россию никогда больше не навещала.

История, однако, тем не закончилась, во всяком случае, для семьи Троицких. Скандал с Нобелевским комитетом молодому дипломату замять было бы просто не под силу, но мидовское руководство любило объявлять виноватыми не высокое начальство, а тех, кто пониже стоит. Сочли, что Ленкин муж недостаточно старался. А тут еще Иркин побег! И дипломат, муж сестры Лены, получил по мозгам за Нобелевскую премию, в которой не был виноват, за Иркин побег и собственную неповоротливость. Молодая пара с прекрасными анкетными данными была отозвана из Швеции.

Неудачливый дипломат с семьей вернулся в Москву. Детям — мальчикам-близнецам — в Москве нравилось. Лена варила суп к приходу мужа из МИДа, где он был пятым заместителем седьмого помощника в отделе, который двадцать лет собирались расформировать. Потом от безденежья Лена пошла в школу преподавать английский язык. Бабушка Нина, как обычная домработница, гуляла с детьми в Чапаевском парке, пока не простудилась и не умерла от воспаления легких. Все было очень плохо до тех пор, пока Лена не сходила к гадалке. Гадалка была какая-то особая, с индийским направлением, она велела Лене «чистить карму», но самым первым делом предписала почистить дом, в котором накопилось много «грязи». Порекомендовано было сделать ремонт.

Муж был страшно недоволен. И так еле сводили концы с концами, а тут — нате вам! — ремонт.

Для уменьшения расходов подготовительную стадию делали своими руками. Для начала, чтобы отодвинуть шкафы от стен в кабинете покойного Игоря Владимировича, вытащили книги. Ту часть старья, что в кожаных переплетах, отправили в букинистический и деньги получили непредсказуемо огромные. Хотя там приняли не все. Оказалось, что у генерала было довольно много книг с библиотечными и музейными штампами, а их букинисты не брали.

В закрытой части шкафов муж Лены нашел огромную коллекцию антисоветских книг, в том числе и собрание, на тот момент полное, нобелеата, который испортил ему столько крови.

— Да, отец книги собирал, — пояснила Лена. — У него доступ был к тем книгам, что отбирали на обысках. Кое-что его друзья из-за границы привозили. Он много чего собирал — монеты, бумажные деньги, марки.

Ленин муж не занимал того высокого положения, что его покойный тесть, не мог себе позволить держать в доме такую коллекцию. Поздней ночью выволокли опасные книги на помойку.

Следующим вечером сдирали обои. В толще капитальной стены обнаружили сейф. Ключ к нему не прилагался. Вскрыть его домашними способами не удалось, зато он легко выскочил из стены целиком. Задняя стенка этого небольшого ящика была просто-напросто фанерная. Оторвали ее — там лежало несколько пачек допотопных долларов, имевших, впрочем, хождение до сих пор, и двадцать пять царских червонцев.

Муж схватился за голову — но на помойку не вынес.

История семьи генерала Троицкого на этом кончается. Дальнейшее уже не имело к этой семье ни малейшего отношения.

Смена в котельной заканчивалась у Игоря Четверикова в восемь утра, и обыкновенно он совершал утренний обход близлежащих помоек после шести. Район «Сокола» был не жирный, старого жилья оставалось немного, здешние дома заселялись перед войной и после войны, так что карельскую березу и французскую бронзу местные жители либо выбросили во время предыдущего переезда, либо вообще никогда не держали.

Здесь, в бывшем селе Всесвятском, если что и попадалось изредка на помойках, то были это вещи мещанские. Не так давно выбросили сундук с женской одеждой середины девятнадцатого века. Большую часть успели уволочь маленькие девочки. Игорю удалось поживиться коричневым роброном, меховой пелериной и полной гимназической формой девочки-подростка.

На этот раз Игорь просто ахнул — возле деревянного ящика, в который сбрасывали мусор жители дома, стояли аккуратные стопки «тамиздата». Не разглядывая особенно, он стащил их в котельную и побежал звонить к метро. Бывший одноклассник Илья спал, и голос его был недовольный:

— Охренел — в такую рань звонить?

— Срочно приезжай в котельную. На машине.

Илья прекрасно знал эту котельную, потому что он и устроил туда Игоря через знакомых год назад, когда Игоря выгнали со скандалом из Курчатовского института.

Через полчаса Илья приехал. Книги погрузили и отвезли на квартиру другого генерала, который когда-то увлекался не монетами и не книгами, а мебелью. И проживал на даче, а не в городской квартире.

Костя уже ушел в школу. Ольга сварила мужикам кофе и села на полу разбирать книги. Там было все читанное.

Среди аккуратных томов нашла Ходасевича с кофейным пятном на обложке — дерево и дорога.

— Игорек, а твоя котельная на Соколе, в генеральском доме?

— Ну да, а что?

— Ничего. Я все эти книги еще в университете прочитала. Наверное, хозяин умер. Генералом был.

Беглец

Гроза состоялась в половине третьего, как опера или симфония — с увертюрой, лейтмотивами, дуэтом воды и ветра. Молнии взлетали столбами, под непрерывный грохот и сверкание, потом антракт и второе действие. У Марии Николаевны сразу перестало болеть сердце, которое весь день ныло, у капитана Попова прошла головная боль, мучившая его почти сутки. Ему даже удалось поспать пару часов, прежде чем идти на работу. Единственное, чего не успел, — поставить печать на документ. Но это можно было сделать и потом.

В девять часов ровно он позвонил в дверь. Долго не открывали, потом за дверью послышалась возня.

— Кто там? Кто? Кто? — какой-то капризный женский голос что-то выговаривал невидимому собеседнику.

Наконец дверь приоткрыли, но цепочку не сняли. Сивцев и Емельяненко переминались с ноги на ногу — торопились поскорей начать и поскорей кончить. Бестолковые ребята. Попов показал в просвет свою книжечку. Опять повозились и открыли наконец.

Притопал понятой, свой парень из ЖЭКа.

— Муратов Борис Иванович здесь проживает?

Тут же появился Муратов. Крупный, лет сорока, с бородой, в синем халате, вроде бархатном.

«Таких халатов у нас не бывает, — подумал Попов с неприязнью. — Заграничный. И где только берут?»

— Ваш паспорт, пожалуйста, — вполне вежливо попросил Попов.

Муратов ушел в смежную комнату, а оттуда как раз вышла жена, конечно, красавица, и тоже в синем халате! Это ж надо, чтоб два одинаковых!

— Ознакомьтесь, пожалуйста, — Попов протянул Муратову ордер на обыск. В руки не давал, так, немного издали.

— Разрешите! — протянул руку Муратов.

Но Попов отвел бумажку:

— А чего здесь разглядывать — ордер на обыск, я вам и так скажу. Из моих рук, пожалуйста.

— Вижу, что ордер. Только печати нет.

— Вот черт какой, — рассердился Попов. — Это большого значения не имеет. Ордер есть ордер, а печать поставим, не беспокойтесь.

— Сначала поставьте, а потом и приходите, — нагло ответил Борис Иванович.

— Я б на вашем месте... повежливее. Вам с нами ссориться невыгодно. Давайте-ка не мешайте работе... — И он двинулся внутрь квартиры, Сивцев за ним. Емельяненко стоял в крошечной прихожей — входная дверь и большая комната под присмотром.

— Минуточку, — сказал Борис Иванович, вышел в маленькую комнату.

Наизусть известное расположение, распашонка: проходная, запроходная, в стене чулан, там все и сложено. Капитан Попов таких квартир много видел.

Он загородил дверь. Муратов покраснел, отстранил капитана и стал шарить в верхнем ящике письменного стола. Попов разозлился. В этой мелочной борьбе прав был Муратов. Ордер, строго говоря, был недействительный.

Но допустить поражения капитан не мог и прикрикнул:

— Не трогать ящики! Теперь мы будем их смотреть.

Но Муратов, видно, сразу нашел, что искал. Расправил плотную бумагу, желтоватую, с красной казенной шапкой и профилем «самого великого».

«Почетная грамота».

Художник сунул бумагу прямо под самый нос капитану, на такое расстояние, с которого вообще ничего не видно.

Опять у Попова заломило в затылке.

— Что вы себе позволяете?

Жена в синем халате, глаза синющие, сама бледная, смотрела на мужа умоляюще, а теща Мария Николаевна как ни в чем не бывало разливала чай по чашкам.

Борис Иванович отодвинул лист на разумное расстояние: капитану видно, но лист не цапнет.

— Из моих рук, пожалуйста, из моих рук.

Капитан прочитал. Капитан внял. Капитан ушел и увел за собой свою команду. Ни слова не говоря.

Муратов отшвырнул в угол спасительную грамоту.

Округлыми движениями Мария Николаевна поставила перед Борисом Ивановичем чайную чашку и тарелочку с бутербродом.

Борис Иванович любил тещу, проглядывала в ней Наташа, разве что теща порешительнее характером. А в жене Наташе он видел тещины черты — начинающуюся мягкую полноту, будущие складки у рта и мягкие брыльца. Хорошая, здоровая порода. Немного кустодиевской чрезмерности, но зато как привлекательны.

Наташа подняла отброшенную грамоту:

— Да что это, Боря?

Борис сделал изящное круговое движение пальцем, закончив его вертикальным взлетом к потолку — прослушивают.

— Я, Наташенька, эту грамоту получил за то, что в модельном комбинате мне доверили изготовление объекта под названием «СЛ», и даже два экземпляра этого замечательного объекта, который представлял собой, детка, саркофаг вождя и учителя всех времен и народов Владимира Ильича Ленина. И на подпись обрати внимание. Высшая власть объявляет мне благодарность.

После этого громкого заявления он вознес к потолку два больших кукиша. Большой палец у Бориса Ивановича был крупный и сильно выдавался вперед между согнутыми указательным и средним.

Мария Николаевна улыбалась. Наташа положила белые руки на еще более белую шею.

— Что теперь будет? — тихо спросила.

Борис взял лист тощей серой бумаги, которые во множестве валялись по комнате, и написал карандашом:

«Он исчез в неизвестном направлении».

И на том же листе нарисовал условно, как всегда себя рисовал — большая голова, утопленная в плечах, короткая растущая вширь борода и лоб с двумя залысинами.

— Прошу вас, налейте еще чашечку чаю, Мария Николаевна! — и звякнул чашкой.

Наташа окаменело сидела на стуле. Мария Николаевна пошла снова ставить чайник.

Борис обнял жену.

— Я так и знала. Как это все ужасно.

Потом взяла карандаш и сбоку на листе написала:

«Тебя арестуют».

«Я уйду из дома через полчаса», — написал. И нарисовал себя, кувырком летящего с лестницы.

Лист кончился, он разорвал его и поджег. Подождал, пока листочки догорели почти до кончиков пальцев, и сбросил в пепельницу.

Взял новый лист и нарисовал себя, бегущего по улице. Наверху страницы написал «Вокзал», показал Наташе и вошедшей Марии Николаевне. Теща поняла скорее, чем жена, кивнула.

— Прямо сейчас, — сказал Борис.

— Один? — сказала Наташа.

— Угу, — кивнул Муратов.

Потом Муратов полез именно в тот самый чулан, который намеревался внимательно исследовать капитан Попов, и вытащил оттуда папку, в которой хранилось то самое, за чем приходил капитан.

Вытащил стопку изрисованных листков и пошел на кухню.

Мария Николаевна следовала за ним молча, но сочувственно.

Муратов вытащил из плиты железный лист, положил на него несколько листов бумаги и поднес спичку. Мария Николаевна проворно выхватила спички.

— Сколько раз я просила вас, Борис Иванович, в мое хозяйство не вмешиваться...

Он сидел на корточках на полу, занимая почти все свободное место на кухне, и смотрел на нее снизу вверх. Мария Николаевна отодвинула его, потом слегка потеснила в коридор и оттянула из-под порога край износившегося линолеума. Борис Иванович только восхищенно развел руками. Они согласованно и четко, как будто всю жизнь только этим и занимались, подпихнули рисунки под линолеум и снова подвели его изношенный край под порог. И все стало по-прежнему, как ничего и не бывало. Борис Иванович от души поцеловал Марию Николаевну в щеку: жечь-то было жалко.

Потом он нашел в нижнем ящике комода парусиновые брюки, широченные в поясе и короткие, в чулане взял с вешалки старую соломенную шляпу, вещи покойного тестя. Все — без единого слова.

— С ума сошел, с ума сошел... — твердила Наташа, а теща, показывая на телефон, — она, как и Борис, была уверена, что прослушивают, — громко сказала: — Борь, я на обед котлеток нажарю, да?

— Котлеток — это хорошо.

Еще через двадцать пять минут он вышел из дому. Бороду сбрил, но усы оставил. Волосы укоротил. Прошел через двор, залитый водой так, что впору на лодке плыть. Сломанные ветки торчали из гигантской лужи, как после потопа. Борис тащил большую хозяйственную сумку, в которой была смена белья, свитер и любимая подушка-думочка, а также все до копейки деньги, которые нашлись в доме.

Сивцев и Емельяненко, оставленные для наблюдения, сидели в дворовой беседке и покуривали. Советовались, не сходить ли за пивом...

Капитан Попов с отчетливой печатью на ордере пришел в десять пятнадцать. Наталья Муратова, жена и ответственный квартиросъемщик, на этот раз открыла дверь сразу же и сказала, что Муратов пошел на работу. Попов кинул огненный взгляд на своих балбесов.

— Да он же не работает! — заметил Попов. — На какую такую работу?

— Он художник, на службу не ходит, а работает много. Вы же сами видели, вот саркофаг Ленина делал, — вмешалась теща.

— С тех пор его уволили, — проявил запоздалую осведомленность Попов.

— Вот он и пошел работу искать, — опять влезла Мария Николаевна.

— А он не собирался прийти к обеду? — поинтересовался капитан.

— Как же, обязательно. — Клюнули на котлетки, слухачи чертовы, да быстро-то как! — И котлетки на обед заказал. К обеду ждем.

Капитан приступил к делу. Он не жалел сил, разбирая горы разнообразных бумаг. Самиздат был обыкновенный, как у всех. Но в данном случае не самиздат интересовал Попова.

То, что искал Попов, лежало у него в кабинете в виде фотокопии страниц из журнала «Штерн». Это были карикатуры: гигантские буквы, складывающиеся в слова «Слава КПСС», а под этими гигантскими буквами стояла толпа людей и собак, пытающихся добраться до священных слов. Буквы были сложены из колбасы — вареной колбасы с кружками белого жира на срезах, с веревочными хвостиками и даже с этикеткой «2 руб. 20 коп.».

На другой карикатуре из таких же колбас был сложен мавзолей, слово «Ленин» было написано связками сосисок...

На третьей — бурлаки с картины Репина, запряженные в лямки, тянули — не баржу, а космическую ракету.

Сотрудники долго искали злостного рисовальщика и совершенно случайно открыли его. Оставалась теперь самая малость: найти оригиналы, эскизы или что-нибудь другое, сходное...

Ушел капитан Попов поздним вечером. Выволокли три мешка самиздата. Тех рисунков, которые Попов рассчитывал найти, обнаружено не было.

Борис Иванович в это время устраивался на ночлег у бабки, которая безуспешно пыталась продать на пристани в Кимрах зеленый лук и петрушку, но вся ее добыча составила путника, запоздавшего к последнему катеру на Ново-Акатово. Он переночевал за рубль в сараюшке на сене, покрытом простыней, на рассвете умылся у колодца и в шесть утра сел в катер. Бабка оказалась святая — наутро не донесла.

Вечером второго дня он сидел в дальней и труднодоступной деревне Даниловы Горки, в старой крестьянской избе своего друга Николая Михайловича, тоже художника. Рассказал ему все как есть и попросил разрешения пожить здесь, в их летнем доме либо в бане, некоторое неопределенное время. На правах двоюродного брата или кого угодно. Николай Михайлович покачал головой, крякнул, но не отказал. Так начались бега Бориса Ивановича.

Даниловы Горки была не деревня, а выселки, пять домов. Один дом Николая Михайловича, другой пустовал второй год после смерти хозяйки, ждал покупателя, а в трех, помимо хозяев, жили летами дачники. К концу августа разъезжались, мало кто оставался на сентябрь.

Мать Николая Михайловича была княжеского рода, а отец — расстрелянный в тридцать седьмом священник, и потому Николай все быстро и хорошо соображал. Сказал, что до сентября, пока в деревне много чужого народу, жить тут более или менее безопасно, а вот когда дачники съедут, каждый человек за десять верст виден.

Изба была полна. Дети, старики, две незамужние родственницы, гости-приживалы. Все работали помногу, но как-то необязательно: заняты с утра до ночи, а вроде и свободны.

Борису эта деревенская жизнь была в новинку. Человек городской — дед его, из крепостных крестьян, с 1883 года работал в литографии у Сытина, отец — типографский гравер, пролетарий художественного труда, как сам себя называл, стал настоящим московским жителем и всякую связь с рязанской родней потерял.

Борис Иванович деревни не знал и боялся, а город не любил. С детства жил в Замоскворечье, неподалеку от типографии, а как женился, переехал к жене в Харитоньевский переулок.

Лучше всего он чувствовал себя на Черном море, в Сочи или в Гаграх, ездил каждый год на курорты. Никакой деревни сроду не видывал. И вдруг раскрылась перед ним прелесть укромной деревушки, близ большой реки, среди лесов и болот. Потомки княжеской семьи тоже очень ему понравились — они уже во дворцах не живали, роскоши не нюхали, за полвека между нищетой и бедностью, между ссылками и тюрьмами те, кто выжил, закалились и опростились вплоть до незнания иностранных языков, но сохранили что-то такое, что определить никак Борису Ивановичу не удавалось.

Дочки Николая варили в русской печи кашу, пекли подовые пироги, работали в огороде, стирали на реке белье, внуки ловили рыбу, внучки и две тетки ходили за ягодами и грибами. Все рисовали, пели, устраивали детские спектакли.

На три дня приехала кузина Николая Михайловича, вертлявая и голосистая Анастасия. С ходу положила глаз на Бориса Ивановича, вскружила ему голову. Он стал легкой и сообразительной добычей, времени они нисколько не потеряли, разве что первая ночь могла бы быть подлиннее, если бы не так долго просидели в застолье за песнями. Но пела Анастасия уж больно хорошо — с цыганским каким-то шиком, звонко и вызывающе. Жене Наташе уступала эта Анастасия, мелкая, с детской, чуть припухшей грудкой, длинноносенькая, по всем статьям, и Борис Иванович долго потом вспоминал и удивлялся: баба эта, худосочная и угловатая, была как живая вода, как будто всего его промыла, перебрала по косточкам, по жилочкам и заново слепила — не помнил Борис себя таким всевластным и неиссякаемым мужем. Уплыла Анастасия на лодке на четвертый день их романа, ей надо было выходить на дежурство — она оказалась врачом, да еще и заведующей отделением. Провожала ее вся семья, на берегу она еще спела своим чистейшим голосом «Мыла Марусенька белые ноги» и долго махала платочком из лодки, которая везла ее на большую пристань, на рейсовый катер.

«Женщина культурная, но какая же блядь!» — с восхищенным недоумением думал о ней Борис Иванович. Таких женщин он в жизни не встречал.

А Николай Михайлович, как будто мысли его прочитал, сказал тихо, одному Борису Ивановичу:

— У Насти кровь такая — прабабка или прапра... с Пушкиным путалась.

На Преображенье большой компанией поехали с вечера в Кашино в церковь. Сначала катером, потом автобусом. Утомительная дорога.

Люди культурные, но верующие — таких людей он тоже прежде не встречал.

— Жизнь у вас какая-то антисоветская, — заметил с удивлением.

— Нет, Борис, она у нас мимосоветская, — засмеялся Николай Михайлович.

Борис все глядел по сторонам, разглядывал восход солнца, воду на отмели, где мальки и головастики сновали деловито и как будто осмысленно, песчаный бережок с пустыми раковинами-беззубками, узорные травки, которые прежде замечал на иконах, но не знал, что они и вправду живут на свете, удивлялся всему и радовался. Ходил с большой компанией в лес, брал грибы, которых в июле было мало, а в августе они пошли очень сильно, вместе с мелкими сладкими дождями.

Борис Иванович оказался азартным охотником до всего — и до грибов, и до рыбы, и даже оказался пригоден в крестьянской работе: легко научился управляться с топором, помог Николаю Михайловичу сарай починить и подправить ворота.

Дни были длинные, вечера с долгими чаями приятные, ночи мгновенные: заснул — проснулся, как один миг. И нашло на Бориса Ивановича необыкновенное спокойствие, какого прежде, в московской жизни, до своего дерзкого побега он не знал.

Полтора месяца прошло, он не имел никаких известий из дому, но странным образом не искал никакой связи с женой. Сверху лежало — не хочу навести на нее неприятности. А поглубже: спокойно без ее волнений, капризов, тревог и страхов.

Одну открытку от Бориса Ивановича бросила в почтовый ящик в Москве родственница Николая Михайловича: все в порядке, не тревожьтесь. Люблю, скучаю.

В августе приехала жена Николая Михайловича, дочь знаменитого русского художника, со старшим сыном Колей. Обе дочери вились вокруг матери, ухаживали за ней, как за почетной гостьей, все «мамочка, мамочка», а сын, здоровый тридцатилетний мужик, ходил хвостом за отцом. Отношения Николая Михайловича с женой тоже были необычны: ласковы, почтительны друг к другу, только что не на «вы». Говорят тихими голосами, любезны и предупредительны — не верится даже, что сами своих детей делали.

Взрослые дети все оставались детьми, и забавно было видеть, как внуки повторяют за родителями эти мелкие движения — тащат своим родителям красивое яблоко или букетик поздней земляники. Борис Иванович, убежденный противник деторождения, даже немного усомнился в своей выработанной теории: он давно уже вывел, что плодить новых людей в этом бесчеловечном и бесстыдном государстве, для жизни нищей, грязной и бессмысленной, нельзя. И условие такое ставил Наташе, когда женились.

Женаты они с Наташей были уже восемь лет, о детях она не скучала. Другое возникло обстоятельство — то ли чувства юмора ей не хватало, то ли образ мыслей мужа стал ее тяготить со временем — она кривилась на его рисуночки, которые становились все злей и острей. Жили они по сравнению с другими очень обеспеченно. Он закончил Строгановское училище по отделению подготовки мастеров, так что до настоящего художника не дотягивал, был исполнителем, зато зарабатывал побольше настоящих художников на комбинате, где бывали большие, на тысячи рублей, заказы.

Иногда нанимался частным образом к знаменитостям, помогал делать металлический декор и панно для дворцов всяческой культуры — железнодорожной или металлургической, но всегда социалистической. От этой работы он наливался злобой и сатанел и все язвительнее придумывал карикатуры на социалистическую жизнь, которая вот-вот превратится целиком и полностью в коммунистическую.

И все более предавался страсти к рисованию. Профессия его была — исполнитель художественных работ по металлу, а рисование стало и радостью, и отдыхом, и сливом раздражения. Однажды пригласили участвовать в квартирной выставке, и после первой же его заметили в этом очень узком избранном кругу художников подполья.

Появились и поклонники его подпольного творчества — первый успех принесли рабочий и колхозница, выполненные из вожделенной любительской колбасы, в виде рисунка, разумеется. Благодаря другу Илье эта колбаса даже попала в Западную Германию и была опубликована в злобном антисоветском, как все ихнее, журнале. После этого случая Борис даже оравнодушнел к большим заработкам и все больше времени проводил, чирикая карандашиком.

Здесь, в Даниловых Горках, про колбасу Муратову рисовать совсем расхотелось. Не было ее здесь, и никто по ней не тосковал. А тихое рисование тихой природы, которым увлекалась вся поголовно семья Николая Михайловича, от старых до малых, Бориса Ивановича вовсе не увлекало. Так он все лето почти и не рисовал.

Дело шло к сентябрю, стали собираться в город: в наволочки складывали низки сушеных грибов, сушенную в печи малину и землянику. Варенья в тот год не варили — сахару не запасли, да банок все равно много не увезешь. В подпол заложили соленые огурцы, закопали раннюю картошку, спустили соленые грибы.

Зимами Николай Михайлович с сыном всегда наведывался сюда из города «на инспекцию» — дом посмотреть, вывезти запасы в Москву. Зимняя дорога, в отличие от летней, водной, была труднее: поездом, потом автобусом, и еще шесть километров через лес. До Даниловых Горок машины по бездорожью не добирались, можно было дотащиться только на тракторе.

Когда отъезд уж совсем приблизился, Николай Михайлович спросил у Бориса:

— Ты что, зимовать здесь собрался, Борис Иваныч?

Муратов, хоть и прожил почти два месяца в безмятежном спокойствии, немного все же наперед заглядывал, потому сразу ответил:

— Я, Николай Михайлович, боюсь. Не милиции — печи твоей боюсь, избы боюсь, это с детства надо знать, мне както поздно осваивать.

— Да, у нас отец был приходской священник, мы все детство в избе прожили. Наука нехитрая, но все же наука.

Николай Михайлович почесал скудную свою бородку, помолчал и сделал предложение:

— У бабы Нюры дачники съехали, она ослабела последний год. Вы, Борис, у нее поживите, я договорюсь. Поможете ей перезимовать. Я в декабре приеду. Бог даст, обойдется.

Такая установилась формула общения — если «Николай, Борис», то «на вы», а если по отчеству, тогда «на ты».

Дал Муратов Николаю Михайловичу два задания. Прийти к нему домой без звонка или другого какого предупреждения, просто вечером, по адресу, отдать письмо, а места жительства не открывать. И еще. Встретиться с другом Ильей, передать привет и сказать ему одно только слово — «вперед», а тот будет знать, что делать.

Перед отъездом в деревню поручил снова с ним встретиться, взять денег, половину отнести в семью, а половину привезти сюда. А сколько будет денег, он не знает, может, много, может, не очень, а то и вовсе ничего...

Николай Михайлович исполнил все в точности на первой же неделе, как вернулся в Москву.

Муратов перебрался к Нюре. Бабка была согбенная, с кривым личиком, со скрюченными пальчиками и огромными безобразными кистями, которые она носила перед собой, и все казалось, что она держит в руках не то чашку, не то плошку. Кисти не разгибались, и работала она ими, как двумя клешнями.

В дом она пустила Муратова не за деньги, а за водку. Бабка оказалась большой любительницей немного выпить и веселой хулиганкой. Рано утром старуха просыпалась, кряхтя сползала с лежанки, крестилась на святое место в углу, где стояла на полке совершенно черная большая икона, и принимала первый наперсточек. В полдень принимала второй, в неопределенное время посреди дня она ела кашу или «картошки», а прочие нужные обыкновенному человеку жиры, белки и углеводы добирала еще тремя наперстками зелья. Бутылка уходила в неделю, она давно это вывела. По утрам она была еле живая, а к вечеру бодрая, даже делала кое-какую домашнюю работу, но бормотала все неразборчивее.

Несколько лет назад им на выселки провели радио и электричество. Электричество бабка игнорировала — света не включала, спать ложилась с темнотой, а вставала со светом. Зато радио пришлось по душе. Когда Муратов научился разбирать ее бормотание, он уловил в нем беспощадный и смешной комментарий к радиопередачам, которые она слушала в утреннее время. В тот год началось очередное наступление на пьянство, издали постановление, запустили кампанию, и по радио стали дружно клеймить алкоголизм.

— Водка им мешаить, да кто ее, водку, видить-то, самогону-то не достать. Не надо нам этого вашего ничего, вы нам наше оставьте. Вот и пусть бы БАМ вам, а водку нам.

Когда Борис Иванович стал понимать ее не совсем внятный выговор, он оценил остроту и живость ее мыслей.

— Слышь, жилец, а этот Сталин теперешний, как его величают, он еще позлее того будет, — поделилась как-то с Борисом Ивановичем своим соображением.

— Почему это?

— Тот все забрал, а этот уж остатки подчищает. Ох, ото всего освободили, родные, — вперед всего от земли освободили, потом от мужа, от детей, от коровы, от курей... От водки освободят, и полная будет свобода...

Муж Нюры сгинул в тридцатом, в коллективизацию. Три сына, подросшие к началу войны, один за другим погибли — старший в сорок первом, средний в сорок втором, младший в сорок пятом.

— И от Бога нас освободили. — Она посмотрела в темноту божницы и пробормотала: — Али Он сам на нас рукой махнул, не скажу...

Вечерами иногда приходили соседки — Марфа и Зинаида, обе хоть и помоложе, но такие же горькие. Пили чай Бориса Ивановича, и Нюра хвастала:

— Вот, жильца Бог послал хорошего, то водочки поставит, то чаю...

Борис Иванович давно уже и не помышлял о колбасе — в этих краях она полностью потеряла свой символический смысл, как предмет давно забытый и полностью вышедший из обихода. Не на что было здешним старухам гонять на электричках в Москву за колбасой, а апельсинов они до смерти и в глаза б не видели, если бы семейство Николая Михайловича не угощало изредка такими диковинами.

Рисовал теперь Муратов исключительно застолья старух. В скудости открылось большое богатство: мелкие кривые картофелины, сваренные «в мундире», мятый огурец из бочки, грибы — мелкие маслятки, здоровенные чернушки, ржавые рыжики. И царица стола — мутная бутылка самогона, заткнутая самодельной пробкой. А то и водка, если повезет. С хлебом зимой случались перебои, не завозили его в деревенский магазин большой деревни Кружилино, в шести километрах от Горок, и бабки пекли хлеб по очереди.

Бумагу, запас которой обнаружился в доме у Николая Михайловича, Борис Иванович быстро извел. Но, к счастью, нашел десяток рулонов обоев, приготовленных для оклейки светелки. Ремонт этот откладывался несколько лет, да как-то и забылся, а Борису Ивановичу обои пришлись очень кстати: сначала рисовал на оборотной стороне, рыхловато-серой, а потом пошел по лицевой, по мелко-рябенькому желтому фону, на котором старушечьи личики оживали.

Они были последние в деревне. Остальные уже перемерли, изношенные, как их ветхая одежда, смиренные, как картошка, их единственная пища, свободные, как облака.

Выпив, они не мрачнели, а веселели. Запевали песни, пускались в воспоминания, смеялись, прикрывая беззубые рты черными пальчиками. На троих было два зуба. Зубную боль утишали шалфеем и крапивой, а вырывал зубы деревенский пастух Леша, а когда он помер, то все оставшиеся зубы у односельчанок выпадали сами, без посторонней помощи.

Рассказы старух от застолья к застолью шли одни и те же, новые добавлялись изредка, и Борис Иванович рисовал посиделки тонким карандашом, вместе с их прелестными речами, которые на ленточках высовывались из беззубых ртов. Да и что за истории! Как еще до войны приехали партийные начальники в колхоз загонять, народ пошумел, пошумел, а записался, деваться некуда. А Нюрин старший сынок Никола, такой бедовый парень, нашел яйца лежалые — была одна курочка, которая уж так хитро устраивалась нести, что яиц от нее не сыскать, и уж когда стухнут да лопнут, так тухлятину в месяц не выветришь. Никола расстарался, нашел нелопнутые яйца и подложил приезжим в телегу, да так, чтобы они их в пути сытыми своими задами раздавили. И надо же такому быть, первый же начальник, усаживаясь в телегу, раздавил тухляк. Раздался легкий выстрел — и смрад на всю деревню. Ох, смеху было! А другой раз зуб разболелся у Зинаиды, а Леша-пастух запил, и пошла Зинаида в Кашино зуб рвать. У врача села в кресло и от страха обоссалась... От Кашина, почитай, восемнадцать верст бегом бежала. Прибежала домой, а зуб и прошел: по дороге флюс лопнул!

Вспоминали и мужиков своих, и даже раз поссорились: вспомнила Марфа, как Зинаида в двадцать шестом с ее мужиком загуляла. Зинаида, в свою очередь, выложила про Лешку-пастуха, что тот все стадо воровски обдаивал. А Лешка-пастух был брат родной Марфы. Слово за слово — едва не подрались. Спасла положение Нюра: пропела матерную частушку по случаю — на тему, кто куда лазал, и обе засмеялись. И снова вспоминали о делах давних, но не вполне забытых, — как «кумунисты» всю деревню «оглодали», как мужиков вывели. Помолчат, выпьют наперсток. Посмеются, выпьют еще. Но грустных разговоров промеж себя не вели — радовались любой малости, смеялись при малейшем поводе, а то и вовсе без повода, насмешничали, ерничали, плясали и пели, немного напоказ, для Бориса Ивановича, но большей частью для себя самих, чистосердечно.

Еще один подарок от дома Николая Михайловича достался Борису Ивановичу: три коробки ученических цветных карандашей. Халтурную свою металлоработу он не уважал, считал себя графиком, а эти цветные простенькие карандаши пробудили в нем живописца, и он штриховал попеременно синим, зеленым, черным, и создавалась многослойная странная красота.

Теперь он чувствовал себя ученым, зарисовывающим исчезнувший мир. Рассказывают старухи свои затейливые истории, смеются, личики сморщенные, радостные, а Борис Иванович сидит за столом — чирик-чирикает свои чудесные картиночки. Уже и обои изрядно поистратились.

Выпал снег, осенняя бедность и уныние мокрого и бурого сменились белоснежной зимой, и она осталась в памяти Бориса световым сильнейшим пятном, солнечной прогалиной на фоне серой жизни.

Все светлое время, недолгое в конце ноября, Борис Иванович бродил вокруг деревни. Болота подмерзли, можно было бы подальше отойти, но снегу так много навалило, что проваливался выше валенок.

Пришел как-то домой весь промерзший до костей, а во дворе все старухи суетятся — решили по случаю завтрашнего праздника мытье устроить.

— Какой такой праздник? Ни седьмое ноября, красный день календаря, ни пятое декабря, день советской конституции? — спрашивает Борис Иванович.

— У нас, — говорят, — праздник большой Введения.

А куда введения и кого введения — толком объяснить не могут. Но имеют единодушное старушечье решение — помыться. Да и время подошло. Прошлый раз мылись к Покрову, как раз и снег тогда лег.

Баня хорошая только у Николая Михайловича, у старух бани давно развалились, но в огороде у Николая Михайловича много снегу намело, день разгребать надо. Мыться решили, как в прошлый раз, в избе у Нюры. Молодые были, прямо в печь залезали и в ней намывались, но теперь остерегались, как бы не спечься.

Борис Иванович не стал задавать лишних вопросов. Кадку из сеней в избу закатил. Натаскал воды из колодца. Наколол им дров, занес — полные сени. Начали они с утра сильно топить, воду греть. В избе жар такой, что все окна потекли, стеклышки оплакались, очистились.

Все подготовили, даже веники запарили. И задумались: куда жильца девать — на мосту холод, во дворе и коза мерзнет, не на улицу же гнать? На печи не спрячешь, спечется. Изба не деленая, без перегородок, одно только место и есть — за печкой. А оттуда ну как подсматривать станет? Потом сами себя на смехи подняли: на что ему, молодому мужику, смотреть, на их старые кости, что ли?

Посадили Бориса Иваныча за печь, занавеску задвинули. Он там с книжечкой сидит, но не читает. Свет такой слабый, лампочка не сильнее свечи, только чуть подальше достает. Сидит он и слушает старушечьи банные разговоры.

Сначала хихикали, что больно сухие стали, уж и грязь к ним не пристает. Потом Зинаида сказала, что и вонять они перестали: были молодые, так п..здянкой пахли, а теперь пылью да плесенью. Потом пошло мытье — они кряхтели, стонали, лили воду, грохотали тазами. Потом кто-то из них поскользнулся, шлепнулся и взвизгнул — Борис Иванович встрепенулся, не надо ли поднимать. Встал во весь немалый рост и посмотрел поверх занавески. Зинаида с Марфой поднимали с полу Нюру и заливались ребячливым хохотом.

Борис Иванович остолбенел. Он привык к их морщинистым лицам, к темным искривленным рукам, к растоптанным ногам, ко всему, что выглядывало из ветхой выцветшей одежды. Но теперь — Боже праведный! — он увидел их тела. Глаз невозможно было отвести. Распущенные серые волосы струились вдоль бугристого позвоночника. Кисти и ступни выглядели еще огромнее и безобразнее — разбитые земляной работой, скрюченные, как корни старых деревьев, пальцы приобрели цвет земли, в которой десятилетиями копались. Зато тела были белокожи и иссиня-бледны, как снятое молоко. У Марфы сохранились груди с темными по-животному сосками, а у двух других груди как будто растворились, только прозрачные слабые мешочки свешивались к животу. У Зинаиды были длинные красивые ноги — остатки ног. Зады у всех вытерлись до полной ровности, только складки кожи указывали на места, над которыми когда-то круглились ягодицы.

— Я ж говорю тебе, Нюра, мне тяжелого подымать нельзя, сразу матка-то вываливается, — с вызовом и даже как будто потаенной гордостью сказала Марфа, и тут Борис Иванович увидел, что между ног у нее болтается серый мешочек размером с кисет. Он зажмурился, но не смог оторваться от этих трех граций-гарпий.

Марфа присела и в безволосый морщинистый бугор ловко вправила мешочек в глубины того, что было когда-то женским телом.

Борис Иванович был не самоучкой, закончил училище, да и все-таки происходил из семьи художника-гравера. С детства он знал иллюстрации Доре к «Божественной комедии». Он рассматривал эту толстенную книгу в те полудетские годы, когда само по себе обнаженное женское тело вызывало жгучий интерес. Но эти корявые существа, которые копошились в двух метрах от его глаз, были живыми остатками тел, и только усилием воображения можно было разглядеть в этих кривых костях и обвисшей коже женскую природу...

«В старости пол кончается, — догадался Борис Иванович и впал вдруг в ужас: — А я? И со мной станет такое? Нет, нет, не хочу, лучше сам уйду, чем впасть вот в такую ветхость, в такое ничтожество».

И тут раздался взрыв хохота: старухи его засекли!

— Ой, жилец-то твой, Нюрка, за девками подсматривает!

— Отстегаем его веником, чтоб не озоровал!

Нюра взвизгнула:

— Крапивой! Крапивой секли, кто подглядывал!

— Да ладно вам, бабки, нужны вы больно. Я думал, подымать надо, кто упал. Обрадовались!

И он убрался за занавеску. Несколько дней потом он втайне рисовал это купанье белых лебедей, как он называл подсмотренную картину.

Последние остатки обоев он извел на эту странную работу — вспоминал, как в Строгановке учили рисовать обнаженку, но здесь ничего общего не было с той рабской штриховкой, борьбой света и тени, освоением формы с помощью еще детского карандаша. Жуткие картинки получились. Но почему-то и смешные.

Нарисовал десятка два, бумага закончилась, Борис Иванович заскучал. Тут как раз и приехал Николай Михайлович с сыном, ревизию сделать своему хозяйству. Привез Борису Ивановичу много денег от Ильи. Больше, чем Борис рассчитывал. Из дому привет и письмо от жены.

Вместе отправились в соседнюю деревню, в магазин, за шесть километров.

Знакомая продавщица Верка, сильно уважавшая Николая Михайловича, отпустила заныканную водку из-под прилавка. Николай Михайлович привез из Москвы две бутылки, но Борис Иванович не мог упустить хорошего случая потратить свои большие деньги. Он избегал ходить в магазин, опасался местных жителей: а ну донесут, что неизвестный человек шатается?

Они укладывали в два рюкзака весь бедный репертуар магазина — печенье, конфеты липучие, без обертки, кильку, масло постное, крупу перловую, пакет сухого гороху, кисель вишневый в брикетах, сыр плавленый, две пачки соли. Борис Иванович все шарил глазами по полкам в надежде увидеть какую-нибудь настоящую еду. Верка оглядывала покупателя — не сгодится ли на дело. Судя по всему, сгодился бы, только глаз горит на продукт питания, а не на нее, красавицу...

Николай Михайлович, впрягшись в лямки, встряхнул плечами для утрамбовки покупок, и бутылки легко и чудно звякнули.

— Надолго приехали? В гости приходите! — Вера подперла круглую щеку кулаком свекольного цвета.

— Нет, Вера, спасибо, не приду. Я на денек. Дом даже отогревать не стал, только дрова переводить. Переночуем у Свистунихи и домой.

— Ну, хоть друга вашего к нам командируйте, — захихикала Вера, — а то скучно нам, девушкам. Он вон сколько времени здесь живет, ни с кем знакомства не свел...

Ага, значит, работает деревенский телеграф, знают в ближних деревнях, что живет здесь лишний человек. Художники обменялись понимающими взглядами.

— Да мы завтра и уезжаем. Весной, как вернемся, знакомство составите.

Нюра к приходу мужчин напекла пирогов с картошкой, а сама ушла к себе за печь. Зинаида с Марфой не появились из деликатности.

— Может, позвать надо? — спросил Борис Иванович, который уже принял свое решение — уезжать из этого чудесного и чересчур уж насиженного места.

— Нет, сегодня не придут. Они хорошего крестьянского воспитания женщины, в первый день никогда не ходят, уж не знаю почему, то ли чтоб не мешать, то ли чтоб на подарки не напрашиваться. Тонкое воспитание у них было, молодые бабы уже не те. Продавщица Верка, воровка и оторва, она племянница Зинаиды, по правилам, должна в гости к тетке ходить, гостинцы носить, а не хочет. Сын у Зинаиды сидит, два года как сидит, невестка пьющая, один внучок прошлым летом утонул, осталась девочка слабоумная... — Николай Михайлович рукой махнул. — Да что тебе, Иваныч, наши деревенские страсти...

Пришел Коля — полные руки припасов из подпола.

— Пап, все хорошо, ничего не померзло. И картошка хорошо лежит. Только, я думаю, по такому морозу мы ее до станции не донесем, померзнет. Я там огурцы и грибы увязал, а картошку я б не трогал.

— Жалко, конечно. Но ты прав, Коля. Морозы сейчас крепчают, она и в автобусе померзнет.

Сели хорошо, одной мужской компанией, поели пирогов, всякой деревенской закуски, ради встречи почистили картошку, облили постным маслом, а консервы открывать не стали — оставили старухам на Рождество. Пост рождественский только начался, но у них пост был круглый год без перерыву, разве плохую курицу когда сварят.

Совсем уж ночью, часам к десяти, раздался стук в дверь. Николай Михайлович проворно встал, сунул в руку Борису тарелку с рюмкой и пихнул его за печь, к бабке Нюре. И правильно сделал: за дверью стоял участковый Николай Свистунов, отдаленная родня. Впрочем, родства здесь давно не считали, потому что три деревни в округе наполовину Свистуновы, остальные Ерофеевы. А уж Николаем здесь был каждый второй мужик.

Свистунов скинул шапку, расстегнул милицейский тулуп. Николай Михайлович, ни слова ни говоря, взял чистый стакан, налил чуть побольше половины.

— Я к вам в Горки поднялся, вижу, печь не топите, света в избе нет, — заметил Свистунов.

— Да ее три дня топить, чтоб дом обогреть. Приехали так, посмотреть да вот огурцов, грибов из подпола взять. У Нюры переночуем — и в город.

Дороги от Даниловых Горок не было, даже и лыжню не проложили. Тропка была, которую освежили Николай с Борисом, по ней участковый и притопал. Правда, новый снежок уже припорошил недавние следы.

— Обратного ходу больше часу, — прикинул Свистунов и заторопился. В Троицком на прошлой неделе видели волков. Встречаться не хотелось. Так что Свистунов долго рассиживаться у бабки не стал: мало ли кто кого видел и кто что говорит. Он сам сходил, документы проверил, свои дачники, известные, живут в купленном доме, никаких чужих не видел.

Однако спросил для порядка:

— Николай Михайлович, ты никого чужих здесь не видал?

— Чужих? — переспросил художник. — Нет, чужих не видно, все свои.

И утопал участковый Свистунов по узкой тропочке через лес к себе домой. И никого чужого не встретил, и волков не встретил.

Борис Иванович вышел из-за печи, где, не просыпаясь, детским сном спала на узкой лавочке бабка Нюра, и сама детского размера. Мужики допили вторую бутылку водки, потом еще выпили чаю, а потом Борис вытер со стола и разложил тремя стопками свои рисунки. В одной стопке старушечьи застолья с разговорами, в другой — натюрморты, на которых картофелины и соленые огурцы вперемешку с безымянными, непонятного назначения предметами, вышедшими из употребления, — какие-то цапочки, деревянные щипцы, лопаточки, глиняная мелочь — не то для питья, не то для детской игры. А в третьей стопке, самой большой, на резаных обоях, с лица и с оборотки — голые старухи, их мослы, кожаные мешки и мешочки, складки, морщины. Только никакого «Ада» — они улыбались, смеялись, хохотали. Им было хорошо — от горячей воды, от долгожданного мытья.

Николай Михайлович смотрел долго, кряхтел, сопел, потом сказал скупо:

— А я и не знал, Борис, какой вы на самом деле рисовальщик-то! Конечно, вам больше здесь оставаться нельзя. Не знаю, что там у вас на уме, как дальше жить, но рисуночки эти я в Москву отвезу. Сохраню до вашего возвращения... — Улыбнулся. — Если сам сохранюсь...

— Неужто и правда — хорошие? А я об этом и не думал — хорошо или как. Вы в доме не держите, отдайте Илье. Может, он их пристроит, — попросил Борис Иванович.

Он был доволен чрезвычайно. Николай Михайлович был человеком уважаемым среди художников, известен был строгостью и скупостью на похвалу.

На следующий день они расстались. Николай Михайлович с сыном поехали в сторону Москвы, а Борис Иванович — в Вологду.

Целых четыре года скрывался Борис Иванович от ареста. Он уже привык к мысли, что в конце концов его все равно поймают, и жил, рискуя и играя, — сначала в Вологодской области, потом месяца три в городе Твери у вертлявой голосистой Анастасии, потом, обнаглев, переехал поближе к Москве, жил просто на подмосковной даче дальнего родственника. А потом у него возникла догадка: может, никто его и не ищет.

Друг Илья здорово ему помогал — всю коллекцию сохранил, кроме тех работ, которые удачно продал за границу. Там все шло отлично, в конце семьдесят шестого года сделали выставку в Кельне — под названием «Русская обнаженная натура». Старухи, голые ужасные старухи веселились. Им было хорошо...

Вот тут-то его и нашли. Через четыре года после удачного исчезновения.

Дали Борису Ивановичу всего два года, и статью подобрали удивительную — за порнографию! Не за антисоветскую колбасу, не за мавзолей из сосисок, даже не за ужасный портрет вождя из колбасного фарша с уже отрезанным куском уха на вилке. Именно за порнографию! Если принять во внимание, что за порнографию в СССР вообще никого ни разу не сажали, это был своего рода рекорд.

Отсидев два года в архангельском лагере, он освободился и довольно скоро с новой женой Райкой, маленькой еврейкой, верткой, ладной, как ладья, чем-то похожей на ту давнюю Анастасию, эмигрировал в Европу, где и жил до недавнего времени.

Красавица Наташа тоже не прогадала: пока Борис Иванович был в бегах, она нашла совершенно нормального инженера, от которого родила дочь той самой кустодиевской породы, которая когда-то так нравилась Борису Ивановичу. Мария Николаевна пасла внучку и варила бедные обеды. Теперешний зять был ничего, порядочный человек, но до Бориса Ивановича — куда ему!

Все старухи давно в Даниловых Горках умерли. Все в порядке.

Потоп

Девчонка, по всей видимости, звонила из автомата рядом с подъездом, потому что у двери была через две минуты.

Илья до посадки ее родителей бывал несколько раз у них дома, но ее как-то не замечал, может, дома не было или спала.

Оля определенно видела девочку в первый раз. Такие лица не забываются: мордочка маленькая и худенькая, глаза по лицу велики на несколько размеров — светлые, плоские, носик маленький, с проваленной переносицей. Странная внешность! Что-то Илья про нее рассказывал — что характер кошмарный, и никто с ней справиться не может. Зато Оля много слышала об ее отце, Валентине Кулакове, марксисте, который провозгласил себя последовательным и настоящим, а всех прочих, окопавшихся в стенах Института рабочего движения и Института марксизма-ленинизма, — не то извратителями, не то предателями.

Ольга не помнила деталей, откуда и за что его выгоняли перед посадкой. Врагов он клеймил всеми ему доступными способами, написал несколько писем в ЦК партии, но его слушать не хотели, тогда Кулаков собственноручно размножил свои вопли о правде на казенной копировальной машине и стал писать дерзкие и безответственные письма в зарубежные компартии, не то итальянцам, не то австрийцам, а может, и тем и другим.

Его, надо сказать, долго терпели, а когда выгнали из партии и из института, тогда он просто с цепи сорвался — стал издавать подпольный марксистский журнал и даже пытался передавать его за границу, чего уж терпеть органам никак было невозможно. Тут его и посадили. Заодно посадили и его жену Зину, которая своими неталантливыми руками журнал перепечатывала, переплетала кое-как, кривенько, но в идейном смысле от мужа не отставала.

Он, как говорили, был отменным специалистом и по Марксу, и по Энгельсу, и в институте не так уж много было сотрудников, равных ему по уровню. Немецкий язык он выучил в свое время ради Маркса-Энгельса. До смерти ему хотелось прочитать в подлиннике «Парижские рукописи 1844 года». Что-то в них было такое, о чем в более поздние годы Маркс уже не говорил. Когда Гитлер пришел к власти, немецким социалистам удалось привезти эти рукописи в Москву.

— А что толку? Лежат под замком, и никому на руки не дают, — жаловался Валентин Илье.

В ту пору они больше всего общались — по курилкам библиотек. Тогда же Илья впервые попал к ним в дом и даже сфотографировал Валентина с его женой Зиной. Оля вспомнила и фотографию, она хранилась в Илюшиных папках. Забавная парочка — у него густые волосы, распадавшиеся посреди головы двумя толстыми волнами от макушки к ушам, а у нее жиденькие куцые волосики, как у ребенка после долгой болезни, и кукольное личико.

Замурзанная девчонка в детской курточке с короткими рукавами и выношенным воротом стояла за дверью, а рядом с ней покорно сидела среднего размера собака — шерсть густейшая, светло-серая, хвост кольцом, и вида приличного, в отличие от хозяйки. Северная собака. Лайка. И ошейник, и поводок кожаные, солидные.

— Я Марина. Вас Илья предупредил? — Она все стояла за дверью и не входила.

— Да, да, заходите.

Марина издала какой-то тихий звучок вроде кашля, и собака вошла в дом впереди нее. За спиной у девочки висел туристский рюкзак.

Илья вышел в коридор, поздоровался.

— Сидеть, — скомандовала девочка. Собака села и посмотрела на хозяйку с таким выражением: мол, что еще изволите приказать?

Марина отстегнула поводок, отдала его в руки Илье.

— Теперь она только с вами будет выходить. Больше ни с кем. Скажете это самое слово, ну, шпацирен... и она пойдет.

На немецкую замену слова собака подняла торчком уши.

— Поняла, — улыбнулась Ольга. — Умная собака.

— Гера? Умная? Она гениальная. Она же лайка. А лайки самые умные из всех!

Оля предложила чаю, а потом спохватилась — какого чая? Покормить надо бессемейную девочку. Предложила поесть.

— Только я предупреждаю, я мяса не ем.

«Ну нахалка», — подумала Оля, но Марина улыбнулась, показав мелкие рыбьи зубы, и обратила нахальство в шутку:

— Мы так с Герой договорились: мясо ей, а все остальное мне.

И пустилась в рассказы о том, какие лайки замечательные собаки, и что они всегда у них в доме живут, с довоенных времен, потому что дедушка ее изучал жизнь северных народов и первую лайку, щенка, привез чуть ли не сорок лет тому назад, и с тех пор...

Оля что-то смутно помнила о ее дедушке-филологе, составлявшем словарь какого-то исчезающего северного племени... Да и сам исчез потом в северных лагерях.

Марина ела гречневую кашу. Хлеб намазала толстым слоем масла. Руки были исцарапанные, как будто держала не собаку, а выводок котят, ногти обгрызены почти до лунок. Съела кашу, четыре куска хлеба с маслом, сыру сколько было и граммов двести копченой колбасы из заказа, видимо, забывши, что мяса не ест...

«Бедная девочка», — подумала Оля и тут же подскочила:

— Ой, варенье абрикосовое любишь?

Оказалось, очень.

Вдвоем они съели больше полбанки варенья, потом на кухню опять заглянул Илья, возмутился: «Как, без меня?» — и доел остатки.

Пришел из школы Костя, обрадовался собаке, но Марина его предупредила, что собака-то она собака, но играть с ней нельзя: разорвет.

Костя очень удивился: на что тогда такая собака?

Оля немного встревожилась — действительно, ведь укусить ребенка может.

— Не укусить, а разорвать, — тихо поправила Марина.

Собака невозмутимо сидела на том месте, где ее застала первая команда.

— Оль, а ты ей какую-нибудь подстилочку дашь? — без церемоний перешла на «ты».

Попивши чаю, Марина сказала, что ей надо на часик выйти. Сказала собаке «лежать», и та легла на старое детское одеяло, выданное Олей.

Все время, пока девочка отсутствовала, Илья рассказывал Оле про этого Валентина Кулакова.

— Как ни странно, у нас есть одна, всего одна точка совпадения — это Сталин. Но он ненавидит его не за кровь, не за террор, а за надругательство над идеалами. У него довольно сложное построение какого-то многоступенчатого предательства: Сталин предал Ленина, но Ленин еще до того исказил Маркса, но, помнится, у Маркса какое-то недоразумение было с Гегелем, которого Маркс тоже понимал не совсем правильно, не по-кулаковски... А чтоб жизнь текла правильно, в соответствии с законом диалектического материализма, надо все привести к единому знаменателю, всюду внести поправки, а Сталина разоблачить как преступника против идеи социализма. У них там, понимаешь, целое сообщество людей, которые на костер готовы идти за какие-то цитатки из «Государства и революции».

— Ну, это ты мне не объясняй, моя мать такая же, — заметила Оля.

— Ничего общего! Совершенно другая порода! Ей во что прикажут, в то и верит. А этот собственными шариками ворочает, правды ищет, тексты проверяет и показания сличает, — определил главное отличие Илья.

— Нет, моя тоже во что-то верит, — попыталась Оля защитить родительскую честь.

Илья фыркнул:

— Верит. В распоряжение начальства. Всем известно, как она на Пастернака гавкала!

Отношения между зятем и тещей были предельно четкими: они испытывали друг к другу стойкое отвращение. Не мог Илья простить Антонине, что она изгоняла Пастернака из Союза писателей. Ей тогда предложили быть секретарем собрания, и она, сдуру или по тщеславию, а может, от страху, согласилась. Позорище такое!

Зато и теща видеть не могла зятька — вихлявого, невоспитанного. И смех его громкий был ей неприятен, и даже запах в уборной после него казался особенно противным. «Пахнет, как животное. Еврейский запах какой-то, — и каждый раз, входя после него в уборную, сжигала клочок газетной бумаги. — Ну и выбрала себе девочка моя кобеля вонючего...»

Оле, душой и телом преданной мужу, неприятны были эти флюиды ненависти, сотрясающие любое помещение, в котором мать с Ильей вместе находились, и она старалась, как могла, нейтрализовать пространство.

— Ладно, Илюша, с мамой давно все ясно, это все фигня, а вот как девочке помочь? Может, фонд ей поможет?

Фонд помощи политзаключенным, учрежденный самым знаменитым зэком, самым скандальным писателем и самым неуживчивым эмигрантом, уже перекачивал с Запада в Россию его гонорары, и они расходились по лагерям в виде продуктовых посылок, по другим адресам — в помощь семьям сидельцев, кому-то на освобождение, кому-то на лечение. И хотя все люди, причастные фонду, были честными и верными, но они были и по русскому обыкновению безалаберными, поэтому все это делалось с многочисленными накладками, ошибками, путались письма, деньги, посылки, не все попадало в нужные руки, да и органы не дремали — держи вора! — и игра шла огромная, по всей стране, с почтами, посыльными, кодами и неразберихой...

— Кому ж помогать, как не этой девочке? — настаивала Ольга.

— Нет, Олечка, ты не понимаешь, как все это устроено. Деньги там действительно есть, и именно на нужды политзаключенных и тех, кто освобождается. Но, понимаешь, сначала надо «добро» получить от Классика.

— Что, про каждую отдельную передачу денег надо спрашивать?

— Не совсем так. Насколько я знаю, есть регулярные рассылки, скажем, продуктов, и этот список здешний, его там не утверждают, а когда из ряда вон, тогда спрашивают.

— А здесь кто решает?

— Ну, мало ли кто? Слава, Андрей, Витя — не все ли равно. Люди меняются, а дело делается. А вот что касается таких индивидуальных раздач — каждый раз спрашивают.

— Ты думаешь, не дадут ребенку?

— Откуда я знаю? Классик вряд ли захочет марксистам помогать. Он коммунизм ненавидит. С другой стороны, она дочь политзаключенных, так ведь?

— Конечно. Надо бы ей помочь. Жалко девчонку. Ободранная, голодная, мясом собаку кормит, себе не покупает...

Появилась Марина под вечер. Принесла торт «Прага». «Остатки домашнего воспитания», — оценила Ольга.

Еще раз выпили чаю, и Марина пошла переодеваться к поезду. Вышла из ванной — Оля ахнула. В светлом плаще вместо детской маленькой куртенки, в сапогах на шпильках. Глаза намазаны — как на пьянку в пригородном общежитии.

— Не узнали? И они не узнают! Я уж сколько раз проверяла. Я специально в этой рванинке хожу, они к ней так привыкли, что в упор меня не видят, когда я переодеваюсь! Можно, куртец этот у вас пока оставлю?

Она запихнула в рюкзак свернутую комком куртку, туда же сбитые бесполые сандалии и сунула рюкзачок под вешалку.

— Марина, я тебя, пожалуй, провожу на вокзал, а? — спросил Илья.

— Нет, это будет неправильно. Зачем им такие подарки делать? — Она покачала головой, волосы разбились надвое. Марина провела ото лба к макушке растопыренными пальцами, всунула их под заколку. Челка свалилась на нос. Она подула вверх, тряхнула головенкой.

Илья посмотрел на нее с удивлением: малявка, а коечего понимает...

— Только ты сначала выйди с Герой погулять. Первый раз — при мне, ладно?

И опять это было умно и предусмотрительно. Ну и девочка!

Илья снял поводок с вешалки и приказал: «Гулять!» Собака посмотрела на Марину, Марина подтвердила — «Гулять!». И собака послушно вышла вслед за доверенным лицом.

Марина обернулась к Оле:

— Понимаешь, я в Питере никогда не была. Меня приятель один зовет, все зовет, говорит, классно, приезжай, белые ночи. Я эту питерскую тусовку знаю немного, ко мне приезжали ребята. Хату там обещали.

«Как это Марина за несколько минут превратилась из корявого подростка в блядовитую поганку вокзального образца? — удивилась Ольга и немного испугалась: — Не заиграется ли?» Но та мгновенно раскусила:

— Оля, я ни то и ни другое. Я — совершенно третье! — засмеялась хрипловато: — Или четвертое!

И, не меняя интонации, дала Оле инструкцию:

— Они вернутся, и я пойду. Два раза я с ней выхожу, утром пораньше и вечером попозже. Пораньше — это часов в двенадцать. Раньше-то я не встаю. Только вот ей как следует побегать надо. В принципе, лайки ведь не домашние собаки. Им и холод полезен, и нагрузка необходима. Я в том году, может, вообще за город переберусь. Есть такое предложение... — И посмотрела загадочно, как будто ожидая вопросов, на которые она отвечать не станет.

Но Оля это почувствовала и никаких вопросов не задала. Эта Марина ей одновременно и нравилась своей независимостью, и раздражала наглостью этой независимости.

Потом девчонка ушла, все легли спать, Костя в маленькой комнатушке возле кухни, за закрытой дверью, Гера легла на одеяле в прихожей, а Оля с Ильей возлегли на кровати волнистой березы с кандибоберами в изголовье. Эта береза достойно обслуживала и первый, и второй Олин брак.

Ночь выдалась беспокойная: сначала напал на Олю насморк, кашель. А под утро проснулась — что-то странное происходило: лицо как будто отяжелело и дышать было трудно. Потолкала Илью, он долго не просыпался, потом наконец продрал глаза и подскочил на месте:

— Что с тобой?

— Какой-то приступ. Может, «Скорую» надо вызвать?

«Скорая» приехала очень быстро, через двадцать минут. И разобрались они с Олиным приступом тоже очень быстро. Сказали — отек Квинке. Сделали внутривенный укол, посидели еще двадцать минут, убедились, что препарат действует, а перед отъездом объявили, что, скорей всего, виной собака, которая и вызвала у Ольги Афанасьевны аллергический приступ. Немедленно убрать из дому!

Оля, дождавшись семи утра, позвонила Тамаре и сопливым голосом попросила срочно приехать. В их школьные годы за пять минут можно было добежать от Собачьей площадки до Оли, но теперь, с «Молодежной», дорога занимала минут сорок. Тамара долго не размышляла и ничего не спрашивала: нужно так нужно. Она быстро собралась и через час была у Ольги. В прихожей ее встретила среднего размера собака. Нет, не встретила — в прихожей сидела собака, которая и ухом не повела на приход гостьи. А встретил Илья. Он повесил Тамарин плащ и открыл дверь в спальню к Оле. Собака осталась сидеть возле двери, как каменное изваяние.

Тамара, взглянув на Олино все еще отекшее лицо, ахнула:

— Что случилось?

— А, отек Квинке, — отмахнулась Ольга. — Слушай, Тамар, какая история. Это кулаковская собака. Кулаковых не знала? Ну, слышала, конечно? Как? Неужели не слышала? Валентин и Зина Кулаковы? Нет, какая Красная площадь? Он философ, марксист, издавал журнал. В общем, уже больше года, как их обоих посадили, а девочка пятнадцатилетняя осталась одна. Ну, ей шестнадцать сейчас, но, представь... Спасибо, не забрали в детдом. Сначала определили ее к тетке, но девчонка с характером, от тетки ушла через неделю, зажила одна. У нас есть какие-то общие знакомые, но не близкие, а так. Они попросили, девочка едет на неделю в Питер, собаку не с кем оставить, возьмите, мол, на время. Мы согласились, конечно. Вчера заявилась к нам — практически с улицы. С собакой. А у меня оказалась аллергия на собачью шерсть, сама видишь. Можно было бы на дачу, но мать не разрешит, это точно. Мать же по природе своей деревенский человек, понимаешь? Для нее собака в доме — нонсенс. А на улице — у нас и будки нет! Она там убежит, потеряется. А собаку эту надо сохранить.

Тамара молчала. Она не была деревенским человеком, нонсенса никакого в собаках не видела, но, работая в медико-биологическом институте, наблюдала собак либо в клетках, либо в вольере в виварии. Дома никогда не держали животных. Тамарина мама собак панически боялась, а кошек не любила. При бабушке жил старый кот Маркиз, а уж после бабушкиной смерти — никаких животных.

— Так что, Тамарочка, подержи пока эту собаченцию у себя, а там, глядишь, и хозяйка приедет. Зовут собаку Гера.

— Пока мама из санатория не вернулась, подержу, а потом, Оль, не смогу, — неожиданно твердо сказала Тамара.

— А когда? Когда Раиса Ильинична возвращается?

— Через три дня, — Тамара говорила все так же твердо.

Оля шмыгнула носом и поцеловала Тамару в гофрированные волосы:

— Какая же ты надежная, Томка. Ты и Галка — других таких нет! Подержи до маминого приезда, потом что-нибудь придумаем.

— А может, Галку спросить? Может, она собаку возьмет? — в глазах у Тамары мелькнула надежда.

— Скажешь тоже! Собака не простая, а диссидентская. Можно даже сказать, марксистская! И такую собаку в логово кагэбэшника! — засмеялась Оля уже почти обычным звонким голосом. — Да к тому же Галка в отпуске.

С транспортировкой оказалось непросто. Гера ни за что не хотела лезть в Илюшин «Москвич». Она села возле открытой дверцы с невозмутимым видом и смотрела прозрачными желтоватыми глазами вдаль. Они уж совсем было собрались идти к станции метро, но Тамару осенило:

— Илья, ты сам садись в машину и прикажи ей изнутри.

— Хитро, — оценил Илья выдумку, сел за руль и, положив на сиденье руку, приказал:

— Лежать!

Мгновенное раздумье отразилось в собачьих глазах, она встала, легко запрыгнула на сиденье, легла, вытянув вперед лапы. И вздохнула по-человечески. Места ей явно не хватало, но на собачьем лице было выражение достойной покорности.

Тамара села сзади, и они поехали.

Вечером Тамара позвонила Оле и сообщила, что собака убежала — рванула и вместе с поводком, который Тамара не смогла удержать, унеслась.

Тамара долго бегала по окрестным дворам, расспрашивала собачников, но никто лайку не видел. На следующий день развесили объявления в окрестных домах и возле станции метро «Молодежная». Стали ждать. Никто не отзывался на объявления.

Илья между тем встретился с распорядителем фонда и спросил, не смогут ли они как-то помочь девчонке, родители которой в лагере. Обещали рассмотреть.

Через три дня Марина ранним утром позвонила в дверь.

Ольга сразу же рассказала ей о пропаже собаки. Марина села на пол в прихожей, обхватив голову руками. Когда она отняла руки, оказалось, что все лицо ее покрыто красными язвочками.

— Господи, да что с тобой? Аллергия? — воскликнула Ольга.

— Нет. Мне в ванную надо! Зря моталась. Одни неприятности, — шмыгнула носом Марина и пролетела в ванную, не снимая плаща.

Полоскалась она долго, пока не проснулся Костя. Ему надо было зубы чистить, собираться в школу. Оля постучала в ванную — дверь сразу же открылась. Тощая, как рыбий скелет, вся в красных отметинах, в расчесах и синяках стояла перед ней Марина в мокрых трусах и лифчике. Вся ее одежда плавала в ванной, а поверхность воды была покрыта мелкими бордовыми комочками. Боже милостивый, это были клопы!

Оля велела Косте умыться на кухне. Наскоро накормила завтраком и выпроводила в школу. Потом вытащила из комода ночную рубашку и дала Марине.

— Пошли кофе пить.

Илья был в отъезде. Наверное, если бы он был дома, не получилось бы такого общения: они были как сестры — взрослая Ольга и младшая, растерянная и искусанная армией клопов Марина.

— Первую ночь была пьянка сплошная. Там приятель мой был, ужасная свинья, то звал, звал, а потом просто ушел посреди ночи с какой-то девкой, оставил меня в незнакомой компании. Утром ходили с этой компанией по Питеру, дождь, холодно, водку в рюмочных пили, пирожок какой-то купила, бродили весь день, ночевать никто не зовет, приятель мой вообще пропал. Я ему звоню, там отвечают, что его неделю дома не было. Что делать? Я пошла на вокзал, билетов ну вообще нет. Я еще одной там позвонила девочке, подруге моей приятельницы, она предложила с ней погудеть. Я ее часа три на Московском вокзале ждала. Рожа кошмарная — пошла я с ней.

Она меня привела в «Сайгон», такое кафе вроде нашего «Молодежного». Там мне понравилось, познакомились с компанией ребят. Поехали за город, в Петергоф, два дня там проболтались. Деньги у меня кончились. Все разъехались, подевались куда-то, остались двое ребят — отвели в университетское общежитие, оно пустое. Студентов нет, все на каникулах, но какие-то бандитские рожи мелькают. В общем, да... Короче, остались ночевать в одной комнате. Тут я кое-что пропущу, чтоб тебя не травмировать. Я до последней минуты не понимала ничего, но не орала. Чего орать — сама виновата. Поперла на рожон — и получила. Ну, повоевала немного, но они здоровые, приперли меня. Потом свалилась как мертвая. Честно скажу, напилась. Ночью просыпаюсь — как будто кипятком ошпаренная. А светло — белые, черт их дери, ночи. Очень неприятно, я вообще-то ночь люблю, а там — ни дня, ни ночи, какие-то сумерки бесконечные. Все тело горит. Распяливаю я глаза — стены все в горошек, а горошек движется — на меня. Смотрю — я вся в клопах. Я такого количества их за всю жизнь не видела. Полчища, стаи. Помыться негде, в уборной в конце коридора одна раковина. Кое-как собралась. Тут заметила, что один парень свалил, а второй спит крепким сном. Я его карманы вывернула, взяла все деньги, которые у него были, — на билет должно хватить, даже на два, думаю. Удивляешься? Да. Вот так. Все правильно... Думаю, кто меня вчера трахал — этот или тот? Кажется, оба. Не помню. А, все равно без разницы. Ну, я и дернула. Сразу на электричку, потом на Московский вокзал. Билетов нет, но я проводнице заплатила, она меня к себе определила. Проспала всю дорогу. Чешусь, правда, вся, как свинья. Это я только сейчас увидела — клопы в подпушку плаща набились и оттуда потихоньку выползают и жрут меня. Ты не бойся, я их всех утопила и кипятком слила. Оля, ты что? Ты что ревешь? Не реви, пожалуйста, а то я тоже зареву. А теперь вот еще — Гера пропала!

Слезы густо потекли по выемкам щек к маленькому подбородку. Они уткнулись друг в друга и облились слезами — слезы были крепкими и солеными, как кровь.

— Ничего, ничего, все наладится, — шептала Ольга. — Геру найдем, родители освободятся, все будет хорошо...

Затихшая было Марина взвыла:

— Чего хорошего? Чего? Эти идиоты придут и опять за свое возьмутся. Они больные, их в сумасшедший дом надо, а не в тюрягу. В моей жизни только то и хорошо, что их нет. Да я из дома первый раз в десять лет убежала. Не могла объяснить почему. А теперь могу. Я им не нужна, я им только мешала! У всех детей была жизнь как жизнь, а у меня только посиделки на кухне. Маркс, Ленин, Ленин, Маркс! Ненавижу. Я и сейчас не знаю, как мне жить. А когда они выйдут, так вообще...

Кофе давно остыл.

— Подогрей, — попросила Марина.

— Да я новый сварю...

— С ума сошла? Подогрей, сойдет... Сигарет нет?

Оля не курила — так и не научилась за годы с Ильей. Она посмотрела в комнате, не оставил ли Илья сигарет. Они выпили старый, подогретый, сварили еще кофейник. Оля хотела ее дома оставить, но как раз сегодня не могла — мать должна была дома ночевать, ей наутро надо было в литфондовскую поликлинику на обследование.

— Я провожу тебя, — предложила Ольга, и они сели в троллейбус №15 и поехали на Цветной бульвар, где во дворах бывшей Трубы в трехэтажном доме на первом этаже проживала семья Кулаковых.

Неприятности не закончились тем днем. В парадном электричества не было — стояла темень и вонь. Деревянный пол был в лужах. Входная дверь грохнула пружиной и захлопнулась.

— Оль, подержи дверь, ни черта не видно.

Марина разглядела: дверь в ее квартиру была взломана, к дверному косяку была приклеена какая-то бумажка.

— Опять приходили...

Вошли в квартиру. Марина щелкнула выключателем — электричества нет. Вся квартира затоплена. Видно было, что бедствие произошло не сегодня, а несколько дней тому назад. Вода частично сошла, а раньше стояла выше. Разбухшие книги лежали в воде как утопленники. Да и запах стоял смертельный.

Марина неожиданно захохотала. Ольга испугалась: не сошла ли девочка с ума?

— Четыре нижние полки стеллажа промокли! Смотри, Оля! Вон докуда вода доходила! Диван весь промок, подушки, одеяло! Это счастье! Жалко, что не пожар! Нет, потоп лучше! Оля, мы сейчас все выбросим! Все к черту выбросим! Все, чего гэбэшники не забрали! Платона! Аристотеля! Гегеля! И на немецком тоже! И Карлу-Марлу! И Энгельса!

Она метнулась к полкам, стала сбрасывать с них и промокшие, и совершенно сухие тома, и они падали в мелкую протухшую воду с тяжким плюхом, и летели какие-то ошметки картинок, куски обоев, вазочки...

— Над седой равниной моря ветер тучи собирает. Между тучами и морем гордо реет Буревестник, черной молнии подобный!

То крылом волны касаясь, то стрелой взмывая к тучам, он кричит, и — тучи слышат радость в смелом крике птицы!

В чужой одежде (черной Олиной кофте и в брюках, которые держались на Илюшином ремне), выданной после клопоморной ванны, Марина металась по комнате, швыряла книги с полки и орала:

— В этом крике — жажда бури! Силу гнева, пламя страсти и уверенность в победе слышат тучи в этом крике.

Пусть сильнее грянет буря! К е...и матери! Олечка, ты ничего не поняла! Я же вундеркинд! Я же все это читала! Я даже «Государство» Платона читала! Я в четырнадцать лет Аристотеля читала! Гегеля — не читала, а «Коммунистический манифест» читала! Я в гробу его видала! Потоп! У нас потоп! Наконец-то у нас потоп! Я все выброшу и сделаю ремонт! Сама! Я все здесь отмою, я побелю! Все будет белое-белое!

Ольга поняла, что все именно так и будет, и стала вытаскивать размокшие книги на помойку. И синего Ленина, и красного Сталина, и весь истмат, диамат, и всю политэкономию...

— Вместе с клопами! Ты не думай, у нас тоже клопы! Меньше, чем в Петергофе... но тоже достаточно! — кричала Маринка.

И Ольге тоже стало вдруг весело. Вот оно, отцы и дети! Кулаковы освободятся — Валентин через два года, Зина через год, потом у них еще три года ссылки, а вернутся — здесь будет жизнь чистая и белая.

Одно было неясно — как она продержится одна столько лет, эта шальная, смелая, отчаянная девчонка, вся в клопиных укусах, изнасилованная двумя алкоголиками, безжалостная к себе, безжалостная к родителям... нежная маленькая девочка.

В третью ходку к помойке, огромному сколоченному из грубых досок ящику, Оля обнаружила там сидящую полукрупную собаку. Это была Гера... Сама вернулась домой с «Молодежной» на Цветной бульвар. Настоящая диссидентская собака.

Тень Гамлета

Илья принес пропуск на прогон, за день до премьеры. Достал Алик, светотехник из театра, приятель Ильи с давних времен. О премьере и речи не было, все билеты до единого были давно распределены. Пропуск был на одно лицо. На Олино лицо. Оля сияла благодарностью.

Спектакль игрался для «пап-мам», все битком, в проходах сидели. Но первые два ряда были от зрителей свободны — там места занимали творцы: Любимов, прекрасный, как полководец перед боем, ему бы самому играть размашистого короля или великого злодея, или Господа Бога, хмурый художник с большим лягушечьим ртом, молодой поджарый композитор, помреж, несколько неопределенных причастных делу лиц.

Оля, как вошла в зал, почувствовала холодноватый восторг и волнение, как будто ей предстояло сдавать важный экзамен. Все было какое-то увеличенное, с большой буквы: Театр, Режиссер, Гамлет, Шекспир, сам Высоцкий. Села в предзаднем ряду, сбоку, и долго еще крутила головой, потому что и публика была под стать событию, лица сплошь с большой буквы и почти прекрасные. И тут почувствовала, что кто-то ей положил сзади руку на плечо, и голос густой, приятный произнес полувопросительно:

— Ольга?

Обернулась. Из толстого восточного человека проглядывало что-то знакомое.

— Карик? Мирзоян? — обрадовалась бывшему однокурснику, в первое мгновенье забыв, как он изгонял ее сначала из комсомола, а потом из института. Да, именно в таком порядке.

Он расплылся от счастья, и теперь Оля поняла: думает, что я забыла. Впрочем, я ведь действительно забыла. Да фиг с ним!

И тут заколыхался, поплыл землисто-коричневый занавес, вздымая облака пыли, все замерло, и возник легко небольшой, в чем-то черном вроде тренировочного Высоцкий — Гамлет и, в зал не глядя, из глубины сцены сам себе произнес:

— Гул затих. Я вышел на подмостки...

И мурашки пошли по рукам, по спине. И так до самого конца, на одном дыхании все шло и шло, и текст был как будто только что рожденный, в первый раз услышанный.

Ольга совсем забыла про Карика и, столкнувшись с ним уже в толчее гардероба, как будто заново узнала его.

— Ольга, ты ни капельки не изменилась, — улыбнулся ей грузный восточный человек с лысым лбом. Ольга очень нравилась ему в студенческие годы, он даже пытался за ней поухаживать, но тогда она была на совершенно неприступной высоте. А теперь и он был на приличной высоте. И она ему нравилась еще больше, чем в юности. Лицо заплаканное, глаза сияют. Тонкая, как девочка. В молодости его привлекали дамы с формами, да и жену выбрал шарообразную, как снежная баба. Но последнее время Карику стали больше нравиться именно такие — тонкие и сияющие. Очень редкие птицы.

Он взял у нее из рук номерок, принес ей куртку. Курточка с капюшоном, легкая, не по сезону.

— Я провожу тебя, — не предложил, а сообщил, и она кивнула:

— Спасибо.

Взял под руку:

— Что, на метро или пройдемся немного? Ты не замерзнешь? Уж больно легко одета.

— Да я не мерзну. Отец вологодский, так что я северянка.

— А я из Баку. В Москве столько лет, а привыкнуть к зиме не могу.

— Ах, какой спектакль! Просто гениальный! Я вообще Театр на Таганке очень люблю, больше, чем «Современник». Даже сравнить не могу, но это — просто слов нет!

Они долго шли, от Таганки вышли к Котельникам, пересекли трамвайные пути возле Устьинского моста, прошли по Солянке, и все говорили о Любимове, о Высоцком, о современном искусстве, которое одно только и дышит и движется в духоте жизни...

Карик поддакивал, потом свернул на житейские темы: что, как, с кем?

— Да все то же, разве что муж другой.

— А с работой что?

— Ну, как тебе сказать? За работой бегаю, конечно. На службу не хожу — то рефераты, то уроки, иногда переводы.

— А какие у тебя языки? Французский, да? — поинтересовался Карик.

— Французский очень приличный, могу синхронить, могу письменные переводы делать, испанский похуже, но тоже ничего. А последняя моя любовь — итальянский. Не язык — песня, просто сам в голову укладывается. Я его практически за год освоила. Но, сам понимаешь, постоянной работы нет, а так — то густо, то пусто.

— А испанский испанский или испанский кубинский? — поинтересовался он.

— Испанский у меня испанский, — вздохнула Оля, —

но диплома, Карик, у меня нет. Может, помнишь, что меня с пятого курса выгнали?

Карик засмеялся:

— Как же мне не помнить, когда я тебя и выгонял. Я же комсорг был, в партию вступал как раз. Сама понимаешь, диплом на носу, твоих пяти языков у меня нет. Между прочим, мне языки всегда с трудом давались. Армянский родной, азербайджанский я знаю со двора, а русский со школы. Со двора тоже. Но у нас, у кавказцев, акцент неистребимый. Честно тебе скажу, у меня же был год стажировки в Англии, но ничего не помогает. Так что шпиона из меня не получилось.

— Ну, ничего! Зато кагэбэшник получился! — засмеялась Оля.

— Оля, а разве у тебя отец не по этому ведомству? — улыбнулся Карик, нисколько не обидевшись.

— Нет, отец военный, по строительной части, он на пенсии. У нас в семье мама очень партийная, это да.

— Да, я помню, что у тебя семья какая-то высокопоставленная. А у меня дед пастух был, отец на базаре лаваш пек, и детей было восемь человек. Разницу чувствуешь?

Оле стало неловко: разницу она чувствовала.

— А с работой я могу тебе помочь. Я в Иностранной комиссии референт. На ставку не оформлю, а так, на разовые работы, могу. У нас как раз переводчица уволилась — да ты знаешь ее, с нашего курса, Ирка Троицкая! — а недели через две приезжает один южноамериканский писатель, почти классик. Правда, работа будет с выездом или в Ленинград, или в Ташкент. Сопровождение, встречи, сама понимаешь. Хочешь, возьму тебя? Не подведешь?

Ах ты, господи, ведь не совсем бессовестный парень оказался! Грех замаливает, что из комсомола выгонял...

Они уже дотопали до площади Дзержинского, Ольга замерзла и захотела в метро. Он проводил ее до самого подъезда, они расстались. Телефонами не обменялись.

Позвонил Карик через два дня, когда Ольга забыла об их разговоре, а вот о Гамлете все помнила, рассказывала, не могла остановиться. Да и вся Москва гудела — премьера сезона, большое театральное событие. Все спешили скорей посмотреть, потому что у Любимова всегда неприятности: то спектакль готовый закрывают, то запрещают еще в репетициях.

Карик просил заглянуть к нему в течение дня. Жила Оля в трех минутах ходьбы, если через главный подъезд. А через двор — и того меньше.

Костюм был на нем в полосочку, пошитый в Литфонде, Оля сразу догадалась. И галстук в полосочку. Потом, когда спустились в кафе и он сел, закинув ногу на ногу, оказалось, что и носки в полосочку. Но тут уж Оля себя удержала, никакой колкости себе не позволила. Помнила: дед пастух, отец на базаре лепешки пек...

— Их приезжает двое. Один писатель, а второй профессор, оба очень известные люди. Писатель из Колумбии, а второй из самой Испании, профессор известный. Оформим разовый договор, инструктаж я тебе сам дам, и вперед! Приезжают они первого февраля.

В тот день в Иностранной комиссии был большой переполох. Накануне принимали западногерманского поэта, молодого левака с большой славой. Визит был прощальный, вечером он улетал в свою Западную Германию. В СССР знаменитого немца с вызывающе-эсэсовской белесой мордой свозили в Баку на писательскую конференцию, где он завел роман с дочкой переводчицы, и теперь вся Иностранная комиссия была в большом возбуждении.

Вчера эта юная негодница, которую он приволок с собой на официальный ритуал прощания, висла на нем, как сопля на бороде, а под конец он усадил ее к себе на костлявое полутораметровое колено. А мать ее и сама поэт, лауреат Сталинской премии, переводившая его «подмаяковские» стихи на русский с подстрочника, глубоко-свекольного предынсультного цвета, делала вид, что ничего не замечает.

Ввиду этих волнующих обстоятельств на Олю и внимания не обратили. Оля, между прочим, дочку писательницы отлично знала по артековскому лагерю, куда посылали деток выдающихся людей, потом по переделкинской молодежной компании, а потом и по филфаку.

Тут появился Карик с пожилой женщиной недовольного вида:

— Оля, это наша бухгалтерская богиня Вера Алексеевна. Она тебе даст денег некоторое количество под отчет, все объяснит, а потом зайди ко мне.

Эти десять дней совершенно потрясли Олин мир. Писатель, здоровенный и бородатый, похожий одновременно и на Хемингуэя, и на Фиделя Кастро, восторженно приветствовал ее фразой, которую Оля поняла только задним числом:

— О Мадонна! Я думал, нас будет сопровождать команда кагэбэшников, а нам приставили ангела. Жалко, что одного на двоих!

Оля сунула ему маленькую деловую руку, а он поцеловал ее в голову. Профессор неодобрительно смотрел, не принимая участия в скетче.

Оля отвезла их на служебной машине в гостиницу «Метрополь». В вестибюле Ольга спросила, не нужно ли им чего-нибудь, и сунула им в руки две папочки и два конверта с некрупной суммой денег — на личные расходы. И попросила поставить подпись.

Писатель шепнул что-то на ухо профессору, тот позеленел и прошипел что-то для Оли неразборчивое. Единственное слово, которое она поняла, было «мьерда» — говно.

Писатель захохотал, пнул профессора легонько локтем в живот. У стойки Ольга заполнила положенные бумажки, и им выдали ключи.

— Я подожду вас здесь, а потом пойдем ужинать.

Ольга села на бархатный диванчик у стены и призадумалась: все было довольно занятно, но все же не надо было эту работу брать. Фигня какая-то, сидит здесь, как прислуга. Унизительная, в принципе, работа.

Первым спустился бородатый и сразу развеял ее мысли. Улыбнулся дружески, доверительно склонился к ее уху:

— Ты заметила, как он скис? Я шепнул ему, что это наши суточные от КГБ! И надо подписать, что мы приняли деньги! Он такой квадратный, что я люблю его немного подразнить.

Через десять минут спустился и профессор. Пошли в ресторан. Гости вертели головами, оглядывали лепнину и зеркала ресторана, писатель щелкал языком:

— Настоящая коммунистическая роскошь!

Он оказался обжорой, заказал и закуски, и суп, и два вторых блюда. Выпил по ходу дела полторы бутылки вина, требовал комментариев по поводу местной кухни. Профессор вел себя сдержанно, выглядел усталым. После ужина писатель потребовал, чтобы Оля немедленно повела их на Красную площадь.

— Я бы тоже немного прошелся, — поднялся профессор.

— Это рядом, мы в двух минутах от Красной площади, — кивнула Оля.

— Ну, не советую тебе. Я здесь был в пятьдесят седьмом, на Фестивале. Есть национальная особенность — к Мавзолею можно подходить только на коленях.

Профессор испуганно затряс обеими руками:

— Нет, нет, Пабло, я никуда не пойду! Я останусь в номере.

Оля мгновенно поняла, что уже участвует в розыгрыше. Писатель слегка подмигнул ей: поддержи!

— Уже отменили! Можно и не на коленях. На коленях — только желающие...

Писатель густо заржал. Профессор покачал головой, засмеялся:

— Да ну тебя к черту, вечно ты меня... — следующее слово Ольга не поняла, но смысл уловила.

Программа была очень плотная. Каждый день по две встречи с писателями, завтраки, обеды, ужины, Большой театр, Третьяковская галерея... и с каждым днем писатель скучнел, как будто ждал от поездки чего-то другого.

Тут подоспел Ленинград. В Ленинграде писатель повеселел: в прошлый приезд его никуда не возили, и теперь он пришел в восторг от города, который — справедливо — напомнил ему Амстердам и одновременно — с натяжкой — Венецию.

Оля никак не могла этого прокомментировать, потому что все города по ту сторону границы СССР находились скорее в области воображения, литературного миража, а этот житель банановой республики у черта на рогах, в Южной Америке, был гражданин мира — учился в Париже и в Нью-Йорке, разъезжал по всей Европе, всюду много ел, пил, много читал, писал что хотел... И наслаждался, постоянно и непрерывно наслаждался жизнью. Даже снег с дождем, который в Ленинграде ни на минуту не переставал, доставлял ему удовольствие. Утром в коридоре гостиницы Оля заметила, как могучая, гренадерского вида блядь выходила из его номера.

«Меня не касается», — и пошла к лифту.

Последняя часть программы — Ташкент. Полет был неудачный, с пересадкой, задержкой рейса. Намерзлись в аэропортах. Наконец добрались. Вышли — рассвет, тепло, солнце выплыло из-за горизонта прямо на глазах.

В Средней Азии Оля никогда не бывала, ей давно хотелось посмотреть на неведомую сторону света. Илья любил эти края, они вообще-то собирались поехать туда вместе, но все не получалось. Дальше Прибалтики не выбирались.

Но вышло, что посмотреть ничего не удалось — улетели из Ташкента вечером следующего дня, скоропалительно и скандально.

Утром первого дня их повели в правительственное здание барачно-сталинского типа и ввели в длинный зал с накрытыми по-восточному столами. Вдоль многометрового стола сидели — восточные в тюбетейках и невосточные без тюбетеек — сплошь мужчины средних лет в одинаковых костюмах и одинаковых галстуках. Был теплый, почти жаркий февраль, в помещении крепко пахло прошлогодним потом. Прием был по первому разряду: партийное начальство, городские власти.

Видимо, произошло какое-то недоразумение — почему-то местное начальство решило, будто принимает правительственную делегацию дружественной страны.

Чили, Перу, Колумбия — все было едино для партийных функционеров. Они работали. И работа их заключалась в том, что они говорили речи.

От первой же Оля пришла в отчаяние: она не подлежала переводу. Оля склонилась к Пабло и сообщила ему об этом. Он кивнул и попросил ее почитать какие-нибудь русские стихи — звук русской речи ему очень нравился, и он очень быстро все запоминал.

— Ладно, я прочитаю тебе «Евгения Онегина», роман в стихах Пушкина.

И началось художественное чтение на ухо, строго согласованное с выступлениями ораторов. Оля дробила строфы таким образом, чтобы соответствовать периодам речей и смене ораторов.

На четвертой главе Пабло устал. Профессор сидел, близкий к обмороку.

— Ладно, хватит, это безобразие надо кончать. Хосе, умоляю, подыграй немного, хоть раз в жизни! — попросил он профессора.

Когда очередной, но далеко не последний оратор закончил и все захлопали, Пабло вылез со своего почетного места, таща за собой слегка упирающегося товарища и Олю, которую тащить было не надо, сама поскакала. Он встал возле трибуны, задекорированной красным плюшем, и сказал ораторским большим голосом:

— У нас на родине есть такой обычай — петь друзьям благодарственную песню. И я вам спою нашу любимую песню, которую Колумб привез в Америку из Испании пятьсот лет тому назад.

И он запел. Это была «Ла Макорина», шлягер, который еще не добрался до Москвы, а уж тем более до Ташкента. Он скакал, размахивал руками, притягивал к себе Хосе, который на этот раз, устав от взятой на себя роли старшего и умного друга, вечно подвергавшегося издевкам, полностью отдал себя в распоряжение певца.

Припев песни — «Положи мне руку сюда, Макорина!» — повторился раз десять, и Пабло изобретательно прикладывал руку Хосе к разным частям своего тела, постепенно приближаясь к месту максимальной мужской ответственности.

Закончив выступление, Пабло поднял сжатый кулак в устаревшем, а в этой части света и вообще неизвестном жесте и сказал Оле:

— А теперь переводи! Да здравствует учение Маркса-Энгельса-Ленина-Сталина! Пролетарии всех стран, соединяйтесь!

Он захлопал сам себе, его дружно поддержали совершенно сбитые с толку тюбетейки. Рядом с Олей стоял ответственный за проведение встречи на высшем уровне сотрудник, настолько бледный, насколько это можно было заметить на загорелом под азиатским солнцем лице, и шептал:

— Ольга Афанасьевна! Что же это делается? Куда он? Ведь мы отвечаем! Срывается мероприятие!

— Оля, скажи ему, что мы улетаем сегодня, пусть билеты поменяют. Скажи ему, чтобы шел в жопу, что у нас на завтра встреча на самом высоком уровне! — Колумбийский писатель раздул свои мясистые щеки, так что шевельнулись толстые усы, и закатил глаза к небу. — Скажи что хочешь!

Ольга перевела.

— А как же Средняя Азия, которую ты так хотел посмотреть?

— Я уже насмотрелся, хватит! В жопу!

— Номера в Москве на сегодня не заказаны! — привела Ольга разумный аргумент против экстренного отъезда, но Пабло и слышать не хотел:

— У тебя на кухне переночуем!

— Ты с ума сошел, на какой кухне?

Он посмотрел вокруг, человек пятнадцать деятелей стояли позади выжидательно, ничего не понимая.

— Наши гости приносят извинения, но им придется улететь сегодня, поскольку завтра их будут принимать в ЦК партии.

— Скандал! Скандал! Да он понимает, что он делает? — шептал Ольге Афанасьевне в ухо ответственный специалист...

Финальная сцена имела место спустя три дня, когда Ольга сдавала в бухгалтерию список расчетов. Раздался телефонный звонок.

— Карен Аветисович просит вас зайти, — передала Оле бухгалтерша.

Карик сидел за столом с царственным видом:

— Что там у вас произошло, ты можешь мне рассказать?

Ольга все честно рассказала.

— Н-да... Возьми бумагу и пиши отчет.

— Какой отчет? Я же сдала.

— То был финансовый, а этот в КГБ, — холодно сказал Карик.

— Да ты что? — возмутилась Ольга, — Не буду я никаких отчетов писать. Мы так не договаривались.

— А как мы договаривались?

Оля опустила голову в ладони: какая же идиотка! Вот сейчас она напишет отчет и лишится навеки доброго имени. Вот так становятся стукачами.

Она вынула из сумочки только что полученные в бухгалтерии большие деньги — чистая совесть дороже.

— Будем считать, что я здесь не работала. Вот мой гонорар, и на этом закроем тему.

— Давай пройдемся, погода хорошая, — предложил Карик и сделал круговое движение толстым пальцем над головой.

«А, — злорадно подумала Оля. — Тоже прослушки боишься!»

Вышли молча. Она шла впереди, а он за ней. Перешли улицу Воровского, свернули в первый попавшийся двор в Трубниковском переулке. Сели на лавку.

— Чего ты боишься? Есть правила игры, и по этим правилам надо играть. Главное, надо быть порядочным человеком. Я в своей жизни еще никому плохого не сделал. И всем помогал. Но по правилам.

Ольга ругалась про себя: «Идиотка! Кретинка! Дешевка!»

— А у этого Пабло правила другие, да? Он, смотри, коммунист, но со всеми своими перессорился, и ему все ничего. Не боится, потому что не били, не резали. А у меня семья из Турции бежала, всех армян вырезали, кто там был. Знаешь, что скажу? Бедные остались, богатые убежали. Деньги жизнь сохраняли. Теперь не сохраняют. Теперь власть жизнь сохраняет. Что этот Пабло? Элементарный хулиган! Морально неустойчив. Факт! Женат три раза, в Ленинграде блядей в номер водил! Ты не видела, не пиши! Политически он — слов нет! Но он слов и не говорит, так, кривляется, песенки поет. Так я говорю или нет? Вот и пиши — кривляется, песенки поет. Имей в виду — только правда! Хочешь знать? Может, не вся правда! Но правила надо уважать. Я что, очень идейный? Идейный, конечно, но своих друзей не сдам. Ты молчишь, думаешь, как я тебя из комсомола исключал? Ошибка твоя была. Зачем полезла доцента защищать, зачем письма подписывала? Он правила нарушил, он сам всех подставил! Сколько народу из-за него работу потеряли, то-се... А откуда он такой взялся? Ты, может, не знаешь, но он сотрудничал с нами. С пятидесятых годов! И отчеты писал. Я сам в руках держал, мамой клянусь. А где он сейчас?

Ольга знала, что была пущена такая гнусная сплетня. Ольга плечом передернула.

— А он освободился — и в Париж! Потому что правила такие — своих не сдают. Наказали за дело, по справедливости, а потом отпустили. А из-за него сколько людей сидит до сих пор! Непорядочный человек! Не уважаю! Еще спасибо скажи, что тебя остановили вовремя. А я не знаю, между прочим, может, твой драгоценный Пабло сейчас сидит и тоже отчет пишет, как его здесь принимали, кто что говорил. Потому что все живут по правилам, это и есть главное правило: жить по правилам.

«Он искренне все это говорил, голову на отсечение. Бедняга, ему бы зеленью торговать или там коврами, а его вон куда занесло». — Ольга наблюдала его покрасневшее лицо. Он отер пот со лба. Хотя жарко здесь, на заснеженной лавочке, не было.

— Мне от тебя ничего такого не надо, только отчет. Были там, видели то, сказали то. И Хосе этот тоже фрукт хороший. Его брата семья в России живет. Брат в гражданскую войну погиб, а его племянников вывезли, и он с ними в Москве встречался. Ты этого не знала? Я же не говорю тебе — пиши, чего не видела. А в гостиницу перед отъездом к нему мужик приходил. Не видела? Племянник. Он ему деньги передал, вещи свои. Не видела? Я и не говорю тебе — пиши это...

Ага, они все знали. Хосе перед ней и не скрывал, что племянники в России. Она и звонила по его просьбе одному племяннику. Да и вообще Пабло всю эту поездку организовал, чтобы испанского приятеля в Россию свозить и чтоб тот с родственниками встретился.

Но Карик ей явно дает понять, что он знает, что она знает, и что он не требует, чтобы она о своем знании в отчете писала.

— Идем. Напишешь одну страницу, все как есть. Что сочтешь нужным. Не захочешь, я тебя больше работать не приглашу. Захочешь, буду иметь в виду. Но отчет написать надо.

Они шли в кабинет Карика по пустому коридору. Все сотрудники уже ушли. И никто ее не видел. И никто ничего никогда не узнал. Главное, конечно, чтобы Илья не узнал.

Хороший билет

Людмила к тридцати годам смирилась с участью старой девы и находила в этом положении многие преимущества: вышедшие замуж подруги, родившие детей, разведшиеся или тянувшие безрадостно домашний воз, не вызывали никакой зависти. Годы, когда она вяло поджидала сначала принца, потом хоть какой-никакой любви и, наконец, просто порядочного человека, сменила размеренная и скучноватая, зато совершенно безмятежная жизнь.

Илья появился как-то постепенно. Она начала узнавать его длинную фигуру и кудрявую голову среди нескольких десятков читателей, завсегдатаев библиотеки. Узнающие взгляды сменились легкими кивками. Однажды, перед самым закрытием библиотеки, они столкнулись возле гардероба, вместе вышли — ненамеренно. Пошли в сторону метро, разговорились из вежливости. Названы были имена: Людмила, Илья.

Через полгода Илья проводил Людмилу до дома — она тащила из абонемента пять довольно толстых книг для отца. Отец оказался академиком, правда, не вполне полноценным, с точки зрения Ильи, а сельскохозяйственным. Да и жила Люда в районе Тимирязевской академии, куда от станции метро «Новослободская» шел автобус почти час. Оказалось, что живет она не в обычном доме, а в большой старой даче, построенной еще в конце девятнадцатого века для сельскохозяйственной профессуры.

Была уже ночь, автобусы сбились на ночевку в автобусном парке на пригородной станции НАМИ, и Люда предложила Илье остаться ночевать. Академик, не утративший крестьянской привычки ложиться чуть ли не с заходом солнца и подниматься с рассветом, давно уже спал-почивал. Няня Клава, вырастившая Люду и заменившая ей рано умершую мать, уехала в тот день в гости к сестре. Останься няня Клава дома, сценарий вполне мог пойти в ином направлении.

После нехитрого ужина, который подан был в столовой, — самоварный столик, буфет с цветными стеклышками, этажерки и салфетки — Люда постелила Илье на диване, показала, где находится уборная, ушла, пожелавши спокойной ночи, а через некоторое время вернулась с полотенцем.

— Забыла сразу положить,– сказала Люда с улыбкой. Она уже переоделась ко сну, была в синем фланелевом халате, из-под которого пышной оборкой выглядывала голубая ночная рубашка. Пучок она успела распустить, лохматая коса перекинулась на грудь, когда она нагнулась положить полотенце на стул рядом с диваном. Свет полной луны, голубоватый и сильный, и сияние сугробов за окном, и старомодный уют («Как в барской усадьбе», — подумал мельком Илья) вызвали в нем романтическое движение, он притянул к себе Люду, и она податливо прильнула...

Утром Илья уехал, нисколько не переживая ночного приключения. Встретил Люду в библиотеке в конце недели и проводил в Тимирязевку. И опять остался ночевать. Няня, как и в прошлый раз, отсутствовала.

Никакого романа между ними не было. Так, по крайней мере, думал Илья, который знал толк в ухаживаниях, часто влюблялся в хорошеньких девушек и даже слыл среди своих друзей большим умельцем по части обольщения. Но этот случай — неяркая, увядающая девушка, которая, казалось, никогда и не знала цветения, — даже и не стоил усилий, упал в руки нежданно-негаданно.

Илья и в мыслях не держал, что из нечастых встреч, лишенных праздничной остроты и яркости, получится скучноватый, но вполне сносный брак.

На третьем году их вялых отношений Люда забеременела — ей было тридцать четыре года, на десяток лет старше Ильи. Они расписались незадолго до рождения ребенка, и, надо сказать, без особой со стороны Люды активности. Когда Илья предложил пожениться, она не проявила восторга, чем его даже разочаровала: все-таки он испытывал нечто вроде гордости за свое благородное поведение.

С рождением мальчика, названного Ильей — то ли в честь великодушного отца, то ли в честь равнодушного деда-академика Ильи Ивановича, — Илья почти окончательно переселился к Люде, даже перевез на дачу наиболее ценную часть своей книжной коллекции. Няня своей комнаты — рядом с Людиной — молодому мужу не уступала. Ему была выделена комната во втором этаже, где было холодновато, но просторно.

Люда заведовала лабораторией какого-то особого почвоведения, давно уже защитила кандидатскую диссертацию и, если бы не беременность, написала бы и докторскую. Но младенец, хотя был тихим и покладистым, да и вообще был полностью на руках няни Клавы, как-то лишил Люду былого научного энтузиазма, и докторская ее диссертация, уже заявленная, так и завяла на полдороге.

Илье все больше нравилось жить в Людином доме. С одной стороны к небольшому дачному поселку подступал город, но с другой стороны примыкали опытные поля, а неподалеку раскинулся огромный Тимирязевский парк с древними липовыми и еловыми аллеями, с прудами и старыми кормушками для копытных, которых давно уже не было видно.

Иногда Илья проводил в доме неделю безвыездно, потом уезжал на несколько дней. Отчета с него Люда не спрашивала, да и денег тоже. Приходил — как будто радовалась, уходил — не упрекала. Только просила предупреждать по возможности.

Малыш был в Илью, кудрявый и узколицый. Редко плакал, мало улыбался, Илья считал, что темперамент ребенок унаследовал материнский. К трем годам стали замечать странности: малыш говорил все, даже выучил наизусть нехитрые стишки, которые ему читали, но на вопрос: «Хочешь ли есть?» отвечал: «Хочешь». Няня Клава считала, что все в порядке, и странность его лишь в том, что он всех умнее, академиком будет. Уже и пять лет исполнилось, и сказки Пушкина он, восхищая няню, читал наизусть целыми книгами, а это незначительное расстройство речи все не проходило. Вызвали специалиста, тот поставил диагноз — аутизм. Им и объяснялись все небольшие странности и отклонения в развитии — хмурая сосредоточенность, необщительность, неспособность вести диалог... И ничего хорошего доктор не обещал.

В тот год, когда маленького Илью должны были отдать в школу, его отца в доме на Тимирязевке уже не было. Он постепенно — так же постепенно, как женился, — ушел из дому.

В тот же год умер отец Людмилы Илья Иванович, академик, и объявился новый академик, пожелавший занять дачу умершего. После недолгой тяжбы — хотя Людмила была заведующей лабораторией, но дача ей по чину не полагалась — ей выдали взамен отобранной дачи трехкомнатную квартиру неподалеку, в Красностуденческом проезде. При переезде Илья много помогал, вязал книги в пачки, паковал ящики с посудой, грузил в фургон.

Но на новой квартире он не задержался ни на день. Взял чемодан со своей коллекцией и собрался везти на квартиру к новой жене, о которой Люда смутно догадывалась.

Выйдя в прихожую, Илья поцеловал сына в голову.

— Веди себя хорошо, маму не обижай, — попрощался он с сыном.

— Маму не обижай, — отозвался сын.

Илья в который уж раз поежился — эти жалкие повторы чужой речи, слабое эхо чужих слов слишком уж часто звучали издевательски.

Грузная Людмила с пыльными от переезда и седины волосами стояла в дверях, Илья, не по годам рослый, прижимался к матери.

— Ты в следующий раз, как приедешь, полки не повесишь? — спросила Людмила.

— Не повесишь, не повесишь, — повторил сын.

Оля — луковка желто-розовая, со смехом, спрятанным в уголках рта, в ямках детских щек... Автобусом до «Новослободской», оттуда до «Рижской», и — в электричку до Нахабина, потом набитым автобусом до дачи, где радость, щенячий визг, снежки, лыжи, горка, говорливый Костя... И пишущая машинка стрекочет по ночам, и чулан с красным фонарем и черными кюветами, и Оля хохочет, и щекот, и жар, и любовь...

Илья приезжал к сыну Илье изредка. С книжками и конструкторами. И каждый раз было все то же, но только хуже: полная молчаливая Людмила, иссохшая злая няня Клава и Илья, который тянулся кудрявой головой вверх, но телом был узенький, хлипкий, как растение, которое вырастает в большой тесноте. Печально повторял окончания чужих фраз. Магнитофон был любимой его игрушкой, он слушал стихи, и память его легко вбирала в себя строчки. Что он в них понимал, никому не известно. Но если его просили, он мог часами декламировать стихи, копируя манеру радиоисполнителя. Читать книги так и не научился. Зато считал в уме очень быстро. Охотно слушал музыку и любил передачи про животных. Живую кошку, которая жила в доме, боялся. Боялся и собак, которых видел на улице, когда гулял с няней.

Илья с Людой развелся. Вскоре после развода умерла няня, а спустя полгода, что соответствовало двум визитам Ильи к сыну, Люда попросила дать разрешение на вывоз ребенка в Израиль. Это было то самое время, когда все окружение Ильи было озабочено выездом за границу, но в устах Люды эта просьба его ошеломила.

— Люда, какой Израиль? При чем тут Израиль?

— Мама моя покойная, знаешь, была необыкновенно педантична, ни одной бумажки у нее не пропадало. Я уже после ее смерти нашла свидетельство о смерти моей бабушки по материнской линии, она в 1922 году умерла. Барбанель ее фамилия. Алта Пинхасовна Барбанель. Известный раввинский род. У мамы все бумаги сохранились — и свидетельство о рождении бабушки, и запись о перемене фамилии при браке. Бабушка стала Китаева после замужества. Ну и мамины все бумаги сохранились... Когда евреи слышат фамилию Барбанель, качают головами и языками цокают от радости. — Она говорила, как всегда, вялым голосом, без всякого выражения, и только лицо было милое, со всегдашней полуулыбкой. Славянское-преславянское лицо, круглоротое и круглобровое...

— Какой еще Барбанель? Откуда?

— Искаженная фамилия, вообще-то Абрабанель, я теперь узнала, сефардский очень известный род, там ученые всякие, талмудисты.

— Ни фига себе! В голову не укладывается! Ты — и Израиль! Бред какой-то! Что ты там делать будешь? — Илью просто заколотило от неожиданности.

— Да мне все равно, может, и не в Израиль. Приглашение я получила из Израиля, а куда попаду, не знаю. Может, в Америку...

— Ну, хорошо, хорошо... Только объясни мне, как это тебе в голову пришло, черт-те что! — никак не мог успокоиться Илья.

— Чего же тут не понять, Илья? Мне к пятидесяти, сердце плохое. Моя мама в сорок три от сердечного приступа умерла. Мне Илюшу оставить не на кого. А там лечебные учреждения хорошие, его возьмут, он не погибнет. А здесь — что он без меня?

В комнату вошел Илюша маленький. Ростом он был несуразно велик и деформирован болезнью: руки с длиннющими кистями и тонкими вислыми пальцами, маленький подбородок и впалые глаза... бедный, бедный... Кроме аутизма, нашли и еще какой-то редкий синдром, но и аутизма вполне хватило бы...

— ...без меня, без меня, без меня... — угрожающе произнес он.

Люда усадила его и сунула в руки яблоко.

— Хорошие клиники, человеческое обращение, уход, — у нас нет другого выхода, — очень спокойно говорила Люда.

— Нет другого выхода, — с нелепо-радостной интонацией повторил Илюша.

Илья в тот же вечер подписал приготовленную Людмилой бумагу: он не возражал.

Сына он видел еще несколько раз. Последний — когда провожал их в аэропорт.

Оля сунула Илье перед отъездом в аэропорт огромного плюшевого медведя:

— Отдай своему мальчику, пусть на память будет.

— Больно здоров мишка, — взвесил Илья игрушку на руке.

— Так и мальчишка, как я понимаю, здоровенный.

Илья никогда не дарил сыну мягких игрушек, да и вышел по возрасту парень из «плюшей». Илюша маленький засиял при виде медведя, содрал с него целлофановую обертку и прижался совсем уже взрослым лицом к мягкому брюху.

— Это Оля с Костей велели передать тебе медведика, — бормотал Илья, сам себе удивляясь: с чего это он назвал имена своих домашних, которых и не знал его неудачный сынок.

— Медведик, медведик, — радовался Илюша, а Илья-отец морщился от неловкости и боли.

Илья уже подъезжал к станции метро «Речной вокзал», когда Людмила попросила стюардессу пересадить их в первый ряд, где для длиннющих ног мальчика было побольше места, и Илюша устраивался, повторяя последние слова, услышанные им на родине:

— ... хороший билет, хороший билет...

В Америке Людмила долго мучилась, прежде чем решилась сдать Илюшу в лечебницу. Может, и не сдала бы, но с годами он стал агрессивным, она не могла с ним справиться. Два года его продержали в лечебнице, а потом перевели в заведение, что-то вроде интерната, где он проходил специальные курсы, по окончании которых мог делать какую-то несложную работу.

Люда навещала его по воскресеньям. Привозила ему белый шоколад, который он очень любил, и большие бутылки с колой. Дорога в один конец занимала больше двух часов — от Брайтон-Бич, где ее поселили в доме для бедных, до отдаленной части Квинса. Шесть лет каждое воскресенье навещала она сына и каждый раз, возвращаясь домой, валилась на двуспальную кровать, выданную в благотворительной «Найане», закрывала глаза и благодарила Бога, что мальчик сыт, в тепле, обеспечен медицинской помощью. В одно из воскресений она не приехала, но он, кажется, этого и не заметил.

Программа по социализации шла очень хорошо, и еще через год он получил первую в жизни работу: два раза в неделю продавал газеты в киоске в одной остановке от заведения. За работу он получал десять долларов и шел в маленький магазинчик, где его знали, покупал себе гостинцы — плитку белого шоколада, бутылку кока-колы и лотерейный билет.

 Он показывал пальцем на плитку, и черный продавец говорил:

— Шоколад?

— Шоколад, шоколад, — отвечал Илья.

Потом указывал на лотерейный билет, и продавец протягивал ему запечатанную бумажку со словами:

— Вот тебе хороший билет...

— Хороший билет, — повторял он.

Жизнь его наладилась совершенно, у него были друзья, с которыми он проводил время перед телевизором. С тех пор как Люда перестала приезжать, русские слова как будто вовсе ушли из его странной памяти, которая держала много стихов, ставших с течением лет иностранными.

В последнюю неделю мая Илья отработал в киоске до полудня, получил свою десятку и купил плитку шоколада, колу и лотерейный билет. Билет оказался более чем хороший — он принес главный выигрыш, 4 миллиона 200 тысяч долларов.

Интернат, в котором он жил, был рассчитан на бедных. Миллионеров в нем не держали.

Миллионер же плохо представлял себе сложную задачу, которая перед ним возникла. По закону Илья считался недееспособным. Мать его умерла. Пытались разыскать отца, Илью Брянского. После долгой переписки и многочисленных запросов установили, что отец проживает в Мюнхене. Когда нашли его следы, оказалось, что он недавно умер. Адвокаты разыскали сводного брата Константина.

Костю вызвали, и он полетел в Нью-Йорк. Он смутно помнил, что у Ильи был сын от первого брака. Врачи предупредили его о болезни новоявленного брата. При виде его Костя ужаснулся, но виду не подал. Он похлопал тощего гиганта по плечу и сказал по-русски:

— Привет, брат.

Тот расцвел улыбкой:

— Привет, брат!

Костя вытащил из бумажника фотографию Ильи:

— Вот Илья.

Илья взял в руки фотографию и озарился:

— Илья.

— Я — Костя.

Илья немного посображал и произнес с напряжением:

— Медведик.

Но Костя ничего не знал о последнем Олином подарке.

Илья еще несколько раз повторил «медведика», а потом стал читать стихотворение...

> Когда за городом, задумчив, я брожу
> и на публичное кладбище захожу,
> решетки, столбики, нарядные гробницы...

Дочитал до конца.

— Еще, — попросил Костя.

И Илья, сморщив лоб, изловил в своей больной, но необъятной памяти, следующее.

Он читал долго — все любимые стихи покойного Ильи, с той самой интонацией и похожим голосом.

Костя смотрел на этого больного немолодого уже мальчика, вспоминал отчима — остроумного, живого, талантливого, — одновременно прикидывал, что надо будет сейчас найти аналогичное заведение, не социальное, а коммерческое, для богатых, оформить опекунство, разобраться со счетами, заново наладить эту диковинную жизнь.

Потом Костя повел свежеобретенного брата в кафе. Тот показал пальцем на большой ягодный торт.

— Тебе кусок или целый? — спросил Костя.

— Целый, — ответил Илья, застенчиво опустив глаза.

Костя немного подумал, и спросил еще раз:

— Тебе целый торт или одну порцию?

Илья еще более застенчиво устремился взором на свои кроссовки немыслимо огромного размера и промолчал.

— Понятно. Есть своя логика, — кивнул Костя.

— Логика, — радостно подтвердил Илья и сел за столик, как послушный ребенок.

Официантка принесла торт и колу для Ильи и минеральную со льдом для Кости. Была только середина июня, но нью-йоркская жара уже началась, и кондиционера, конечно, не было в этом захудалом месте.

Илья с серьезным детским наслаждением ел пластмассовой вилочкой кусок за куском. Голова у Ильи была точь-в-точь как у покойного отца — темно-каштановая, кудрявая, с ранней проседью. Да и по лицу гуляло сходство, но несколько карикатурное.

Костя вспомнил с кинематографической отчетливостью, как сидят они втроем — он, восьмилетний, — на берегу озера — Валдай? Ильмень? Плещеево? — на закате солнца возле костра, отчим длинными грязными пальцами очищает картошку от припекшейся золы, а по озеру ходят полосы света, розовые, малиновые, желтые от заходящего солнца, и мама, сияя рыжиной в волосах, смеется, и отчим смеется, и он, Костя, счастлив и любит их навеки.

Бедный Илья! Бедная Оля!

Бедный кролик

Доктор Дмитрий Степанович Дулин, когда было время задуматься о своей жизни, расценивал ее как удачную, даже как незаслуженно удачную. Но об отвлеченных вещах он редко думал. Зато по субботам, когда на глазах подпрыгивающей от нетерпения дочки Мариночки за уши вытаскивал из портфеля запеленутого в старое полотенце крольчонка, чувствовал благодарное довольство. Дочка была похожа на крольчонка, мягонькая, серенькая, с устроенной немного по-кроличьи верхней губой, а там, где у кролика торчали белесые ушки, у нее свисали голубые ленточки. Жаль, снимочка не сделал: Маринка с кроликом...

Дмитрий Степанович отдавал крольчонка дочке, а полотенце вместе с сухими шариками жене Нине, та вытряхивала их в мусорное ведро, а полотенце относила в ванную стирать. Это было специальное кроличье полотенце, в котором крольчонок путешествовал каждую субботу домой и каждый понедельник обратно, в лабораторию.

Крольчонок всякий раз бывал другой — первый попавшийся, из клетки, где жили подопытные животные. Брал Дулин, конечно, не из тех, которые были в эксперименте, а из «контрольных». Экспериментальные тоже были более или менее здоровые, но рождены были от крольчих-алкоголичек, которым доктор вливал разведенный спирт с их юного возраста, потом спаривал с кроликом-алкоголиком и наблюдал потомство. Такая была у него диссертационная тема — влияние алкоголя на потомство кроликов. Потому что о влиянии алкоголя на потомство человека наука знала уже очень хорошо. Лаборантка Маша Вершкова, половиной ставки которой Дулин располагал, была именно из этой части народонаселения: глазные яблоки часто и меленько дрожали — нистагм, и пальчики тряслись — тремор. И родилась она семимесячной, от пьющих родителей, но — повезло! — умственно не поврежденной. Что было свидетельством того, что и у пьяниц бывают удачи.

Мариночке никогда ничего такого не угрожало — отец ее алкоголя просто не выносил, даже пива не пил, также и не курил, вел жизнь здоровую во всех отношениях. Мать выпивала рюмки три в год, по праздничным случаям.

Мариночка тащила субботнего крольчонка в свой угол, укладывала на кукольную кроватку, умывала понарошку, тискала, целовала и кормила морковкой.

Дмитрий Степанович был родом деревенский, привычный к животным, и оставался деревенским до тех пор, пока город Подольск, разрастаясь, не проглотил их некрасивой деревеньки и деревенская жизнь постепенно не разрушилась. Впрочем, городская жизнь для Дулина не сразу началась. Пятиэтажки строили по причудливому плану, и по этому плану ломали не все крестьянские дворы подряд, а только те, которые занимали место будущих новостроек. Дом Дулиных тогда не сломали, но хозяйство рухнуло, остались только куры, кошка да собака, а козу и поросенка отдали бабушкиной сестре в дальнюю деревню.

Корову к этому времени уже не держали.

Колодец, что был рядом с домом, почему-то засыпали, а водопровод не подвели. Ходили на колонку за полтора километра. Так и жил мальчик Митя между городом и деревней: ходил в деревенской нищенской одежде в городскую школу, учился неважно, был презренным сельским меньшинством среди городского большинства.

Мать наказывала за плохую учебу: когда были силы, била худыми кулачками куда придется и орала высоким пресекающимся голосом, пока сама не падала. Много лет спустя, когда Митя стал врачом, он поставил ей задним числом диагноз — истерия. И щитовидочка была заинтересована. Но когда Митя научился ставить диагнозы, матери уже на свете не было.

Доставалось Мите и от дяди Коли — тот, правда, не бил, а таскал за ухо, ловко зажимая верхушку между большим и указательным пальцами. Обидно было, что мать ему позволяла. А бабушка Митю защищала. Дядя Коля, высохший от пьянства деревенский мужик, ко многим одиночкам захаживал, бабушка называла его «прихажер», презирала, но побаивалась. Они почти одновременно умерли — дядя Коля от запоя, а бабушка от старости лет. Мать была, в отличие от Мити, полная неудачница: когда пришел черед ломать ее избу, а ей получать квартиру в новом доме — райским селением казалась ей эта однокомнатная квартира с газом и горячей водой, — тут она упала и умерла, мгновенно, как и ее мать. Достигла положенных ей райских селений, но не на основании всех собранных уже справок — что вдова солдата, что инвалид незначительной третьей группы, что ударник коммунистического труда, — а просто так. Ни за что. Выходило, напрасно Митя мечтал, что перевезет мать в Москву, сделав умный обмен новой, так и не полученной квартиры в Подольске на комнату в Москве. Так, по своей неудачливости, мать освободила сына от хлопот обмена и переезда.

Он всегда жалел ее, беднягу. Но рано, очень рано принял решение, что жить как мать он не будет, уйдет, как-нибудь да выберется, отрежет от себя всю постылую деревенщину. После семилетки пошел в фельдшерское училище. Там мальчиков было мало, его ценили, а он старался. Потом армия, где служил он уже по специальности, в медсанчасти. А после армии в Подольске не остался, поступил в Москве в мединститут, куда взяли по льготе, без конкурса. Вот с тех пор он и стал по-настоящему городским человеком.

От всего его деревенского детства осталась у Дулина привычка общения с животными. Он даже скучал немного по кошке в доме и субботнего крольчонка Маринке приносил, потому что чувствовал приятность животного тепла в руках человека. Но Нина животных в доме держать не хотела, даже кошку. А чего Нина не хотела, того Дулин и не делал.

Они поженились еще на третьем курсе мединститута. Дмитрий был старше Нины на шесть лет и прельстил ее, замухрышку, большим ростом, серьезностью и скромностью. Она ни в чем не обманулась, а уж он — тем более. Митя всем был обязан своей жене: и пропиской московской, и ординатурой по неврологии, а потом и аспирантурой. Он сам о таком и не мечтал, но Нина нашла через знакомых это место в научном институте и направила мужа. Сама же работала участковым врачом в поликлинике, за что и дали им квартиру без очереди.

Дулин сначала аспирантуре сопротивлялся — понять не мог, зачем она? Уж если на то пошло, пусть бы сама поступала и защищала научную диссертацию. Но Нина решила иначе. Поскольку институт, в который он поступал в аспирантуру, был психиатрический, а Дулин специализировался по неврологии, то пришлось ему подобразовываться в психиатрии — учебники проконспектировал и сдал вступительный экзамен. Назначили ему тему по алкоголизму — он все изучил, что мог по тем временам: про изменения психики, поведенческие реакции алкоголиков, про делирий и другие интересные вещи.

Три года Мариночка играла с приходящими кроликами, пока Дулин поил своих кроликов разведенным спиртом, вливая его через воронку, потому что добровольно принимать алкоголь подопытные отказывались. Потом Дулин защитил диссертацию и стал младшим научным сотрудником. Крольчат в дом больше не носил, но Марина теперь иногда ходила с отцом на экскурсию в институтский виварий: там были и кролики, и белые крысы, и кошки-собаки. Даже обезьяны одно время жили.

Когда Дулин заканчивал диссертацию, на него вдруг напала неуверенность: результаты были точно такие, каких и ожидали, и никакого, решительно никакого открытия в работе не содержалось. Заведующий лабораторией Карпов, он же и руководитель, его успокаивал:

— Требовательность к себе — замечательное качество ученого. Уверяю вас, можно всю жизнь достойно прожить в науке, не совершая никаких открытий. Мы — рабочие лошади науки, именно мы ее двигаем, а вовсе не те, кто совершает открытия, нередко даже сомнительные. А гении... Знаем мы этих гениев!

Дулин прекрасно понимал, на кого заведующий намекает. На Винберга. Дулин сблизился с ним случайно, благодаря пожару, случившемуся в лаборатории Винберга. Два года тому назад, когда Дулин сидел один на всем этаже, обсчитывал свои цифры, там загорелась проводка. Он-то и обнаружил пожар чутким носом, вызвал пожарную команду и еще до приезда пожарных успел отключить щиток и все сам загасить. И пожарных в лабораторию уже не впустил, так как понимал, что от них могут произойти только всякие беды и кражи. Решительно поговорил с пожарным начальником, дал ему все осмотреть и подписал протокол. Винберг оценил. С тех пор Дулин к нему и захаживал.

Вот он-то, Винберг, и был настоящим профессором, блестящего образования. И престранный: любил поговорить о науке. Хлебом не корми, задай только вопрос, и он полную лекцию прочитает. Дулин, по своему скромному положению и интеллектуальной невинности, прежде никак не мог рассчитывать на общение с известной всем звездой. Но пожарный эпизод дал Дулину право заходить вечерами к Винбергу «на чаек».

От него доктор Дулин услышал такое, что в советских учебниках не написано: и про доктора Фрейда, и про архетип, и про психологию толпы. Сам Винберг занимался геронтологией, какими-то старческими психозами, но знал все подряд, и на все у него была интереснейшая теория. В том числе и на алкоголизм.

Был Винберг для многих подозрительным, бежал из Германии от фашистов в СССР еще до войны. В России арестовали его через месяц, а потом сохраняли от фашистов чуть не двадцать лет в лагерях, а после смерти Сталина реабилитировали — взят был по ошибке, как оказалось. Он вышел и быстро-быстро, за несколько лет занял свое законное место — не в карьерном, конечно, смысле, а в научном. Столько лет провел в лагерях! Казалось бы, что он там, врачом в «больничке», мог как ученый наработать, а оказался не то что вровень с современной наукой, а как будто даже и впереди: две монографии сразу написал, и присудили ему докторскую без защиты. Со всей страны психиатры ездили к нему на консультации. Авторитет непререкаемый. Но не для всех. Ненавистников тоже было достаточно. Не всем нравилось, что этот чужак из чужаков, мало того что еврей, еще и немец, развивал свои баснословные учения и держался с таким европейским самоуважением, которого почти и не водилось в отечественных широтах.

— Дмитрий Степанович! — обращался он к Дулину со свирепым немецким акцентом, но безукоризненно правильно грамматически. — Никто еще не исследовал социальной природы алкоголизма и особенностей социального поведения алкоголика. Нет лучше места, чем Россия, чтобы это исследовать. Здесь целая страна является плацдармом для лабораторного исследования. Но где статистика взаимосвязи потребления алкоголя и агрессивных реакций? Нет такой статистики. Был бы я моложе, непременно занялся бы этой темой. Работайте, здесь интереснейшие перспективы! Что же касается соматики, это не так интересно. Здесь имеет смысл работать на генетическом уровне. Но кролики ваши — плохой объект. Это не дрозофила! С другой стороны, алкогольдегидрогеназа — фермент простой, у всех один и тот же. Нет, нет, я на вашем месте занялся бы алкогольной агрессией.

Но Дулин никакой алкогольной агрессии не наблюдал. Пьяненькие кролики сначала тряслись мелким трясом, потом засыпали. Аппетит у них снижался, вес тоже, но они оставались мирными тварями: не кусались, на людей не бросались. Словом, никаких протестных действий. Более того, главный кроль, отец этого алкоголического гарема, вопреки рассуждениям профессора, не только не становился более агрессивным, но, напротив, терял знаменитую кроличью потенцию. Каждые три месяца на место прежнего производителя назначали какого-нибудь его подросшего сына.

Когда же Дулин осмелился профессору Винбергу сказать, что его опыты никак не подтверждают агрессивности алкоголиков, профессор только засмеялся:

— Дмитрий Степанович, а высшая нервная деятельность? Человек все-таки высокоорганизованное существо, не кролик! К тому же обращаю ваше внимание на то, что кролики вегетарианцы, а люди — скорее, хищники. По способу питания люди ближе всего к медведям, которые всеядны! Обратите внимание: ни один вид не может в этом отношении — я имею в виду разнообразие питания — сравниться с Homo sapiens. Северные народы по типу питания плотоядны, в то время как в Индии, например, мы встречаем огромные популяции исключительно вегетарианского питания. Ни те, ни другие, насколько можно оценить без научно поставленного эксперимента, не обладают высокой степенью агрессивности.

Профессор радовался своим собственным рассуждениям, растирал чистые шелушащиеся ладони медицинским движением, как перед осмотром пациента:

— Забавно, забавно! Надо начинать с биохимии, я думаю. Der Mensch ist was er ist. И пьет! — и ни с того ни с сего смеялся, показывая свои сплошь металлические зубы, поставленные еще в Воркуте местным стоматологом, уроженцем Вены. Дулин не то вспомнил, не то сам догадался — учил в школе немецкий: человек есть то, что он ест.

Винберг все на свете знал, куда ни копни: и антропологию, и латынь, и самую генетику. А вот чтобы привести зубы в порядок, времени у него не было. Он торопился жить, читать, думать, торопился записать все свои причудливые и крайне несвоевременные мысли, пришедшие ему в голову в северных широтах.

Он очень многое рассказывал всем подряд, в том числе и Дулину. Но кое-что от посторонних удерживал.

— Детская страна! — говорил он своей жене, обретенной в лагерной больничке. — Детская страна! Культура блокирует природные реакции у взрослых, но не у детей. А когда культуры нет, блокировка отсутствует. Есть культ отца, послушание, и одновременно неуправляемая детская агрессия.

Вера Самуиловна отмахивалась пренебрежительно — она была единственной, кто мог себе позволить такую отмашку:

— Эдвин, ты говоришь глупость! А немцы? Самая культурная страна Европы, нет? Почему у них культура не блокировала примитивные реакции?

Вера Самуиловна нападала на мужа азартно и молодо, а Эдвин Яковлевич привычно теребил нос, как будто именно в этом органе сосредотачивался его несравненный интеллект:

— Другой механизм сработал, Вера, другой механизм. Das ist klar. Selbstverstaendlich. Это можно обосновать. Уровни осознания, вот о чем надо думать!

И он надолго замолкал, чтобы дать теоретическое обоснование. Детей у них не было. В свое время в лагере родился мальчик, но тогда не удалось младенца сохранить. И вся их мощь, весь заряд случайно выжившего таланта направлены были на профессию. Вера Самуиловна была помешана на своей эндокринологии, работала в лаборатории, где синтезировала искусственные гормоны, с которыми связывала чуть ли не бессмертие человечества. Эдвин Яковлевич жену не одобрял. Бессмертие его совершенно не увлекало. Здесь конфликтным образом смыкались их научные интересы — геронтология категорически не желала встречи с бессмертием. В этом Винберг был уверен. Но Верочка веровала в гормоны.

Было о чем супругам поговорить поздними вечерами. Это и было их счастье: после утраты всего, чем жили они до войны — консерватории, библиотеки, науки и литературы, — после лагерных бараков, больнички, лечения чего угодно без ничего, сидеть в ночной тишине своей собственной крошечной квартиры, заставленной и заваленной книгами и пластинками, в тепле, в сытости, вдвоем.

Дулин, как и прежде, занимался алкоголизмом, теперь не только с научной, но и с прикладной стороны. В отделении шла лечебная работа, хотя особенно хороших результатов не получали. Зарплата была хорошая — сто семьдесят плюс надбавка.

Три года прошло — еще раз повезло, на этот раз без Нининого содействия. Одна старая сотрудница вышла на пенсию, освободив место старшего научного, и неожиданно ушел самый перспективный, докторскую диссертацию уже подготовивший врач Рузаев — соблазнился заведовать кафедрой в Казанском мединституте.

Объявили конкурс сразу на два места. Дулину и в голову не приходило претендовать, но заведующий отделением сказал: собирайте, Дмитрий Степанович, документы. И осенью семьдесят второго Дулина провели в старшие научные! Это была ошеломляющая карьера — всю зиму Дулин привыкал. По утрам, когда брился в ванной, сгребая безопасной бритвой пенный бугорок бурой щетины со щек к подбородку, смотрел на себя в зеркало и говорил про себя: Дмитрий Степанович Дулин, старший научный сотрудник.

Он-то полагал, что ему лет десять-пятнадцать расти до такого положения, а оно — вот оно!

И гордость, и неуверенность сразу...

Дела в отделении шли хорошо. Теперь у него была новая тема, по алкогольному параноиду, две палаты больных, которых он изучал и лечил. Одержимые бредом ревности, распаленные галлюцинациями, измученные манией преследования, возбужденные или, наоборот, подавленные, утратившие достоинство, буйные или распластанные нейролептиками, они мало походили на теплоухих мягких кроликов. Чего-чего, а агрессии было хоть отбавляй. Некоторых привязывали к кровати, других усмиряли препаратами, но случалось, что буйный больной пробивал стекло, чтобы выйти из своей болезни прямо наружу, к Господу Богу. Всего-то два окна незарешеченных на все отделение было, у заведующего в кабинете и маленькое, в процедурной. В начале весны оттуда и сиганул один такой больной. Хорошо, этаж невысокий — второй. Но руку сломал. Неприятность для всех огромная — больной был заслуженный артист, всенародно любимый. И делирий был у него тоже глубоко народный: гонялись за ним маленькие человечки, он их всё с себя снимал, с брезгливым страхом стряхивал.

Человечков Дулин отогнал с помощью амитала и галоперидола.

Потом артист поправился, и приехала за ним красавица жена, тоже артистка. Подарила медсестрам шесть коробок шоколадных конфет, а заведующему отделением портрет пациента — он висел теперь у него в кабинете с размашистой подписью. Непьющему Дулину — бутылку коньяка. Дулин был очень доволен — не коньяку, конечно, а тому, что скандала не вышло: пришел-то артист целенький, а уходил в гипсе. Недосмотрели.

Параноиков своих Дулин мало сказать не любил — презирал. Всех считал пропащими, а самый алкоголизм в глубине души рассматривал не как настоящую болезнь, а как обыкновенную человеческую распущенность. Жена Нина ходила с утра до ночи по участкам, слушала со стетоскопом, умела и живот пальпировать, выписывала бюллетени и рецепты, и была это настоящая врачебная работа. Здесь же, подозревал Дулин, была научная «тень на плетень». Но в целом он был работой доволен. Хорошая работа.

Однажды посреди лета, в разгар отпусков, Дулина вызвали в дирекцию — секретарша Элеонора Викторовна, зрелая красавица в черном цвете волос, с богатыми неподвижными бровями и необъятной властью в пределах института, кивнула ему и улыбнулась кисленько:

— Дмитрий Степанович, просят консультацию дать, по вашей части, в спецотделении.

Дулин занервничал. Просьба была на самом деле распоряжением. В спецотделении содержали «политических», это все знали, и работали там все люди с «допуском», особые, молчаливые. Да никто со стороны и не хотел туда лезть. Обычно, если нужна была консультация, туда приглашали заведующего Карпова, но тут он как раз был в отпуске. Уехал на конференцию в Ленинград и заслуженный Кульченко, старший научный сотрудник. Дулин попытался отбиться:

— Элеонора Викторовна! Я с удовольствием, конечно. Но не могу. У меня допуска нет.

Элеонора Викторовна поправила волосы — модный пучок, увеличивающий голову вверх и взад, — и улыбнулась:

— Да сделали вам допуск. Вот здесь распишитесь.

И протянула ему малахитовую ручку, торчащую из малахитовой подставки. Дулин взял ручку, все еще сопротивляясь:

— Да я никогда не участвовал в экспертизах. Карпов вернется через две недели, а Кульченко вообще в следующий понедельник выходит на работу.

Рот Элеоноры Викторовны изобразил недовольство:

— А вы разве не знаете, что любой дипломированный специалист может быть привлечен к экспертизе? Обязан производить экспертизу! Таково наше законодательство. А тут вообще речь идет о консультации. — Элеонора сделала паузу, которая длилась ровно столько времени, чтобы Дулин понял, что сопротивление бесполезно. Поставил подпись на бумаге...

— В четверг, пожалуйста, к 11 часам, в спецотделение. Пропуск вам закажут. А сейчас с вами хотел побеседовать заведующий спецотделением профессор Дымшиц. Вы подождите его здесь, он сейчас выйдет от директора.

— Конечно, конечно, — кивнул Дулин, предчувствуя недоброе.

Сел на стул, приметив его тревожную багровую обивку. Он уже слышал про этого Дымшица что-то дурное, но сейчас не мог вспомнить, что именно.

Ожидал довольно долго. Наконец дверь открылась, из директорского кабинета вышел толстый коротышка с заемом серых тощих волос справа налево, через белую лысину.

— Ефим Семенович, доктор Дулин вас ожидает, вы хотели его видеть, — поднялась Элеонора навстречу Дымшицу.

На голову выше, старая красавица склонилась, а он был перед ней гном гномом, но от нее исходил страх, а от него угроза. Тревога у Дулина все нарастала: чего-то он не понимал в происходящем, как будто присутствовал на спектакле, который играли на иностранном языке.

Никто не рассказывал Дулину, что Элеонора до войны была за Дымшицем замужем, перед войной ушла от него к совсем молодому человеку, пропавшему без вести, а в сорок шестом вернулась к Дымшицу и, прожив с ним недолго, снова его бросила. Так что Дулин оказался случайным наблюдателем запутанных и странных отношений.

Дымшиц перевел взгляд на Дулина:

— Да, да, хорошо. Вы когда-нибудь принимали участие в психиатрической экспертизе?

Дулин проводил экспертизы сотни раз, по алкоголикам, разумеется. Но вдруг смешался, испугался неизвестно чего так, что вспотел подмышками, спиной и грудью.

— Да, конечно.

Гном оценивал его. Оценка была невысока:

— Я хотел с вами предварительно переговорить, но сейчас я спешу. Вы приходите в четверг к половине одиннадцатого и, прежде чем осмотреть пациента, загляните ко мне.

И Дымшиц пошел по лестнице наверх, на третий этаж, громко стуча маленькими полуботинками.

«В «Детском мире» небось обувь покупает», — раздраженно подумал Дулин. И не ошибся. Тридцать шестой размер ноги был у профессора...

В восьмом часу вечера, выходя из института, вспотевший, обсохший и окруженный облаком боязливого пота Дулин столкнулся с Винбергом. Прямой, тощий, в потрепанном сером костюме с шелковым галстуком в полоску, в одеколонной дымке — элегантный, как всегда...

«Не в галстуке дело, конечно, — отметил про себя Дулин. — Природа такая. Сушеный, как сухарь».

Сам Дулин раздался последние два-три года: ел много — за мать, за бабку, за весь тот детский голод, который засел в каких-то глубинах, ведомых психиатрам.

Пошли вместе к метро.

— Вызвали на консультацию в спецотделение, — сразу же доложил Дулин.

Винберг поднял подстриженную бровь:

— Вот как? Доверие оказали. А вы член партии, Дмитрий Степанович?

— Конечно. Я же в армии после училища служил. Тогда всех принимали.

— Да, да, партийная дисциплина. Надо идти, — хмыкнул Винберг.

— Обычно Карпов... он в отпуске. — Дулин как будто оправдывался и сам себе удивлялся. — Видно, там у них алкоголик, или просто так, алкогольный эпизод в деле. Да в нашей стране, Эдвин Яковлевич, все пьют: и артисты, и академики, и космонавты. У нас недавно... — И Дулин рассказал про народного артиста.

— Я в лагере сидел с одним талантливейшим литератором. Исключительно образованный человек — Рильке в тюрьме переводил, чтобы не деградировать. Впрочем, вы вряд ли знаете Рильке. Здесь, в институте Сербского, этот самый литератор еще в начале тридцатых проходил экспертизу — мечтал, чтобы признали алкоголиком. Признали. И его тогда не посадили, а отправили на лечение. Три года провел в лечебнице. Бога благословлял и книги читал. Но потом все-таки посадили. Да, Рильке, Рильке... Вот вам парадоксы времени: до войны в психбольнице от преследований скрывались, а ныне именно в психбольницы...

— Меня Дымшиц вызвал, поговорить... — тихо пожаловался Дулин.

Но Винберг как будто не расслышал. Вдруг резко развернулся:

— Простите, мне в книжный надо зайти, я совсем забыл! Всего доброго!

И зашагал в сторону Метростроевской.

Винберг был в замешательстве. Этот решительный молодой человек, в одиночку справившийся с пожаром, недалекий, малоразвитый, но добросовестный и по-своему порядочный, кажется, хотел получить у него совет.

Что можно сказать простодушному и добросовестному дураку? Здесь и умному не выкрутиться. Винберг прошел мимо книжного магазина. Не нужно было ему туда.

Его отец, знаменитый берлинский адвокат Якоб Винберг, после прихода Гитлера к власти сказал: «Как адвокат я всегда ищу выхода, и я знаю, что в каждом деле есть как минимум один выход. Чаще их бывает несколько. Эта власть не дает ни одного». Якоб Винберг умер, так и не узнав, насколько он был прав. «Здешняя власть тоже не дает человеку выхода. Ни одного. Она всегда переигрывает тех, в ком есть честь и совесть», — печально размышлял Винберг.

Спецотделение находилось в другом здании, в трех троллейбусных остановках. В четверг, в половине одиннадцатого Дулин позвонил в суровую дверь. Открыла привратница в белом халате:

— Вы к кому?

Дулин показал пропуск:

— На консультацию. Мне надо к профессору Дымшицу.

— Одну минуточку, — кивнула тетка и захлопнула перед носом дверь. Через несколько минут дверь открыла уже другая женщина, высокая, с прической. Не в халате — в розовом платье.

«Джерси, — заметил Дулин. — Нинка об нем умирает. Неудобно спросить, где брала».

— Мы вас ждем, добрый день, добрый день! — и протянула сильную руку. — Маргарита Глебовна. Я лечащий врач. Вас Ефим Семенович ждет. А потом я покажу вам больного.

Коридор, двери — с виду все как в обычном отделении. Только в коридорах — никого.

Вот двери двойные, тяжелые, с медной табличкой. Кабинет поразил размером и полной стерильностью. На холеной столешнице — ни бумажки, ни пылинки. Гном за столом был на этот раз почти приветлив:

— Прошу вас, Дмитрий Степанович.

Дулин сел за неудобный, посреди комнаты стоящий стол. От заведующего его отделяло море сверкающего паркета. Метра три.

«Как у следователя», — подумал Дулин. Пришлось ему однажды посидеть на таком вот одиноком стуле в районном отделении КГБ. Один его сокурсник что-то отчудил, Дулина вызвали, но неглупые тамошние ребята быстро поняли, что он так далек от всего эдакого, и отпустили.

Дымшицу тоже в разные годы жизни пришлось посидеть на таком же отдаленном стуле. Не понравилось. Но произвело сильное впечатление.

— Итак, — почти не разжимая губ, сказал Дымшиц. — У нас очень интересный больной.

Тут откуда ни возьмись появилась картонная папка. Дымшиц зазывно помахивал ею издали.

«Ишь, играет», — подумал Дулин раздраженно.

— Человек заслуженный. Генерал-майором был, — веско, с нажимом, произнес Дымшиц. — С фронтовой биографией. Два ранения, контузия, обратите внимание. С большими заслугами. С наградами. Все потерял. Поведение неадекватное. Пьющий... Психика определенно нарушена. Завышенная самооценка, бред величия. Там есть заключение амбулаторной комиссии. Я думаю, что они не совсем разобрались. А вы, я надеюсь, разберетесь!

Последние слова он произнес с нажимом, ставя ударение на каждый слог.

Тревога, глубокая, до тошноты, охватила Дулина.

«Хотя чего, чего психую?» — задал себе вопрос Дулин. Но обдумывать времени не было.

— Здесь история болезни, вот — эпикриз. Проект заключения комиссии. Вам для обоснования диагноза предстоит оценить роль алкогольного эпизода. И внести соответствующую запись в историю болезни. — Дымшиц раскрыл папку и стал перебирать вложенные листы: — Имеется еще и прошлая экспертиза, она сделана в амбулаторных условиях. Так, заключение, сделанное в шестьдесят восьмом году. Вызывает у нас сомнения. Мы бы хотели, чтобы вы осмотрели больного и обосновали свое мнение. У нас создалось предварительное впечатление... Ну, словом, посмотрите...

Он подошел к Дулину, тот встал, взял папку.

— Мнение комиссии неблагоприятное... некоторые параноидальные черты. Нет ли здесь алкогольного паранойда? Последнее слово за вами, вы специалист. Но есть предварительное мнение. Словом, посмотрите больного. Маргарита Глебовна!

Маргарита Глебовна возникла как из воздуха.

— Есть алкогольные эпизоды? — робко спросил Дулин.

— М-да, — неопределенно ответствовал Дымшиц. —

Во всяком случае, один несомненный эпизод есть: он был пьян в момент задержания.

Дымшиц встал. Это был конец аудиенции.

Маргарита Глебовна вытеснила Дулина в коридор.

Двумя пальцами она потерла уголки губ, как будто снимая излишки помады:

— Здесь, в ординаторской, вы можете ознакомиться с документами, а потом я покажу вам больного.

Дулин раскрыл папку и стал изучать бумаги. Больной Ничипорук Петр Петрович, шестидесяти двух лет. Перенес два ранения и одну контузию, органические нарушения... У кого их нет? Запись разговора с психиатром... Протокол... Дмитрий Степанович глазам своим не верил: то, что говорил этот генерал, даже читать было страшно! Просто безумие какое-то! «С какой целью вы создали подпольную организацию?» Антисоветчик, настоящий антисоветчик! Дальше... «Организация называется СИЛ — союз истинных ленинцев»... Выходит, он не антисоветчик, а наоборот... Наоборот, это кто? «Какая была у вас зарплата, Петр Петрович?» Странный вопрос для психиатра. А-а, понятно... понятно. Семьсот рублей. И не знал Дулин, что такие зарплаты бывают... Дальше, дальше... «Так чего же вам не хватало, Петр Петрович, при такой-то зарплате? Ведь власть вам все дала». Да. Малопонятно. Действительно, уж при такой-то зарплате, чем ему власть нехороша? Вот оно, вот оно... ввод советских войск в Чехословакию ему не понравился... Выступал... Клевета... Ну, это понятно. Только зачем он говорит такие вещи психиатру, зачем?

Мелькали подчеркнутые красным карандашом слова «духовное братство», «нравственное совершенствование», «антинародная власть партократии» и, наконец, «святое дело социализма». «Странный дядька, не сумасшедший, просто чокнутый», — сделал предварительное заключение Дулин. Сорок минут он вникал в записи.

И тут привели больного — большого роста худой человек в больничной пижаме и войлочных тапочках. Вошел и встал у двери, держа руки за спиной и слегка опустив голову. С ним вошел еще один, поменьше, сел на стул возле двери.

— Здравствуйте, Петр Петрович, я психиатр, кандидат медицинских наук Дулин Дмитрий Степанович. Я хотел бы вас осмотреть и с вами побеседовать. Проходите, пожалуйста, сюда, — и Дулин указал ему на стул возле себя. — Как вы себя чувствуете? Какие жалобы?

Бывший генерал улыбнулся и посмотрел на Дулина. Взгляд был слишком долгий и слишком внимательный.

— В соответствии с возрастом. Впрочем, особых жалоб нет. — Он сцепил на колене крупные кисти, сплошь покрытые красноватыми бляшками.

Дулин приметил:

— Псориазом давно страдаете?

— С молодых лет. После войны началось. Во время войны люди мало болели человеческими болезнями. Не до того было. А после войны началось: сердце, желудок, печень.

Слово «печень» произнес с растяжкой, насмешливо. Дулин осматривал Ничипорука так, как в институте учили: склеры, состояние кожных покровов, состояние слизистой... питание плохое, скорей всего, анемия... анализ крови... конечно, анемия...

— Какой сегодня день, Петр Петрович? — тихо спросил Дулин.

— Паршивый, — коротко ответил пациент.

— Число помните? — повторил Дулин.

— А, — засмеялся пациент, — это вы в смысле мартобря? Сегодня двадцать второе июля одна тысяча девятьсот семьдесят третьего года. Ровно тридцать два года и один месяц со дня вторжения немецко-фашистских войск на территорию СССР.

Он как будто издевался, этот бывший генерал. Нет, это он так острит неуместно — алкогольный юмор! Впрочем, Дулину он скорее нравился. Дулин уложил его на кушетку, пальпировал живот. Печень была увеличена. Предположим, алкогольное жировое перерождение. При значительном истощении.

— Рост у вас?.. Вес?

— Шесть футов ровно. Вес — не знаю.

Маргарита Глебовна и тот, что у двери, не шевелились. Просто как каменные статуи замерли.

— Хорошо! Пожалуйста, закройте глаза и приложите указательный палец правой руки к кончику носа. Теперь левой... Какого года рождения? Дату рождения, пожалуйста, назовите.

Улыбается он:

— Десятого сентября одна тысяча девятьсот десятого года от Рождества Христова. По юлианскому календарю, разумеется.

— Понятно, — бодро отвечает Дулин. — А вы всегда пользуетесь этим календарем?

— Нет, конечно. СССР перешел на григорианский в феврале восемнадцатого года, и все даты после 14 февраля разумно исчислять по григорианскому календарю, а до — по юлианскому. Логично?

— Да. Пожалуй, — согласился Дулин. Надо посмотреть в энциклопедии, что там за календари. Дядька, конечно, очень образованный, а с образованными всегда дополнительные сложности. У него, конечно, расширение рефлексогенной зоны, это можно по-разному трактовать. Можно и как последствия алкоголизации вплоть до возможности развития алкогольного параноида. Это как посмотреть.

— А место вашего рождения, Петр Петрович?

— Деревня Великие Тополи Гадячского уезда Полтавской губернии. Батюшка мой принадлежал к сельской интеллигенции, был учителем в народной школе.

— Понятно, это понятно. А как у вас с наследственностью, Петр Петрович? Отец ваш выпивал? — перешел Дулин к главной теме.

— И мне понятно, доктор. Выпивал. Мой отец выпивал. И дед выпивал. И прадед. И я выпивал, когда давали. — И он улыбался, улыбался просто-таки лучезарно. Улыбка была хорошая — совершенно без насмешки или затаенного яда.

— А когда начали употреблять, Петр Петрович? — вежливо спросил Дулин.

— А вот это и не помню. На праздник всем наливали, и детям тоже. Батюшка в обед всегда принимал, это святое дело — чарка за обедом. Да и я, признаться, обычай этот уважаю.

— И сейчас употребляете?

Петр Петрович совсем расплылся:

— Голубчик мой! Да здесь не наливают! Признаюсь вам, доктор, что с начала войны дня не было, чтобы не принял я спирта, водки или чего бог пошлет. Очень не хватает!

Какая-то неловкость возникла внутри: как-то больно доверчиво вел себя Петр Петрович.

— Потребность есть? Тяга, я имею в виду? — ковырнул глубже Дулин.

— Тяги у меня никакой. А потребность — да. Разумная потребность.

«Со слов испытуемого, многолетнее регулярное злоупотребление алкоголем, без эксцессов...» — записал Дулин с чистой совестью.

Маргарита Глебовна, которая все молчала возле двери, была явно недовольна — о чем-то зашепталась с сидящим на стуле человеком.

— Русскому человеку, доктор, без этого нельзя. Водка душу утишает, жизнь смягчает. А вы сами не знаете?

И тогда понял Дулин: Петр Петрович даже хочет, хочет, чтобы отправили его на лечение. Дулин еще раз внимательно перелистал дело: по записям врачей понял, что четыре года, с шестьдесят восьмого по семьдесят второй, провел Петр Петрович в заключении, и состояние физическое было на данный момент плохим. Там лежала старая амбулаторная экспертиза, сделанная в Риге, и было написано черным по белому: «Сознание ясное, правильно ориентирован, в беседе держится вполне упорядоченно, речь связная, целенаправленная». Признан вменяемым. А новая бумага, заготовка, которую он должен был подписать, констатировала алкогольный параноид. И большой знак вопроса.

С этим Дулин по совести не мог согласиться. Он напрягся, как школьник на контрольной, и, прыгнув через голову, нашел правильное решение — вписал перед словами «алкогольный параноид» еще одно слово — «атипичный». И это слово все ставило на свои места — атипичный случай! Этот Петр Петрович был не сумасшедший, а чудак. Но на лечение его неплохо бы отправить. Все-таки медицинское учреждение — подкормят. Понятно теперь, почему он ему так радостно про алкогольную свою практику рассказывает. Он тем самым как бы намекает, что согласен подлечиться. Да и Винберг упоминал какого-то там Рильке, который больше всего хотел, чтобы признали его невменяемым и отправили на лечение.

Еще поговорили немного, и Дулин с легкой душой вписал свое заключение: «Наблюдается алкогольное поражение внутренних органов. Со стороны центральной нервной системы наблюдается ряд изменений: присутствует алкогольная энцефалопатия, ретроградная амнезия. DS — атипичный алкогольный параноид...»

Дулин поставил свою красивую подпись.

И посмотрел на часы — половина третьего.

«Половина третьего, — подумал Петр Петрович. — Обед пропустил из-за этого эскулапа хренова. Может, нянька оставила?» — с равнодушным беспокойством подумал голодный генерал.

Дулин пришел к себе в отделение, достал из портфеля Нинкины бутерброды и налил стакан молока. Ему местная повариха всегда оставляла пол-литра. Поел, посмотрел два журнала, которые долго лежали на столе, а теперь уж время было сдавать их в библиотеку. Потом пошел к Винбергу. В бывшей бельевой, где устроен был не то кабинет, не то чулан, все было завалено книгами, в большинстве иностранными.

«Вот откуда Винберг берет все свои познания. Пользуется преимуществом, что языки знает», — подумал простодушный Дулин.

Дело было к вечеру, рабочий день у врачей давно закончился. На столе у Винберга, поверх вороха журналов, писем и сероватых листов, исписанных острым, с готическим акцентом почерком, лежала пластинка в белом бумажном футляре.

— Даниила Шафрана вот принесли. Уникальная запись — виолончельная соната Шостаковича сорок шестого года, первое исполнение. И сам Шостакович тоже играет, — профессор ласково погладил пластинку смуглой, с длинными ногтями рукой. — А Даниилу Шафрану в то время всего двадцать три года. Гениальный, гениальный виолончелист...

«Вот какой народ, как они все же своих любят, — подумал неодобрительно Дулин, но опомнился: — А что плохого, в конце концов? Все люди так устроены, всем свои ближе».

— Дал я консультацию, — доложил Дулин Винбергу. Но тот, кажется, и не помнил о прошлом разговоре. Лицо было рассеянное.

— Вчинил я ему алкоголизм. Наверное, теперь лечиться пойдет.

— Что? — переспросил Винберг. — Как вы сказали? Вы отправили его в спецбольницу?

— Да какая разница, Эдвин Яковлевич? Он истощенный, я как раз подумал, что в стационаре он хоть подкормится. Все лучше, чем лагерь. — Дулин как-то терял приподнятое настроение от хорошо сделанного дела.

— Вы валяете дурака, Дулин? Или действительно дурак? — сказал этот интеллигентный профессор.

Тут уж Дулин полностью растерялся: он всегда за честь считал, что Винберг с ним общается, научные разговоры ведет, а тут ни с того ни с сего дураком обозвал. И Дулин на него страшно обиделся.

— Как же так, Эдвин Яковлевич, вы же сами говорили про этого Рильке, что он только о том и мечтал, чтобы признали невменяемым и в лагерь не отправляли... Вы же сами... — залепетал оправдательно Дулин.

— Что мы сами? В тридцатые годы не было галоперидола! Аминазина! Стелазина! Не было! Вы отправили его в камеру пыток, Дмитрий Степанович. Можете пойти и написать на меня донос.

Он опустил голову и уставился на пластинку — «Даниил Шафран исполняет...».

Замолчал, скривив рот. Какая подлость... какая подлость повсюду...

— А что? Что я должен был делать-то? — с тихим отчаянием спросил Дулин. — Он ведь и вправду... ну, не совсем... того... Как надо было поступить?

Но Винберг, покрутив пластинку, положил обе руки на стол.

«Уезжать, уезжать, скорее уезжать, — подумал он. И еще: — Какой народ! Так себя ненавидеть!»

Потом улыбнулся кислой улыбкой и сказал совсем непонятное:

— Не знаю. Один китайский мудрец говорил, что на каждый вопрос имеется семь ответов. На этот вопрос каждый отвечает сам. Простите, Дмитрий Степанович, мою грубость.

Вера Самуиловна сразу поняла, что муж раздражен и подавлен: по резкому жесту, каким снимал пальто, по хмурости лица и деревянному кивку «Danke», когда она поставила перед ним суп. Она, умница, молчала, ничего не спрашивала, а он задним числом всегда бывал ей благодарен за это аристократическое молчание.

Эдвин Яковлевич переживал свой срыв и испытывал запоздалое раскаяние: как мог позволить себе унизить этого милого, глупого и старательного человека? Разве не сам он, честный Винберг, участвуя в психиатрической экспертизе несколько лет тому назад, в том же спецотделении, дал свое заключение о невменяемости заключенного, чьи политические взгляды на природу этой власти он полностью разделял. Но с клинической точки зрения психическое заболевание было несомненным. Развернутая и внятная картина маниакально-депрессивного психоза. С этим ничего не мог поделать бывший заключенный Винберг! — почти все здешние инакомыслящие, подписанты, домашнего производства бунтари были безумцы и в бытовом, и отчасти в медицинском значении этого слова. «Это русский радикализм, конечно. Такова его природа, он никогда не опирается на здравый смысл», — размышлял Винберг, постепенно успокаиваясь.

Винберг и не заметил, как от размышлений перешел к монологу:

— Когда Гитлер пришел к власти, вменяемые интеллигенты эмигрировали, а лояльные... Выхода нет, выхода нет. Но у врача положение особое — он всего лишь лечит. Выход через профессию. Лагерная больничка. Травмы, язвы, туберкулез, инфаркты. Честь профессии выше всего. Выше политики. Несомненно. Несомненно, но... Вера, Вера! Все, кого я видел из теперешних борцов с режимом, на грани, на тонкой грани между здоровьем и болезнью. Ты помнишь эту женщину, которая вышла на площадь с ребенком в коляске? Существует инстинкт самосохранения. Существует материнский инстинкт, заставляющий мать защищать своего ребенка. Но не существует в природе инстинкта социальной справедливости! Совесть работает против выживания, Вера!

Жена сидела напротив него на табуретке, в их пятиметровой кухне, где второй стул не помещался, но зато был стол, плита о двух конфорках, теплые зимой батареи и пышные заросли какой-то сорной ерунды под окном летом.

Вера смотрела в черное стекло, за которым ничего не было видно, кроме ее собственного смутного отражения. Она тоже знала, что совесть работает против выживания. Да, биологическая эволюция вида вымывает тех, у кого есть живая совесть. Выживают сильнейшие. Не хотелось возвращаться к этой теме: лагерь, голод, унижения, ад.

— Эдвин, скажи, а Грачевский принес тебе ту пластинку?

Эдвин Яковлевич осекся, засмеялся и вышел из кухни. Да, поговорили, достаточно.

Достал из портфеля виолончельную сонату и поставил на проигрыватель. Вера уже сидела в кресле в комнате, которая условно называлась большой.

Это было самое раннее исполнение. Впоследствии, в пятидесятом, Шостакович записал эту сонату с Ростроповичем и немного даже ее изменил относительно первоначальной версии.

Большие уши Винберга с кустами доставшихся от далеких предков волос как будто даже шевелились от напряжения. Вера Самуиловна, квалифицированный слушатель, и прежде считала, что Даниил Шафран богаче и многоцветней, чем Ростропович. Но здесь был Шостакович, который казался ей суховатым и жестким. Муж ее слышал в этой музыке другое: бескомпромиссность, драму внутренней конфронтации. Фортепианная каденция третьей части напоминала поздние бетховенские сонаты.

— Безысходность. Космическая безысходность. Не правда ли, Вера?

От Винберга Дулин пошел прямо в виварий. Там у него был шкафчик под замком, в котором секретно хранился медицинский спирт. Взял оттуда пол-литровую колбу, разбавил в мензурке водой из-под крана, пополам, как кроликам, и с отвращением выпил прямо из мензурки все двести граммов. Засунул колбу в портфель, она плохо там помещалась, но пробка была притертая, надежная, так что и бочком можно было уложить. И пошел к троллейбусу. Опьянение он почувствовал только в троллейбусе. Дома никого не было, потому что Нина поехала встречать Мариночку из биологического кружка в городском Доме пионеров, куда взяли девочку за большое влечение к биологии, несмотря на нехватку лет: в пионеры ее еще не приняли.

Дома Дулин развел еще, проглотил следующие двести граммов. Гадость, мерзость. Как они это пьют? Теперь его развезло, комната вращалась отвратительно вокруг бедной головы. Но заснуть он не мог. Одна только мысль как обломок занозы в мозгу, колола и колола: откуда ж семь ответов, что еще, кроме «да» и «нет»?

Потом пришла Нина, долго не могла понять, что происходит с мужем. Потом догадалась, что он в стельку пьян. Сначала засмеялась:

— Бедный пьяный кролик!

Пыталась его напоить крепким чаем, уложить, но он спать не хотел, что-то долго и бессвязно говорил про семь ответов, или про семь вопросов, и только поздно ночью она уяснила себе причину страдания.

К этому времени Дулин развел остатки спирта, но выпить не смог — его вырвало, начались сильные спазмы. Потом он лег и затрясся в ознобе.

Нина устала с ним возиться, села на стул и проворчала что-то тихое и злое. В постель не легла. Потом вошла Мариночка в ночной рубашке и пожаловалась, что у нее голова болит. И тогда он сразу вспомнил все плохое, что с ним в жизни случалось: как издевались над ним городские ребята в школе, как орала учительница Камзолкина, как била мать, как таскал за уши пьяный мамин «прихажер» дядя Коля... И заплакал.

Дулин плакал — потому что был кроликом, а не мужчиной.

Так Нина ему сказала.

Дорога в один конец

На шее у Ильи болтался фотоаппарат без пленки — ее вынули и засветили пограничники, — а на плече полупустой туристический рюкзачок. В нем лежали смена белья и учебник английского языка, который он постоянно носил с собой уже два года. На Илье была новая телогрейка и старые джинсы. Замотан вокруг шеи шарф, связанный Ольгой из черной и серой ниток, в точности того тона, что его седеющая голова.

Возле трапа стояла очередь, и бывшие советские, которых было в очереди больше половины, отличались от несоветских тяжелой дурной одеждой и разной степенью ошарашенности: стоявший рядом старик в каракулевой шапке икал, а какая-то невидимая Илье женщина в гуще толпы нервно похихикивала. Илья страстно ожидал минуты, когда окажется наконец в самолете, сядет в кресло и самолет поднимется. Хотя было ясно, что рубеж уже перейден безвозвратно, но хотелось поскорее окончательно оторваться от земли. И еще сильно хотелось в уборную.

Он понимал, что за каким-то окном, махая руками, стоят Ольга с Костей и прочие провожающие и ждут, наверное, что и он махнет им рукой, поднимаясь по трапу, но он даже не пытался найти глазами тот застекленный переход, где они могли стоять. Все равно он бы их не разглядел на таком расстоянии. Однако когда оказался на самом верху, обернулся в неопределенном направлении и покачал рукой, как Брежнев на трибуне, — партийно-приветственным движением.

Вот он, кинематографический момент жизни, — улыбнулся про себя Илья и успокоился. Место его оказалось в предпоследнем ряду, около окна. Забито все было до отказа.

Когда самолет натужно оторвался от земли, Илья произнес про себя: «Свободен! Ото всего — свободен!»

Самолет тяжело набирал высоту, всех немного плющило, Илья как будто терял в весе. Казалось, что мог бы и сам взлететь без всякого мотора, на одном только чувстве безграничной свободы.

Нервно хихикающая у трапа женщина, сидящая немного впереди по проходу, стала громко смеяться и всхлипывать. Баскетбольного роста стюардесса прошла со стаканом воды.

«Да, да, высокая женщина... это хорошо — высокая женщина», — но он не додумал до конца то, что мелькнуло в голове.

Серая мгла в окне светлела, самолет прорвался наконец к яркому синему небу, внизу остались толстые белые облака, плотные, как густо сваренная рисовая каша, грубые, как театральная декорация. Самолет все набирал высоту и стремительно уходил на запад, оставляя позади руины проклятой жизни, вязкую путаницу, страх, стыд, ложь, и он вдыхал искусственный самолетный воздух — воздух свободы и высокогорья. Впереди маячила восхитительная пустота, жизнь начиналась с чистой страницы, все помарки стерты, как ластиком.

За рукав Илью теребила соседка — старая еврейка с новыми золотыми зубами:

— Извините, пожалуйста, вы не могли бы поменяться со мной местами?

Уверенная в ответе, она тянула ремень не в ту сторону, пытаясь его расстегнуть.

— Нет, — коротко ответил Илья.

— Но почему? — обиженно спросила она.

— Не хочу, — не поворачивая головы, ответил он.

— Но почему? — не поверила она своим ушам.

Он не удостоил ее ответом. Она была куском прошлого, от которого он отвернулся.

— Но так ни туда и ни сюда, — сказала растерянно женщина и обратилась к соседу, сидящему у прохода:

— Извините, пожалуйста, вы не могли бы поменяться со мной местами?

— Извините, пожалуйста, я не понял вас. Что вы хотели? — произнес человек с заметным акцентом.

Илья посмотрел в его сторону. Седой старик, в костлявой руке — немецкая газета. Занятно. Это было то, что Илья больше всего любил: вопрос, загадка, детали, детали... Шелковый заграничный галстук в полоску, белая рубашка из рубчатой, неизвестной ткани, потрепанный пиджак и особенно немецкая газета — сразу зацепили взгляд.

— Да я к окну хотела. Гражданин вот не пустил, так я хоть к проходу сяду. — Она все еще яростно дергала ремень, но Илья не помог. Смотрел с неприязненным интересом: наглая какая тетка.

Старик встал, оказался очень высоким и худым и совершенным с виду иностранцем. Хотя пиджак...

— Подождите минуту, я вам помогу отстегнуть. — Сосед выпустил тетку из ловушки, вышел в проход. Она тут же плюхнулась на его место.

— Сразу видно, культурный человек, — громко, с укором Илье, одобрила она его поведение.

— Простите, вы сначала пропустите меня на ваше место, а потом сядете. — Он стоял в проходе, склонив голову, в выжидательной позе.

— Ага, ага, — закивала она и подняла зад.

Илья ухмыльнулся, встретился глазами со стариком: тонкое глазное касание, без слов — мол, забавно, вот дурища нахальная, — но в глазах соседа никакого отзыва.

Обменялись местами. Старик сел и кивнул Илье. Развернул газету. Названия не видно.

Тетка не оставляла его в покое:

— Ой, вы прям по-иностранному читаете?

— Да, — кивнул он.

Илья отвернулся к окну. Небо сияло, но восторг сломался. Ему хотелось поговорить с этим необычным соседом, но теперь, после приставаний тетки, было неловко.

Тетка не унималась:

— Ой, а по-какому?

— В данном случае по-немецки, — улыбнулся старик, уже не отрываясь от газеты.

После небольшой паузы она снова задала ему вопрос — громким шепотом:

— Скажите, извините — а вы еврей?

— Да, — улыбнулся он.

— И куда вы едете — в Израиль или в Америку?

«Ну, жидовская морда», — подумал Илья. Он прямо-таки наслаждался этой сценкой.

— Я до тридцать третьего года жил в Германии. Возвращаюсь на родину. Я очень долго жил в России.

— Так вы иностранец? — восхитилась тетка.

Он улыбнулся:

— Теперь да.

— Вот и я думаю, на нашего не похож. А я до Вены, а потом в Америку. Сын уже там. Я сначала не хотела, а потом думаю — ладно. Жалко, конечно, все пришлось оставить. — Ей хотелось поговорить, и собеседник ей подходил.

Немец был воспитанный человек, отвечал на дурацкие вопросы этой чумички. Илья сразу вычислил — уехал в тридцать третьем, когда Гитлер пришел к власти. Наверное, был коммунистом. В России, конечно, сидел. Это биография. Вероятно, восстановил западногерманское гражданство. С ним действительно интересно было бы поговорить.

Илья отвернулся к окну, но то волшебное чувство, которое обрушилось на него при взлете, рассеялось, и он уже спустился с высот, размышлял о том, встретит ли его Пьер, который обещал прилететь в Вену, или придется ехать в какой-то переселенческий лагерь — общагу, набитую эмигрантами.

Нет, нет, он вырвется. В конце концов, есть знакомые, даже друзья, позвоню, может, пришлют денег, и Пьер, конечно, поможет. Может, в Италию... или во Францию махнуть. Там была Николь, хорошая знакомая. Да есть к кому обратиться, в конце концов. А там, может, продастся часть коллекции. Тот первоначальный, свежий восторг постепенно возвращался.

Дали самолетную еду — чудесную. Прошел еще час.

В иллюминатор видны были горы — неужели Альпы?

Он даже вслух произнес: «Альпы».

Старик-сосед, который как будто дремал, неожиданно вскинул голову и обратился к Илье:

— Позовите, пожалуйста, стюардессу. Мне плохо.

Илья нажал кнопку вызова. Старик закрыл глаза. Он был изжелта-бел, хватал открытым ртом воздух.

— Срочно... врача... — прохрипел он.

Судорожно, с хриплыми вздохами, втягивал в себя воздух, потом откинулся на спинку кресла и замер с открытым ртом.

Тетка с ужасом смотрела на соседа.

Подошла стюардесса. Она взяла старика за руку. Искала пульс.

Тетка, стоявшая в проходе, поняла раньше всех и завыла простонародным сильным голосом: «А-а-а».

И тогда Илья понял, что его сосед мертв.

Эмиграция Эдвина Яковлевича Винберга закончилась.

Демоны глухонемые

Бывает почти у каждого человека особый год, а может, сезон, когда почки потенциальных возможностей лопаются, происходят судьбоносные встречи, пресекаются связи, меняются русла, уровни, жизнь из низины поднимается на высокогорье. На двадцать втором году Миха встретил Алену и полюбил ее так безвозвратно и окончательно, что вся прежняя его жизнь с милыми девочками, легкими и необязательными свиданиями и деятельными ночами в общежитии разбилась, как стеклянный стакан, и только никчемные осколочки остались от прежних увлечений.

Второе событие, не менее важное, произошедшее чуть раньше, захватившее его очень глубоко, было связано с его профессиональными интересами. В начале четвертого курса Миха не то что изменил своей вере в русскую литературу, но стал бегать чуть ли не каждый день на сторону, на факультет дефектологии, и слушать курс сурдопедагогики, который читал великий специалист Яков Петрович Ринк, представитель целой династии педагогов, почти сто лет разрабатывающих методы развития речи у глухих, глухонемых и слабослышащих.

На первую лекцию Ринка привела Миху приятельница, а через несколько недель Миха загорелся желанием заниматься сурдопедагогикой, не покидая филфака. Он сдал, с особого разрешения профессора Ринка, несколько специальных дисциплин и стал, таким образом, «двоеженцем»: филология и дефектология прекрасно совмещались.

Он носился с факультета на факультет, все более склоняясь в сторону дефектологии.

Возможно, тщательный психоаналитик установил бы подлинную мотивацию Михиного нового увлечения, но такового не случилось — тень косноязычной Минны его не тревожила, и свойственное ему чувство вины перед всеми в этом случае его не беспокоило. Появление Алены смыло, вместе с мелкими любовными достижениями последних трех лет, и эту полудетскую травму. Да что и вспоминать?

Слабоумное, еле ворочающее языком существо, Минна прожила свои двадцать семь лет незаметно, никого не обременяя, и так же незаметно ушла. Тетя Геня пережила смерть дочери скорее как смерть домашнего животного. Другие люди и вовсе не заметили, что исчезла робкая, слабо улыбающаяся коротышка, никому на свете не причинившая зла. И вспомнил Миха Катуллова воробышка, как оплакивала его, как ее, Лезбия?

Вскоре после того, как из дому вынесли топчан и детский стульчик, на котором та складывала перед сном свою одежду, тетя Геня освободилась от тягостных забот и с глубоким удовлетворением и тенью патологической гордости повторяла время от времени заклинание: сколько несчастий, сколько выпало на мою долю, это же просто поискать!

С Михой ей жилось хорошо: с самого заселения — в двенадцать лет! — в его обязанности входили покупка продуктов, уборка комнаты, дежурная уборка мест общего пользования и кухни, а также — что было для него самым неприятным — исполнение мелких поручений тети Гени, которые она изобретала, то по три раза в день гоняя его в аптеку, то посылая с половиной пирога к сестре Фане либо к другой сестре, Раечке, взять у нее плошку студня.

Уже почти десять лет он нес свою родственную службу с невиданной легкостью, безропотно и радостно. Тетка, насколько могла, полюбила приемыша и расставаться с ним не собиралась. Но, повинуясь еврейскому инстинкту сватовства — соединения всех свободных валентностей, чтобы они не торчали куда не следует, — изредка знакомила его с приличными еврейскими девушками из широкого родственного круга. На этом самом месте произошла у нее большая осечка: собственный ее сын Марлен ускользнул, женился на русской. Она по сей день не могла смириться с этим фактом, хотя «“эта Лида” оказалась-таки приличная»...

В начале октября тетя Геня пригласила к обеду свою дальнюю племянницу Эллу. Молчаливая, вся обтекаемо-круглая, как бутылка, на бутылочных же ногах, Элла принесла большую овальную коробку шоколада, которого тетя Геня в рот не брала из боязни диабета — среди ее многочисленных предрассудков был и такой: диабет заводится от потребления шоколада. Она положила коробку с бегущим оленем на буфет и подала бульон.

Миха отсидел покорно все три блюда, каждому отдавая должное, а унылая Элла шевелила ложкой без пищевого энтузиазма, молча, не поднимая глаз. Видно, и ей были в тягость эти безуспешные якобы случайные встречи с родственными молодыми людьми, сплошь неудачные сватанья. Потом, откушавши обед, по движению брови тети Гени, Миха проводил Эллу до метро. Когда он вернулся, недовольная тетя, покачивая разделенной пополам тонким пробором кукольной головой, ему выговорила:

— Ты бы лучше обратил внимание на эту Эллу. Она с образованием, и единственная дочь у родителей, и у них такая квартира в Марьиной Роще, тебе не снилось! Да, немного старше, не стану скрывать! Но ведь своя девочка!

При этом менее всего ей хотелось бы остаться одной в коммунальной квартире, среди соседей, которые прежде были приличными, а теперь заменились, как на подбор, антисемитами и ворами.

Но Миха обратил в данный момент внимание исключительно на коробку шоколада. Дело было в том, что его пригласила на день рождения красивая девушка Алена, первокурсница с художественно-графического факультета. Она только-только появилась в институте, но сразу была замечена. Она выделялась не столько красотой — лицо вроде тех, что Боттичелли любил, светлая тишина и юношеская бесполость, — сколько отстраненностью и надменностью. Все хотели с ней дружить, а она была как вода: в руках не удерживалась. Накануне она сама подошла к Михе и пригласила на день рождения!

Миха не был главным кавалером факультета, поскольку в то время там училось несколько гитарных юношей, всенародная бардовская слава которых только начиналась. Миха не мог составить им конкуренции — хотя и он тоже писал стихи, но не умел петь их под гитарные переборы. Но зато он был заметно рыж, исключительно миролюбив, пользовался успехом у девочек, особенно иногородних, и ни одна студенческая вечеринка без него не обходилась.

О, да он бегом побежал бы на день рождения Алены, но денег не было даже на самый ничтожный подарок, и он из гордой бедности решил не ходить. Занять было не у кого: Илья был в отъезде, а Анне Александровне он был должен с прошлого месяца пятнадцать рублей. У тети Гени он денег не брал ни разу с тех пор, как стал получать стипендию. Но в этот раз все растратилось раньше времени.

Эта нарядная коробка на буфете могла бы подойти! Скучный, конечно, подарок, но не с пустыми руками...

Он выслушал теткины наставления относительно женитьбы на еврейской девушке. Перетерпев старую песню, он спросил, нельзя ли ему взять эту коробку для подарка. У тети были другие планы относительно коробки, но Миха применил свои маленькие рычаги воздействия, — напомнил как будто невзначай:

— Послезавтра утром я отвезу вас на кладбище, я не забыл!

Поездка на Востряковское кладбище заменяла ей все возможные развлечения: театр, кино, общение с живыми родственниками. Но одна никогда в такую даль не ездила.

Арифметику расчета тетка понимала. Миха получил коробку и побежал вместе с бегущим оленем на улицу Правды, где жила Алена. Прибежал — и произошло! Влюбился. Бесповоротно и тотально, как это с ним уже случилось однажды в детстве, когда пришел впервые к Сане. На этот раз влюбился в дом, в хозяина дома, Алениного отца, Виктора Борисовича Чернопятова, в его жену Валентину, в пироги с капустой, в винегрет, в музыку на костях — тазобедренный сустав с зажигательным Гершвином, — какой он никогда прежде не слышал. Самое главное, конечно, в Алену, которая в квартире совершенно не была ни надменна, ни высокомерна, а напротив, тиха и мила, и вмещала в себя всю женскую прелесть, которая только была в мире.

Они беспамятно целовались на балконе, и безумная нежность умеряла столь же безумную страсть, вспыхнувшую от первого же прикосновения Михи к тонкой косточке предплечья, к хрупкой кисти, к детским безвольным пальцам.

Бывают у людей таланты простые, как яблоко, очевидные, как яйцо, — к математике, к музыке, к рисованию, даже к собиранию грибов или к игре в пинг-понг. С Михой было сложнее. Талантов на первый взгляд не было, но были хорошие способности: к поэзии, к музыке, к рисованию.

Настоящий его талант, полученный им от рождения, невооруженным глазом был не виден. Он был одарен такой душевной отзывчивостью, такой безразмерной, совершенно эластичной способностью к состраданию, что все прочие его качества оказывались в подчинении этой «всемирной жалости».

Он учился на филологическом с легкостью и удовольствием, но его интерес к дефектологии шел из самой глубины личности, от его дара эмпатии. Он был настроен с самого начала на преподавание литературы, он жаждал продолжения традиции, он уже видел себя входящим в класс и читающим, как это делал когда-то Юлич, лучшие русские стихи... в пространство, в воздух, в космос. А сидящие рядами мальчики и девочки — некоторые! некоторые! — ловят эти звуки, зерна смысла.

Перед распределением Миха пошел на прием к Ринку, чтобы тот помог получить направление в школу для глухих. Потому что — кто же донесет до них драгоценности поэзии и прозы?

Яков Петрович посмотрел на Миху из-под очков внимательно, порасспросил скорее о жизни, чем о профессии, и заключил, что в его практике это первый случай, когда студент-филолог стремится заниматься дефектологией.

— Есть одна очень хорошая школа-интернат для глухих и глухонемых, где вы сможете и пользу принести, и образование расширить. Это прекрасное коррекционное учебное заведение. Находится оно в небольшом поселке в Московской области, и жить там надо постоянно. Им нужен преподаватель русского языка и литературы. Съездите, посмотрите. Если вас это устроит, вернемся к этому разговору, — предложил Яков Петрович.

Добирался туда Миха около трех часов — сначала на электричке до Загорска, потом на автобусе, которого довольно долго ожидал, потом полчаса пешком по лесной дороге.

Была ранняя весна, шел легкий дождь, через который лес светился бледной зеленью. Дождь тихо шуршал о прошлогоднюю траву, и свежая трава уже поднималась из палой листвы, и казалось, что она издавала тонкий звук прорастания. Какая-то птица нервно вскрикивала с равными промежутками. А может, не птица — зверь. Михе пришло в голову, что здешние обитатели не слышат этих живых звуков. С другой стороны, городские жители тоже этого не слышат, потому что шум города все заглушает. А в нем самом уже начали произрастать стихи:

> Из тишины, дождя и роста трав
> рождаются какие-то там звуки,
> та-ра-ра-та...та-ра-ра-та...
> и луки, муки, крюки...

Ничего не складывалось...

> Из тишины, дождя и роста трав
> рождаются зародыши симфоний...
> та-ра-ра-ра... та-ра-ра-ра....
> агоний, половодий...

Ну, приблизительно... Он любил точные рифмы и мучился, что все они были многократно использованы до него. Так он скакал по давно проложенным в языке шпалам, наслаждался этим процессом, но уже догадывался, что далеко по ним не убежать. Да и Бродский еще не начал триумфального завоевания мира и не принудил его своей длиннодышащей строкой и полнейшим презрением к этому «тик-так» и «бум-бум» приостановить бедненькое, но вдохновенное сочинительство.

Кончился лес, открылась усадьба. Двухэтажный деревянный дом стоял на пригорке в окружении десятка маленьких полудеревенских строений. От старинной ограды осталось немного, приземистые столбцы с обмякшими от времени шарами перемежались кусками серого штакетника. Ворота давно исчезли. Толстые липы с неравными промежутками — остатки старой аллеи. Время послеобеденное, людей видно не было. Он прошел по раскисшей, еще безволосой земле к крыльцу, постучал в дверь, ему не открыли. Подождал, дверь распахнулась: перед ним стояла бабка с ведром и плавающей в нем тряпкой.

Он засмеялся и поздоровался. Тетя Геня, рабыня примет и тайных знаков, сочла бы такое начало очень удачным: ведро было полно, хотя и грязной водой.

Действительно, дальше все шло как нельзя лучше. В директорском кабинете три тетки и пожилой человек с маленькими усиками пили чай с вареньем. Он знал, что директор — женщина, и решил, что армянка, тоже с небольшими усиками, и есть директриса.

— Здравствуйте, мне хотелось бы поговорить с Маргаритой Аветисовной. Я по рекомендации Якова Петровича... — Он не успел и фамилии назвать, как они все заулыбались, кинулись наливать ему чай и накладывать варенье в розетку.

Тут раздался стук в дверь и вошел мальчик лет двенадцати, который сообщил им что-то на языке жестов.

— Что случилось, Саша? — спросили они почти хором. — Ну, скажи, ты умеешь. Говори, говори, у тебя хорошо получается.

— Ба-ба-ка у-ба-га-ла, — с трудом произнес он.

Все четверо его окружили, а низенькая женщина с тонкой косой вокруг головы спросила, очень сильно артикулируя каждый звук:

— Какая собака? Ночка или Рыжик?

— Бо-тка, — просиял мальчишка.

— Ноч-ка. Не волнуйся, Саша. Она вернется.

Мальчик снова сделал движение — рука об руку и вверх. Это был вопрос.

— Захочет кушать и придет, — сказала женщина с усиками.

«Ну, конечно, эта и есть директорша», — решил Миха.

Мальчик снова сказал что-то руками.

— Слушай меня, Саша. Захочет кушать и придет.

На букву «у» у нее довольно сильно вытягивались вперед губы.

Мальчик кивнул и ушел.

— Саша у нас всего полгода. И очень поздно начал заниматься, — с гордостью сказала женщина с косой.

— Да, всего полгода, — подтвердила усатенькая.

— Пять месяцев, Маргарита Аветисовна, — уточнил Глеб Иванович с усиками. Очень почтительно, так что Миха понял, что не ошибся, она и есть директриса.

Через десять минут чаепития Миха решил, что, если они не возьмут его преподавателем, он останется здесь работать кем угодно: дворником, истопником, учителем физкультуры.

Его провели по классам — их было четыре. А детей — всего сорок два.

В одном из классов девочка стояла возле доски и рассказывала что-то руками. Другие слушали-смотрели.

— Мы не отказываемся в принципе от жестового языка. Но мы считаем, что, если рано начинать обучение по нашим методикам, большая часть наших детей научится говорить.

— Я бы хотел здесь работать. Я жил в детском доме с двух до семи лет, пока меня родственники не забрали. Я вам, конечно, не подхожу, я не знаю... Жестовый язык я уже начал изучать, но пока еще не очень... Если вы меня возьмете...

Взяли его с распростертыми объятиями.

Он подписал распределение, которое любой выпускник счел бы очень плохим, и вышел на работу, даже не отгуляв положенного после института отпуска.

Отъездом Михи в интернат были недовольны все: тетя Геня, которая плакала в день его первого отъезда как по покойнику, хотя он собирался вернуться к воскресенью; Марлен, на которого ложились определенные заботы по обихаживанию матери; Алена, «пунктирный» роман с которой, то разгоравшийся, то угасавший с известной периодичностью, был как раз в низшей точке, но и она пожала узким плечом: интернат? зачем? отец Алены, умнейший Чернопятов, считал, что чем работа ближе к центру, тем она правильнее, а провинция вообще не место для жизни.

Беспокойство проявляла и Анна Александровна, но не с карьерной, а с гигиенической позиции. Она считала, что Миха зарастет грязью и обовшивеет в кратчайшие сроки.

Саня подумал о том, как долго добираться до консерватории из такого медвежьего угла, но ничего не сказал. Илья расстроился, что лишается друга как раз в тот момент, когда они могли бы вместе отлично поработать.

Миха теперь учил русскому языку и литературе глухонемых и глухих детей. Работал в паре с логопедом, и сразу же все пошло очень хорошо. Миха придумал нечто такое, что даже сподобился похвалы самого Якова Петровича. Он вводил в обучение ритмику, отхлопывал руками разные стихотворные размеры, и его дети промыкивали ямбы и хореи. Как они были счастливы похвалами учителя и как щедро Миха их отпускал!

Это было уникальное по бедности и по роскоши детское учреждение. Бюджетные деньги были мизерные, зарплаты сотрудникам — со специальной надбавкой — тоже были несоразмерны ни их квалификации, ни времени, которое они проводили с детьми, снабжение совершенно недостаточное, но все это искупалось полнейшим бескорыстием педагогов, преданностью профессии и гордостью результатами работы, которые были так заметны. И атмосферой творчества и любви.

Приблизительно треть детей была собрана из детских домов, остальных привозили родители в надежде облегчить им связь с миром. Детдомовские дети, между прочим, шли лучше домашних, поскольку их содержали в интернате годами, в то время как домашних забирали через год или в лучшем случае через два.

Почти каждое воскресенье Миха проводил в Москве: навещал тетю Геню, отдавал все накопившиеся за неделю долги — от мытья полов и окна до закупки продуктов. С поступлением Михи в институт, когда прекратилось многолетнее содержание со стороны родственников, тетка стала скупа и капризна. Докторская колбаса должна была быть непременно микояновская, сыр пошехонский, молоко останкинское, а рыба — живой карп или мороженый судак — из магазина, который в воскресенье был закрыт, так что время от времени Миха приезжал по субботам, чтобы ухватить этого карпа в случае его наличия.

Освободившись от хозяйственных забот, он летел к Алене, и она ждала его либо с накрашенными ресницами, что обозначало для Михи, что она повернута сегодня к нему лицом, либо, по отсутствию туши, он догадывался, что она не настроена на его волну. Почему она так переменчива, он не знал, пытался выведать, но она только плечами поводила, и волосы скользили по плечу, и сама она ускользала, ничего не объясняя.

Тогда он усаживался с Сергеем Борисовичем на кухне пить чай или водку, в зависимости от времени дня, наличия или отсутствия гостей и настроения хозяина.

«Что за человек! Какая судьба!» — восхищался Миха Чернопятовым. Отец Сергея Борисовича, родом из Батуми, был из старых соратников Сталина, и убит он был позднее всех прочих, в тридцать седьмом, когда вождь с большинством друзей молодости уже разделался. Первый раз Сергея Борисовича посадили еще школьником, через неделю после ареста отца. Это была пока что проба пера — детская колония. Когда исполнилось восемнадцать, перевели в лагерь. В сорок втором освободился из лагеря, отправили в ссылку. В Караганде встретил «алжировку» Валентину, Валюшу. Тогда же и узнал эту сатанинскую географическую аббревиатуру — Акмолинский Лагерь Жен Изменников Родины. Среди тысяч жен были мать Майи Плисецкой, мать Василия Аксенова, мать Булата Окуджавы... Аленина бабушка по материнской линии была вдовой видного партийца из Рязани.

Валентина шла по категории ЧСИР — Члены Семей Изменников Родины. Когда расстреляли отца и арестовали мать, ей было семнадцать, и удалось избежать судьбы двадцати пяти тысячи малолетних ЧСИРов, отправленных в детские дома. Поехала вслед за матерью, оказалась в селе Малиновка, в трудпоселении. Мать через год умерла.

Там и свела ее судьба с Сергеем: обоим было по двадцать

лет, оба мечтали о семье. Совсем молодыми поженились, спасая друг друга. В сорок третьем родилась Алена. В сорок седьмом разрешили вернуться в Россию, и они поехали в Ростов-на-Дону, где нашлись родственники Валентины. Сергей Борисович сдал экзамены за десятилетку, поступил в институт. Началась та настоящая жизнь, о которой он мечтал. В сорок девятом опять посадили. Сталинская рука никак его не отпускала. Освободился он в пятьдесят четвертом — в третий раз начал жизнь...

Алена рассказов этих наслушалась по горло. Она затворялась в своей комнате, включала музыку. Иногда часами сидела у себя, шурша грифелем по грубой бумаге и возводя каскады причудливых орнаментов, а то вообще уходила из дому, не сказавши ни слова, на Миху никакого внимания не обращая.

Миха сидел с Сергеем Борисовичем, набирался уму-разуму. Что за талант! Скажешь ему что-нибудь, а он твое высказывание, как переводную картинку, обмакнет в воду, и все проясняется. И такое глубокое понимание жизни, ее бесчеловечности, абсурда и жестокости!

А люди! Приходящие к Сергею Борисовичу люди, при всем их разнообразии, в одном были похожи — они были убежденные, непримиримые противники власти, понимающие ее природу, ее глубинную несправедливость. Один генетик, другой философ, третий — математик. И в центре всего этого — Сергей Борисович, жесткий, четкий, умный, настоящий общественный деятель.

Миха любил его еще и потому, что в нем было в мужском виде все то, что в женском так привлекало в Алене: едва заметные морщинки в углах век, направленные вверх, и маленькие складки в углах губ вниз, кавказская тонкокостность, легкость движений. Правда, Алена от матери унаследовала тонкую белизну лица, а Сергей Борисович, благодаря примеси черкесской крови, был смугл и темноволос. Мужик настоящий — отец, брат, друг. Неизжитые страдания Михиной безотцовщины. Относился Сергей Борисович к Михе тепло, но излишне снисходительно. Впрочем, он ко всем был вот так: немного свысока.

Иногда Алена, накрасив ресницы, оказывала благосклонность Михе, и тогда он уносился с ней, куда ей было угодно, и они гуляли по Москве, взявшись за руки, и ее вяловатая рука — живое счастье! — в Михиной, и он касался ее волос, вдыхал их птичий запах. Он говорил что бог на душу положит, читал стихи. Маяковского он уже пережил, Пастернака впитал, в то время был полон Мандельштамом. Бродский начался чуть позже. Она слушала, молчала, едва отзываясь. Тоже — снисходительно.

Иногда, в такие благоприятные времена — их было три за время жизни Михи в Миляеве, — зимой шестьдесят второго, в самом начале обживания Михой интерната, потом весной шестьдесят третьего и в конце шестьдесят четвертого — она вдруг среди недели приезжала к нему, оставалась ночевать в служебной комнате, выделенной Михе под жилье, и Миха себя не помнил от свалившегося на него счастья.

Тем горше и необъяснимей становились для него периоды ее охлаждения и отхода. Тогда он впадал целиком в работу, глухие дети заполняли его жизнь до отказа, почти не оставляя времени, чтобы тосковать.

Интернатовцам тоже не хватало отца, и на мужчинах педагогического коллектива — на Глебе Ивановиче и на Михе — висели грозди мелюзги. Старшие были сдержаннее, но тоже жались к учителям.

Яков Петрович Ринк вызывал Миху раз в месяц на семинары, всячески привлекал его к основной затее своей жизни: он уже чуть ли не десятилетие вел борьбу за создание детского сурдологического центра в Москве, на базе педагогического института или при Академии медицинских наук, и дело это начальством одобрялось, поддерживалось, но инерция государственной машины была столь велика, что одной человеческой жизни просто могло не хватить на создание чего-то нового, если оно не касалось военной промышленности и космоса. Ринк полагал, что Миха будет одним из тех выращенных им людей, которые смогут продолжать его дело.

Яков Петрович покровительствовал Михе, давал читать рефераты современных французских и американских исследователей и наконец посоветовал написать статью, что Миха и сделал с большим энтузиазмом. Яков Петрович внимательно прочитал писанину: пишет!

Он отбирал себе учеников и помощников десятилетиями — на зуб, на вкус, на оттенок... После трех лет добровольного рабства Михи в интернате Ринк заговорил об аспирантуре, правда, заочной. Но Миха и сам бы предпочел заочную: он не собирался расставаться со своими учениками.

Миха вполне успешно сдал экзамены в аспирантуру и теперь ждал приказа о зачислении. В сущности, это была простая формальность. Впереди засветила настоящая научная работа, и не отвлеченная, теоретическая, а такая, результаты которой видны сразу же, после нескольких лет работы по правильным методикам. Слепые пока не прозревали, глухие не слышали, глухонемые не говорили, но некоторые из них учились понемногу выговаривать слова и входили в закрытый для них мир... И какое это было счастье — вести их за руку!

Наперекор всяческой логике, попирая традицию, вопреки ожиданиям, Миха казался самым удачливым из «Трианона»: Саня бросил иняз и начинал заново консерваторское обучение, Илья и думать забыл о ЛИКИ, он самоуверенно полагал, что фотографии и сам кого хочешь научит, не собирался продолжать образование. Оброс знакомствами, интересными связями, особенно в новом демократическом правозащитном движении. Общий интерес у Ильи и Михи был по-прежнему к поэзии: Илья все продолжал свои пробеги по букинистическим, собиралась у него интересная коллекция.

К Илье и пришел Миха поделиться своими фантастическими успехами. Илья реагировал слабо. У него была в тот день своя удача — новое приобретение. Редчайшая редкость — один из немногих сохранившихся экземпляров — сборник «Аллилуйя» Владимира Нарбута, вышедший в 1912 году в Санкт-Петербурге и тут же приговоренный Святейшим Синодом к уничтожению «посредством раздирания».

Миха раскрыл на случайной странице — там и вправду «Аллилуйя» — псалом 148.

«Хвалите Господа от земли, великие рыбы и все бездны, огонь и град, снег и туман, бурный ветер, испепеляющий слово Его, горы и все холмы, дерева плодоносные и все кедры, звери и всякий скот, пресмыкающиеся и все птицы крылатые...»

Илья ласково выдернул сборник из рук Михи:

— Ну, это псалом известный, я другое тебе покажу, вот:

...Поет стоячее болото,
А не замлевшая река!
Старинной красной позолотой
Покрыла ржавчина слегка

Его. И легок длинноногий
Бег паука по зыби вод.
Плывут зеленые дороги,
Кровь никуда не уплывет!..

— Ну, и кто Нарбута теперь знает? Уплыл! И сколько всего уплыло! Ты вообще там со своими глухарями что-то слышишь, что происходит-то?

— Ты про что? — немного испугался Миха, что пропустил важное.

— Арестовали двух писателей.

Любознательный Миха уже знал об этом аресте из ночных радиопередач. Имена забыл. Илья напомнил. Передавали рукописи книг на Запад, и там их опубликовали.

Миха выразил желание прочитать. Илья сказал, что у него нет, но у его приятеля есть фотокопия. Он сам и делал эту фотокопию, но Михе не сказал, на всякий случай. Сидел как на пороховой бочке, из дому все вынес, по знакомым распихал.

— Только сам к нему поедешь. Возьмешь, и у себя оставь. Я потом заберу, когда волна пройдет.

С полнейшей конспиративностью вышли на улицу, позвонили из автомата на Покровке приятелю по имени Эдик. Илья небрежным голосом громко произнес в трубку:

— Эдька, я вчера у тебя батон колбасы оставил. Приятель мой мимо будет пробегать, забежит, возьмет. Спасибо. Пока!

Разоблаченный автор, укрывшийся за псевдонимом Николай Аржак, преподаватель литературы в московской школе Юлий Даниэль! С ума сойти, как наш Юлич, — учитель литературы! И тоже фронтовик, и с ранением, и филолог!

Эта мысль пришла ему в голову еще до прочтения. Заехал к Эдику, смешному длиннющему парню — батонов колбасы оказалось два: один назывался «Говорит Москва», второй — «Искупление».

Миха взял два крафтовых толстеньких пакета. Начал читать.

Как кипятком ошпарило! А ведь «1984» Оруэлла уже был прочитан. Гениальная, страшная книга. Но та — придуманная про все чужое, а в даниэлевской здесь, на русской почве, все делается кровным и близким. И оттого «Говорит Москва» — страшней.

И непонятно, что хуже: указом дарованное право на убийство всех всеми — на один день, или присвоенное государством это самое право убивать любого гражданина во все дни недели и месяцы и многие годы вперед.

«Искупление», пожалуй, еще более страшная книга: оказывается, можно не просто убить, а уничтожить человека самым изощренных способом — объявить честного человека стукачом, доносчиком, свести с ума. И самое страшное — никому ничего не докажешь, и нет возможности оправдаться.

Этот Виктор Вольский, такой понятный, симпатичный, оболганный, сведенный с ума своими же друзьями, поверившими вымышленному обвинению. Он, наверное, в палате психушки вспоминал Пушкина:

Не дай мне Бог сойти с ума –
Уж легче посох и сума;
Нет, легче труд и глад. (...)

Да вот беда: сойди с ума,
И страшен будешь как чума,
Как раз тебя запрут...

А Пушкин откуда это знал? Разве и тогда... Ну, конечно, декабристы! И тогда уже все это было — доносы, предательства. Майборода, доносчик. И самоубийством покончил много лет спустя после процесса. Наверное, страдал все эти годы. Но ведь тот действительно донос написал, а Виктор Вольский ни в чем таком не повинен. Нет, лучше уж предателя простить, чем вот так невинного человека загубить!

Читал Миха всю ночь так самозабвенно, так беспамятно, что наутро вспомнил не сразу, что надо было к восьми ехать в интернат.

Он как-то даже остыл от своего недавнего успеха: забылись удачно сданные экзамены, расплылась заманчивая перспектива. Неважно вдруг стало все это. И даже немного стыдно. Да. Как-то стыдно стало жить, оттого что этот Даниэль, потрясающий писатель, проникший в самую суть сегодняшней жизни, сидит в следственном изоляторе, и Бог знает, что его ожидает.

Миха, очнувшись от читательского обморока, понял, что на работу опоздал, и если очень сильно нестись, то можно успеть к четвертому уроку, но скоро уже начинался двухчасовой перерыв между электричками, и можно было не успеть, так что, скорее всего, весь день пропадал. Пытался дозвониться, предупредить, но линия не работала.

Коллектив был дружный, логопед Катя отменила индивидуальные занятия, провела два Михиных урока, а оставшиеся два заполнил Глеб Иванович. Но когда Миха приехал, занятия все уже закончились, детей уже покормили обедом, отправили на «мертвый час», теперь уже и полдник закончился. В столовой Глеб Иванович пил оставшийся компот из сухофруктов с белым хлебом — любимое лакомство.

Миха кинулся благодарить. Глеб Иванович не рассматривал свой поступок как большое геройство: так было принято. Но Миха настойчиво оправдывался — рассказал, как всю ночь до утра читал, а закончил, посмотрел на часы — шел одиннадцатый час!

— Но книги! Книги! Какие книги!

— Да что за книги такие? — между вторым и третьим стаканом компота отреагировал Глеб Иванович.

И Миха немедленно вытащил два крафтовых конверта, в которых уложены были стопки фотобумаги. Отпечатано с уменьшением.

Дети в продленке делали уроки. С ними сидела молодая учительница, только первый год работавшая, которую Глеб Иванович от себя на всякий случай курировал. Симпатичная учительница. Глеб Иванович заглянул в класс, сел на заднюю парту и достал очки.

Через пятнадцать минут он разбудил Миху, который недовыспался в электричке и досыпал в подсобке.

Глеб Иванович сел на табурет и закричал шепотом:

— Ты хоть понимаешь, что ты мне подсунул?

Тут Миха почувствовал себя настоящим идиотом и попытался выйти из положения, что-то бормотал несусветное — одновременно и про глубокую правду, которую обнаружил в этих писаниях, но и неловкие извинения, что потревожил Глеба Ивановича такой опасной литературой.

Глеб Иванович с шепота повысился до настоящего крика. Он обвинял Миху во всех грехах: неблагодарности к власти, спасшей его жидовскую морду от фашизма, о предательстве, о враждебности, о преступной антисоветчине самого Михи.

Все это было нелепо и до смешного глупо. Через пять минут они уже орали друг на друга, хлопали кулаками по столу, а хотелось бы по морде. Вся та взаимная симпатия, которую они друг к другу испытывали, мало того что испарилась, наоборот даже, каждый считал себя обокраденным, потратив так много добрых чувств на такое ничтожество. Вмиг куда-то провалилось общее дело, радости и неприятности, которые дружески делили. Миха, по природе беззлобный, еще через пятнадцать минут избыв свою злость криком и маханием рук, готов был вернуться к исходной позиции взаимного непонимания, чтобы заново пройти, но уже спокойно, все те нелепые аргументы, которые Глеб Иванович выдвигал. Но Глеб Иванович на это не был согласен: он рвался в бой, и теперь уже предъявлял Михе длинный перечень его ошибок и заблуждений, от которых недалеко и до преступлений.

Глеб Иванович оказался выносливей и крепче Михи в горловом бою, и голос из его тонкой шеи вырывался сильный и низкий, впору крупному пузатому мужику, а не такому недомерку.

Миха устал, дал Глеб Ивановичу проораться и хотел забрать два своих конверта с фотокопиями.

— А бумаги свои зловредные оставьте! Я ничего не дам вам отсюда вынести, ни одной строки не унесете! — вскрикнул Глеб Иванович, увидев, что Миха взялся за конверты, и сам схватился за крафтовый угол.

Они тянули каждый в свою сторону. Миха при других обстоятельствах давно бы уже смеялся, но для смеха нужно благорасположение, а тут происходило какое-то безумие. Глеб Иванович выкрикивал отдельные слова, которые уже не имели никакого отношения к происходящему:

— К стенке ставить! Вперед! Косачев, вперед! Косачев, на выход! Бляди!

Самым удивительным были возгласы с упоминанием Косачева. Дело в том, что Косачевым был сам Глеб Иванович.

На крики пришла уборщица Полина Матвеевна, заглянула в дверь и тут же вышла, а вернулась через минуту с белой чашечкой, которую сунула Глебу Ивановичу под нос и, обхватив ласково неровно лысеющую голову, поила, приговаривая:

— Осторожненько, осторожненько пейте, Глеб Иваныч, а то обольетесь водичкой-то.

Наконец-то Миха сообразил, что перед ним сумасшедший, и приступ спровоцировал сам Миха, нажав на какую-то неведомую психическую мозоль.

Полина Матвеевна показывала Михе знаками, которые были очень выразительны у всех служащих интерната, чтоб он поскорее отсюда убирался. И Миха, прихватив конверты, убрался.

Вольский! Вольский! В психушке погибающий герой Даниэля! Но ведь и этот жертва! И этого Глеба Ивановича свела с ума все та же стихия. Демоны, демоны. Как там у Волошина? «Они проходят по земле, слепые и глухонемые, и чертят знаки огневые в распахивающейся мгле...» Повторил про себя. Отметил какую-то неправильность с ударением, как будто полуударное «Ю». Все равно здорово. И снова вернулся к Глебу Ивановичу — этот тоже ни в чем не виноват. Так горестно размышлял Миха в автобусе по дороге к электричке, по дороге домой.

Глеб Иванович состоял на учете в психиатрическом диспансере. Биография у него была кривоватая. В войну был уволен из СМЕРШа. В интернате он был оформлен завхозом, а не педагогом, неспроста. С его диагнозом он не имел права работать с детьми. Человек он был добрый, детей любил и честен был какой-то истерической, почти немецкой честностью, но может, именно в силу последнего своего достоинства, переходившего в недостаток, донос на Миху он написал на следующий же день, не откладывая.

Михе и в голову не пришло, что донос Глеба Ивановича уже ползет медленно, но верно туда, где перекрывают все краны, все пути.

В силу общей расслабленности советской жизни, а также в силу закона притяжения неприятностей оформление Михи в заочную аспирантуру совпало с неторопливым передвижением доноса в сторону института. Когда спустя две недели на столе начальника первого отдела товарища Коробцова сошлись два документа, он позвонил Якову Петровичу и вызвал его к себе. Семидесятивосьмилетний член-корреспондент Академии педагогических наук понесся рысью к товарищу Коробцову, капитану в возрасте тридцати шести лет, и тот накрутил ему хвост.

Яков Петрович Ринк был достаточно стар, хотя моложав с виду, и хвост у него был крученый-перекрученый. Всю свою жизнь он посвятил сурдологии, помогал людям с дефектом слуха, но и глухие его спасали: в кабинетах, где полуграмотные лейтенанты и малообразованные капитаны решали судьбы науки, работа профессора казалась им нелепой и безвредной, так что жить ему давали. Он был немец, но немец российский. Его предок сто пятьдесят лет тому назад был приглашен в Российскую академию наук, с тех пор семья прочно осела в России. По счастью, в документах он числился русским, и по этой причине, в отличие от его двоюродных братьев, сосланных в Казахстан в начале войны, он не был репрессирован. Он прекрасно понимал, что это подарок судьбы. Всякий раз, когда Яков Петрович попадал в кабинеты лейтенантов и капитанов, он ожидал разоблачения. Даже сейчас, спустя двадцать лет после войны.

Своей заместительнице и близкому другу Марии Моисеевне Брис он говорил, сжав губы в струнку и растянув их в стороны, что обозначало улыбку:

— Вам хорошо, Мария Моисеевна, вас, честную еврейку, и разоблачать не надо, а я половину жизни беспокоился, что меня ошибочно примут за еврея, а теперь живу в страхе, что меня разоблачат как немца. В то время как мы с вами всего-навсего русские интеллигенты.

— Кого это вы берете к себе в аспирантуру, Яков Петрович? — не предложив сесть, спросил Коробцов.

«Как они надоели, как они надоели, как они надоели...»

— Там каких-то документов не хватает, Игорь Степанович? Один аспирант очный Саша Рубин, один заочный Михей Меламид, хорошие ребята, оба наши выпускники.

— Да вы садитесь, Яков Петрович. Тут кое-что придется нам обдумать. С Рубиным — ладно, рекомендации у него хорошие, он комсорг. А хорошо ли вы знаете этого Меламида?

Гадать тут было нечего. Меламид им не подходил. Что-то было у него не в порядке. Правильно опасалась Мария Моисеевна: нельзя на оба места евреев брать, придерутся. Был один парень из Молдавии, но подготовка очень слабенькая. Он бы им подошел, да только он экзаменов не сдал...

— У него очень интересная статья вышла. Работает по специальности. Эрудированный. Увлечен темой. Есть все данные научного работника.

— Угу, угу... — Коробцов сделал паузу. — А почему именно он? Сдавали и другие ребята — вот... — порылся в бумагах, прочитал по складам: — Вот, Перепопеску, Недопопеску, что-то в этом роде? Из Молдавии, простой парень. Дались вам эти Меламиды, Рабиновичи...

«Как я вас ненавижу, как я вас ненавижу, как я вас ненавижу...»

— Меламид наш выпускник, работает по распределению. Талантливый и серьезный молодой человек!

— Угу. Вы скажите, Яков Петрович, этому серьезному молодому человеку, что первый отдел его не пропустил. Если у него вопросы, может сюда зайти, я ему объясню.

— Вы хотите сказать, что не даете «добро» на оформление?

— Именно так. Что вы так смотрите? Мы на страже ваших интересов, интересов института и всей страны! Вы берете на себя ответственность, Яков Петрович, что этот ваш Меламид не устроит какой-нибудь гадости? Под личную ответственность?

«Пропадите вы все пропадом, пропадите вы все пропадом, пропадите вы все пропадом...»

— Я подумаю, Игорь Степанович. Подумаю.

Думать было, собственно, не о чем: финансирование лаборатории, докторская диссертация Марии Моисеевны, которая с пятьдесят третьего года не могла защититься, открытие центра, сотрудники, аспиранты, студенты — не мог себе позволить Яков Петрович стену своим лбом прошибать...

Осенью в жизни Михи произошло так много событий, счастливых и несчастных, почти одновременно, что они слились в яркую полосу. Алена вдруг поменялась к нему, и нервные отношения, с охлаждениями и потеплениями, с постоянными Алениными истериками, стали ровными и очень близкими. Миха не понимал, что произошло, а Алена не считала нужным сообщать ему, что порвала с женатым мужчиной, в которого была влюблена с шестнадцати лет, дала тому полную отставку и решила выйти за Миху замуж. Миха был совершенно счастлив.

Он еще не успел пережить эту грядущую перемену жизни, обдумать массу житейских вопросов, которые Алену совершенно не интересовали, как разрешилось все неожиданным образом: скоропостижно и легко умерла тетя Геня.

Она собиралась еще долго жить и как следует поболеть и накопила уже изрядный список болезней, но обманулась: легла с вечера спать и умерла во сне, разрешив с совершенно несвойственным ей великодушием главную из Михиных проблем — жилищную.

Случилось так, что в день смерти тети Гени Миха не ночевал дома. Они с Аленой уехали на дачу к одной из подруг Ильи. Небольшая дружеская вечеринка на фоне природы.

Когда поздно вечером на следующий день Миха вернулся домой, тетя Геня не встретила его ни упреками, ни жалобами — она была холодна и спокойна.

Теперь он остался единственным прописанным жильцом, хозяином четырнадцатиметровой комнаты в центре. Марлен был уже давно прописан у жены, комната эта по семейной стратегии должна была бы остаться за Минной, а Михе, по той же семейной стратегии, следовало уезжать по распределению и начинать жизнь на новом месте.

Марлен, человек практичный, еще года три тому назад мог бы переживать, что потерял комнату, не совершив в свое время родственного обмена, но к этому времени все поменялось в его жизни — он ударился в еврейство, стал изучать иврит, читал Тору, записался в сионисты и стал готовиться к долгой борьбе за репатриацию. Серьезным препятствием на этом пути была его мать. Тетя Геня ненавидела Израиль, причину, как она полагала, всех еврейских страданий, и заранее объявила сыну, что сама никуда с родины не поедет и ему никакого разрешения на выезд никогда не даст.

Смерть матери приближала Марлена к Сиону.

Когда Миха спросил Марлена, что делать с вещами тети Гени, тот пожал плечами:

— Спроси у теток, пусть возьмут что хотят, остальное выбрасывай.

Но тетки к этому времени уже взяли все, что еще было на что-то годно.

Алена впервые пришла в комнату Михи уже после смерти тетки. Вошла, остановилась на пороге, огляделась: хрустальная люстра с опавшими подвесками, бедняцкое богатство — треснутые вазы, две картины в толстых гипсово-золотых рамах, горшок с геранью, горшок с алоэ и трехлитровая банка с полезным для желудка японским грибом на подоконнике. Фотография довольно красивой женщины с парикмахерским завитком на лбу и с двумя детками — умноглазым подростком и улыбающейся толстой девочкой. Девочка была лет трех, толстый кончик языка выглядывал изо рта.

— Тетя Геня с детьми? — спросила Алена.

Миха кивнул. Ему вдруг стало стыдно за убожество дома, в котором он жил столько лет, и одновременно неприятно, что этим стыдом он предает бедную тетку.

— А девочка была больная? — указала глазами на маленькую Минну.

— Да, синдром Дауна. Я это понял уже в институте. Считалось, что у нее какое-то эндокринное заболевание. Она умерла.

Кивнула. Помолчала.

— Какой ужасный и печальный дом. Я его именно так себе и представляла. Ну, не точно так, а в этом роде.

Прошла, села к столу, покрытому бордовым плюшем, провела рукой по пыльному ворсу и сказала жалобно:

— Миха, здесь жить нельзя.

— Можно, Алешка, можно. Я ремонт сделаю. Мне ребята помогут.

— Да не в ремонте дело... — вздохнула Алена, и на нее опустилась тяжелая, как дождевая туча, тоска.

Женатый возлюбленный принимал ее в очень похожей комнате: такой же круглый стол с плюшевой скатертью, такая же потерявшая хрустальное оперенье люстра над ним и фотография красивой женщины с завитком на лбу, только что без руки с веером. Она посмотрела на две полки с книгами — и книги были те же самые, только там их было много больше. Да и комната была втрое больше и разгорожена занавеской надвое...

Миха душой и телом чувствовал, как может утешить удрученную Алену, но боялся к ней притронуться. Не осмеливался, ждал от нее знака. Она подошла к нему сама, погладила по голове, глубоко запустив пальцы в рыжие лохмы. И он воспрял, потому что минуту назад был уверен, что он, балабол и «шлемазл», по всем своим недостоинствам не годится Алене, и она не то что замуж выходить, но и смотреть не может на такое ничтожество.

Она тоже чувствовала нечто подобное, но гладила его по волосам, повторяя:

— Миха, ты ужасно хороший. Слишком для меня хороший.

Она уже наперед знала, что сейчас отлетят все эти соображения, что Миха не только милый и чистый человек, но и самый надежный, и верный, и к тому же лучший из нескольких любовников, которых она знала. Но тот женатый, всегда немного пьяный, расслабленный, не отпускал... А чем держал? Догадывалась, но не умела высказать.

Кочковатый диван звякнул пружинами и стойко продержался ночь и половину следующего дня. И все посторонние тягостные мысли вылетели из молодых голов, а когда очнулись, оба чувствовали себя звонкими от пустоты, невесомыми и победившими в схватке.

Михино счастье было огромным, казалось, на всю жизнь хватит. Днем, когда Алена была с Михой, ей было легко, но она со страхом ждала вечера. Она засыпала легко и мгновенно, но через час просыпалась от нестерпимого ночного страдания. Под утро засыпала и, проснувшись, только удивлялась силе и глубине боли, которая в дневное время отпускала.

Что-то надо было делать, и однажды, после такой изматывающей ночи, они с Михой подали заявление о регистрации брака. Потом пришли к Михе на Чистопрудный бульвар и вынесли на помойку остатки тети-Гениного барахла, не изъятые ее хозяйственными сестрами. Это был скучный прах невзрачной жизни: склеенные желтым клеем тарелки, лишившиеся ручек бывшие кастрюли, пустые тюбики от губной помады, старые газеты, тряпки, тряпочки, тряпицы, половина фарфорового медведя, первомайский флажок.

Вечером пришли Илья с Саней и помогли Михе вытащить грузную мебель — буфет, шкаф, тети-Генин диван.

Алена вымыла пол и почувствовала, что в этой пустой комнате она может остаться. Несколько ночей они спали на полу, на расстеленном спальном мешке, и Алена спала крепко, без снов, в обнимку, и ей казалось, что ее все время держат на руках.

Потом, пока делали своими силами ремонт, на пару ночей перебрались к Чернопятовым. Сергей Борисович, обожавший дочь, горевал, что она собирается уходить из дому, а Валентина даже заговаривала о том, не подыскать ли обмен их двухкомнатной и Михиной комнаты на трехкомнатную квартиру, но Алена не хотела.

Ей хотелось скорее въехать в их обновленное жилье. Как только перестало вонять краской, они перебрались в пустую чистую комнату, у которой, казалось, не было никакого прошлого, кроме вида из окна: замусоренный двор, преображавшийся с шестого этажа.

Всех оставленных от прежней жизни вещей — две картонные коробки, куча книг и сверток со старыми письмами, обнаруженный на дне кривого шкафа. Марлен попросил их сохранить, собирался заехать и забрать. Алена привезла мольберт, который, встав сбоку у окна, придал комнате артистизм, рабочий стол с покатой доской, произведение рук Сергея Борисовича, и пять больших папок со старыми, то есть трехлетней давности, работами, которые почти все были хитроумные орнаменты.

Свадьбы никакой у молодоженов не было, но свадебные подарки от Марлена, от Алениных родителей и от тетки получили — в виде презренном, но полезном: деньгами. Алена после института ехала по магазинам, покупала новые тарелки и новые подушки, тихо радовалась обновлению жизни. Ее сердечная рана если и не затягивалась, то куда-то удалялась под напором Михиной неиссякаемой нежности и деятельной страсти.

Вот на этом самом месте и кончилась вся удача. Вызвал Яков Петрович и сказал, что с аспирантурой ничего не получается, Миху не пропустил отдел кадров. Но сотрудничество их будет продолжаться.

— Диссертационную тему обсудим, но путь будет нелегким, могу заранее вас об этом предупредить. — На этом была поставлена если не точка, то многоточие.

В конце того же месяца по просьбе директрисы Миха уволился из интерната. Она просила прощения, плакала, оправдывалась тем, что самое для нее главное — сохранить интернат, не ставить под удар будущее сорока ее воспитанников.

Поумневший Миха задал только один вопрос:

— Звонили?

Маргарита Аветисовна кивнула.

Объяснение было только одно: он был теперь под прицелом. Миха подал заявление об уходе «по собственному желанию». Две рабочие недели, обязательные в таком случае, ему предложили отдыхать и искать новую работу. Через две недели он приехал забирать трудовую книжку, попрощаться с коллегами. Все выглядели смущенными, Глеб Иванович отсутствовал.

Когда Миха спросил о нем, оказалось, что его забрали в психиатрическую лечебницу.

Миха ощущал огромную дыру и странное чувство полной перемены жизни: на этом пустом месте должно было теперь вырасти что-то совершенно новое.

Милютинский сад

Никто не знает тайны, закона неодолимой тяги, влекущей данного мужчину к данной женщине. Екклесиаст, во всяком случае, не знал. Средневековая легенда дает некоторое обоснование — любовный напиток. То есть отрава. Вероятно, та самая отрава, которой напитывал всевластный Эрос свои оперные стрелы. Люди новейшего времени находят объяснение в гормонах, обслуживающих инстинкт продолжения рода. Понятное дело, между этим практическим заданием и любовью платонической существует известный разрыв, даже, выражаясь современным языком, когнитивный диссонанс. Серьезная идея продолжения рода прикрывается всякими ритуальными завитушками, флердоранжем, попами, печатями с орлами и так далее, вплоть до вывешенной во дворе простыни с кровавым пятном посередине. В этом смысле с любовью более или менее ясно.

Но что делать с дружбой? Никакой капитальный инстинкт ее не подпирает. Все на свете философы (мужчины, разумеется, баб-философов до Пиамы Гайденко не бывало, если не считать легендарной Гипатии) располагают ее, дружбу, в иерархии ценностей на самом верху. Аристотель дает изумительное определение, которое по сей день выглядит безукоризненно, в отличие от многих его идей, которые устарели до смешного. Итак: «Дружба — специфически человеческий факт, объяснение и цель которого следует искать без обращения к законам природы или к трансцендентному Благу, выходящему за рамки эмпирического существования».

Природой, таким образом, дружба не обусловлена, цели никакой не имеет, и вся она заключается в поиске родственной души, чтобы разделить с ней свои переживания, мысли, чувства, вплоть до «жизнь отдать за други своя». Но за это счастье следует дружбу кормить временем своей единственной жизни: то пойти прогуляться с другом по Рождественскому, например, бульвару, выпить с ним пива, даже если ты предпочитаешь иные напитки, а пиво любит друг, пойти на день рождения к его бабушке, читать одни и те же книги, слушать ту же музыку, чтобы в конце концов образовалось маленькое, закрытое и теплое пространство, где шутки понимаются с полуслова, обмен мнениями происходит с помощью взгляда, и взаимодействие между друзьями такое интимное, какого невозможно достичь с существом другого пола. За редчайшими исключениями.

Но времени на друзей оставалось все меньше и меньше. Не было больше школьных перемен, прогулок по Москве с любимым учителем по средам — прекрасно-вынужденное ежедневное школьное общение закончилось, и они встечались время от времени по давней инерции, но окунались в свое дружественное пространство все реже и реже, и вдруг обнаружилось, что жизнь их развела, да и потребность разделить ежедневные события — крупные, мелкие и мельчайшие — исчерпана, и достаточно уже телефонного разговора раз в неделю, раз в месяц, в праздник.

Конечно, это разбегание происходило не один год, история отношений трех друзей имела неотменяемый вес, но спустя пять-шесть лет после окончания школы задним числом можно было разобраться, в каких именно точках началось это самое расхождение. Вот, к примеру, Миха.

Илья вспоминал Михину эволюцию — как он последовательно проходил увлечение революционным Маяковским, магическим Блоком и той частью Пастернака, в которой

Восемь залпов с Невы
И девятый,
Усталый, как слава.
Это — (слева и справа
Несутся уже на рысях.)
Это — (дали орут:
Мы сочтемся еще за расправу.)
Это рвутся
Суставы
Династии данных
Присяг...

Илья Михины революционные симпатии терпел. Санечка нежно улыбался. Дружба легко выдерживала незначительные разногласия, иную расстановку акцентов. Заезжий фестивальный знакомец Пьер Занд, русский бельгиец, смутил Миху до глубины души своей осознанной ненавистью к революции. Миха решил составить личное и беспристрастное мнение относительно коммунизма. Это заняло у него чуть больше двух лет. Сначала читал Маркса, потом пошел вспять, к первым социалистам, с которыми все было довольно просто, потом споткнулся о Гегеля и, сделав пируэт, двинулся в направлении Ленина.

Его родственник Марлен (с годами они все больше сближались) смотрел на его занятия с подозрением:

— Не то читаешь, Миха. В нашей семье было много революционеров, и, кроме Марка Наумовича, всех перестреляли. А Марк Наумович спасся, потому что сначала сам в НКВД пошел служить, а потом вовремя оттуда убрался в провинцию, консультантом чего-то. Умнейший мужик, редкостная сволочь.

— Разобраться хочу, — простодушно оправдывался Миха.

— Ну, разбирайся, разбирайся, — разрешил Марлен. — Тебе хочется велосипед самому изобрести — карты в руки!

Тетя Геня поставила перед каждым по тарелке борща, а потом принесла второе, котлеты с картошкой: сыну три котлеты, Михе две, а себе одну.

Марлен захохотал, указывая на котлеты:

— Вот тебе социальная справедливость! И во всем остальном так же!

У Михи ломило голову. Он читал, читал — вопросов возникало все больше, а удовлетворительных ответов все меньше. Он пытался говорить о социализме с Виктором Юльевичем, но тот морщился и говорил, что к общественным наукам у него нет склонности.

Илья, один из самых любознательных и информированных людей, подбрасывал в огонь свежие полешки. Лучшим из них оказался самиздатский «1984» Оруэлла. Книга, которую утратили вместе с портфелем французского дипломата Орлова, Пьерова дядьки, еще в пятьдесят седьмом году, так и не узнав об этой утрате. «1984» произвел сильнейшее впечатление: к художественному слову Миха оказался более восприимчив, чем к социально-экономической схоластике.

Илья мог торжествовать небольшую победу — Миха приостыл в революционном порыве. Общение тем не менее притормозилось. О Сане и говорить нечего — он увяз в своих звуковысотных системах, и любимые друзья никак не могли быть ему собеседниками.

Высокая чувствительность к художественной литературе привела Миху к тому печальному положению, в котором он оказался поздней осенью шестьдесят шестого года, без аспирантуры и без работы.

Его несостоявшийся руководитель, Яков Петрович Ринк, был огорчен и пытался Михе помочь. В рамках возможного. Яков Петрович был человеком, безусловно, порядочным, но гибким. И настолько умным, что прекрасно понимал, как сложно совмещаются порядочность и гибкость пред лицом власти, с которой он всю жизнь кое-как договаривался. В случае с Михой Меламидом договориться не удалось. Это было огорчительно, но в целом не нарушало их общей важной и целесообразной деятельности.

Яков Петрович сделал несколько попыток помочь молодому человеку с трудоустройством. Связи у Якова Петровича в педагогическом мире были всеобъемлющими, но даже ему не удалось найти такое рабочее место, на котором бы Миха смог вести экспериментальные исследования — осваивать новые методики восстановления речи.

Таким образом, для Михи закрывалась всякая возможность научной работы.

Все, что удалось членкору, — пристроить неудавшегося аспиранта преподавателем литературы в вечернюю школу, да и то почасовиком. Предлагаемые восемь часов в неделю составляли скудное пропитание как раз на восемь дней. В месяце их было в лучшем случае тридцать. Алена еще училась в институте, и учеба полностью исчерпывала ее небольшие запасы сил.

К этому времени Миха убедился, что найти работу самостоятельно он не сможет. В гороно, куда он пошел наниматься в преподаватели русского языка и литературы, ему сообщили, что в Москве мест нет, надо обращаться в министерство, может, найдется что-нибудь в провинции. Однако попросили оставить свои данные, потому что хоть свободных мест нет, но иногда возникают какие-то временные вакансии.

В министерство Миха не пошел: Алена была молодая жена, еще студентка, и ни за какие коврижки он из Москвы не уехал бы.

Виктор Юльевич, от педагогической работы отошедший, считал, что о карьере школьного учителя Миха может забыть. Только репетиторство. И немедленно дал ему ученика. Но все это — почасовуха, частные уроки — не то, не то... Не хватало интернатских деток!

Миха к этому времени уже использовал самый тупой из

возможных видов приработка: ходил ночами на погрузочно-разгрузочные работы на станцию Москва-Товарная. Работа не казалась ему особенно тяжелой, но Алена воспротивилась: у Михи же близорукость прогрессирующая, нельзя такую нагрузку на глаза давать... Она была права.

Еще один регулярный доход — сдача крови. Он стал донором, но на станции переливания крови тоже были свои ограничения: не чаще, чем раз в месяц!

Наконец Миха решил обсудить с Ильей всякие нестандартные варианты. Они назначили встречу у Покровских ворот, в продувном Милютинском саду, принадлежавшем когда-то Межевой канцелярии, на садовой лавочке с двумя выбитыми планками. У каждого в руках бутылка пива, а в ногах — по портфелю. Саня отсутствовал. Его решено было не привлекать.

Илья вскоре после окончания школы первым из их выпуска осознал, что не хочет работать на государство ни с девяти до пяти, ни с восьми до восьми, ни в режиме «сутки-трое», а также не хочет учиться ни в каком учебном заведении, потому что все, что ему было интересно, он мог узнать без дисциплинарной муштры и насилия. Он лучше всех знал способы избегания, ускользания, растворения. Самый верный путь — фиктивный наем в секретари к ученым и писателям. Редкий, почти эксклюзивный вариант, который и обеспечивал Илье относительную независимость от государства. Более надежные, но менее привлекательные варианты требовали действительной траты личного, драгоценного времени — рабочие места в котельных, в подъездах, в охране. Что же касается «башлей», Илья знал много способов, как их добывать.

Илья прочитал Михе незабываемую лекцию, в который раз продемонстрировав давно признанное интеллектуальное превосходство.

— Понимаешь, Миха, вообще это две разные вещи: заниматься интересным делом и зарабатывать деньги. И все же я считаю, что эти две вещи надо уметь совмещать. Рассмотрим самиздат. Явление это само по себе потрясающее и небывалое. Это живая энергия, которая распространяется от источника к источнику, и протягиваются нити, и образовывается своего рода паутина между людьми. Такие воздуховоды, по которым идет информация в виде книг, журналов, перепечатанных стихов, очень старых и очень новых, последних номеров самиздатской «Хроники». Идут потоки сионистской литературы, напечатанной в Одессе до революции или в Иерусалиме в прошлом году, идет религиозная литература, эмигрантская и домашней выделки... Это процесс отчасти стихийный, но не совсем. Я как раз занимаюсь этим сознательно и, в определенном смысле, профессионально. Именно эта работа дает мне заработки. Ну, и потом, развитие дела, оно тоже требует.

Миха сидел, разинув рот в прямом смысле слова. Даже легкая слюнка набегала в углах губ, как у спящего ребенка. Илья вещал редкостно серьезным голосом, Миха же был поглощен и содержанием лекции, и сильнейшим чувством восторга и гордости: вот это Илья!

— Святое дело! — тихо сказал Миха, подавленный открывшимся величием друга.

Илья и сам в этот момент наслаждался собственной ролью в мировом прогрессе. Нарисованная им величественная картина не вполне соответствовала действительности, но она и не была чистым вымыслом. Мелкие бесы русской революции — те самые, достоевские — клубились в темнеющих углах оскудевшего сада. Длинная тень не повинного ни в чем Чехова двигалась в направлении огородного магазина Иммера, куда писатель в давние годы заглядывал за семенами, а в соседнем флигеле приблизительно в те же годы, под покровительством не вполне невинного Саввы Морозова, умирал нежный еврей Левитан, певец русской природы...

На этом же углу, в двух шагах, двадцать лет тому назад трамвай, визжа и скрежеща... да, да, Мурыгин.

Но в целом прогресс куда-то двигался, несомненно!

У Ильи сразу же возникло интересное предложение. Самиздат сегодня стал общественным явлением, и потребность в новых материалах только возрастает. К середине шестидесятых оживилась провинция. Далеко не весь самиздат создается идейными энтузиастами. Формируется настоящий рынок, и действуют на нем самые разные люди, в том числе и вполне коммерчески заинтересованные. Наряду с изданиями, стоимость которых определяется только стоимостью бумаги или фотопленки, появляются настоящие товары, изготовляемые для продажи. Возникает также и некое подобие торговой сети. Одним из участников этого рынка является Илья. Миха мог бы помогать в распространении.

Да, распространитель из Михи неважнецкий, это Илья понимал: слишком заметный, слишком общительный, слишком неосторожный. Однако и верный, надежный, ответственный. Возможно, Илья бы не сделал ему такого предложения, но Михе действительно жить было не на что. Да еще и жена!

Миха вступил в должность коммивояжера.

Первые поездки были недалекими. Набив рюкзак самиздатом, он отправлялся электричкой или автобусом на недальние станции — в Обнинск, в Дубну, в Черноголовку. Встречался там с младшими научными сотрудниками, передавал им литературу, брал деньги и в тот же день возвращался.

Знакомиться ему с ними было запрещено. Миха представлялся Андреем, а контрагент вообще никак не представлялся. Он обычно представлялся — «от Александра Ивановича» или «от Льва Семеновича».

Из полученных денег Михе всякий раз шла честно заработанная пятерка. Она легонько жгла руку.

То ли дело было работать в глухонемом интернате. Интернат каким-то идеальным образом одновременно давал Михе все, в чем тот нуждался: скромный, но совершенно достаточный заработок, полнейшее удовольствие от творческой и полезной работы, редкое чувство правильности жизни. Руку не жгло!

Через два месяца Миха признался Илье, что хотел бы более осмысленного занятия, нежели развозка рюкзачка по адресам. Он ознакомился с существующим самиздатом и считает, что может делать нечто более творческое...

— Ладно, хорошо. Я так и знал, что этим кончится, — вид у Ильи был скорее недовольный, хотя обычно он раздувался от удовольствия, когда решал чужие проблемы, — Эдик тебе нужен. Эдик! Помнишь, длинный такой! — воскликнул Илья.

Миха помнил. Брал у него как-то книги. Да и внешность, действительно, у Эдика была запоминающаяся — рост под два метра и розовое младенческое лицо, на котором вообще ничего не росло, кроме густых бровей.

Илья привел Миху к Эдику. Тот жил с матерью и с женой Женей в отдельной двухкомнатной квартире. Миха, оглядевшись, опять попал под обаяние чужого дома, не похожего на другие: мать Эдика была буддологом, на стенах висели восточные картинки, которые, как объяснил Эдик, были буддийскими иконами. Жена Эдика, археолог, тоже разместила в доме следы своей профессии в виде трех некрасивых горшков. Женщин в этот момент дома не было.

Эдик издавал самиздатский журнал «Гамаюн», представляющий собой два десятка страниц на папиросной бумаге, грубыми стежками подшитых между двумя синими картонками. Это был литературно-общественный журнал, существовал он пока в единственном экземпляре первого номера. Миха сразу схватился за журнал и просмотрел от начала до конца.

— Интересно! А почему «Гамаюн»? — поинтересовался Миха.

— «Алконост» был, «Феникс» был, «Сирин» мне не нравится. По мне, «Гамаюн» в самый раз.

— Еще одна птичка тоже из славянской мифологии?

Эдик немедленно начал просвещение:

— Да, конечно. Но наша птичка, во-первых, большая интеллектуалка, она знает все тайны мироздания, а во-вторых, у нее дар предсказания. У нас сначала была мысль назвать журнал вообще «Исторический проект». Но решили, что слишком сухо. Просветительский журнал. И современная поэзия, конечно.

Участвовать в издании журнала, открывающего глаза и уши темному человечеству, Миха был готов.

Илья оставил Миху у Эдика, и новые знакомые поужинали вдвоем серыми макаронами. После макарон довольно быстро договорились, что журнал будет продолжаться именно как литературно-общественный, а не политический. То есть политики в нем будет минимум. Эдика интересовали скорее исторические прогнозы, анализ общественных вкусов, предпочтений, в сущности, темы социологические:

— А если говорить о литературе, то лично меня более всего интересуют поэзия и фантастика. Фантастика художественным образом обобщает происходящие в мире процессы и дает интересные прогнозы. Сегодня современная западная фантастика — это футурология, философия будущего. Но на нее у меня категорически не хватает времени. Если бы ты взял на себя еще и фантастику, было бы здорово.

Миха задумался: с фантастикой у него соприкосновения не было. Обещал подумать.

Тут же, на месте, они решили прикинуть состав поэтического раздела для очередного номера. Со структурой определились сразу же: большая подборка одного поэта и пять-восемь авторов, представленных одним-двумя стихотворениями. Миха предложил подборку из Бродского и тут же восторженно забормотал:

Генерал! Наши карты дерьмо. Я — пас.
Север вовсе не здесь, но в Полярном Круге.
И Экватор шире, чем ваш лампас,
Потому что фронт, генерал, на Юге.

На таком расстояньи любой приказ
Превращается рацией в буги-вуги.

— Кого ты Бродским удивишь? Ты послушай, какие есть новые поэты, мало кому известные:

Память — безрукая статуя конная
Резво ты скачешь, но
Не обладатель ты рук
Громно кричишь в пустой коридор сегодня
Такая прекрасная мелькаешь в конце коридора
Вечер был и чаи ароматно клубились
Деревья пара старинные вырастали из чашек
Каждый молча любовался своей жизнью
И девушка в желтом любовалась сильнее всех...

— Да, действительно, здорово... А кто это?

— Кто, кто? Некто в пальто. Молодой парень из Харькова. В Москву недавно приехал. Никто его не знает. А через пять лет все будут знать. Как Бродского сейчас... Готов спорить. Вот его и надо печатать.

— Ну, не знаю. По-моему, лучше уж возьмем Хвостенко, — предложил Миха.

— Я Хвоста люблю, но что он без гитары? Этот парень посильнее будет...

— А этот парень — как его?

— Зачем тебе знать? Я тебе говорю — через пять лет его все будут знать! А ты Хвостенко хочешь? — Эдик злился, и миролюбивый Миха почувствовал неловкость:

— Глупость какая-то! Работать еще не начали, а уже ругаемся.

Эдик засмеялся:

— Вот всегда у меня так получается. Я постоянно с кем-нибудь из приятелей насмерть рассобачиваюсь. Характер такой!

— Мы идиоты! — воскликнул Миха. — Горбаневская! Наталья Горбаневская! Именно она! Идеально! — И энергично, с завыванием, прочитал:

За нами не пропадет –
Дымится сухая трава.
За нами не пропадет –
Замерли жернова.
За нами ни шаг и ни вздох,
Ни кровь, ни кровавый пот,
Ни тяжкий кровавый долг
За нами не пропадет.
Огонь по траве побежит,
Огонь к деревам припадет,
И к тем, кто в листве возлежит,
Расплаты пора придет...

— Согласен! Против Горбаневской — никаких возражений! Надо только у нее спросить! — согласился сразу же Эдик.

— Это же самиздат! Зачем спрашивать? Возьмем эти три стихотворения, адресованные Бродскому!

Михе, с его пристрастием к классике — стихотворная переписка Пушкина и Вяземского или прозаическая Герцена с Тургеневым, Тургенева с Достоевским или Гоголя с его выбранными друзьями, — сразу же захотелось развить тему:

— Хорошо бы найти еще и стихотворения Бродского, адресованные Горбаневской или, например, Горбаневской с кем-нибудь еще!

— С Пушкиным, например! А ты закажи! — порекомендовал Эдик.

Но Миха был отменно серьезен.

— Нет, не так. Знаешь, хорошая мысль, надо взять стихи, адресованные друзьям. Такой поэтический разговор между друзьями. Например, вот это:

В сумасшедшем доме
Выломай ладони,
В стенку белый лоб,
Как лицо в сугроб...

— Да, помню. Это Галанскову, — узнал Эдик.

— Есть еще, вот послушай:

> Смахни со щек блаженство полусна
> И разомкни глаза до в веках боли,
> Больницы грязнота и белизна —
> Как добровольный флаг твоей неволи.

Эдик махнул рукой:

— И это знаю. Это Димке Борисову. А ты-то откуда ее стихи так хорошо знаешь?

— Она два раза читала свои стихи в доме у моего тестя. А я со слуха и запомнил. Она довольно хмурая и неприветливая, а стихи, видишь, какая нежность. Я не могу сказать, что она мне очень понравилась. Но она пишет стихи, которые я бы хотел писать.

Решено было, что Миха к Наталье поедет и попросит какие-нибудь новые стихи.

Потом Эдик вспомнил о каком-то высокоумном приятеле с философского факультета МГУ. Он мог бы написать статью о современной американской фантастике.

Третья часть журнала — большой раздел «Новостей». Новостей было предостаточно. Множество разнообразно думающих людей сначала шептались по углам, потом говорили вполголоса и в конце концов выходили на демонстрации, протестовали все смелее и осознаннее. Их задерживали, судили, сажали, выпускали, и жизнь была наполнена ежедневными событиями, о которых узнавали друг от друга или по западным радиостанциям: у кого что ловилось.

Кроме правозащитников, были еще крымские татары, желавшие вернуться в покинутый двадцать лет назад Крым, евреи, требовавшие отпустить их в Израиль, из которого их выселили чуть ли не две тысячи лет тому назад, религиозники многих сортов, националисты от русских до литовских и еще многие, предъявлявшие претензии к советской власти. И на всех фронтах что-то происходило.

Эдик ни к одной группировке не принадлежал: он считал себя объективным журналистом и исходил из того, что общество должно знать о происходящем. Миха готов был этому всемерно способствовать.

Неожиданно выяснилось, что времени второй час ночи.

— Ой, а куда Женька-то делась? — вспомнил о жене Эдик. У них не была принята мелочная супружеская слежка, но обычно предупреждали.

Миха ахнул, подхватился и понесся домой. Транспорт уже не ходил. Случайный троллейбус довез его до Рахмановского переулка, где сбивались на ночь стаи троллейбусов, а дальше минут за двадцать он добежал до дома. Алена спала, никакого выговора Миха не получил.

Жизнь покатилась весело и интересно. После смерти тети Гени прежняя комната, забитая пыльным хламом, как будто провалилась в небытие, в новом жилье все было белым, чистым, новым. У окна стоял рабочий столик Алены с прикнопленными листами ватмана. Она заканчивала худграф, делала диплом — рисовала иллюстрации к сказкам Гофмана. Толстый многодельный орнамент с масонскими мотивами обвивал каждый лист. Вместо недельной трудовой вахты с глухонемыми возникло множество разных занятий, день был забит с утра до вечера встречами, множество новых людей закрутилось вокруг. Чаще всего заходили теперь Эдик с Женей. Некрасивая, с редкими зубами и полным ртом рассыпчатого смеха, Женя оказалась симпатичнейшим существом. Алена, к радости Михи, слабо улыбалась и слегка реагировала на Женины незамысловатые шутки. Дружили вчетвером, ходили друг к другу в гости, пили чай и вино.

Алена оживилась, пробудилась, ее всегдашнее выражение лица — только что проснувшегося ребенка, который еще не решил, будет он сейчас плакать или смеяться, — приняло большую определенность: еще не смеяться, но уже не плакать. Даже стала более отзывчива к Михиным супружеским притязаниям. С того времени, как они поженились, Алена оказалась для него, может быть, еще менее доступна, чем в прежние времена, когда изредка сама, без всяких просьб, приезжала к нему в Миляево, оставалась с ним и бывала податлива и нежна на постельном поприще.

В замужнем состоянии возникало множество препятствий, разнообразных, одно другого нелепей. То супружеские отношения слишком ее возбуждали, и потом она не могла уснуть, то, напротив, она так от них уставала, что потом спала целый день и не могла встать.

Это была, вероятно, легкая сексуальная патология, возможно, последствие неудачного добрачного опыта. Чувствовать себя желанной, вожделенной, быть недостижимым объектом — вот что составляло для нее самую яркую радость плотских отношений. Она жаждала постоянного подтверждения Михиной готовности и прекрасно владела нехитрой техникой поддержания мужа на боевом взводе, но избегала самих отношений. Чем реже Михе удавалось совершить незатейливый и полноценный супружеский обряд, тем острей и головокружительней было его переживание.

По мере того как Алена становилась все недоступнее для молодого мужа, любовь поднимала его на высокогорья возвышенных переживаний. В укромном уголке его сознания шел постоянный процесс стихосложения. Любовную лирику, от которой Алена опускала уголки губ книзу, Миха давно уже перестал ей преподносить. Но не писать не мог.

Любовь — работа Духа.
Все ж тела
В работе этой не без соучастья.
Влагаешь руку в руку –
Что за счастье!
Для градусов душевного тепла
И жара белого телесной страсти –
Одна шкала.

Среди новых приятелей, постоянно забегавших в их «взрослый дом» без родителей, к тому же в центре, появились у Алены и поклонники. Она оживлялась, когда приходили мужчины, подтягивалась и улыбалась смазанной улыбкой. Миха испытывал свежие муки ревности, Алена — сложное удовлетворение. Складывалась атмосфера салона: каноническая влюбленность в хозяйку, чаепитие, печенье, разговоры об искусстве, чтение самоновейших стихов, приглашенные с лекциями интеллектуалы. Так Алена воспроизводила, со скидкой на поколение, на более тонкий вкус, стиль родительского дома.

В моду входили тогда путешествия по родной стране. Рюкзаки, байдарки, общие вагоны, рискованный автостоп, ночевки в палатках, в заброшенных деревнях первым из всей компании освоил, конечно, Илья. Он обожал такие поездки, часто обходился без спутников, привозил из экскурсий музейные редкости — книги, иконы, предметы крестьянского быта — и завел друзей на русском Севере, в Средней Азии, на Алтае.

Миха с Ильей никогда не ездил: пока была жива тетка, он ее надолго не оставлял. Ранней весной шестьдесят седьмого года две молодые пары — Миха с Аленой и Эдик с Женей, гонимые свежей страстью к путешествиям, впервые собрались в Крым, в Коктебель. Жанр поездки был паломнический — на могилу к поэту, которого Миха обожал.

Ехали до Феодосии две ночи и день. В Москве еще лежал снег, под утро — по мере продвижения в южную сторону — они проехали сквозь теплый дождь, плавивший остатки снега, миновали туман и дымку, а после полудня, въехав в другой часовой пояс, наблюдали из вагонного окна стоявшие по колено в воде придорожные ветлы с разбухшими суставами и напряженными ветвями. В Феодосии они снова попали под дождь, серенький и переливчатый. Сели в автобус и потряслись в Планерное — в сторону Максимилиана Волошина. Ландшафт — дымчатый, трепещущий, молочно-опаловый — не отпускал взгляда. Навстречу автобусу шли колонны грузовиков: вывозили полтора миллиона тонн коктебельского песка, срочно понадобившегося для нужд народного хозяйства. Но путешественники не понимали, что на их глазах уничтожается песчаная сокровищница древнего побережья. Людей, которые об этом знали, почти не осталось на этом берегу.

Вышли из автобуса, услышали первый раз в жизни рев Черного моря и двинулись на волшебный звук. Море бушевало вторую неделю, в полном соответствии со своими сезонными привычками. Для глаза море оказалось еще невместимей, чем для слуха. Миха и Женя переживали первую в жизни встречу с морем. Алену однажды возили родители на Кавказ, а Эдик знал море, но совсем иное — Балтику...

Свернули по набережной в сторону дома Волошина. Никого не спрашивали — дорога сама приглашала. Узнали дом сразу же — по выражению лица, по башне, по несходству со всем остальным, что было настроено здесь после революции, после войны. Сели на камни пониже дома. Вынули бутылку вина и остатки московской еды.

Миху прорвало: он начал читать стихи. Он еще в вагоне порывался, но его приглушали:

Как в раковине малой — Океана
Великое дыхание гудит,
Как плоть ее мерцает и горит
Отливами и серебром тумана,
А выгибы ее повторены
В движении и завитке волны, –
Так вся душа моя в твоих заливах,
О, Киммерии темная страна,
Заключена и преображена.

Ветер рвал куртки, относил слова. Они сгрудились тесно, и Миха все не мог остановиться. Не заметили, как подошла расплывшаяся старуха с художественной палкой в руке, в огромном растрепанном плаще, в склеенных на переносице мутных очках, встала рядом, внимательно вслушиваясь.

— Зайдемте в дом, — гостеприимность приглашения противоречила мрачности и суровости ее выражения. И повела их в дом, о котором они и не мечтали....

Так вдова Макса, Мария Степановна, лично ввела их в волошинский дом. В первом этаже, который в ту пору называли «корпусом 1», обычно заселяли донбасских шахтеров, но пока они еще не приехали по своим месткомовским путевкам. Вдова сражалась с этим нашествием как могла, но могла немного. Она открыла ребятам две комнаты в нижнем этаже:

— Живите здесь, пока чужие не наехали.

Под крылом Марии Степановны ребята провели несколько счастливых дней. Миха с Эдиком переделали несложную домашнюю работу, которой было множество. Женя с Аленой мыли полы, вытирали пыль с книг на высоких полках. Один день целиком потратили на уборку могилы Волошина. Миха с Эдиком укрепили в одном месте тропу, которая осыпалась за зиму.

Зато вечерами они сидели в ледяном кабинете Макса, пили чай и беседовали под огромной скульптурой царицы Таиах, описанной во всех воспоминаниях. Иногда вечерами заглядывали местные жительницы преклонных лет, старушки-девочки и старушки-ящерицы, и теперешние молодые писатели из «Дома творчества». Один раз пришел с бидоном разливного вина известный молодежный поэт, второй раз его соперник. Они друг друга яростно ненавидели, но, в традициях дома, не ссорились, когда оказывались вместе за этим столом.

В глазах Михи с Эдиком они были слишком советскими и официальными. Но они, как потом выяснилось, были не хуже и не лучше тех, что толкались у памятника Маяковскому.

Под конец, когда ребята уже засобирались домой, Мария Степановна велела всей компании идти в Старый Крым. Дорога не ближняя, семнадцать километров, но без этого похода, как сказано было, «своими» они здесь не станут:

— Там отдохнете, моя знакомая вас покормит.

Мария Степановна прикидывала, не отправить ли молодежь к конкурирующей вдове. Ассоль к тому времени уже отсидела свой срок и вернулась в Старый Крым, к обязанностям гриновской вдовы. «Пожалуй, лучше Фаина Львовна», — решила Мария Степановна и дала записочку к местной даме, муж которой, дантист, чинил всем тамошним старожилам зубы.

Добираться домой решено было через Симферополь, с заездом в Бахчисарай. Мария Степановна объяснила, что без этого никак нельзя обойтись — сердце Восточного Крыма. Маршрут был несколько кривоват: из Старого Крыма, уже не возвращаясь в Коктебель, до Бахчисарая, там ночевка, а утром из Бахчисарая прямо в Симферополь, на железнодорожный вокзал.

В Старом Крыму уже началась настоящая весна — деревья сквозили зеленью, жители все сидели в огородах, готовили гряды, возились с рассадой. Цвел миндаль.

Миха с Эдиком всю дорогу обсуждали природу советской власти, которая, по мнению Михи, на периферии была слабее, чем в центре, да и почеловечнее. Эдик не соглашался. Даже высказывал мнение, что на местах она еще жестче и тупей, и в качестве аргумента приводил судьбу Макса: живи он ближе к Центру, расстреляли бы еще в восемнадцатом году.

Женя с Аленой шли, как восточные женщины, позади мужей и разговор вели об искусстве: Алене волошинские акварели, которыми был завешан весь дом, не очень нравились, а Женя с горячностью доказывала, что этого художника нельзя судить по прямому результату его деятельности — по картинам или по стихам, — его величие духовное, и когда мелочный счет заменится подлинным, тогда и ясно будет, какого масштаба эта личность. Женя была девицей образованной, читала по-французски и по-английски, даже понимала про антропософию, и Алену это немного задевало.

В Старом Крыму они пообедали у Фаины Львовны, которая приняла их как посланцев дружественного королевства, с величайшей церемонностью. На ней висели очень длинные бусы, платье с заниженной талией носила она с нэповских времен, как и бодрый завиток, прилепленный ко лбу. Она накормила гостей скромным, но фасонистым обедом — фасолевым супом и котлетками из неопределенной крупы с кисельной подливкой.

Погуляли по местному кладбищу, побродили около дома Александра Грина. Он был закрыт, но ощущение было такое, что хозяева вышли на минутку.

В Бахчисарай попали в предвечернее время, подвернулась попутка. Пошли, опять по рекомендации Марии Степановны, к сотруднице местного краеведческого музея. Сотрудница оказалась совершенно своей, как будто всю жизнь знакомой. Здесь, в Крыму, существовал какой-то тайный орден «бывших» людей. Они владели неизъяснимым секретом Крыма, но, сколько бы его ни приоткрывали, все оставались при своем тайном знании. Сотрудница оказалась даже не крымчанкой, а петербурженкой, но имела вид хранителя тайны. Она показала ребятам восковые фигуры гаремных жен и евнухов, медные кувшины, фонтан, помнивший Пушкина, «ханские гробницы, владык последнее жилище»... Музейная женщина сказала, что завтра утром отведет их в Чуфут-Кале, а вот на ночь приютить не сможет, потому что тетя из Питера приехала в гости.

К вечеру пришли в гостиницу, обычное провинциальное убожество. Рюкзаки свои положили в камеру хранения, маленький чулан возле администраторши. Договорились, что номера за ними оставят, а пропишут вечером. Пошли побродить по темному городу, поужинать в какой-нибудь харчевне. Харчевни не нашли, но обнаружился магазин, в который они влетели за пять минут до закрытия.

Миха вытащил из служебной комнаты рюкзаки, стал рыться в поисках паспортов. Нашел, положил перед теткой. Та углубилась в чтение дальних листочков — где прописаны, есть ли штамп о регистрации брака.

В это время в гостиницу вошла семья: муж и жена в немолодых летах, а при них дочка лет четырнадцати. Татары, приехавшие из Средней Азии, узнавались по узбекской тюбетейке мужчины, женскому полосатому платку, по скуластым лицам, по толстым серебряным браслетам с рыжими сердоликами на тонких запястьях девочки, по напряженности, написанной на лицах. Мужчина вынул из внутреннего кармана пиджака два паспорта и положил перед служащей.

Пиджак был весьма не новый, вылинявший на спине. Но от плеча чуть не до пояса покрыт был орденскими планками и боевыми орденами.

Хмурая тетка отложила паспорта московских путешественников, раскрыла паспорта и покачала головой:

— Мест нет.

— Как это нет? Вы лжете! Есть места! — вскинулся Миха. — Есть наши два номера, и будьте любезны, в один из наших номеров и заселите эту семью.

— А для вас тоже мест нет, — тетка подвинула стопку паспортов к Михе.

— Как это? Мы же договаривались!

— Мы в первую очередь обслуживаем командировочных, а уж потом «дикарей». Мест нет.

— Мы приехали за две тысячи километров, чтобы посмотреть на могилы предков, вот обратные билеты, через два дня мы улетаем в Ташкент, — мужчина не терял надежды.

— Вы по-русски не понимаете, что ли? Мест нет!

— Я понимаю по-русски. Может, в частном секторе можно остановиться хоть на одну ночь?

— Останавливайтесь где хотите! Это не мое дело! Только за нарушение паспортного режима будете отвечать.

Миха кипятился — он реагировал на несправедливость страстно, даже физиологически — чувствовал, как стучит кровь в висках, руки сжимаются сами собой в кулаки:

— Сволочи, какие сволочи, — шепнул Эдику. — Ты понимаешь, что происходит? Это же выселенная татарская семья... — Всего несколько дней тому назад подруги Марии Степановны рассказывали о майском событии сорок четвертого года, и эти сведения еще не улеглись, еще горело чувство мировой несправедливости. — Мужик на фронте воевал, а его семью из дому выселяли!

— Лишнего шума не производи, — шепнул Эдик. — Что-нибудь придумаем!

Орденоносный татарин увязывал неторопливо паспорта в шелковую тряпочку, аккуратно укладывал на дно внутреннего кармана.

— Пойдемте-ка отсюда поскорее. Она же сейчас милицию вызовет! — согнувшись чуть не пополам, шепнул Эдик в ухо низкорослому татарину.

Тот понимающе кивнул, и все они двинулись к двери, к улице, наружу, где уже дочерна стемнело, и темнота казалась успокоительной и неопасной в отличие от мерзости казенного, хоть и освещенного электричеством места.

Администраторша Наташа Хлопенко уже крутила телефонный диск, соединяясь с милицией: такая уж у нее была обязанность — сообщать о приехавших в Бахчисарай татарах. Но в милиции дежурный к телефону не подходил, и она с облегчением бросила трубку: мать у нее была караимка, отец приезжий украинец, и не то что она испытывала какое-то особое сочувствие к выселенным татарам, скорее не хотела быть причастной к этой давней войне народов, которая немного и ее касалась. Но совсем немного.

Семь человек вышли из гостиницы, и татарин безмолвно возглавил этот исход.

— Пошли, я знаю место, где на ночь укроемся. Кладбища не боитесь?

— Пошли, пошли, — отозвался Эдик.

Хотя было уже вполне темно, татарин шел уверенно на запад, немного в гору.

Километра два пути — и они вышли к древнему татарскому кладбищу.

Руины небольшого мавзолея были скорее уютны, чем опасны. А может быть, доверие татарина к этому месту было столь велико, что передавалось ребятам. Сели на склоне, даже не сели, а возлегли — уклон был такой удобный, как плавное изголовье. Эдик вынул из рюкзака бутылку крымского портвейна, хозяйственная Женя достала купленную в магазине брынзу, соленые помидоры, хлеб — они собирались ужинать в гостинице.

Огня не разжигали. Неожиданно выкатилась на небо луна, засветила во всю мощь полнолуния, и стал виден каждый камень, каждая веточка. Даже две толстых косы татарской девочки отливали масляным блеском в лунном свете, и серебряные запястья искрили отраженным светом. Ее мать развернула холщовую тряпочку, вынула какие-то сухие татарские пирожки, и они вместе ели в торжественном молчании и душевном согласии.

Разговор потихоньку завязался уже после еды — странный, прерывистый, он шел не по какому-то главному руслу, а сразу обо всем — о сиюминутном, странном случае, который свел вместе ничем не связанных людей — ни прошлым, ни будущим, ни кровью, ни судьбой... о красоте, которая как с неба упала...

Ушла луна, быстро соскользнув к краю неба, и после часа полной успокоительной темноты засветился розовой полосой восток, и Мустафа сказал:

— Сколько лет я вспоминал этот рассвет. Мальчишкой я пас здесь скот, тысячу раз смотрел на те горы, всегда ждал первого солнечного луча. Он иногда как выстреливал... Думал, что никогда уже не увижу этого.

Когда рассвело, разошлись в разные стороны — ребята в Чуфут-Кале, татарская семья осталась на старинном кладбище — Мустафа хотел разыскать могилу деда.

Договорились встретиться в два часа на автобусной станции, чтобы вместе ехать в Москву.

У автобусной станции не обошлось без милиции. Ребята окружили кольцом «своих» татар, весело шумели, галдели, Женя заигрывала сразу с двумя милиционерами, говорили много лишних и необязательных слов, но в конце концов Эдик вытащил журналистское удостоверение, давно просроченное, и помахал им перед лейтенантом. Провинциальные милиционеры оказались более робкими, чем московские, а может, Эдиков несуразный рост и роговые очки способствовали их заминке, но автобус раскрыл двери, зафырчал, и все семеро быстро загрузились и уехали. А может, этим служилым парнягам хотелось избавиться от лишних забот...

Дальше пошло все как по маслу — поездная бригада оказалась почему-то казахская, и они посадили «левых» пассажиров на «левые» места, всю дорогу берегли от контролеров, и через двое суток все пассажиры прибыли на Комсомольскую площадь. Еще через полчаса Миха с Аленой и татарские гости оказались в многострадальной тети-Гениной комнате, а еще через сутки бывший Герой Советского Союза, бывший капитан Усманов, один из инициаторов движения за возвращение крымских татар в Крым, его жена Алие и дочь Айше, перелетев самолетом от столицы нашей родины до столицы Узбекистана, сидели в своем ташкентском доме, где их ждали родственники и друзья. Усманов, коммунист и герой, положил на поднос горсть камней со старого мусульманского кладбища Эски-Юрт.

— Вот. Смотрите. Наши камни пришли к нам, а потом и мы придем к нашим камням.

С этого года в Михин дом зачастили молодые татары. Приезжали с петициями, с протестами, с просьбами и требованиями. Ночевали на полу, на надувном матрасе... Миха принимал к сердцу чужие татарские заботы ближе, чем еврейские хлопоты о репатриации в Израиль. В конце концов, еврейское изгнание длилось две тысячи лет, слишком уж давняя история, а татарская была такая свежая, их дома и колодцы в Крыму еще не все были разрушены, татары еще помнили советских солдат, их выселявших, и соседей, занимавших их дома.

Миха втянулся в чужое дело со своей всегдашней отзывчивостью. Помогал составлять письма, распространять, поддерживать связи. Несколько раз ездил по поручению татарских друзей в Крым, собирал вместе с новым приятелем Равилем сборник воспоминаний о выселении 44-го года...

Журнал они с Эдиком выпускали, но он непредсказуемым образом худел в своей художественной части и прибывал в политической. Добавили в журнал новый раздел — «Окраина», где писали о национальных проблемах, о вымирающих малых народах, о насильственной ассимиляции. Эдик, со свойственным ему академизмом, старался удерживаться в рамках антропологии и демографии, что придавало журналу оттенок научности, но не уменьшало его антиимперской направленности.

Илья сделал фотокопии всех восьми номеров. Тираж обычно был в 40 копий. Полного собрания всех номеров журнала не сохранилось, а разрозненные можно и сегодня найти в нескольких архивах, западных и кагэбэшных.

Миха почти год не встречался с Саней, Илью видел только по делу.

В ночь на двадцать первое августа 1968 года произошло событие, которое совершенно все изменило: советские войска вошли в Чехословакию. Собственно, это были объединенные войска пяти стран. Но затея была, без сомнения, советская. Называлось это — операция «Дунай». Русские танки катили по Праге, нанося тем самым мощный удар по мировому коммунистическому движению.

Миха всю ночь крутил рифленые шайбы старого «Телефункена», единственного наследства тети Гени, слушал западные передачи. Концепция дубчековского «социализма с человеческим лицом» разваливалась, рушились последние иллюзии.

Сколько лет Миха исследовал марксизм, пытался разобраться в том, почему прекрасные идеи социальной справедливости так криво воплощаются, но тут стало ясно и холодно — грандиозная ложь, цинизм, непостижимая жестокость, бесстыдная манипуляция людьми, теряющими человеческий облик и достоинство от страха, окутывающего всю страну темным облаком. Облако это можно было бы назвать сталинизмом, но Миха уже догадывался, что сталинизм только частный случай зла огромного, всемирного, вневременного — политической деспотии.

Миха готов был бежать на площадь, чтобы немедленно поделиться своими переживаниями. Для начала схватился за карандаш. Хотелось писать стихи, но вместо этого получился яростный публицистический текст. Три дня Миха бился и путался со словами, но все не получалось так стройно и убедительно, как лежало на сердце. Но чувство было такое: вот найду правильные слова, скажу, и все поймут, все согласятся...

В воскресенье, двадцать пятого, позвонил Сергей Борисович и просил ребят немедленно приехать. От него они узнали последнюю новость: на Красной площади возле Лобного места прошла демонстрация против ввода войск в Чехословакию. Имена семерых человек, вышедших на площадь, были известны. Все, кроме одной участницы демонстрации, присевшей возле старинного места казней с трехмесячным ребенком и чешским флажком в руках, были уже арестованы.

— Горбаневская! — догадался Миха.

Чернопятов подтвердил. Людей у него в доме было полно. Уже обсуждали, кто будет подписывать письмо протеста и в какие адреса его направлять. Миха закрылся в бывшей Алениной комнате и закончил текст, который все эти дни не удавалось довести до совершенства. Теперь, после демонстрации, он все переделал, переместил акценты и озаглавил его — «Пятиминутное стояние великолепной семерки на Лобном месте». Предложил Чернопятову — тот поморщился:

— Миха! Как всегда, слишком много пафоса.

Вечером он показал этот текст еще двум людям: Эдику и Илье.

Эдик оценил заметку как чересчур многословную и размытую. Илья молча взял листки.

Через сутки по «Голосу Америки» передали информацию о митинге на Красной площади — про пятиминутное стояние и про великолепную семерку! Текст был слегка подправлен и сокращен. Это был материал Михи!

Значит, передали! Один из двух людей: Илья или Эдик. Невероятно!

Все напряглись и затаились. По городу шли обыски, аресты. Подсчитывали жертвы. Человеческие — если принимать во внимание масштабы века — были, в общем, невелики: около ста убитых граждан с чешской стороны и двенадцать советских военнослужащих. В Чехии после успешного завершения операции было арестовано около двух тысяч человек, в России — всего ничего: семеро демонстрантов с Красной площади и десяток бесславных и безвестных в провинции.

Готовился большой процесс над участниками демонстрации. Чернопятов знал всех, вся информация о готовящемся процессе стекалась к нему.

Миха с Эдиком собирались к Новому году выпустить номер «Гамаюна», целиком посвященный движению крымских татар. Хуже всего дело обстояло как раз с литературной частью, но Миха, произведя с помощью татарских друзей литературные разыскания, нашел одного крымско-татарского поэта, живущего в Узбекистане, — Эшрефа Шемьи-заде. Татары сделали Михе подстрочник, он перевел отрывки из полупогибшей поэмы. Они были писаны живой кровью, и Миха извелся, пока кой-как перевел:

То не собака воет страшным голосом
В московской ледяной ночи,
То вождь кремлевский, крови алчущий,
Несытый, воет и рычит...

Под Новый год Миха получил боевое крещение — пришли с обыском.

Четверо мужиков долго шарили по голой комнате и, обескураженные ее полной прозрачностью, даже простукали стены. Они обнаружили на полке среди книг большую связку писем, принадлежавших покойной тете Гене. Письма были завернуты в серую бумагу, связаны суровыми нитками в маленькие стопки по годам, и на каждой стопке стояла дата — с 1915-го по 1955-й. Их было ровно сорок. Это была семейная переписка с родственниками из Архангельской области, Караганды и с Урала. Миха нашел эти письма не так давно, когда шкаф выбрасывал, держал их по просьбе Марлена, но из деликатности даже не подумал их читать, а теперь сотрудники быстро размотали нитки и, увидев столь древние даты, потеряли всякий интерес. И напрасно: там была, среди прочего, и переписка легендарного дяди Самуила с Лениным, с одной стороны, и с Троцким, с другой. Было также интереснейшее письмо, в котором Ленин наущал Самуила, что необходимо создать секретный финансовый источник, не зависящий от государства, для развития коммунистического мирового движения...

— Это письма моей тетки, их хотел забрать ее сын — просмотреть, — объяснил Миха, пододвигая пачку к себе.

— Раньше надо было смотреть, — грубо вырвал старший сотрудник письма из Михиных рук.

Все мероприятие заняло около двух часов. Искать было и негде, и нечего.

Забрали скорее из чувства служебного долга семейные письма, с десяток поэтических дореволюционных сборников, почти все подаренные Ильей, перефотографированную книгу Бердяева, которую Миха все собирался прочитать, но руки не доходили, и малоформатный двухтомник «Доктор Живаго», полученный от Пьера Занда.

Все материалы по журналу Миха сразу же отвозил Эдику. Ничего не было в доме. И тем не менее... тем не менее, когда он увидел пастернаковский двухтомник в руках у обыскивающих, его как горячей волной окатило. Он вспомнил один исписанный мелким почерком листок. И вспомнил, куда засунул этот листок — в первую попавшуюся книгу, в тот момент, когда соседка позвала его к телефону, прикрученному к стене в общем коридоре.

Поговорив, он хватился листка, не нашел, махнул рукой и по памяти восстановил текст. А теперь Миха вспомнил, что засунул этот листочек именно в один из томиков «Доктора Живаго».

Листочек был драгоценным: Миха готовил для следующего номера журнала демографическую заметку о выселенных из Крыма во время войны татарах. Крымские татары провели опрос спецпереселенцев и их потомков в Средней Азии, присоединив к старым, давно забытым данным новые. Это была огромная работа, в которой приняли участие сотни татар-переселенцев.

На листочке мелким каллиграфическим почерком, под красной шапкой «ТАТАРЫ», было написано:

1783 г. — около 4 млн. чел — татарское население Крыма на момент присоединения Крыма к России.

1917 г. — татарское население составляло 120 тыс. чел.

1941 г. — татарское население Крыма — 560 тыс. чел

1941–1942 гг. — мобилизовано 137 тыс. мужчин, из них погибло 57 тыс.

1944 г. — 420 тыс. чел (200 тыс. детей) — гражданское население.

1944 г. 18–20 мая — в депортации принимало участие 32 тыс. войск НКВД.

1944 г. 18 мая — выслано в Среднюю Азию 200 тыс. (официальная цифра).

1945 г. — погибло 187 тыс. спецпереселенцев (по официальным данным, 80 тыс.).

1956 г. — с татар Средней Азии снят режим спецпереселения, но возвращение в Крым запрещено.

Внизу приписка синими чернилами:

Рыжий! Обрати внимание, все официальные цифры (о высылке, нпр.) занижены, по нашим данным, погибло около 42% спецпереселенцев в первые полтора года. Не сходится с официальной цифрой. У них все занижено. Равиль готовит тебе сводку с 1945 по 1968 год. Муса.

Оставалась надежда, что томик не раскроют и листок не найдут. К тому же Миха радовался, что Алена в тот день задержалась допоздна в институте и, когда пришла, гэбэшников уже не застала.

Миха сразу же позвонил Эдику, но там не отвечали.

Наутро Миха с Аленой поехали к Эдику. Заплаканная Елена Алексеевна рассказала, что вчера, в то же самое время, у них тоже прошел обыск. Но все было гораздо менее удачно. Эдика увезли, он до сих пор не вернулся. Нашли много черновиков, материалы последнего номера журнала с карандашной правкой, забрали, кроме того, пять номеров выпуска «Вестника РХД» и кучу другого самиздата. Изъяли несколько фотокопий самой, может быть, антисоветской книги, изданной для партийной элиты, малым тиражом, с грифом «Совершенно секретно» — «Технология власти» Авторханова.

Комната Елены Алексеевны также прошла «санобработку»: отобрали два экземпляра Библии, статуэтку Будды, четки и ксерокопии буддийских текстов. Выясняли у хозяйки, на каком языке написана эта антисоветчина. Она пыталась объяснить им, что она по профессии буддолог, занимается Востоком, два языка, с которыми она больше всего работает, — санскрит и тибетский. А та бумага, что у них в руках, копия документа, написанного в седьмом веке.

В их сказочном невежестве была доля некоторого очарования: когда один из пришедших сообщил ей шепотом, что ему все известно о буддийских кровавых жертвоприношениях, Елена Алексеевна, несмотря на весь страх, не смогла удержаться от смеха. Да и сейчас, рассказывая, улыбалась. Она понимала, что копии вернут, а если не вернут, то и бог с ними, но ей было жаль семейной Библии, на последней странице были написаны имена ее первых владельцев.

Решено поехать к Сергею Борисовичу и посоветоваться с ним как с опытным человеком. Дом его, как всегда, был полон народу: какой-то вчерашний зэк, проездом в Ростов, восточный человек из Средней Азии, пожилая дама с цветочным именем Мальва, которую прежде Миха уже встречал, и сам Юлик Ким собственной персоной, с гитарой. Пили кто чай-кофе, кто водку-вино. Алена морщилась — ее всегда раздражала эта обстановка проходного двора, вокзала, ночлежки. Миха поволок тестя в уголок и рассказал, как обстоят дела с Эдиком. Не пойти ли на прием в районное отделение КГБ? Может, в приемную КГБ?

— Ну, ходи не ходи, они имеют право задерживать до семидесяти двух часов без предъявления обвинения. — Сергей Борисович с детства постигал все порядки на практике. — Скорее всего, сейчас они ничего не скажут. Но действовать нужно, чтобы они понимали, что есть заинтересованные люди. Прояснится через трое суток.

Миха поехал к Илье, а Елена Алексеевна с Женей на Кузнецкий Мост, в приемную КГБ.

Илья сообщил, что в эту ночь было семь или восемь обысков у разных людей — четверых задержали, но двоих вскоре выпустили. Про Эдика Илья ничего не знал.

Через трое суток Эдика Толмачева не выпустили. Ему предъявили обвинение по статье УК 190.1 — «Распространение ложных измышлений, порочащих государственный и общественный строй СССР».

И снова Миха пошел за советом к опытному тестю, теперь по поводу журнала. Он хотел продолжать выпуск журнала, но не был уверен, что потянет такое сложное и ответственное дело. К тому же все материалы для следующего номера были конфискованы. Но Миха знал, как их восстановить.

Сергей Борисович был настроен категорически: нет, сейчас не время. Миха провалится, не сходя с места.

Что же касается самого Михи, он вошел во вкус этого странного дела. Как прежде он был весь захвачен методикой выработки речи у глухих, так теперь он ощущал свое занятие важнейшим в жизни. Ему мнилось, что он в своих руках держит судьбу всей дальнейшей поэзии. Как будто кто-то дал ему задание свыше — сохранить для будущего то ценное, что живет по случайности, по недосмотру властей.

Умный совет дал Илья:

— А ты не продолжай журнал, а сделай новый, Миха. Название поменяй. Придумай какое-нибудь птичье, даже забавно будет. С поэзией ты сам разберешься, я тебя сведу с художниками. Есть у меня искусствоведы знакомые, очень классные. Это новый авангард. Я тебе помогу по части связей, я многих отличных ребят знаю. Будет художественный журнал. А политика — она сама собой прорастет.

Прошло три месяца. Когда Миха уже устал ждать вызова по делу журнала, он нашел в почтовом ящике повестку в КГБ.

Алена в те дни плохо себя чувствовала, подозревала, что беременна, но Михе пока не говорила. Она молчала сутками, как это с ней иногда бывало. Зато он говорил, не переставая: об Эдике, об адвокате, которого нашли друзья, о журнале, старом и новом, о Сане Стеклове, который вдруг пригласил их в консерваторию, а ведь полгода даже не звонил...

Болтая обо всем на свете, он умолчал о повестке из КГБ, которая лежала в кармане ковбойки.

Причин вызова могло быть две. Либо потрясли наконец как следует томик и нашли листок с татарскими сводками, либо Эдик на него показал как на помощника. Второе представлялось Михе маловероятным.

Никакой досады он не испытывал. Скорее чувство неловкости, что так мало сделал: всего ничего! Успел только написать несколько статей, составил несколько поэтических подборок.

Илья, которому он сказал о вызове, ужасно расстроился:

— Следовало ожидать. Я скорее удивлялся, почему они оставили тебя в покое. А виноват я, втянул тебя в эти журнальные дела. Надо теперь выпутываться. Эдик крепкий, не думаю, что он тебя сдал. Это будет «терка» по поводу татарской статистики. Подготовь хорошую версию — «Живаго» купил давно, на толкучке, потому что много слышал, но раскрыть не успел. Про записку ничего не знаешь. А купить в Москве можно все возле букинистического на Кузнецком, у Первопечатника есть толкучка, а еще лучше на Птичке, возле входа. И опиши им продавца подробно. Скажешь, например, волосы длинные, висят грязными прядями, нос длиннющий, прямо до губы, глаза карие, говорит с украинским акцетом. И жилетка такая в искорку... — Илья смотрел на друга испытующе. — Или — маленький такой, кудрявый, бачки тоже кудрявые, нос немного вислый, глаз светлый, ручки небольшие, как у женщины... И картавит. Или возьмем другого: нервный такой тип, худой, высокий довольно, желтоватый весь, лоб спереди лысоват, бороденка редкая, и как будто тик небольшой его передергивает...

Миха подхватил игру:

— Нет, крупный такой мужик, с бородой, одет по-деревенски, борода лопатой, усы. Неопрятного вида старик, я бы сказал. И книги у него в мешке, а на ногах валенки с галошами! Матерого вида человечище!

Оба хохотали, едва не катаясь по полу.

— Нет, лучше дама: высокая, пожилая, полная дама, вида аристократического. Шляпка на голове, с зонтиком, книгу вынула из ридикюля, а на руках — перчатки, и знаете, странность, вроде бы как не на ту руку надеты перчатки... Я ее по перчаткам и запомнил... — увлекся Миха розыгрышем.

— Ладно, Миха, что я тебе могу сказать? Говори на все «нет», это самое верное дело. По себе знаю.

— Ты там был? — с уважением.

— Был. Но отбился. Это самое лучшее — ничего не говори. Помни, каждое сказанное им слово против тебя. Что бы ни говорил... Понимаешь, мы все в этом деле дилетанты, а они профессионалы. У них отработанные приемы, и они знают, кого на какую удочку цеплять. Самое лучшее — вообще ничего не говорить. Но от людей слышал, что это труднее всего. Они умеют разговорить и глухонемого.

Миху упоминание о глухонемом как прожгло. Январь был на дворе. Три года подряд он проводил это лучшее в зиму время с интернатскими детьми, со своими глухонемыми. Они выходили на лыжах из ворот интерната, шли метров сто к лесу, лыжня с вечера была занесена, обычно он шел первым, потом ребята, а замыкающим Глеб Иванович. Сколько времени не навещал ребят? Год? Два? И ему захотелось их навестить. Немедленно! И он сложил непроизвольно руками слово-знак — срочно!

Он ничего не сказал Илье. До понедельника было еще два дня, и он решил, что в воскресенье утром встанет рано и поедет в интернат, и проведет с ребятами день. В конце концов, ведь родителей пускают. А он с ними три года проработал... Кто посмеет не пустить?

Взяли Миху на Ярославском вокзале, когда он садился в электричку. Совсем уж ногу занес в вагон, но двое мужиков стащили его так ловко, что сначала показалось, будто сам споткнулся и слетел с подножки.

— Тихо, тихо, — рыкнул один в кроличьей ушанке.

— Тихо, так лучше будет, — подтвердил второй, в нутрии.

У Михи, как назло, насморк, он хотел руку в карман за платком запустить, дернулся. И почувствовал резкую боль в запястье.

Миха тут только и понял, что произошло: не дали ему своими ногами притопать, поспешно изъяли... Значит, следили. Боялись, что уходит...

Шмыгнул носом:

— Да сопли вытереть дайте, — засмеялся.

— И так хорош будешь, — опять рыкнула кроличья ушанка.

— Да зачем же вам сопливые нужны? — И стало вдруг на душе совершенно спокойно, с холодком даже: задержан.

Эти первые дни были самыми тяжелыми. Он был сосредоточен на том, чтобы выполнить со всей точностью Илюшину рекомендацию. На третий день предъявили обвинение, и тогда он понял, что захлопнулась мышеловка и его не выпустят. Когда до него это дошло, он впал в отчаяние: теперь он думал только об Алене, и чувство огромной вины, знакомой ему с детства, накрыло его с головой. Он ничего о ней не знал, никакой связи с прежней его жизнью не было, и первым родным лицом, которое он увидел на второй неделе, было осунувшееся бледное лицо Эдика Толмачева.

Они не сговаривались о стратегии поведения, но их поведение удачным образом совпадало. Эдик отрицал участие Михи в издании журнала, Миха вообще отказывался отвечать на вопросы. Единственной уликой против Михи была изъятая из томика «Доктора Живаго» записка, вернее, приписка Мусы с обращением «Рыжий!».

Как оказалось, этого было достаточно. По делу об издании неподцензурного журнала «Гамаюн» кроме Эдика Толмачева, привлечены были еще два человека, которых Миха действительно не знал. Эдик, несмотря на допущенные им промахи, все-таки прошел «азы» конспирации — не все участники издания были знакомы.

Следствие и подготовка к процессу заняли три с небольшим месяца. Все это время Миха просидел в Лефортовской тюрьме, в следственном изоляторе КГБ, в самом закрытом и таинственном месте, в одиночной выбеленной камере с зашитым от света и мира окном. Каждый день под металлический перестук надзирателей его выводили в длинные запутанные коридоры, вели по узким лестницам, где двое не расходились, дважды, когда вели встречных, заталкивали в какие-то боковые чуланы, потом снова — вверх-вниз — по путанице длинных, как дурной сон, коридоров и запускали в кабинет следователя. Теперь допрашивающие его люди не менялись: был один, тяжелый и сумрачный, который начинал их многочасовое общение словами:

— Будем в молчанку играть или как?

Фантазии у него не было ни на грош, и он всякий раз повторял ему тихим хриплым голосом:

— На тебе ж ничего нет, мог бы завтра выйти. Сам себе срок нагоняешь. Мы ж тебя здесь сгноим.

Миха скучным голосом монотонно повторял:

— Я даже к своим несовершеннолетним ученикам обращаюсь на «вы». Прошу обращаться ко мне на «вы».

Фамилия следователя была Мелоедов. Миха, чуткий ухом, сразу же оценил это созвучие — Мелоедов и Меламид. Кроме трех первых букв фамилии, они ни в чем не совпадали. Мелоедов, надо отдать ему должное, людоедом не был и слыл в своей среде почти либералом (среди тех, кто слова такие знал). Да и этот рыжий парень поначалу показался следователю случайным каким-то лицом в чужой пьесе. В досье его был довольно уже старый донос Глеба Ивановича да неопределенная записка, свидетельствующая о его связи с татарским движением. Семидесятой статьи — пропаганда и агитация — здесь явно не было, а сто девяностую — распространение заведомо ложных измышлений, порочащих советскую власть, — еще надо было суметь вменить. Одного доноса одного психа было маловато, тем более что защита у этих ребят была очень неплохая.

Миха никак не мог знать, что решение о его изоляции принято, но начальство неторопливо соображает, по какому делу Миху оформлять.

Наконец решение наверху утряслось, допросы стали более целенаправленны, и теперь уж Миха сообразил, что его дело «проводят» не по журналу, а оно выделено в отдельное «делопроизводство» и связано с крымско-татарским движением. Эдик к этому времени уже получил свой срок.

Миха показаний не давал, ничего не подписывал, отвечал на какие-то бытовые, незначащие вопросы только не «под протокол». Был даже приветлив с виду, но твердо отрицал свое участие в движении и настаивал на том, что записка с татарскими цифрами ему неизвестна.

Мелоедов, уверенный, что «разговорит» Меламида на втором часу, все более раздражался Михиной неуступчивостью, прибегал ко все более убедительным угрозам. Злел от его упорства, но никаких показаний добиться не смог. А ведь поначалу сложилось о подследственном такое впечатление, что достаточно слегка припугнуть — и пинком в зад...

Словом, к исходу месяца Мелоедов оставил его в покое, перестал вызывать, и интерес следственной группы переместился на татарских ребят. Один из них показал, что Миха помогал в составлении писем.

Но Миха ничего этого не знал. Он сидел теперь в камере с двумя мужиками. Один совершенно сумасшедший, бормочущий себе под нос не то молитвы, не то ругательства, второй — бывший военный, проворовавшийся снабженец. Компания, не располагающая к общению.

Потом его перевели в другую камеру, к татарину, проходящему по крымско-татарскому движению. Он, как заявил, был в приятелях с Михиными знакомыми, Равилем и Мусой, и только на третий день, когда татарина от Михи забрали, он сообразил, что тот был «наседкой». Теперь он еще более утвердился в том, что не скажет следователю более ни слова. Через некоторое время Мелоедов снова стал его вызывать, и теперь уж Миха действительно молчал, как глухонемой.

В середине февраля Михе предъявили обвинение и допустили к нему адвоката. Адвокат был «свой», не государственный, об этом позаботился Сергей Борисович. Дина Аркадьевна ее звали — первое интеллигентное и красивое лицо за долгое время. Она вынула из кармана жакета плитку шоколада и сказала:

— Алена передает привет. И еще одна большая семейная новость: Алена беременна. Чувствует себя хорошо. А теперь подумаем, что мы можем сделать, чтобы ко времени рождения ребеночка быть дома... А шоколад ешьте здесь, я не имею права вам ничего передавать.

Она принадлежала к «великолепной пятерке» адвокатов, бравшихся за политические дела. Это был третий процесс такого рода, на нем она совершила поступок, за который ее исключили из московской коллегии адвокатов. Дерзость адвоката заключалась в том, что на процессе, после речи прокурора, потребовавшего применения статьи 190 часть 1 — распространение заведомо ложных сведений, порочащих советскую власть, — она в своей защитительной речи не просила о смягчении наказания, а настаивала на отсутствии состава преступления. Другими словами, говорила о невиновности подзащитного.

Алена, убавившая с лица и прибавившая животом, сидела в последнем ряду маленького, тесно набитого зала, по правую руку ее мать Валентина, по левую — Игорь Четвериков, одноклассник Михи, но не из самых близких. Илью и Саню, как и многих других, в зал суда не впустили, они стояли под дверью.

Марлен, тоже пришедший в судебный двор, с искаженным от злости лицом шепотом орал Илье в ухо:

— Он просто сумасшедший! Это выше моего понимания! Ну при чем тут татары! Крым! О себе бы позаботился! Еврею сесть за возвращение татар в Крым! Уж лучше сел бы за свое собственное возвращение в Израиль!

Михе объявили приговор весом в три года лишения свободы с отбыванием в лагерях общего режима, после чего он произнес последнее слово подсудимого. Он говорил лучше судьи, и прокурора, и адвоката, вместе взятых. Чистым, довольно высоким голосом, спокойно и уверенно, о конечной справедливости жизнеустройства, о тех, кому стыдно будет за себя, о внуках сегодня живущих людей, которым трудно будет понять жестокость и бессмысленность происходящего. Какого прекрасного учителя литературы лишились тогдашние школьники!

После суда родители увезли Алену к себе. Она провела у них два дня, рассорилась с отцом и вернулась на Чистопрудный бульвар.

Саня, появившийся у Алены в тот же день, как узнал о Михином аресте, ходил к ней теперь ежедневно. Годы взаимного охлаждения с Михой как будто ластиком с бумаги вытерлись. Дружба, оказывается, была жива и свежа и не требовала никакой специальной подпитки в виде частых телефонных разговоров, взаимных отчетов и совместного питья пива.

Через неделю после Михиного ареста Илья с Саней сидели вечером в Милютинском саду на лавочке с двумя выбитыми планками. Саня разглядывал носки ботинок: сказать, не сказать? Глупо было и то, и другое, но промолчать было совсем уж неправильно. Сказал, в лицо не глядя:

— Илюш, а ведь Миху-то ты посадил.

Илья вскинулся:

— Ты с ума сошел, что ли? Что ты имеешь в виду?

— Соблазнил. Ну, помнишь про малых сих?

— Нет, — твердо отрекся Илья. — Мы все в совершенных летах. Что, я не прав?

Но на душе было неспокойно: он действительно познакомил Миху с Эдиком и косвенным образом отвечал за происшедшее. Но — косвенным образом!

Мстительный Мелоедов сделал все от него зависящее, чтобы не дать Михе свидания с женой перед отправкой на этап. Только настойчивость тестя, опытного зэка, добившегося приема у помощника тюрьмы по режиму, перебила козни следователя.

Накануне отправки на этап Миха получил свидание с женой. Она подурнела, как это бывает с беременными женщинами, особенно, по простонародному предрассудку, кто носит девочку. Михе ее красота показалась ангельской, но он не смог ей ничего сказать такого, что в нем вскипало и поднималось. Не смог из-за привычного, врожденного и усиленного всеми обстоятельствами его жизни чувства глубокой вины перед всеми. И все, что он успел ей сказать, — какая-то глупость в духе Достоевского: «Пред всеми людьми за всех и за вся виноват...»

С этим чувством он и ушел на этап: виноват, во всем виноват... Перед Аленой, что оставил ее одну, перед друзьями, что не смог сделать ничего такого, что могло бы изменить положение вещей к лучшему. Перед всем миром, которому он был должен...

Непостижимый, странный закон: к чувству собственной вины склонны всегда самые невинные.

На первой линии

Совершенно естественно, что на фоне крупных музыкальных идей, занимающих Саню, домашние политические события, большие и малые, полностью проходили мимо него. Они его не касались, как революции в Латинской Америке, недород в Африке или цунами в Японии. Даже Анна Александровна, склонная восхищаться внуком, иногда замечала с оттенком недоумения:

— Санечка, мы здесь живем. В конце концов, это наша страна. Ты, право, как иностранец.

Прибежавшая к ним в дом ранним январским утром шестьдесят девятого года встрепанная Алена сообщила об аресте Михи. Это было первое личное соприкосновение Сани с политикой. Он был потрясен и раздавлен. Показывал ему Миха свой журнальчик. Занятный. Но и предположить было невозможно, что самопечатный сборничек на тонкой бумаге, наполовину состоящий из новостей, которые обычно узнавали из западных радиостанций, а наполовину из стихов — хороших, плохих ли, — но всего лишь стихов, может привести человека в тюрьму. Не «Колокол», нет. Домашний жанр. Впрочем, Саня не знал всего, чем Миха занимался. О татарском сюжете Михиной жизни Саня понятия не имел.

Илья был прекрасно осведомлен о ходе следствия и процесса, его вызывали в ГБ по делу Эдика Толмачева. Про Миху не задали ни одного вопроса, и это Илью скорее удивило. Еще больше удивило, когда Миху арестовали спустя три месяца после ареста Эдика.

Алена сразу после Михиного ареста заболела ангиной, сразу же выбрала Саню «в подруги», и на него как-то сами собой упали заботы о ней. Илью Алена издавна недолюбливала, общаться с ним не хотела.

С отцом Алена почти прервала отношения: она подозревала его в чем-то дурном, даже однажды вырвалось у нее, что отец во всех их бедах виноват. Мать свою она редко к себе допускала, как будто за что-то наказывала. Алена много плакала первое время, не хотела никого, кроме Сани, видеть.

Саня первым и узнал о ее беременности, сопровождал к гинекологу, который должен был произвести любимую операцию советских женщин, отговорил ее от аборта и увел с полдороги от врача, готового оказать свои услуги. Алена часто на Саню обижалась, выгоняла, устраивала сцены, а он все терпел. Алена почти не выходила из дому всю зиму — то болела, то просто плохо себя чувствовала.

— Вздорная, дурная баба! — честил он Алену, но преодолеть ее капризного обаяния не мог. До известной черты.

Илья регулярно приносил Сане деньги — для передачи Алене. Алена от денег не отказывалась, но они не были ей особенно нужны: посылки собирала Анна Александровна, передавал Илья. Всю беременность Алена либо лежала, либо рисовала свои заковыристые орнаменты. Последние месяцы приспособилась рисовать лежа.

Саня в свой час отвез Алену в роддом, потом забрал с дочкой. С букетом гвоздик изображал перед медсестрами мужа и отца. Так эта роль за ним и закрепилась: сопровождал Алену с дочкой в консультацию, купал, кормил... Ему даже нравилась эта интимная возня с ребенком, но одновременно он испытывал беспокойство за свою сохранность. Все то время, что Миха сидел, Алена Саню полубессознательно обольщала. Он то выставлял глухую защиту, как боксер, то пропускал сквозь себя женские сигналы, как пар или воздух, то сам поспешно утекал, как вода в горлышко раковины. Алена время от времени устраивала истерики, иногда на него дулась, несколько раз даже изгоняла из дома, но, соскучившись, звонила, либо он сам приходил без звонка с игрушкой для девочки или с пирожными «эклер», которые Алена ела. Вообще-то она почти ничего не ела все три года Михиного отсутствия. Какая-то физиологическая голодовка: могла выпить чай с хлебом или с печеньем, но ни мяса, ни сыра, ни супа проглотить не могла. Странно, что по мере ее истощения-истощания она становилась все красивее и одухотвореннней. Саня это чувствовал и побаивался этой болезненной привлекательности. Именно Саня отвез ее на свидание с Михой, уже перед отправкой на этап. Саня был единственным, кто писал Михе длинные письма. Алена писала письма короткие, очень красивые, иногда даже с рисуночками. В месяц раз Миха отвечал Алене общим письмом, одним на всех, но с обращением к каждому из друзей. Собирались у Алены на прочтение все те, кто с ним переписывался. Алена обычно сидела в кресле с малышкой на руках, сонная, а Саня ставил чай, раскладывал печенье. Выглядел заместителем Михи, и это было двусмысленно и рождало слух о романе Алены с другом посаженного мужа. Романа не было. Но в воздухе висело напряжение.

Саня, может быть, больше Алены ждал возвращения Михи. Он чувствовал ее психическую зыбкость и боялся: вдруг ее силы закончатся до его возвращения? Или закончится его собственная тренированная сопротивляемость? Пожалуй, Алена была самой привлекательной из всех женщин, с кем он был знаком: почти бесплотная, с замедленными длинными поворотами шеи, головы, с заключительной точкой, которую ставил подбородок в воздухе — вверх. Или — медленный взмах пальцами — и они прикасаются к вискам, зарываясь кончиками в опушку волос, и немного стягиваются по-китайски глаза, и голова как будто повисает на пальцах, замирает в воздухе.

Михина семья отнимала у Сани много времени и вытесняла музыкальные занятия. Он страдал, не мог сосредоточиться на своих мыслях и, занятый всяческим хозяйством, вынужден был искать время и место, чтобы уединиться с любимой музыкой, удрав от навязанных ему семейных обязанностей.

Он вел занятия в консерватории. Нагрузка его не была особенно велика — никогда не превышала двенадцати часов в неделю.

Благодаря Алене он перестал быть иностранцем в отечестве. Во всяком случае, теперь он знал и адрес молочной кухни, и местоположение всех окрестных аптек и поликлиник. Свое утро он начинал с пробежки в молочную кухню, вечер заканчивал дежурным заходом к Алене. Знал, что надо заставить ее проглотить хоть ложку какой-нибудь еды: без Сани она вообще за стол не садилась. Проводила в постели вместе с дочкой большую часть дня. Когда Маечка немного подросла, Алена стала выходить во двор — прогулять ребенка. Улицы, скопления людей, резких шумов Алена боялась, выходила во двор только в сопровождении Сани.

Поздними вечерами Саня брал партитуру из лежавших на полу у его кушетки. Ложился. Листал том. Чудо и красота. Концерт Моцарта № 23 для фортепиано с оркестром. Историю, с этим концертом связанную, рассказывала когда-то Евгения Даниловна: Сталин услышал по радио этот концерт в исполнении Юдиной и потребовал пластинку. Ее в природе не существовало. В ту же ночь подняли Юдину, дирижера и дюжину оркестрантов, отвезли в дом звукозаписи, записали, и к утру единственный экземпляр пластинки был готов. Сталин щедро наградил пианистку. Говорят, прислал ей конверт с двадцатью тысячами рублей. Она ответила вождю письмом: деньги отдала в церковь, а за него будет молиться, чтобы Господь отпустил ему его злодеяния. Сталин ей простил. Сказал: юродивая...

Саня читал Моцарта, и счастье обрушивалось на него волной, накрывало с головой. Не одного Сталина пробрало на этом месте... Улыбнулся. Закрыл том. Погасил свет. Сам Моцарт с ним беседует. Да и о чем еще можно мечтать? О каком еще собеседнике, друге, исповеднике? Алену, в конце концов, можно перетерпеть.

Как ни печально, отношения Сани с бабушкой разлаживались. Прямых вопросов она не задавала, а Саня не считал нужным входить в объяснения. Анна Александровна пребывала в полной уверенности, что Алена втянула ее мальчика в непристойный роман, и испытывала разочарование в обожаемом внуке. Но при этом видела, какой груз забот взял на себя ее избалованный Санечка, и отчасти восхищалась его героизмом. Страдала, понимая, что Саня все более погружается в заботы о Михиной семье, и горько ревновала к несчастной, столь мало ей симпатичной Алене. И совсем уж нелепо — ревновала за Миху, считая его обманутым мужем...

Анна Александровна, разделяя с Саней приписываемые ему грехи, испытывала неловкое чувство перед Михой и за три года не написала ему ни одного письма, лишь посылала продукты и приветы через Илью. Зато она знала, что́ именно надо слать в лагеря, и даже пекла особое печенье, в которое запихивала масло и бульонные кубики, а потом аккуратнейшим образом складывала в бумажные обертки от казенного печенья «Привет». Домашнего ничего не пропускали, а этот поддельный «Привет» содержал несметное количество калорий. Время от времени передавала деньги для Алены.

Она прекрасно помнила, как в свое время нежно отговаривала Миху от этого брака. И еще: единственная из всех она боялась Михиного возвращения — скандала, разоблачения, непристойности. Нет, больше того: боялась катастрофы. Что она знала, что предчувствовала?

Миха запрещал себе считать дни до освобождения. Но не считать не мог. Чем меньше оставалось, тем сильнее было опасение, что его не выпустят. Друзья тоже считали дни.

Это была, конечно, глупость, и как им в голову пришло, что Миху могут выпустить ровно через три года, да еще ровно в двенадцать часов ночи, с наступлением дня освобождения. Они уже знали, что его этапировали в Москву и что он находится в Лефортовской тюрьме. Связывали это, не без оснований, с арестом Сергея Борисовича, про которого было известно, что он тоже в Лефортове.

Они приехали к Лефортовской тюрьме ближе к ночи, в начале двенадцатого, втроем: Илья, Саня и Виктор Юльевич. У Ильи в рюкзаке лежала старая куртка и новые джинсы. Ботинки Илья тоже купил, правда, на номер больше, чем Миха носил. Зато красивые.

Выходов, из которых Миху могли выпустить, было три: центральный, через следственный корпус и служебный. Друзья держали под наблюдением эти двери всю ночь и утро, до двенадцати часов. Потом пошли навести справки, на что военизированная тетка в окошке сказала, что Меламид уже вышел.

Кинулись звонить Михе домой. Подошла Алена, сказала очень тихим и удаленным голосом:

— Он дома. Приезжайте.

Оказалось, что выпустили его в восемь утра через следственный корпус, и друзья его проморгали. Взяли такси и через двадцать минут ввалились к Михе. Лифт не работал. Саня с Ильей взлетели на шестой этаж, а сильно сдавший Виктор Юльевич пыхтел, отстав на два этажа. Дождавшись учителя, позвонили, открыл им дверь сам Миха. Вернее, его отощавшая бесцветная тень. О чем Илья немедленно и сообщил, во избежание возможного на этом месте всплеска чувств:

— Ну, ты просто тень!

И Миха засмеялся, сразу став самим собой:

— Я не тень! Я мощи тени!

И тут Виктор Юльевич приподнял руку жестом, знакомым всем с детства, и произнес:

В тот самый час и в том же самом виде,
Как рассказали мне, приходит тень...

И все сразу встало на свои места. Захлопали друг друга по плечам, затормошили Миху и кучей повалили в комнату, которая, невзирая на былые идеалы строгости и аскетизма, обросла барахлом — столом, детской кроваткой и даже занавеской, отделявшей спальный угол ребенка, и, в общем, активно двигалась в направлении прежнего тети-Генина облика.

Маечка, только что уложенная на дневной сон, проснулась, взвыла. Алена шмыгнула в закуток ее утешать, потом вынесла девочку к гостям, и та потянула руки к Сане, единственному родному из присутствующих. Саня взял ее на руки, слегка встряхнул, она обняла его за шею.

— Что ты принес? — спросила хриплым со сна голосом.

Потом он что-то пробормотал ей на ухо, от чего она улыбнулась:

— А где?

Саня вынул из кармана пестрый стеклянный шарик — он чуть перекатывался в его ладони. Девочка обезьяньим движением цапнула шарик.

Миха с ревностью смотрел на обнимающуюся парочку. Дочка не приняла робеющего папашу. Он видел ее первый раз в жизни и постичь не мог, что это маленькое существо, живой человек с кудряшками, глазами, шевелящимися пальчиками произошел от него, от его великой любви с Аленой, и не вполне было понятно, как связаны между собой эти две главные в жизни вещи.

Он уже принял ванну. Смыл с кожи трехлетнюю мерзость. Хотелось еще вымыться изнутри, отмыть нос, трахеи и легкие от тюремного воздуха, рот, пищевод, желудок и все кишки от мерзкой пищи и воды...

Семь лет! На это нужно семь лет — за этот срок обновляются все клетки человеческого организма. Кто это говорил? А за сколько лет очищается душа от тюремной грязи? О, если б можно было в жидком азоте, в хлорке, в щелочи промыть мозги, чтобы освободить память от пережитого им за эти три года! И пусть бы смылось все, и он бы забыл все, что любил и знал, чему поклонялся, но ушли бы эти три года из его памяти.

Посидели друзья недолго, меньше часа, и ушли. Остались втроем, своей семьей. Надо было о многом поговорить. Девочка жалась к матери, отпихивала от себя отца. Миха жмурился, морща нос: она его боялась, отворачивалась.

«Какая высокая цена. Ребенок меня не признал, никогда не признает». — Полутонов Миха не чувствовал и теперь страдал, отверженный.

— Давай погуляем вместе. Маечка, хочешь на качели?

— Хочу. С тобой, — и взяла мать за руку.

— Папу тоже с собой возьмем. — И они вышли втроем на улицу.

Маечка уселась на качели, Алена легонько толкнула их.

— Меня выдернули на этап за пять недель до освобождения, я понял, что они будут шить что-то новое. Оказалось, по делу Чернопятова и Кущенко, — продолжал свой все перебиваемый рассказ Миха. — Очную ставку долго не давали, но давали читать их показания. Показания были ужасные, я не верил ни одному слову, считал, что они просто подсунули мне фальшивку, состряпанную из агентурных данных. Больше тридцати фамилий названо, в том числе назван Эдик Толмачев. Но речь там шла в основном не о «Гамаюне», а о «Хронике», обо всех правозащитных делах. В протоколах — чего только нет: чистосердечное признание, покаяние...

— Я все это знаю, — кивнула сухо Алена.

— Я не верил до последнего. Вообще-то, я и сейчас не могу поверить. Но очная ставка была. Все так. Что с ними делали, не знаю. Может, выбили показания. Я все отрицал. Кроме того, что Сергей Борисович твой отец и мой тесть. Я был уверен, что и меня к этому делу подпишут. До последнего дня не мог поверить, что отпустят. Да я и сейчас ничему не верю.

Алена глаз на него не поднимала, выражение лица было такое, как будто его здесь и нет. Миха положил свою руку поверх ее:

— У меня на этом месте просто голова раскалывается: не мог Сергей Борисович всего этого говорить, никак не мог. Но ведь я своими ушами слышал. Ты не думай, Алена, я его нисколько не разлюбил. Его жалко до безумия.

— Не знаю, Миха, кажется, мне не жалко. Я с детства знала, что у меня отец герой. — Глаз Алена не поднимала, все смотрела под качели, в мельтешню тени от сиденья, на котором каталась дочка туда-сюда.

— Плохо качаешь, мама, — строго сказала дочка.

Миха взялся за штангу качелей.

— А ты не трогай, — еще более строго добавила девочка.

Ближе к вечеру зашли и долго сидели Женя Толмачева и Аленина институтская полуподруга. Гостей выставили в десятом часу, сказав, что надо купать ребенка.

В ванной на табурет поставили детскую ванночку, налили теплой воды, усадили Маечку. Она деловито мыла пупса и резиновую собачку, потом просто плескалась. Миха смотрел от двери, замирая от небывалой новой любви к мокрому младенцу с прилипшими ко лбу потемневшими прядями.

— Полотенце возьми, — попросила Алена, и он принял в большое полотенце тонкую спинку. Первый раз он держал на руках своего ребенка — она была очень легкая, но увесистая. Маленькая, но огромная, больше Михи, больше всего мира. И была — весь мир.

Мой малый мир, мой мир огромный,
Глазастый, русый, мокрый мир,
Зеленый глаз клонится сонный...
Та-ра-та-ра та-ра-та тир...

Девочка заснула. Миха обнял жену. Она закрыла ему губы рукой и сказала:

— Ты мне ничего нового не сказал. Я все уже знаю. Я говорила с его адвокатом. Ты не знаешь ее, адвокат Наталья Кирилловна. Она замечательная. Я просила, чтобы она передала ему, что я больше не хочу его видеть никогда.

Слова «отец» она не признесила. «Он». Миха отвел ее руку:

— Алена, ты сошла с ума. Так нельзя. Его ужасно жалко...

Все было то же — двор, соседи, выбитая половица в коридоре, тополя во дворе, старинный бордюрный камень, обозначавший былой цветник, былой каток... продавщицы в булочной и в рыбном, управдом. Но как будто прошло не три года, а тридцать. Михе все казалось, что от неосторожного движения все может со звоном расколоться — и дом, и двор, и дочка, и жена, и весь этот город, и апрель, такой теплый и приветливый в этом году.

Анна Александровна была первым человеком, к которому Миха пришел после освобождения, вечером второго дня на свободе. Именно ей он и сказал в тот же самый день, что отец Алены дает показания и что боится, что тот его снова посадит.

Анна Александровна готовилась к Михиному приходу — весь день накануне провела на кухне.

— Знаешь, Миха, все новости на свете старые. Моего мужа посадил его родной брат. Погибли оба. Решает судьба, а не наше поведение — плохое или хорошее. Кушай, пожалуйста.

За три года он изменился до неузнаваемости: обтянутое, потемневшее лицо, поредевшие волосы, посветлевшие почти до желтого цвета глаза. И думал обо всем тоже каким-то изменившимся образом.

Анна Александровна не изменилась нисколько: густая и легкая сетка морщин, как будто гравер провел по лицу тонким штихелем, очень рано легла на лицо, но так и замерла, нисколько ее не обезобразив. Теперь, когда ей было уже под восемьдесят, она как раз выглядела моложаво. И Миха, глядя на нее, вдумываясь в ее непонятные слова, понял, что Анна Александровна необыкновенно красивая женщина. И даже гораздо больше, чем красивая. Через вуаль морщин, через пропасть лет он увидел ее лицо прекрасным, сияющим.

— Анна Александровна, я так тосковал по вашему дому... Если б вы знали, как я вас люблю...

Она засмеялась:

— Ну, дождалась. Миха, я приготовила тебе «щуку по-жидовски». Так этот рецепт у Молоховец называется. Как-то сварганила, никогда этого не готовила. Попробуй, получилось? — И поставила перед ним овальное блюдо с кусками бледной рыбы.

— Получилось, получилось, особенно если принять во внимание, что я такой изысканной еды сроду не пробовал! — Тут Миха окончательно понял, что вернулся домой. Он сиял, улыбался, говорил и ел одновременно, забыв на время о постоянной ноющей боли в животе.

Анна Александровна, со своей стороны, почувствовала облегчение: может, все станет на свои места, и Миха займет свое место мужа и отца в своей семье, а Санечка вернется сюда в дом, освободится от забот об Алене, и все пойдет по-прежнему, и все сложности, настоящие и воображаемые, рассосутся сами собой.

Последующие две недели Миха часто заходил к Стекловым. С Аленой, кажется, все было прекрасно, и дочка была для него как чудо с небес. Зато все остальное вокруг него было плохо, гораздо хуже, чем перед посадкой.

Тем не менее здесь, в доме Анны Александровны, ему было хорошо. Саня, как прежде, мало бывал дома, но его отсутствие было утешительным: значит, Саня постепенно возвращался в свою стихию. Он снова проводил вечера на концертах, в консерваторском общежитии, где было много друзей, и тот заряд, который готов был взорваться в годы Михиных лагерей, как будто был разминирован. За первые недели после освобождения он успел зайти к Анне Александровне несколько раз. Два раза Саня был дома, и опять возникло между ними то облако близости, из детства, из юности. Все в другом понятно, а что непонятно, вызывает интерес и симпатию.

Еще Миха с радостью ощутил, что Анна Александровна по-прежнему взрослая, а сам он по-прежнему ребенок. И, как ребенок с прогулки, он тащил Анне Александровне в дом какой-нибудь дорожный улов: сосновую ветку с шишкой, забавный рисунок Маечки.

В этот раз он приехал к Анне Александровне из Тарасовки, где навещал Артура Королева, старого друга-переплетчика. Выпили с Королевым водки, но долгого сидения не получилось. Миха вернулся в Москву засветло и решил навестить Анну Александровну. Ничего под руку не попалось, он купил леденцовых петушков, которых продавали на платформе цыгане. И вручил старой подруге, как букет, горсть палочек с огненными петушками. Она поставила петушков в стакан, они засветились празднично, и Миха вдруг заметил, что весь дом стал каким-то ветхим и стареньким...

> Сердце дома. Сердце радо. А чему?
> Тени дома? Тени сада? Не пойму.
> Сад старинный, все осины — тощи, страх!
> Дом — руины... Тины, тины что в прудах...

Что утрат-то!.. Брат на брата... Что обид!..
Прах и гнилость... Накренилось... А стоит...
Чье жилище? Пепелище?.. Угол чей?
Мертвой нищей логовище без печей...

Хрупкими, как фарфор, руками старуха налила в полупрозрачные чашки жидкий чай:

— Анненского помнишь... Уж очень печально... Смотри-ка, какое у нас сегодня купеческое чаепитие — чай с сахаром и леденцами. Саня скоро придет. Обещал по дороге в гастроном зайти. Дождешься?

Она легко встала и вынула из горки пузатенькую сахарницу со щипчиками — сахар колотый...

Анна Александровна и Миха сидели за спитым чаем. Ни простого печенья, ни пряников, ни сушек. Анна Александровна из дому уже вторую неделю не выходила из-за непривычной усталости, которая вдруг на нее напала. Бюллетень она не брала, договорилась с другой преподавательницей, которая была в Академии на половине ставки, что та даст за нее уроки. Но миновала неделя, лучше она себя не чувствовала и жаловалась Михе, что страшно разленилась: и на работу не ходит, и дом запустила, вот, даже к чаю нечего подать.

— Завтра подниму свои старые кости и вылезу. Но Санечка тоже хорош: даже хлеба в дом не принес, безобразие такое... А про Надежду и не говорю. Ах, ты новости нашей не знаешь! Дочь моя второй год как роман завела, дома не ночует, представь себе, такое безобразие! — Она засмеялась, как будто речь шла о пятнадцатилетней скандальной девочке, и добавила с всегдашней прямотой:

— Замуж собралась. Глупость, глупость...

И поморщилась.

«Видно, совсем плохо себя чувствует», — подумал Миха, привыкший, что Анна Александровна чай всегда подавала свежий, а старый, даже несколько часов назад заваренный, безжалостно выплескивала.

— Ну что, как твои дела? — поинтересовалась Анна Александровна, и Миха принялся рассказывать о том, что больше всего болело: работы нет, обегал все возможные норы. Не берут. Ходит участковый, спрашивает, когда на работу устроюсь...

Она слушала внимательно, машинально разминая папиросу и постукивая пустым мундштуком о стол. Потом вдруг выронила папиросу, откинулась на спинку стула и, глядя куда-то позади Михи, сказала:

— Миха, мне дурно... дурно.

Сделала открытым ртом, напряженными губами несколько судорожных вдохов один за другим, рука поползла по столу, сметая красных петушков. Глаза ее так пристально и неподвижно остановились на чем-то позади Михи, что он оглянулся. Никого там сзади не было — книжный шкаф отливал золотыми корешками Брокгауза и Ефрона.

Миха подхватил ее и перенес на кушетку. Она была легка, обвисла на его руках, как пуховое одеяло. Он уложил ее, подоткнув диванные подушки под спину. Она все смотрела пристально — не на него. Он стиснул запястье в том месте, где пульс не прощупывается и у живых.

— Сейчас, сейчас... Лекарство... «Скорая помощь...» — бормотал Миха, уже догадываясь, что все поздно.

Метнулся к телефону — у Стекловых, единственных во всей квартире, была отводная трубка. Поднял трубку, услышал обрывок соседского разговора:

— Да я ей сколько раз говорила, лучше за ним смотри. Она смеялась все, вот и досмеялась... Он солидный мужчина, а в наше время редкость...

Миха выскочил в коридор:

— Срочно! Анне Александровне плохо! «Скорую» надо вызвать...

Соседка Мария Соломоновна, провизор, в золотых зубах, запачканных красной помадой, очень уважала Анну Александровну.

— В общем, я на этом кончаю. Здесь соседям телефон срочно нужен. Но ты ей так и передай: сколько раз я говорила...

Щелкнул дверной замок. По коридору шел Саня. При нем была сумка. Он по дороге зашел в сотый гастроном и все купил, даже курицу, и гордо нес в дом бабушки продовольственные покупки. Кажется, первый раз в жизни...

— Анне Александровне плохо... «Скорую»... Кажется, очень плохо... — пробормотал Миха. Саня ринулся в комнату, Мария Соломоновна, переваливаясь уточкой, за ним следом.

Через пятнадцать минут, еще до приезда врачей, позвонил Василий Иннокентиевич. Ежедневный звонок: «Как поживаешь?», который вызывал у Анны Александровны легкое раздражение. Сразу же примчался. Закончился их пожизненный роман, длившийся с перерывами на Нютины браки и увлечения около шестидесяти лет. Отвергаемый несчетное количество раз и возвращавшийся к ней снова и снова в самые трудные для нее времена — когда сажали и убивали мужей и любовников, — он хоронил теперь свою великую любовь уже без надежды на очередное ее воскресение. Окончательно.

Одновременно с Василием Иннокентиевичем пришел Илья, нечастый гость. Так возле остывающего тела Нюты еще до приезда врачей, констатирующих факт смерти, собрались все самые любимые ею люди. Не было в тот вечер только Надежды Борисовны — она ночевала на съемной даче, телефона там не было. О смерти матери она узнала только утром следующего дня.

Тело увезли ближе к ночи, и выросшие мальчики сидели втроем, почти слитые в единое существо: с общими мыслями, чувствами, воспоминаниями, одинаково ошеломленные, одинаково безутешные. Илья в присутствии Сани и Михи как будто раскрывал обычно закрытый третий, четвертый глаз, или что там бывает, орган тепла и сострадания, и они дышали общим воздухом, общим горем.

Похороны были странными по своей разношерстности. Обнаружилось завещание, в котором Анна Александровна дала очень четкие указания, как и где ее хоронить. Отпевание назначила в церкви Петра и Павла, что у Яузских ворот.

Людей было много. Они отвлекали Саню от Анны Александровны, которая лежала, как белый остров среди черных человеческих волн.

Кроме близких, пришло начальство из Академии — недоумевающие мундиры с голубыми погонами. Пришли и ученики. В те годы были уже не китайцы, а кубинцы и африканцы. Анна Александровна хорошо учила их русскому языку. Они принесли еловый венок с черно-красными лентами, и венок этот натирал Сане глаз.

У изголовья гроба стоял, сверкая яркой сединой, Василий Иннокентиевич с поджатым лицом. Лизы с ним рядом не было — она гастролировала по Германии. Десяток старушек-подружек — Евгения Даниловна, пара гимназических, Элеонора Зораховна с двумя великосветскими белыми розами — перемешались с бывшими сослуживцами разных полос жизни и с Саниными друзьями. Илья пришел с Олей, рядом с ними стояла Тамара Брин, внучка Нютиной покойной подруги. Лицо у Тамары было такой редкой левантийской породы, что Саня узнал ее сразу, — когда-то в детстве ее приводили на его дни рождения.

Бледный Миха стоял рядом с Саней и тихо обливал слезами мохеровый шарф, давным-давно подаренный Анной Александровной к какому-то дню рождения. Рядом с Ильей стояла его жена — бледная, рыжеватая, с гиацинтами в руках. Время от времени Саня неприятно натыкался взглядом на плотного мужчину с большими бровями на широком лице. Тот стоял рядом с ёго матерью и почему-то властно держал ее под руку. Это и был ее избранник, которого Саня видел первый раз. Зачем его мама привела?

Саня наблюдал все происходящее отстраненно — как будто смотрел через толстое стекло. Мертвое лицо бабушки казалось художественной подделкой, красота ее приняла какую-то окончательную форму, и эта совершенно излишняя красота внушала неуверенность относительно мира живых, суетного и неблагообразного.

Из боковой двери появился священник, началось богослужение. Евгения Даниловна сунула Сане в руку зажженную свечу. Голос священника переплетался с песнопениями, которых Саня никогда прежде не слышал. Они требовали внимания, потому что заключали в себе что-то важное, но малоразборчивое.

Священник, с виду похожий на грека, служил с глубоким вниманием и без всяких сокращений. Полный чин «Последование мертвенное мирских тел» длился бесконечно долго. Саня отметил, что голос священника замечательно накладывается на песнопение, и малые звуки — треск свечей, покашливание, всхлипы — тоже точнейшим образом вписывались: очень хорошая инструментовка. Потом погасили свечи, и Саня подумал, что служба закончилась. Но священник опять стал что-то читать, хористы снова запели, и Саня унесся вместе с этими звуками, и запахами, и отблесками света на окладах туда, куда уносила его обычно музыка...

Отпевание закончилось, священник сказал, что близкие могут попрощаться с усопшей. И тут все задвигались, образовали очередь.

Анна Александровна ненавидела очереди. Говорила, что половину жизни провела в очередях: за хлебом, молоком, картошкой, за мылом, за билетами, за письмами, и даже выработала свой способ защиты — читала про себя стихи. Говорила со смехом, что советская власть тренирует ей память, делая стояние в очереди неизбежным. Она, поди, никогда не думала о том, что в последний ее день на земле к ней самой выстроится такая длинная очередь.

Анна Александровна распорядилась похоронить ее в Донском монастыре, в могилу деда. Тело кремировали в Донском крематории. Кладбище монастырское давно было закрыто, и захоронить можно было только урну две недели спустя.

Собственно, это была не могила, а склеп, но он так давно обрушился, что захоронить можно было только сверху, возле покосившегося памятника. Фамилия деда была дворянская, но не очень звонкая.

Народу на этот раз было совсем немного. Только самые близкие. Василий Иннокентиевич стоял рядом с Саней и все хотел ему что-то сказать, но не находил подходящей минуты. Когда все уже закончилось и выходили из ворот монастыря, он взял Саню под руку и сказал очень тихо и очень внятно:

— Саня! Мы навсегда потеряли Лизу: она не вернулась с гастролей, осталась в Австрии. Позвонила по телефону, сказала, что со временем мы все поймем, и все очень хорошо, и она счастлива и просит у всех прощения. И очень любит. Я сказал ей, что Нюта умерла, она заплакала и спросила, может ли тебе позвонить. Я сказал, что должен у тебя спросить.

— О господи! — только и смог выговорить Саня.

— Она собирается замуж за тамошнего дирижера, она с ним знакома была с первых гастролей, выступали... Старик! Ужасная потеря. Самые близкие люди нас покидают. Мы Лизу больше никогда не увидим. Ты, может, увидишь еще. Я — нет.

— Базиль, как это печально. Женщины почему-то хотят замуж, посмотри. — И указал глазами на свою мать, которую вел под руку мужчина в каракулевом пирожке на толстой голове. — Зять твой австриец, не немец?

Василий Иннокентиевич кивнул.

— Я так не любил толстого Бобу и так радовался, когда они расстались. А этот твой новый зять, между прочим, красавец. Прекрасное лицо. У меня есть пластинка с его портретом. Что женщины делают? Ты посмотри на этого... управдома... Нюта все знала, — посмотрел в сторону матери с ее суженым.

Подошел Миха. Вцепился в покалеченную Санину руку, пригнулся к самому уху:

— У тебя мама живая, а у меня теперь никого. Анна Александровна была мне всей родней, вместе взятой. Я только сейчас это понял. Она ушла, и я на первой линии.

— Что? Что? — не расслышал, не понял Саня.

— Взрослых передо мной никого нет. Следующая очередь моя, — объяснил Миха.

Через две недели после смерти Анны Александровны плотный господин в пирожке, державший мать под руку, въехал в их квартиру. Фамилия его была Ласточкин, и она удивительно ему не шла. Мебель передвинули, ширму убрали, комнату перегородили гардеробом и книжным шкафом. Саню слегка переместили, лишив привычной геометрии.

Смерть Анны Александровны, легкая, мгновенная, ничем не подготовленная, никак не хотела сопрягаться с жизнью. Саня просыпался по утрам, слышал невыносимые звуки чужой жизни и все мечтал заснуть еще раз, чтобы проснуться в нормальном, привычном доме.

Но не было больше прежнего дома, не было бабушки, а с мамой происходило какое-то чудо, как в детских сказках с заколдованными детьми. Она превратилась одномоментно в нечто себе противоположное: из мягкой и полноватой — в твердую, из русоголовой и седоватой — в брюнетку. Стала красить губы и носить новую каракульчовую шубу, черную и гремучую, вместо ветхого серого кролика, которым Саню укрывали в детстве.

Но самое нестерпимое — новый голос Надежды Борисовны: звонкий, льстивый, с хохотком в конце каждой фразы. Нет, еще более нестерпимое — ночные звуки случки, тряска пружин, пыхтенье, стоны...

Дворницкая, проклятая дворницкая в Потаповском переулке расположилась теперь прямо на том месте, где прежде в бессонные ночи Нюта читала своих любимых Флобера и Марселя Пруста.

Он не мог спать. Мелкие рывки в сон и обратно, и постоянная мысль: нет Нюты. Навсегда нет Нюты. Нигде нет Нюты.

Он накоротко засыпал. Проснувшись окончательно, впадал в обычное уныние. Умывался и уходил из опоганенного дома. Если не было занятий, шел к Михе.

У того настроение тоже было не лучшее: работы все не было, бывшего заключенного никуда не брали, не было и денег. Алена пыталась давать какие-то уроки. Подбрасывали друзья, Миха эти пособия принимал через силу. Марлен наконец уехал в Израиль — спешно, неожиданно и необъяснимо — и писал Михе письма, звал туда же. Но возможность эмиграции Миха отвергал.

— Все твердят об одном — эмигрировать. У всех соображения — за и против. Я, Санечка, этот вариант просто не рассматриваю. Я же там умру.

Маечка, обожавшая Саню и не вполне доверявшая малознакомому отцу, влезала к Сане на колени и щекотала за ухом. У них была такая игра.

— Миха, мы умрем в любом случае. И музыка, и поэзия всюду, не только в России, — замечал Саня.

— Музыка — да, а поэзия — нет. У поэзии есть язык, и этот язык русский! Я же поэт, может, плохой, но поэт, — взорвался кроткий Миха. — Я без России не могу!

Сане ответить было нечего. Ну не скажешь ведь: да, плохой поэт. А хорошие как же? Могли? Ходасевич? Цветаева? Набоков, черт подери?

Но Миха, как маятник, все возвращался к нижней точке: Россия, русский язык, русская метафизика... Россия, Лета, Лорелея...

Саня делал попытку снижения:

— Вот и уезжай, друг, из России вместе со своей Лорелеей, а то прежде времени в нашей Лете пропадешь... — и сморщился от неуклюжести собственной шутки.

— Уезжай, Миха. Место пропащее. И Нюта умерла.

Думал же про Лизу: осталась, бросила деда, который в ней души не чаял, и живет теперь в зазеркалье. Впрочем, почему в зазеркалье? В Вене и Моцарт, и Шуберт, и вся венская школа гуляет по Рингу.

Спускаясь по лестнице, Саня мысленно начал произносить длинную фразу, которая вся была положена на музыку — страдали струнные, звенела медь, альт-саксофон гудел негритянским голосом, слова еле-еле проступали, смутные, но необходимые.

— Нюта ушла, умерла, улетела, бедная, пальцы худые, кольца не звенят... Даже запаха нет нигде.

Короткий пробег через Михин двор, мимо углового дома, с Чистопрудного бульвара на Маросейку.

— Миха, сиротство, родня, детство ужасное, эта Алена прозрачная, господи, пахнет безумием, пахнет мычанием глухонемым, бедные, бедные все.

Духовая группа, вперед! Кларнет рыдает, и флейта плачет...

Переход через трамвайные рельсы, где стоял невидимый миру памятник малолетнему хулигану, погибшему на этом месте двадцать лет тому назад.

Фортиссимо, ударные.

Медь, медь, медь... и взвизг тормозов.

— Мальчик несчастный, в ватном пальто, в ушанке солдатской, несется, несется, холодное железо зажав в кулаке.

Поворот налево, на Покровку, к дому-комоду.

— Бедные пальцы, бедные пальцы, погибли навеки. Для скрипки, альта и кларнета, для баяна, гармошки, дурной балалайки. О, фортепьяно!

Фортепианный дуэт! В четыре руки! Правый рояль Лиза, левый мой. Лиза начинает тему, я вступаю.

И сразу направо, к своему боковому флигелю. Струнная группа. Скрипки начинают. Пьяно, пьяниссимо. Фортепианная тема развивается, утончается в струнном прочтении. Поднимается. И все завершается глубоким грустным голосом виолончели.

— Тащут в руках кто коньки, кто авоськи, портфели, нотные папки, из сапожной мастерской ботинки чиненые-перечиненые. Тащут болезни, несчастья, повестки, анализы, мусор, собачку, бутылку.

И перед дверью, уже положив пальцы на единственную оставшуюся во всем доме бронзовую ручку, поднял всю музыку вверх, а потом бросил со всей силы оземь, так чтобы она рассыпалась и покатилась.

— Если Ты все-таки есть, Господи, забери меня отсюда и поставь меня на другое место. Я здесь больше не могу. Я без Нюты здесь не могу...

И вошел в подъезд. Поднялся на второй этаж. Вошел в квартиру и остановился. Ласточкин, обернув чугунную ручку огромной сковороды остатком Нютиной блузки, тащил с коммунальной кухни жаренную с салом картошку и смердел.

Орденоносные штаны

В шестьдесят первом году выступил Петр Петрович на партийной конференции и сказал то, что лежало у него на душе: культ личности Сталина разоблачили, а теперь новый культ постепенно вырастает, Хрущева. Забыли ленинские нормы, а надо бы к ним возвращаться, усилить демократию, ответственность выборных лиц перед народом, для чего следует отменить высокие оклады и несменяемое руководство. Выложил все, что думал.

Он прежде все эти соображения «обкатал» на своем друге, Афанасии Михайловиче, Феше, однокашнике по Академии Генштаба, где оба недолго учились в довоенные времена. Феша его не одобрил, хотя во всем согласился. Не одобрил, собственно, намерения выступать со своими соображениями на партийной конференции.

— Толку никакого не будет, а неприятностей, Петро, не оберешься, — оценил Феша это безрассудное намерение.

Петро упрекнул Фешу в трусости. Тот, обыкновенно сдержанный, вдруг рассвирепел и послал друга туда, куда не было принято между ними посылать.

Тогда Петр Петрович выложил ему весьма неприятную вещь: трусливей военных вообще нет людей. И чем выше чином, тем трусливей. Профессионалы, прошедшие войну, не боявшиеся ни огня, ни врага, не прятавшие голову за чужими спинами, смертельно боятся начальства и защищают теперь не Родину, а свои откормленные задницы и кресла.

Поскольку дело происходило на даче у Афанасия Михайловича, он указал другу на дверь и произошла между двумя генералами ссора по типу описанной Гоголем Николаем Васильевичем. Хотя ни «свинья», ни «гусак» не фигурировали, но «трус» обидел Афанасия Михайловича до глубины души.

За скандальное выступление Петра Петровича наказали: перевели на другую работу, на Дальний Восток, то есть отправили в ссылку, с глаз начальства долой. Там он от провинциальной жизни сначала затосковал, а потом занялся деятельностью — организовал союз единомышленников, которые тоже, как он, хотели бы перевести всю покосившуюся жизнь страны на ленинские рельсы. Продлилась эта подпольная деятельность с тайными встречами, даже с листовками, недолго. Петра Петровича арестовали, перво-наперво выгнали из партии, а потом судили закрытым судом и дали всего-то паршивеньких три года. В качестве дополнительного наказания разжаловали в рядовые, лишили осужденного генерала воинского звания, боевых наград, пенсии и всех полагающихся по бывшим, ныне отмененным заслугам льгот.

Так началась у Петра Петровича новая биография. Он постепенно сбрасывал, вместе с лишним весом, обветшалые свои понятия о жизни. Отсидел три года, вышел, снова сел. Он вспоминал прежнюю, «академическую», как теперь он насмешничал сам над собой, жизнь и называл ее младенческой.

Хорошая голова была у генерала. Не зря заведовал он в Академии кафедрой тактики. Но вступил он в неравный бой с властью, которая брала не умом, а силой. Что здесь могла поделать тактика, да и стратегия? Куда только оскорбленная бывшим генералом власть его не отправляла: в тюрьму, в лагерь, в ссылку, в психиатрическую лечебницу, а он выходил и принимался за свое.

В семьдесят втором году весной выпал ему небольшой отдых — вышел на свободу. К этому времени он стал уже не рядовым, а настоящим генералом маленькой армии диссидентов. Есть такие люди, которым генеральство дается от рождения.

Ничипорук знал, что власть домашним врагам не прощает, и потому понимал, что гулять ему на свободе недолго. Наслаждался домом, общением с людьми, даже простой пешеходной прогулкой по городу. Свобода! Свобода!

Но это было обманчивое чувство: телефон прослушивали, слежку не снимали. Петр Петрович решил поехать в Минск, было у него там дело. Даже жене Зое он не говорил, что за дело. Но она, опытная подруга, и не спрашивала.

Взял билет на вечерний поезд, пришел домой, собрал нехитрые вещички, всего ничего — смена белья, бритвенные принадлежности, два последних номера «Нового мира», уже изрядно потрепанные, и плюшевая собачка для внучки приятеля.

Сели поужинать — звонок в дверь. Пришла Зоина подруга, Светлана, близкий человек. Принесла новость: вчера обыски были у Харченко и у Василисы Травниковой. Харченко увезли, а Василису оставили.

Петр Петрович пожал плечами: дома все чисто.

— Они-то не знают. Придут, будут ковырять, — возразила Светлана.

— А-а-а... — вспомнил Петр Петрович. — Награды мои! По бумагам они меня их лишили, но железки-то все дома. Не хочу им отдавать. Убрать надо, Зоя. Вы не вынесете из дома, Светлана?

— Вынесем. Но я лучше девочек своих пришлю. Безопаснее. Сегодня вечером.

И правда, в тот же вечер, уже после отъезда Петра Петровича, пришли две девчонки-студентки, по виду лет пятнадцати, одна толстуха с пышными щечками Тоня, вторая совсем некрасивая Сима, обе в одинаковых вязаных шапочках и шарфах, ученицы Светланы Сергеевны.

Они неловко топтались в дверях. Зоя Васильевна сказала раздеться, поставила чай с печеньем. Они так и сидели в своих синих шапках, молчали. Зоя Васильевна положила тяжеленький сверток — поверх полотна газета, веревочкой перевязан. На их глазах засунула сверток в домашним способом сшитую сумку, в каких продукты носили. Потом положила записочку: «Здесь военные награды, их надо сохранить». Девочки дружно кивнули. Зоя Васильевна взяла спичку и спалила записочку, остаток бумаги сунула под струю воды и выбросила в ведро.

Девочки переглянулись: дело серьезное.

Вышли из подъезда, озираясь по сторонам. Было тихо и безлюдно, и зыбкая апрельская неопределенность. Пошли молча к метро. Вышли на площади Белорусского вокзала. Тоня довела Симу до подъезда. Возле подъезда Сима протянула сумку подруге:

— Знаешь, я боюсь, а вдруг мама найдет? Возьми к себе, а?

— Хорошо, — безропотно согласилась Тоня. — А куда спрятать? Может, в чулан? У нас есть под лестницей. Правда, с него часто замок сшибают, дрова тащат.

— А на что дрова? — удивилась Сима.

— Да ни на что. Печек давно уже нет, а дрова лежат. Их и тащат.

— Но сейчас-то почти лето...

— Ну да...

Тоня поехала на троллейбусе от Белорусского вокзала почти до самого дома, до площади Дзержинского.

Дома, как по заказу, никого не было: Витька, племянник, сидел у соседей, мать его Валька закатилась на гулянку, а старший брат Толян досиживал свой срок.

Матери тоже не было, она сегодня во вторую смену вышла.

Прижимая сверток к животу, Тоня прошла по квартире. В коробку и на шкаф? Пустых коробок не было — три набитых. В нижнем ящике шкафа лежали инструменты, мать туда иногда лазала — за молотком, за гвоздем. Еще от отца осталось. Белье все было сложено стопками, только на нижней полке комком. Там лежали старые трико с начесом, бывшие голубые и персиковые, с пролинявшими изношенными промежностями. Куски покрепче мать вырезала и ставила грубым стежком во много слоев заплаты изнутри к тем, которые еще могли послужить. Тоня взяла самые рваные, аккуратно закатала в них полотняный сверток и положила к самой стене. Он чуть ли не пол-ящика занял. Тогда она размотала сверток и вытащила одиннадцать красивых коробков. В них лежали военные награды с эмалью и золотом, большой красоты и неожиданной тяжести. Тоня решила от коробочек избавиться, больно много места занимают. Вынула награды, прикрутила или приколола каждую штуку к тряпке и смотала колбаской, которую опять придвинула к стене. А коробочки положила отдельно, в свой личный угол на верхней полке. Пустые коробочки, что в них? Главное-то ордена.

Ранним утром девятого мая сверток в шкафу обнаружил Витька, Тонин вреднющий племянничек. Ребята во дворе сказали, что мамки деньги прячут в шкафу, под бельем. Надо только хорошо поискать. Он начал с нижней полки. Денег там не было, но он сразу наткнулся на сверток у стены, тяжеленький. Вытянул, развернул — там были приколоты к бабкиным старым штанам ордена и медали. Да какие! День был для орденов самый подходящий — День Победы. Он разложил штаны, красота! Там было их много, насчитал пять, потом еще пять, и еще оставалась одна. Они все привинчивались и прикалывались по-разному, и он медленно, прикусив язык, сначала отцепил их от изношенной тряпки, а потом, не жалея своей рубахи, все к ней и прибочил, с двух сторон от плеча вниз. Они тяжело оттягивали рубаху, сверкали золотом и серебром и кремлевскими звездами. Он пошел во двор к ребятам, забывши про деньги, которые обещал поискать в шкафу под бельем. А ребята забыли про него и уже ушли. Пока он топтался, соображая, где их искать, появились большие парни — Артур Армянин, Севка и Тимка Пень. Они сразу на него накинулись, стали отдирать ордена. Витька заорал и кинулся в подворотню.

Сороковой день смерти Анны Александровны пришелся на девятое мая, и отставной полковник медицинской службы Василий Иннокентиевич вместо встречи с однополчанами направился на панихиду, которую заказали в церкви Петра и Павла у Яузских ворот. До панихиды еще был целый час, и он решил пройтись пешком от площади Дзержинского. Шел он вдоль западной стены Политехнического музея, но по противоположной стороне проезда Серова. Из подворотни прямо ему под ноги выкатилась гурьба ребятишек и упала бьющейся кучей у ног. Один, преследуемый, самый маленький, громко орал. Старик поднял его с земли — мальчонка был лет семи, с кривенько, через один, растущими зубами. Трое ребят постарше отхлынули в подворотню, но выглядывали из-за угла. Малыш бился в руках, как рыбка на крючке, рубашка его гремела пестрым металлом. Военные награды...

Василий Иннокентиевич поставил паренька на землю и, придерживая за плечи, рассмотрел военный иконостас. Кроме обычных наград, в этот день во множестве прогуливаемых на старых кителях и на новых пиджаках пожилыми ветеранами, Василий Иннокентьевич увидел редкие — «За оборону Советского Заполярья», «За взятие Кенигсберга» и уж совсем особую, американскую, на которой и лавровый венок, и звезды, и лучи. Это был орден «Легион Почета». Союзники наградили этой медалью высших советских офицеров после взятия Берлина, в сорок пятом году.

Одного награжденного Василий Иннокентиевич знал. Генерал Ничипорук лежал у него в госпитале в сорок пятом. Вечерами заходил начальник госпиталя к генералу. Не раз выпивали они с разговорами. Из госпиталя поехал генерал получать свою награду, и вечером обмывали! И сомнений не было, что награды эти принадлежали генералу Ничипоруку — об этом свидетельствовали две другие, гораздо более известные, за Кенигсберг и Заполярье. География эта точно соответствовала военной биографии Петра Петровича.

«Украли, что ли...» — подумал Василий Иннокентиевич и немедленно вспомнил, что говорил ему кто-то, что генерал Ничипорук не то сошел с ума, не то сидит в тюрьме за антисоветские какие-то дела. Но подробностей Василий Иннокентиевич не помнил.

— Как деда твоего зовут? — вцепившись в худые плечи, грозно спросил Василий Иннокентиевич на всякий случай.

— Нет у меня никакого деда. Отпусти! — орал мальчишка.

— Где ордена взял? — Старик потряхивал его за ворот.

— В шкафу взял, у бабки! Бабка дала! — Он был не робкий, этот паренек, крутился в руках, норовил выскользнуть.

Извернувшись, укусил Василия Иннокентиевича за руку.

— Ну, гаденыш! — рассердился старик. — Пошли к твоей бабке!

— Нет ее, нету! Дома нету! — закрутился мальчишка.

— Пошли, пошли, к матери отведешь! — настаивал старик, ухватив мальчишку за предплечье железной рукой.

— Не пойду! Не поведу! — орал маленький Витька. А потом замолк и взрослым серьезным голосом предложил сделку:

— Да заберите вы их лучше, все равно ребята отберут! Только домой не надо. — Он представил себе, как будет орать бабка, лупить мать. Лучше сразу сдаться.

— Рубаху снимай, — приказал старик.

Он собирался отвинтить ордена и медали и вернуть застиранную голубую рубашку хозяину. Но в тот момент, когда рубашка с наградами оказалась в руках Василия Иннокентиевича, мальчонка выскользнул из рук, как кусок мыла, и исчез в подворотне.

— Украли, вне всякого сомнения, украли, — подумал Василий Иннокентиевич, завернул, не отвинчивая, весь металл в детскую рубашку и не без труда затолкал в карман пиджака. Пиджак весь перевесился на одну сторону.

— Странная, странная, забавная даже история.

Василий Иннокентиевич не видел генерала Ничипорука с войны. Потом доходили слухи, что Ничипорук преподавал в Военной академии. Никаких отношений с генералом у Василия Иннокентиевича не сохранилось. Но разыскать-то генерала можно — через Нефедова или через Голубеву.

Так, раздумывая обо всем этом, он дошел до церкви. У церковных дверей стояла Надежда, похожая на сорокалетнюю Нюту, но совсем обыкновенная, в то время как Нюта была великолепная, несравненная и единственная.

С Надеждой беседовали две незнакомые старухи и двое молодых мужчин — Саня и его приятель Миха, рыжий, с бородкой.

Прибежала и встала рядом Анина подруга Елена — багровая, с одышкой. Свидетельница, доверенное лицо, почти участница их жизни.

«Давление высоченное» — отметил про себя Василий Иннокентиевич. Поцеловался с Еленой, никому про давление не сказал. Что толку?

Вышла церковная прислужница:

— Батюшка на панихиду зовет.

Василий Иннокентиевич встал между Надеждой и Еленой, незнакомые старухи по бокам, а позади Саня со своим другом.

Из боковой двери вышел маленький сухонький священник, помахивая дымящим кадилом.

Василий Иннокентьевич в церковь зашел второй раз за последние полтора месяца, первый раз на отпевание Анны Александровны, а теперь на панихиду, а до того лет сорок не ходил. Признаться, зашевелилось в душе из детства забытое чувство. Странно, странно... Может, старость дает о себе знать. Хор старушечий пел чудесно, и слова вспомнились. И мужские голоса сзади подпевали. Оглянулся. Саня, Нютин внук, милейший парень, выводил: «Глубиною мудрости человеколюбно вся строяй и полезное всем подаваяй...»

«Откуда знает?» — удивился Василий Иннокентиевич.

И верно, сорок дней тому назад Саня ничего этого не знал. А теперь вот знал.

Рыжий Санин друг плакал детскими обильными слезами. В руках оба парня держали горящие свечи.

Василий Иннокентиевич испытал чувство неопределенной вины, тоски и печали. Нюта, троюродная сестра, первая и пожизненная любовь, роман, длящийся с перерывами с детства, параллельная жизнь, пунктирная и ценнейшая. Какая безжалостная судьба... Она всю жизнь отбивалась от его любви, а он настойчиво ее достигал, добывал едва ли не силой. Отвечала она как будто нехотя... и говорила с улыбкой загадочной и меланхолической, принятой в начале двадцатого века:

— Базиль, ты всегда появляешься у меня в момент крушения жизни, ты спасатель, но, прости, ты всегда для меня знак и воплощение моей неудачи...

Об этом и вспоминал Василий Иннокентиевич под дивное пение, а про чужие военные награды, оттягивающие карман, он совершенно забыл.

Петра Петровича арестовали в Минске на следующий день после отъезда и в тот же день пришли домой с обыском. В доме ничего не было, но все переворошили, забрали какието остатки — книги по специальности, довоенные, с автографами, конспекты лекций.

Зоя Васильевна радовалась, что ордена были убраны

из дому. Собственно, эти боевые награды были как бы и несуществующие. Все шло одно к одному: разжалованный генерал, отмененные награды, зэка и невменяемый. Но она твердо знала, что Петр в полном порядке — невменяемой была страна.

Что же касается Тони Мутюкиной, она еще долго не знала, что в их доме хранятся одни пустые коробочки, а ордена исчезли. Выяснилось это, когда ее старший брат Толян пришел из тюрьмы, разжился деньгами, всем купил подарков и матери дал денег. Мать взяла да купила новый шкаф. Стали выбрасывать старье, и тут Тоня и обнаружила, что ордена пропали. Ужас что с ней было! Первым делом на Толяна подумала, потому что знала, что ордена эти больших денег стоили.

Но Толян был ни при чем.

Да и что о нем говорить — через два месяца его опять забрали, потому что денежки те подарочные были от грабежа.

Больше всех горевал Витька. Он отца почти и не помнил, а тут — только познакомились, и опять он исчез.

Ордена вернулись в дом генерала через цепь знакомых и полузнакомых людей. «Голенькие», лишившиеся своих вручную изготовленных футляров-гробов, но завернутые в целлофан и помещенные для сохранности в железную кастрюлю, лежали генеральские награды в земле, закопанные на даче у Зоиной племянницы, на станции Кратово по Казанской железной дороге, позади двух сосен, к которым прибиты детские качели. До лучших времен.

И лучшие времена наступили. Встретились в конце концов генерал и его награды. Генерал жил в стране, где надо жить долго. Он и дожил до девяноста, и сподобился умереть героем. Его хоронили в девяносто первом, и на подушечке перед гробом несли все его ордена, завернутые когда-то в изношенные трико с начесом, и тот, американский, тоже был. А подушечка была красная, как полагается.

Имаго

Все было то же — двор, соседи, выбитая половица в коридоре, продавщицы в булочной и в рыбном, управдом. Но как будто прошло не три года, а тридцать. Михе все казалось, что от неосторожного движения все может со звоном расколоться — и дом, и двор, и дочка, и жена, и весь этот город, и апрель, такой теплый и приветливый в этом году. Он с опаской делал нужные перемещения по комнате, по квартире, по ближайшей окрестности.

Пошел первым делом к Анне Александровне. Затем — в милицию отметить паспорт. Сказали, что должен устроиться на работу в течение тридцати суток.

Пошел потом в Историческую библиотеку с уверенностью, что его не впустят. Но сказали только, что надо перерегистрировать просроченный читательский билет.

Пошел, несколько недель спустя, уже после смерти Анны Александровны, к Илье с Олей. Он редко бывал в этой нелепой — помесь коммунистического аскетизма и русского ампира — квартире на улице Воровского. Оля никогда не испытывала особой симпатии к Алене, но Миху обожала.

Оля обцеловала Миху, вытащила из холодильника пергаментные сверточки с паштетиками, валахскими салатиками в тестяных тарталетках, ветчинками, селедочками и бог знает еще чем прекрасным из кулинарии «Праги», разложила по прозрачным тарелочкам и, чмокнув заключительно, убежала делать срочный перевод, который надо было сдать к утру. Илья вытащил бутылку армянского коньяка. Пить Миха почти не мог, да и ел с опаской, ожидал боли в желудке.

Сели, уставившись друг в друга: Илья боялся слово лишнее сказать. Не был он слишком уж сентиментальным, но тут испытывал к Михе такое чувство, которое только изредка вызывал дефектный сынок Илья. До чесотки в носу.

— Видел вчера? — спросил Миха.

Илья кивнул:

— Конечно. Вся Москва смотрела. Ждали чего-то в этом роде.

— Ждали? А я и предположить не мог, что он вот так выступит...

— В своем роде гениально... — заметил Илья.

Накануне закончился процесс Чернопятова и двух его ближайших друзей. По телевизору показали нечто прежде невиданное — пресс-конференцию Чернопятова с журналистами. Полтора часа каялся Сергей Борисович во всех грехах против советской власти. И делал он это талантливо — если можно совершать подлость талантливо. Самое поразительное, что объявил себя главой демократического движения, его лидером, главным идеологом и в качестве самопровозглашенного вождя призывал к пересмотру движения. Всем сколько-нибудь причастным было ясно, что никакого единого движения вообще не существует, а есть разные, порой совершенно не связанные между собой группы людей «по интересам», объединенные лишь неприятием сегодняшней власти и жаждой перемен. Разных перемен — кому каких...

Сотни людей после вчерашней передачи обсуждали это событие. Сильно запахло «Бесами». Люди практического склада опасались развернутых репрессий против всех инакомыслящих, люди более философского направления задавались вопросами абстрактными: открыл ли великий Достоевский особую стихию русского революционного беснования или невзначай создал ее, заодно со своими литературными героями, Ставрогиным и Петенькой Верховенским.

Об этом и проговорили весь вечер Миха с Ильей. Но ни к каким окончательным выводам не пришли. Слишком много неизвестного было в этой истории.

Невозможно было понять, что произошло с самим Чернопятовым: он был самый из всех крепкий, и умный, и опытный — детская колония, сталинские лагеря и ссылки... И враг его был обозначен отчетливо — советская власть, сталинизм. Что должно было с ним произойти, чтобы развернуться вот так круто, на всю катушку?

— Илюша, меня привезли на очную ставку с ним за полтора месяца до освобождения. Я и не знал, что его взяли и что он дает показания. Чистосердечное признание называется. Десятки имен. Практически всю «Хронику» сдал — редакторов, составителей. Чего угодно ожидал, но не этого. Сергей Борисович сказал мне, что я делаю ошибку, и нужно мужество, чтобы признавать ошибки и искать новые пути. Меня потом сильно прессовали, чтобы я с ним вместе шел. Я отказался. Обещали второй срок, уже по их делу. Я уверен был, что меня не выпустят. Но отпустили. Взяли подписку, что не буду заниматься антисоветской деятельностью, и отпустили. Что с ним произошло, не понимаю. Возможно, мы чего-то не знаем. У них столько способов, кроме побоев.

— Мне говорили, что у них есть какая-то «сыворотка правды», подсыпают в еду или подмешивают в питье... — уточнил Илья.

— Да. Могу поверить. Сам знаешь, они профессионалы, и мы все перед ними беззащитны. И перед уголовщиной мы тоже беззащитны. Я в лагере про Мандельштама часто вспоминал. Как ему там было... умирать.

Только ты не думай, что они не чувствуют моральной силы. Очень даже чувствуют. Но им человека идейного раздавить — особое наслаждение. Мы для них все на одно лицо — как китайцы, что ли. Нет, люди в очках, вот кто. Мне перед этапом один начальник очки растоптал. Как же он наслаждался, когда они под сапогами хрупали. Ну, я без очков почти ничего не вижу, ты знаешь. До меня только через три месяца очки из дому дошли — Анна Александровна послала. Чернопятов, между прочим, тоже очкарик.

— Да, фотографировал Чернопятова пару лет назад. Хороший получился портрет. Ушел в два адреса.

Нет, Илья не чувствовал себя перед ним виноватым. «Все, б..., хороши», — вот какие мысли проносились в голове Ильи.

— Ну, я имею в виду степень уязвимости, вот что, — объяснял Миха то, что было Илье прекрасно известно. — Может, его опоили чем-то или иначе как-нибудь выламывали... Прошу только, не говори о нем ничего плохого. Его ведь жалко, кроме всего прочего. Об Алене не подумал. Как это ей? Да всем, кто возле него крутился годами.

Я думаю, он такую цену заплатил, что ему сейчас хуже всех. Как это пережить? Ты мне, Илья, очень помог тогда, перед арестом. Твои слова я все время держал в голове: «Все, что скажешь, будет обращено против тебя. Молчи. Самое лучшее — молчи». И я на том стоял. А Сергей Борисович, сам знаешь — оратор, даже краснобай. Наговорил лишнего, и пути обратного уж не было. А может, кончились силы. Я ему не судья.

Речь Михи была горячечной и сбивчивой, но Илья все понимал. Помолчав, Илья налил еще по рюмке, сам же и выпил:

— Я тоже.

— Как теперь жить, не знаю. Получается, что самое правильное для меня дело было с глухонемыми работать.

— Придумаем что-нибудь, — Илья говорил не так уверенно, как всегда. — А ты не думал об эмиграции? — первый раз Илья задал Михе этот прямой вопрос.

— Эмиграция — только от смерти спасаться. Илья, самое страшное, что может быть для меня, — лагерь. Еще раз я не вытяну. Но эмиграция... Я здешний, здесь мое все. Друзья, русский язык, дело.

— Дело? О чем ты?

Миха сник:

— А как — без дела?

Илья тоже этого не знал. Но у него не дело было, а дела. Множество разных дел.

— Знаешь, давай по мере поступления. Сначала на работу устроишься, осмотришься по сторонам, а потом будем думать, что да как. Я уже поспрашивал ребят. Ищут. Начни с личной жизни.

— Получается, что надо выбор делать. Приблизительно говоря — между частной жизнью и общественной.

— Глупости романтические у тебя в голове. Зачем выбор? Какой выбор? Детский сад какой-то. Нет никакого выбора — утром встаешь, зубы чистишь, чай пьешь, книгу читаешь, стихи свои пишешь, деньги зарабатываешь, с друзьями треплешься — где там выбор ты делаешь? В определенный момент почувствуешь — вот тут опасно. Значит, пока и не лезь. Граница-то всегда видна. А там разберемся. Ведь не нарочно на рожон прем! Иногда так получается. Но двинулся вправо, влево, чтоб за жопу не схватили. Конечно, есть любители до славы, до звона всякого. Сергей Борисович честолюбив. Славы хотел, влияния. Роли. Но ведь есть и другие — Володя Буковский, и Таня Великанова есть, Андрей Дмитриевич есть. Валера, Андрей, Алик, Арина... Да много! Они никакого выбора не делают — просто так вот живут, с утра до вечера. И никакой игры на себя... — умно как будто говорил Илья. Возражать трудно. Но что-то не так было в его рассуждениях. Миха это уловил.

— Ну, скажешь тоже! Назвал всех тех, кто как раз и сделал выбор, и кто из них не сидел, еще сядет. А мне в лагерь больше никак нельзя. Я больше не выдержу.

Но Михе выбора никакого делать не пришлось — все происходило само собой.

Наступили плохие дни и хорошие ночи — такие яркие, что освещали пасмурные дни небывалой, вспыхнувшей наконец любовью Алены к мужу. Только теперь Миха ощутил, что Алена научилась наконец отвечать на его любовные труды, возник диалог, которого прежде не было в помине. Что-то сдвинулось в глубинах организма — или души? А может, рождение ребенка открыло какой-то закупоренный шлюз — и наладилась естественная тяга женщины к мужу. Спящая дочка согревала своим присутствием, придавала еще больший смысл происходящему счастью.

Так интимная жизнь расцветала, заполняла собой бедный быт. Но все, что оставалось вовне, не внушало никаких надежд. Не было работы, денег, того заполняющего жизнь дела, которым он жил до посадки. Дом, всегда полный друзей, московских и среднеазиатских, был пустоват. То ли себя берегли, то ли за них боялись.

Даже Саня почти не заходил — испытывал облегчение и обиду: Алена как будто обронила его, как ненужную вещь. Он теперь недоумевал, не выдумал ли он чувственного напряжения, которое три года мнилось ему в отношениях с Аленой? Обидно было, что и Маечка слишком уж быстро от него отвыкла, не кидалась к нему на шею, не теребила за уши. Или все женщины связаны какой-то круговой порукой?

У Сани даже появилась смутная мысль о великой борьбе женщин против мужчин. Вроде классовой борьбы. Одна только Нюта в войне не участвовала: любила мальчиков. Больше всех, конечно, собственного внука, но ведь и Миху, и Илью полюбила... Интересно, как у нее с мужьями и любовниками было — вряд ли вела с ними войну.

А может, в возрасте дело? В молодости война, потом перемирие, а к старости мужчины и женщины становятся вообще неуязвимы друг для друга?

«Это надо бы с Нютой обсудить», — привычно подумал Саня, но мысль эта запнулась о чувство обиды на Алену с Маечкой, которые — обе! — так обременительно, так требовательно его любили целых три года, а потом, после возвращения Михи, вся любовь в две недели оборвалась, как и не было...

Никогда, никогда уже не узнает Саня, что́ об этом думала Нюта. А Миха никогда не узнает, что Анна Александровна терпеть не могла Алену — весь ее четко прорисованный тип: слабые, требовательные, деспотичные, немощные женщины, с великим дарованием вызывать к себе нежность, страсть, любовь, но почти не способные отвечать благодарностью и сочувствием.

Все близкие к Анне Александровне люди теперь, после ее смерти, пытались угадать ее возможную реакцию на то или иное событие, сконструировать слова, которые сказала бы она по тому или иному поводу.

Надежда Борисовна отодвигала от себя догадку, какое отвращение должен был бы вызвать у матери ее избранник Ласточкин. Только шесть лет спустя, когда Ласточкин начнет разменивать их большую комнату в коммунальной квартире на улице Чернышевского на две маленьких и для совершения справедливого раздела составит опись Нютиного имущества от ложек до постельного белья, она ужаснется: какое счастье, что мама не дожила, что Саня уехал...

Но и Анна Александровна совершила жесточайший поступок, которого никак нельзя было от нее ожидать: ушла, бросив всех — Саню, Миху, Василия Иннокентиевича, дочь Надю, не научившуюся самостоятельно передвигаться в мире, никому не оставила подробной инструкции, как дальше-то жить. Написала, как ее хоронить, а что после похорон? Завтра? Через месяц? Через год?

Все мальчики и девочки, которых Анна Александровна вела без устали всю жизнь, как бы и не замечая этого, потеряли легкое веселое руководство, в котором смешивались в золотой пропорции легкомыслие и мудрость, здравый смысл и презрение к нему, доверие к жизни и острый взгляд, мгновенно оценивающий нового, мимолетно возникшего человека.

В то время как Саня после смерти бабушки погружался в уныние, Миха проходил, как насекомое, последнюю стадию метаморфоза: смерть Анны Александровны вынуждала его стать окончательно взрослым.

Теперь, когда Нюты не стало, Миха пытался понять, почему именно он выбран был свидетелем ее последних минут, и все ждал, когда появится разгадка, и разрешится ребус, и он будет знать, как ему дальше жить в мире, где он теперь, кажется, остался за старшего, и ни один человек на свете не уполномочен теперь отвечать ему на трудные вопросы.

Анна Александровна не успела сказать ему что-то важное, и теперь он должен догадываться сам.

Миха тихо, боясь спугнуть неверное счастье, радовался расцветающей семейной жизни, любовался дочкой, ходил безуспешно по разным учреждениям в надежде устроиться на работу. Все сроки уже вышли, надвигалось «тунеядство», караемое высылкой из Москвы.

Пришел участковый Кусиков — торопил с трудоустройством. Парень был деревенский, с остатками негородского румянца и проблесками человечности в лице. Огляделся. Долго разглядывал Аленины графические листы. Причудливые. Странные. Миха, заметив любопытствующий взгляд, сообщил, что жена художница. Произвело впечатление. Милиционер проникся почтением к тощей девчонке. И вообще — жизнь у них хоть и бедная, но культурная. И даже помочь захотелось. Жалость, откуда ни возьмись, почувствовал Кусиков к Михе и его худющей жене.

Предложил устроить грузчиком в рыбный: заведующая была знакомая. Миха развел руками: прежде работал грузчиком, а теперь близорукость такая, что мешки ворочать — совсем зрение потерять. Тронул механически дужки очков. Алена предложила чаю. Милиционер сел, расставив крепкие ноги в сапогах по обе стороны стула. Маечка зачарованно смотрела на лежащую на столе фуражку. На тарелочку перед Кусиковым положили два пирожных. Он съел из них одно, обнаружив высокое деревенское воспитание.

Уходя, Кусиков посетовал, что есть у него на примете еще одно место хорошее, но сторожевка, а туда с судимостью отдел кадров не пропустит.

— Удивительное устройство советской — а может, русской? — жизни: никогда не знаешь, откуда возьмется донос, откуда помощь и как молниеносно поменяются роли. Правда, Алена?

Алена кивнула, уронив волосы на лицо:

— Да, да, я давно об этом думала. Все так зыбко, и так много сердечности и тепла, но все ни к чему не ведет, ничего хорошего не получается.

— Нет, я совсем не о том, — отозвался Миха.

— А я — о том, — умно улыбнулась Алена. У нее появилась новая умная улыбочка, гораздо умнее, чем она сама.

Через два дня пришел Кусиков и отвел Миху в какое-то странное учреждение, где его взяли на должность экспедитора. Он должен был разбирать и рассылать какие-то образцы, присланные из геологических партий, в несколько учреждений.

Эта почти бессмысленная работа, после работы в интернате, отбиравшей всю душевную энергию, после лагерной каторги, не оставляющей ни капли никаких сил, обладала удивительным качеством: она длилась с восьми до четырех, а иногда можно было уйти и пораньше. И она заканчивалась каждый раз окончательно, до следующего дня, и не вспоминалась, и вся душа оставалась свободной, а силы еще были, и огромное время до вечера он проводил с Аленой, с дочкой, иногда ходил в библиотеку, читал безо всякого направления, без прежней жадности, давая чужим словам вольно протекать сквозь себя, — то Монтеня, то Блаватскую, то Лао Цзы...

Возвращался домой к позднему ужину. Маечка спала, Алена в хромово-зеленом платье, узком, но с размашными рукавами, еле удерживая тонкими руками чугунную сковороду, приносила с кухни жареную картошку.

В комнате пахло постным маслом, детским сном, чисто вымытым полом, особым Алениным духом — немного сладким и прохладным. Это был запах частной жизни, семьи, любви.

Миха торопливо съедал картошку, а Алена медленно пила свой травный чай, немного оттягивая завершение дня и не торопя наступления ночи.

И отплывала от Михи прежняя жизнь, с неправильностями и несправедливостями, выношенными идеями, с концепциями переустройства. Покаяние Сергея Борисовича, хотя и спутало все прежние связи идей, оправдывало до некоторой степени Михину капитуляцию. Его жизнь прозябала теперь в тихом и немного постыдном зазоре между героизмом одних и предательством других. То, что еще несколько месяцев тому назад мучило его как поражение и отступничество, — подписанный унизительный отказ от общественной деятельности — казалось теперь единственной возможностью выжить и сохранить семью.

Все заново налаживалось, и даже в работе экспедитора — глупом, чуждом занятии — нашлась привлекательная сторона: Михе приходилось иногда сортировать содержимое посылок с разными образцами пород, то цветные глины, то острые прозрачные кристаллы, то металлом отливающие камни, и чудесные названия далеких мест на посылках, откуда все эти геологические новости с миллионолетней историей приезжали — Малый Сторожок с притока ручья Леночки, гора Матюковка Всеволодо-Вильвенской группы месторождений, бассейн реки Шудьи на Северном Урале, — ласкали язык. Миха даже написал однажды стихотворение, сплошь состоящее из этих волшебных географических названий.

Все шло тихо-тихо, как будто в сумерках и на цыпочках, и, несмотря на безденежье, скудость, глубоко упрятанный стыд отказа от той прежней, дерзкой и яркой жизни, домашнее счастье освещало их четырнадцатиметровую комнату, и все было крупным планом, как в лучшем кино, как в любимых стихах:

На озаренный потолок
Ложились тени.
Скрещенья рук, скрещенья ног,
Судьбы скрещенья.

И падали два башмачка
Со стуком на пол.
И воск слезами с ночника
На платье капал...

И рядом, в трех минутах ходу, был Потаповский переулок, по которому еще ходила немолодая обрюзгшая женщина, последняя любовь Пастернака, отсидевшая срок за эту любовь, и ее дочка, тоже отсидевшая за причастность и осведомленность, бегала в ту же булочную, в тот же овощной, что и Миха. Встречая их на улице, он шептал Алене в ухо: вот Ивинская, вот Ира Емельянова, она тоже нашу школу кончала.

Алена оборачивалась, смотрела вслед — грузная женщина в косметике, без каких бы то ни было следов былой красоты удалялась в потертом пальто. Неужели она? Возможно ли? А ведь когда-то была похожа на Симону Синьоре.

Алена переглядывалась с Михой: не в подворотне живем, в истории... И Пастернак по этому переулку ходил каких-то двадцать лет тому назад. А сто пятьдесят лет тому — Пушкин... И мы тут проходим, огибая вечные лужи.

Весной, в середине мая, случилось непредвиденное: хлопнул во втором часу ночи лифт и раздались четыре звонка — к Меламидам. Миха с Аленой спали, не разнимая объятий, и, проснувшись одновременно, подумали не ясной дневной головой, а путаными ночными чувствами: пришли!

Обнялись покрепче, прижавшись щеками, грудью, коленями, прощаясь всем телом, и встали одновременно, натягивая одежду. Звонки — все четыре — повторились, но как-то слишком робко. И они снова обнялись, но уже с другим смыслом: не прощаясь, но с надеждой, что вдруг пронесет.

Вдвоем, за руки взявшись, подошли к двери. Миха открыл, не спрашивая. Вместо троих, четверых, пятерых амбалов стояла маленькая девушка в шелковом зеленом платке, с косой из грубых, почти конских волос, перевешенной на грудь. Сразу узнали:

— Айше! Айше!

Татарская девочка, с которой познакомились когда-то в Бахчисарае, дочка Мустафы Усманова, героя и предводителя выселенных татар, стояла на пороге. Только уже не девочка, а молодая женщина, — заходи, заходи, что же не позвонила, мы бы встретили...

Чемоданчик, корзина, обшитая тряпкой, перчатки падают, не снимай ботинки, в комнате, в комнате разденешься, почему не позвонила, сколько лет, да, четыре, пять, дочка родилась, и у нас, и у нас дочка! замуж вышла, да, сейчас, сейчас все расскажу! расскажу...

— Звонить не могла. Боялась. Отца посадили. Адвокат хороший, велел в Москву ехать. Сказал, что надо академика Сахарова искать, чтобы он письмо написал. Да где же его найти, Сахарова этого? Адвокат сказал: надо, чтобы иностранцы шум поднимали, по радио или как там. Чтоб в Америке! Скорее надо, потому что у отца осколок в груди, если двинется, то умрет. А наши татары ссорятся, отец коммунист, хотя его из партии давно погнали, но он все про Ленина им внушает. А те злые черти, сгноят его. Адвокат и послал меня — скорее поезжай, а то он и до суда не доживет... — И заплакала сквозь скороговорку, и слезы собрались синие, как глаза, и потекли густо, как у маленьких детей.

— Айше, погоди, Айше, не плачь...

Свободного места в комнате было как раз на раскладушку, если изголовье придвинуть вплотную к стене возле подоконника, сдвинуть стол на двадцать сантиметров и сложить детский стульчик. Выпили чай, уложили Айше и заснули еще на два часа: Миха поднимался в семь, к восьми на службу.

С работы позвонил Илье — встретиться надо. Где? Как всегда. Значит, в Милютинском саду.

— Она у вас дома, что ли? — Илья сморщился. — Опасно. Хвост приведет. Ее надо куда-нибудь переселить.

— Нет, это невозможно. Та ночь на кладбище, в Бахчисарае... И Мустафа — потрясающий человек. Как будет, так будет. Найди мне, Илюша, академика Сахарова. Сможешь?

— Дай день, — попросил Илья.

Круг друзей и знакомых Ильи был огромным. Илья даже несколько кичился своими разнообразными связями, посмеивался: если не считать китайцев, рабочих и крестьян, все люди в мире через одного человека знакомы. С академиком Сахаровым оказалось именно так: некий Валерий, давний знакомый Ильи, был тесно связан с академиком, оба входили в Комитет прав человека. Зазвонили телефоны туда-сюда — Сахаров обещал принять Айше.

Через три дня Миха повез ее на улицу Чкалова. Не повез, повел — идти было двадцать минут от дома до дома.

Айше всю дорогу не могла унять дрожь, от волнения у нее разболелась голова, и перед самой дверью она расплакалась. Пока Миха ее утешал, дверь открылась, и подросток с помойным ведром, спросив, к кому они, и получив ответ, пропустил их и попросил не захлопывать дверь.

Все дальнейшее показалось и Михе, и Айше совершенно неправдоподобным. У Айше даже возникла мысль, что их кто-то разыграл: худой невидный человек в старом свитере, совершенно не похожий на академика, принимал их, сидя на кровати в маленькой, страшно захламленной комнате. Айше так сильно заикалась, что Михе пришлось самому рассказать всю историю Мустафы, начиная с их знакомства в гостинице города Бахчисарая.

Академик – или самозванец, объявивший себя академиком, — внимательно слушал, понимающе кивал наклоненной вперед головой, вставлял реплики, обнаруживая полнейшую осведомленность, потом записал на обрывке бумаги имя и фамилию и предложил чаю.

Они переместились на кухню, где хозяйничала немолодая женщина в толстых очках.

В уголке сидела старушка в мягкой шапочке, а подросток, выносивший ведро, взял стакан чаю и несколько печений и ушел в глубину коридора.

Айше тронула дешевую чашку в горошек и произнесла то, что ее больше всего занимало в последние полчаса:

— Андрей Дмитриевич, я и представить себе не могла, как же скромно живут академики.

Миха покраснел от возмущения: вот дурища провинциальная!

Пожилая дама в очках засмеялась:

— Деточка! Скромно живут только те академики, которые пишут письма в защиту высланных татар.

Тут уж Айше поняла, какую глупость допустила, побагровела щеками, вспотела всем лицом:

— Извините, пожалуйста, я ведь все понимаю. Просто меня не предупредили, что так бывает.

Тут пришла молодая парочка — дочка хозяйки с мужем, и на кухне все уже не помещались, и Миха с Айше вышли, освободив табуретки.

Академик обещал написать письмо по поводу Мустафы Усманова, а также посоветовал Айше дать интервью одному из американских журналистов, аккредитованных в Москве. Обещал это организовать.

Самое удивительное во всей этой истории было то, что академик Сахаров действительно написал письмо, и не в американский конгресс, и не в какие-нибудь западные газеты, а в МВД, и через две недели его пригласили в приемную на улицу Огарева, и там беседовал по поводу капитана Усманова с какими-то двумя чинами, и это было то время, когда с ним еще разговаривали, не гоняли взашей и делали почтительный вид. Академику и в самом деле коечто удавалось: недавно по его письму прописали в Крыму татарскую семью. Одну из многих тысяч. И он ходил, просил, писал.

Только в случае с Мустафой нельзя было проверить, имели его слова какой-нибудь вес или нет, потому что Мустафа Усманов умер в следственном изоляторе города Ташкента через полтора месяца. Может, не успело письмо академика защитить бывшего героя-татарина, защитника Родины и спецпереселенца, потому что почта в нашей стране ходит медленно.

Но Айше пока что радовалась, что ей удалось добиться важного свидания, и надеялась на лучшее. Миха вел Айше под руку, она от волнения еле на ногах держалась, и благодарила его всю дорогу словами слишком уж прямыми и деревянными. Только у самого дома Миха догадался, что за ними следует неотступно человек с таким невидным лицом, что сомнений никаких не оставалось, откуда он взялся.

Еще через два дня поздно вечером в дом к Михе пришел иностранный журналист по имени Роберт. От академика Сахарова. Он был в длинном советском пальто, в мятом треухе и походил скорее на русского грузчика, чем на вашингтонского слависта-антисоветчика, отягощенного польским происхождением. Пили чай и разговаривали, а маленький магнитофон, чудо западной техники, стоял на столе и записывал рассказ Айше. У бывшего поляка были повадки бабника, он смотрел на Айше сладкими глазами, делал комплименты, и она расцвела, и улыбалась, и поводила плечиками, и говорила свободно и даже дерзко, совсем не так скомканно, как у Сахарова на кухне.

Потом Роберт ушел, сел в такси, которое он и не отпускал, доехал до своего дома на Ленинском проспекте, вышел из машины, и тут на него напали два шпанистых молодых парня. Он ввязался в драку, хотя прекрасно понимал, что делать этого не надо, а самое правильное — прямым ходом бежать к подъезду. В результате этой нелепой заварухи всех троих забрали в милицию за хулиганство, и хотя кончилось все для Роберта относительно благополучно — его продержали ночь в отделении милиции, а наутро приехал американский консул и отбил его, дурака, — однако после всех этих перипетий магнитофончик пропал, и больше никто его не видел.

На следующий день ближе к вечеру, когда Айше отправилась в магазин «Детский мир», зашел к Михе участковый Слава Кусиков, огляделся, увидел корзину, в которой Айше привезла дыню и виноград, и фибровый чемодан, помялся, потом деликатно вывел Миху на лестничную клетку и сказал:

— Миш, ты бы это... Приходили, спрашивали, кто у тебя живет. Всыпали мне. Ты, это, пусть уезжает по-быстрому...

Миха в тот же вечер проводил Айше на Казанский вокзал и ранним утром отправил в Ташкент, устроив без билета, за живые деньги, в купе у проводника.

Еще через два дня Миха вынул из почтового ящика повестку — его приглашали на Лубянку, на свидание к капитану Сафьянову.

Алене Миха ничего не сказал, но Илье, специально встретившись с ним на всегдашнем месте, предъявил мутную бумажку.

— Я тебя предупреждал: нельзя было Айше в доме оставлять. Ты же под прицелом.

Миха неожиданно вспылил:

— Мне что, на улицу девчонку среди ночи выгонять, ты так думаешь? Есть ситуации, когда «нет» сказать невозможно!

— Миха, ты как ребенок, ей-богу! Но ведь «да» сказать тоже невозможно было! Я же тебя предупреждал! И говорил я, чтоб она к Сахарову одна шла, без тебя! И как тебе в голову пришло «кора» в доме принимать? Ты столько ошибок наделал, что теперь придется отдуваться. Время сейчас такое — хуже не было. Всех почти замели. И татар, и евреев. Да и «Хронику» больше не выпускают — некому. Плохое время ты выбрал благородство проявлять.

Миха сник:

— Да, да, конечно. Только иначе было невозможно: не мог на улицу выгнать, не мог к тебе послать, не мог одну отпустить, а то, что Роберт домой ко мне пришел, этого, правда, можно было как-то избежать. Но все остальное — только так, Илюша. Никак иначе!

Илья мрачнел и молчал. Что он мог сделать для друга?

— Слушай, у меня есть один мужик, геолог. Может, рванешь на Север, в партию? Там условия тяжелые, конечно. Якутия ох как далеко...

— Нет. Не могу. Алена. Майка. Да и вообще — от них нигде не укроешься!

— Ну, хочешь, я с тобой в Якутию поеду? — Большего Илья предложить не мог. Да большего никто бы не мог предложить. Но Илья узнавал знакомую руку и чувствовал, что Михе теперь не выпутаться.

Капитан Сафьянов для наружного наблюдения не годился — на правой щеке сидела большая бордовая родинка, скорее даже нарост. За сто метров заметно. Следственной работе нарост не препятствовал, и Сафьянов поднимался не торопясь по служебной лестнице, никому дорогу не перебегая, вполне довольный и зарплатой, и начальством, и семейной жизнью.

Самой неприятной частью работы были подследственные, но и с ними Сафьянов старался сохранять по возможности хорошие отношения. Что удавалось далеко не всегда.

Вызванный на сегодня гражданин Меламид достался ему от другого сотрудника, ушедшего на повышение. Капитан заранее изучил увесистое личное дело этого Михея Матвеевича и огорчился: он был, судя по бумагам, человек опытный, с которым придется долго возиться.

Опытный человек пришел вовремя, не опоздав ни на минуту, а с виду был воробей воробьем: шея тощая, желтовато-рыжий волос топорщился перьями, а щеки покрывала основательная небритость, уже претендующая на зачаточную бородку. На фотографиях никакая борода зафиксирована не была.

«Значит, нужно в дело новую фотографию положить», — решил Сафьянов.

Начал капитан разговор издалека, напомнил о подписке, спросил о трудоустройстве, о дальнейших планах, и — ловким неожиданным ударом:

— Знакомы ли вы с Айше Мустафаевной Усмановой?

Но Меламид этот стал запираться, отрицать и отнекиваться. Точно так же вел он себя и при последнем допросе, когда была у него очная ставка с Чернопятовым, — что следовало из документов. Полтора часа ходили вокруг да около, а потом Сафьянов, первым уставши от вязкого разговора, вынул из отдельной папочки иностранными печатями уснащенный лист и сказал с наигранным огорчением:

— Что ж, Михей Матвеевич, не вижу в вас никакого интереса, никакого желания помочь нам в работе, и это очень печально. Мы относительно вас совещались, обдумывали ваше положение и решили, что с нашей стороны никаких препятствий не будет, если вы, со своей стороны, решите покинуть пределы нашей родины. Вы, Михей Матвеевич, не наш человек. Что даже удивительно: отец погиб на фронте, а вы без всякого уважения... — Слова давались Сафьянову не без труда. — Словом, не стану от вас скрывать, пришло вам с семьей приглашение из государства... — тут он сделал многозначительную паузу, прочистил горло и выговорил с отвращением: — Израиль. — Ударение он ставил на второе «и», и получалось зловеще.

— Родственник ваш хлопочет, Марлен Коган — знаете такого? Для воссоединения семьи приглашает вас с женой и с дочкой. Ознакомьтесь вот.

Протянул прекрасного вида бумагу. Миха взял ее в руки, приблизил к самому носу. Приглашение было трехмесячной давности. Следовательно, валялось где-то в ОВИРе или в КГБ, и теперь вот решили его пустить в ход.

— Просрочено, товарищ капитан, — заметил Миха.

— Ну, это в наших руках. Можем и продлить, — он постучал по телефону. — В наших руках... Мы возражать не будем. А уж вы подумайте хорошенько. Вам ведь тоже есть о чем подумать. Вы своего слова не держите — подписку давали, что не будете заниматься никакой этой деятельностью. А что мы видим? У вас останавливаются люди нежелательные, без прописки, без отметки, ходите к академику Сахарову, он всякие пасквили пишет за границу. Вы принимаете иностранных корреспондентов, а кто это вам разрешал такую деятельность? Уезжайте! Для вас же лучше! Если откроем дело, то в этот раз тремя годами не отделаетесь, Михей Матвеевич. А что вы мнетесь-то? Все ваши рвутся в Израиль! Да за такое предложение они руки бы целовали! Хорошо, хорошо, подумайте! Долго думать не дадим, но три дня думайте. Не поедете — посадим. Хотя есть возможности... Пожалуйста, берите ручку, бумагу и пишите чистосердечное признание: про ваши связи с татарами, про Мустафу Усманова, и про Айше эту, и как вы к академику

Сахарову ходили, и что там делали, и про то, что у вас делал Роберт Кулавик, американец липовый, полячишко. Подробно, не торопясь все здесь напишите, и мы разойдемся, скорее всего, миром. Но — обещать не могу. Постараемся. Вы постараетесь, и мы постараемся.

Он потер свою бордовую нашлепку тыльной стороной ладони, и Миха подумал, что капитан — нервный человек. «А у меня, кажется, никаких нервов нет».

Миха улыбнулся и положил приглашение на стол. И руку прижал сверху, как будто оно могло улететь.

— Я понял вас, товарищ капитан. Я подумаю. Я могу идти?

— Идите, идите. В понедельник я жду вас, к трем часам заходите. — Он подписал Михин пропуск. — Я лично советую вам крепко подумать. Такое предложение второй раз не сделают!

Вышел. Зима? Весна? Который час? Позднее утро? Ранний вечер? Китай-город? Бульвары? Лубянка?

Не дай мне Бог сойти с ума...

Нет, нет, не то...

Когда исчезнет омраченье
Души болезненной моей?
Когда увижу разрешенье
Меня опутавших сетей?
Когда сей демон, наводящий
На ум мой сон...

Забыл. Забыл, как там у Баратынского дальше...

Ходил кругами, то удаляясь от дома, то приближаясь, и все не находил в себе сил вернуться домой и сказать Алене это самое слово — эмиграция.

Наконец собрался и рассказал все: и про вызов, и про неожиданное предложение. Алена выслушала. Лицо ее затуманилось дурной мыслью. Отвернула глаза, опустила ресницы, склонила голову, так что волосы упали на лицо, прошептала:

— Ты всегда этого хотел. Я теперь точно знаю, ты всегда этого хотел. Но ты должен знать: мы с Маечкой никогда и никуда отсюда не уедем...

Но не в словах дело было, а в замкнувшемся, вдруг поменявшемся лице, ставшим вмиг подозрительным и отчужденным. Брови как будто удлинились, и губы сложились в прямую линию — и капля кавказской крови, доставшейся от отца, — то ли гордой, то ли дикой — проступила, как проступает загар. Алена легла на диван и отвернулась лицом к стене.

С этого времени она перестала мыться, есть, одеваться, разговаривать, едва дотаскивалась до уборной, возвращалась мелкими неуверенными шагами к дивану и снова отворачивалась к стене. Депрессия была столь яркой и хрестоматийной, что Миха сам поставил диагноз. Даже Маечкино нытье не могло стянуть Алену с дивана. Миха пропадал от растерянности и отчаяния. Метался несколько дней между работой, ребенком, хозяйственными хлопотами. Приехала Женя Толмачева. С ней Алена тоже не захотела разговаривать, но помощь принимала, как будто и не замечая. Снова появился Саня, прибежал по звонку Илья.

Илья посмотрел вокруг, возвел глаза к небу, поискал что-то в невидимом пространстве и притащил психиатра Аркашу. Аркаша был тоже из своих, диссидентский, составитель протестных писем и обличитель судебно-психиатрической системы, он уже год как лишился места и работал теперь санитаром в пригородной больнице. Предложил немедленную госпитализацию, а получив категорический отказ, выписал крепкие психотропные лекарства.

Маечка тормошила Алену, но Алена оставалась безучастна ко всем, включая и дочку. Миха вторую неделю таскал дочку с собой на работу. Не пошел в условленное время к Сафьянову, а почтовый ящик, где — знал! — лежала очередная повестка, не открывал.

К концу недели Алениного безмолвного лежания неожиданно приехала Аленина мать, Валентина Ивановна, из рязанской деревни, куда был выслан Сергей Борисович. Что ее вдруг подняло с места, непонятно. Наверное, материнский инстинкт. Она пришла в ужас от происходящего, допытывалась, что стряслось, но Алена с ней разговаривать не стала.

Валентина Ивановна помнила кое-какие странные эпизоды из детства дочери, потому не стала сильно приставать, а сделала то, что могла, — забрала с собой Маечку. Миха ожидал большого детского крика, но теща повела себя очень умно: шепнула девочке, что у нее в деревне есть живая коза, белая кошка и курочка-ряба, и Маечка, соблазнившись домашним зоопарком, легко и охотно поехала с бабушкой. Алена сонно попрощалась с ними и снова уставилась в стену.

К Сафьянову Миха попал через две недели после назначенного понедельника, сказал, что жена болеет, и Сафьянов ему поверил: вид у Михи был совершенно замученный. Объявил, что предложение к отъезду принять не может, жена ехать не хочет, да и сам он не готов.

Сафьянов удивился, нахмурился, начал тереть свою меченую щеку и трудно думать. Потом вызвал по телефону помощника и ушел. Минут через сорок вернулся, злющий, выпроводил помощника и повел разговор в новом духе. Теперь угрозы были неприкрыты и вполне определенны:

— Материалов на вас, Михей Матвеевич, гора собралась. Я уж про татар и не говорю. С вами обошлись в прошлый раз по-хорошему. На этот раз так легко вам не сойдет.

Положил перед собой стопку сероватой бумаги:

— Беседы заканчиваем. Поговорили. Дальше будут допросы. Под протокол.

— Я ничего говорить не буду. Раз у вас материалы на меня есть, о чем мне говорить, — не глядя в лицо Сафьянову, тихо сказал Миха. Молчал два с половиной часа.

По дороге домой два раза как будто мелькнуло знакомое пятно на щеке: неужели Сафьянов его выслеживает? Такого быть не могло, но лицо его мерещилось, всплывало где-то сбоку.

Пришел домой поздно. Принес Алене чаю, сделал бутерброд. Она привстала на подушках, выпила чай. Есть не стала и разговаривать не захотела.

В двенадцатом часу пришли Илья с Саней. Сидели втроем, как в давние времена. Миха сказал, что за ним несколько дней слежка, и он боится, что его со дня на день арестуют. Телефон, скорей всего, на прослушке.

Запустил пятерню в махристые кудри, — единственное, что имело отношение к объему, — в остальном он являл собой сплошную плоскость, профиль, картон. С тех пор, как Алена слегла, он перестал бриться.

Почесал костистой рукой нежно-рыжую бороду:

— Что скажете?

— Что — что? Тебе же предлагали эмигрировать? Я думаю, надо уезжать, здесь тебе не выжить. — Саня убежден был, что и самому ему здесь не выжить. Но ему, русскому человеку, никто эмигрировать не предлагал.

— Да. Единственный выход, — подтвердил Илья.

Миха указал глазами на лежащую к ним спиной Алену:

— Вы что, не понимаете? Я не могу, не могу. И Алена не может, — лицо его было совершенно затравленное.

— Знаешь, что я скажу? Только выслушай без истерики, серьезно. Поезжай один, — сказал Илья.

— С ума сошел? Семью оставить? Ты понимаешь, что говоришь?

— Алена потом опомнится и приедет, — уверенно, как всегда, заявил Илья.

— Мы ее соберем и отправим, — неуверенно продолжил Саня.

— Да ну вас к черту! Несете чушь какую-то. Положение совсем безвыходное. Хуже некуда.

Саня обнял его по-детски, прижавшись щекой к колкой бороде, и сказал умоляюще:

— Миха, мы тебя просим. Если себя не жалеешь, пожалей Аленку с Майкой. Алена придет в себя и поедет вслед за тобой. Это шанс! О, если б мне предложили! В ту же минуту! Ветром! Пожалуйста, уезжай! И Нюта бы то же сказала!

Вышли от Михи в третьем часу. Саня захмелевший, Илья трезвый.

— Послушай, Саня, что я тебе скажу. Ты меня как-то уже упрекнул, что я виноват. Ну, посадка эта, я имею в виду. Так вот, я действительно виноват, только совсем не в том, что ты мне приписываешь.

Саня остановился, потряс головой, сбрасывая опьянение. Он был непьющий человек и пил в исключительных случаях, по необходимости.

— Сметанка, конечно, нечиста. Но имей в виду — и Саня, и ты — как семья. Даже больше. Ты понимаешь, что вас я ни при каких обстоятельствах не сдам?

— Ильюша, мне и в голову не приходило. Я про то, что ты его втянул в это, ну, журнал, все эти знакомства. Господи, как вы пьете, ребята? До чего же противно!

Саня уткнулся в Илью, тот ласково обхватил его за плечи и повел через Покровские Ворота к его дому. Всем было плохо. Очень плохо.

В одном Миха ошибался — когда считал, что хуже уже не будет. Назавтра стало еще хуже. Он пришел на работу, его вызвал начальник отдела кадров, объявил, что пропало несколько посылок, показал из рук пачку квитанций:

— Видите, ваша подпись стоит, вы отправляли, а ничего не дошло! Образцы ценные, вот и ценность здесь объявлена.

Начал начальник говорить тихим голосом, но быстро распалился и через три минуты орал благим матом.

Миха мгновенно понял, что будет дальше — заявление об уходе предложит написать. Так и было: либо заявление об уходе пишите, либо в суд передаем!

Миха написал заявление по собственному желанию и даже в бухгалтерию за расчетом не пошел. Сафьяновский почерк, точно.

Был вторник, в четверг надо было опять идти по вызову к Сафьянову. Но в среду произошло непредвиденное событие. И стало еще хуже. Без всякого предупреждения, без звонка приехала из Рязани Валентина Ивановна. Приехала на машине, сама за рулем. Это было удивительно: прежде она не водила. Значит, сдала на права. Привезла Маечку, но вовсе не для того, чтобы вернуть ее родителям. Приехала за Аленой.

Странная это была история. Алена, с самого суда не желавшая видеть отца, поднялась и стала покорно собирать вещи. Никогда Миха не замечал в ней такой покорности. Она всегда с родителями была независима до дерзости. Валентина Ивановна ей помогала, мягко приговаривая:

— И комнатку тебе приготовили, окнами в сад выходит. Мне Лиза Ефимова мохеру прислала, на шапочки. Целую коробку, двадцать пасмочек. Можно и свитер связать. Вон я Маечке шапочку связала синюю.

— Синюю, да, — кивнула Алена.

Миха смотрел на эти сборы и ничего не мог сказать. Горло перехватило. Валентина Ивановна в его сторону и головы не поворачивала, как будто нет его.

— Папа знаешь как с Майкой подружился. Она от него и не отходит.

— Да, да, — Алена говорила мягким, медленным и совершенно не своим голосом.

Миха вынес вещи, положил в багажник синего «Москвича». Маечка оживленно махала ему рукой, Алена кивнула как случайному знакомому. Миха даже не решился ее поцеловать.

Назавтра ему надо опять идти на свидание к Сафьянову и снова выслушивать угрозы, всю эту мерзость. Он понимал, что на краю.

Утром Миха поднялся по привычке рано, но на работу идти было не нужно. Пустота была такая, что в ушах звенело. А может, давление поднялось? Часа два он перебирал свои старые стихи.

«Плохие, какие плохие стихи», — без особого огорчения отметил Миха. Захотелось часть выбросить. Он сложил целую стопку — на выброс. Но выбросить пока не решился.

Он пришел к капитану Сафьянову вовремя. Тот выглядел торжественно, как перед праздником. Может, у них праздник какой? — подумал Миха. Но нет, до ноябрьских еще две недели.

— Мы пытались сделать для вас все возможное, Михей Матвеевич... Даже предложили вам то, что делаем в исключительных случаях, — отъезд за границу.

Миха замотал головой, одновременно показал пальцами — нет. И сам этого не заметил.

— Посмотрите сюда. — Он из рук показал бумагу, Миха успел прочитать: «Ордер на арест». — Здесь не стоит дата. Можно подписать сегодняшним днем или завтрашним. А здесь ваши показания. — Он помахал исписанными листами. — Вы их не давали. Да, вы их не давали... Впрочем, можете ознакомиться.

Миха взял бланк протокола допроса. Бланк был нового образца, напечатанный на листе большего формата и сложенный пополам. Топорными словами, с грамматическими ошибками, почерком бабьим, секретарским, с жирным нажимом на спинке каждой буквы, был написан донос на людей, большую часть которых он и в глаза не видел.

— Это последнее, что я вам могу предложить. Вы ставите здесь свою подпись, я на ваших глазах рву... — Он сунул Михе под нос ордер.

«Есть риск, но, может, день выиграю? — подумал Миха. — Как это Илья рассказывал про этого гипнотизера, как его? Да, Мессинг. Внушал все. Что хотел. Даже Берии внушил... Что-то подписывал? Или, нет, не подписывал, а бумагу чистую показывал, а они видели там подпись».

Он взял со стола протокол допроса и расписался. Он был учителем, и за те годы, что он ставил свою подпись в дневниках учеников, у него выработалась четкая, как у Виктора Юльевича, подпись — «М.Мела...» и дальше длинный хвост, загибающийся вверх.

И, взяв ручку, написал «Н», похожее на «М», поставил точку, и далее — «Ахуй», и задрал хвост подписи вверх. Было очень похоже....

— Пожалуйста. Но теперь мне надо срочно идти к жене. У меня жена лежит больная. Подпишите мне пропуск на выход, — сказал Миха каким-то особым, усиленным голосом и напряг какую-то часть головы, под лобной костью, в самой середине.

Сафьянов погладил неожиданно красивой, как будто не ему принадлежащей рукой подписанную Михой бумагу, позвонил по телефону. Вошел сержант с пропуском.

«Подпиши, подпиши», — мысленно приказал Миха Сафьянову.

Капитан подписал пропуск, и Миха попятился к двери, все не спуская глаз с капитана. Вышел вместе с сержантом. Теперь ему было все равно, когда они заметят шутку. Время есть!

Быстрым шагом пошел он к Чистопрудному бульвару. Дошел до дома, легкий, почти невесомый, ни о чем не думая. Поднялся пешком на шестой этаж. Было начало пятого. Лифт опять не работал.

Сел за стол, хотел просмотреть свои стихи, но вдруг почувствовал, что нет на это времени. Отодвинул всю стопку в сторону. Детские, детские стихи. Скоро тридцать четыре года. И все еще детские стихи. И взрослых не будет никогда. Потому что я так и не вырос. Но сейчас как раз настало время, когда я могу совершить первый раз в жизни поступок взрослого человека. Освободиться от собственной нелепости, несостоятельности. Освободить Алену и Майку от себя, от бездарности своего существования, от полнейшей невозможности жить нормальной и полноценной жизнью взрослого человека.

Какой простой и верный выход. Почему это никогда раньше не приходило в голову? Как хорошо, что тридцати четырех еще не исполнилось. Ведь именно в тридцать три года Иисус совершил поступок, подтвердивший его абсолютную взрослость: он добровольно отдал свою жизнь за идею, которая вообще-то не вызывала у Михи большого сочувствия, — за чужие грехи.

Распоряжаться собой — это и значит быть взрослым. А эгоизм — качество подростковое. Нет, нет, не хочу больше быть подростком...

Он пошел в ванную, принял душ. Надел чистую рубашку. Подошел к окну. Рамы были ветхие, стекла грязные, но подоконник чистый. Он раскрыл окно — дождь, сумрак, слабый и бедный городской свет. Фонари еще не зажглись, но какое нежное мерцание.

Снял ботинки, чтобы не оставлять грязных отпечатков подошв, вспрыгнул на подоконник, едва на него опершись. Пробормотал: «Имаго, имаго!» и легко спрыгнул вниз.

Что крылья? Сквозь трещину в хитине просовываются влажные острия сложенной летательной снасти. Крыло выпрастывается длинным плавным движением, расправляется, подсыхая в воздухе, и готово к первому взмаху. Сетчатое, как у стрекозы, или перепончатое, как у бабочки, со сложной и совершенной картиной жилкования, древнее, не умеющее складываться, или новое, складывающееся экономно и надежно... Улетает крылатое существо, оставляя на земле хитиновую скорлупку, пустой гроб летящего, и новый воздух наполняет его новые легкие, и новая музыка звучит в его новом, совершенном органе слуха.

На столе остались его очки и листок, на котором было написано его последнее стихотворение.

Когда-нибудь при яркой вспышке дня
Грядущее мое осветит кредо:
Я в человеках тож, я вас не предал
Ничем. Друзья, молитесь за меня.

С неверующим поэтом прощались его верующие друзья — кто как умел. В Ташкенте его почтили татары, отслужили заупокойную службу по мусульманскому обряду. В Иерусалиме единоверцы Марлена заказали кадиш, и десять евреев прочитали на иврите непонятные слова, а в Москве Тамара, Олина подруга, заказала панихиду в Преображенском храме, где служил вольнодумный священник, осмелившийся отпевать самоубийцу.

Лицо покойного было закрыто покровом. Народу было много, и все плакали. Опустив голову, стоял Виктор Юльевич, слезы текли по небритому запущенному лицу бывшего учителя.

— Бедный мальчик! Бедный Миха! И моя вина здесь есть...

Учителя-расстригу сопровождал Михаил Колесник, друг детства. Они стояли рядом — «три руки, три ноги», как они себя называли.

Саня плакал — у него всегда слезы лежали близко. Илья был с фотоаппаратом и снимал прощанье. Все попали в кадр: даже Сафьянов со своей сафьяновой нашлепкой на щеке. У него был провал. Большой провал!

Алены на похоронах не было. Родители решили, что сейчас, когда она в таком тяжелом психическом состоянии, не следует ей сообщать о смерти мужа. Потом, когда-нибудь потом.

Русская история

Зимой, в самый разгар рождественских морозов, Костины дети заболели корью, а у жены Лены обострился пиелонефрит. Ленина мать Анна Антоновна, портниха на пенсии, всегда приезжавшая из своей Опалихи по первому зову, из-за морозов приехать не могла: там дом надо было непрерывно топить, чтобы трубы не промерзли.

Так, пока морозы не спали, Костя один и бегал от кровати к кровати с лекарствами, горшками, чашками и тарелками. Лена в больницу ложиться отказалась, лежала пластом и тихо плакала от слабости и от жалости к детям и к Косте.

Потом появилась Анна Антоновна, засучила рукава и отпустила Костю на работу. Он добрался до лаборатории, где без него все остановилось. Возобновилась беготня, теперь уже по поводу не удавшегося без него длинного синтеза. Упустили температурный режим, и продукт пошел совсем не тот. А какой — это тоже было интересно. Химия наука загадочная, и из ошибок опытов иногда рождаются интересные открытия.

Посреди дня позвонили из дому: встревоженная теща сообщила, что приехала страннейшего вида старуха в валенках, принесла что-то важное для Кости, но не оставляет. Говорит, что дождется Костиного возвращения, чтобы в собственные руки. Сидит в гостиной, не раздеваясь, есть-пить отказывается и воняет ужасно. Приезжай, Костик, скорее.

Костя спросил, как у детей с температурой, получил ответ удовлетворительный: упала. Это после пяти дней под сорок. Конечно, Анны Антоновны благотворное влияние. Свою тещу Костя давно уже звал «валерьянкой» за ее умиротворяющее воздействие на все живое, от злобных соседей до соседских собак, не говоря уже о детях и растениях. Душевная женщина.

Костя покрутился в лаборатории еще час и поехал домой — разбираться с сильно воняющей старухой.

Никакой злостной вони в доме не было. Пахло грубой овчиной, ничего особо противного не было в этом кислом деревенском запахе. Видимо, приезжая старуха согласилась и раздеться и чаевничать, судя по тому, что большой старый тулуп лежал под вешалкой. Костя хотел было его повесить, но не было на нем излишества в виде петельки. Тут же стояли и подшитые толстые валенки. И тоже пахли — мокрой шерстью. Старуха уже не в гостиной — переместилась на кухню. Пила чай, крепчайший, черный.

Вида она была совершенно деревенского: в четырех платках, из которых два на голове — внутри черный бумажный, сверху серый шерстяной, — третий обвязывал поясницу, четвертый — плечи.

— Здравствуйте, бабушка, — поприветствовал ее Костя, улыбаясь от общей нелепости положения. Теща Анна Антоновна стояла за его спиной и подтверждала эту самую нелепость:

— Вот, бабушка, наш хозяин молодой, Константин Владимирович.

— Ой, деточка моя, внучек ты мой, не похож, вовсе не похож на дедушку своего, — умиленно прошамкала старуха и заплакала так, как будто именно был он похож на какого-то неизвестного дедушку.

Но забегать вперед с расспросами Костя не стал — пусть комедия отыграется сама собой. Что комедия, и сомнений никаких не было. Бабка, розовая, с синими, как бирюзовые бусины, глазами, качала головой в платках, как китайский болванчик, во все стороны сразу — и сбоку набок, и спереди назад. И хлопала сухими красными руками:

— Ай, Костя, Константин, вот она веточка-то последняя, вот она, от какого дерева веточка, незнамо, неведано...

Костя поддался такому фольклорному заходу и отозвался соответственно:

— А как вас звать-прозывать, бабушка?

— А зови меня матушка Паша, Параскева я. И дедушка твой так меня называл.

— А по батюшке как? — продолжал Костя игру, уже испытывая небольшую неловкость и прикидывая, что общего могут иметь его деды, мамин отец, покойный генерал Афанасий Михайлович, и, с отцовской стороны, погибший в войну Виктор Григорьевич, летчик, с этой смешной бабкой...

— Да меня сроду никто по отчеству не величал — Паша и Паша.

— Так про какого вы деда речь ведете? — поставил Костя вопрос ребром.

— Ах, дура я старая, я не про деда речь веду, а про прадеда твоего, Наума Игнатьевича по-мирскому, а нам он был Владыка Никодим. — Старуха, поискав глазами и не найдя нужного предмета, перекрестилась на окно. — Защитник наш теперь и покровитель Небесный, уж это точно!

Давным-давно, когда умерла бабушка, пришла к ним в дом бабушкина младшая сестра Валентина и принесла семейные фотографии глубокой древности. Ольга заказала тогда переснять самую сохранную. Раздули на портрет, и Оле портрет так понравился, что она повесила его в спальне. Он и теперь там висел.

— Идемте, — кивнул он старушке. — Сейчас что покажу.

И повел ее в спальню, где дремала Ленка со своим пиелонефритом, который пошел на убыль.

— Только тихо.

Он осторожно, чтобы не скрипнула, оттянул дверь и показал пальцем на стену, на портрет.

Старуха взглянула, грянула на колени:

— Батюшка, батюшка, да молодой какой! А красавец-то! А в теле был, и с матушкой, и с детками! А как подумаешь, сколько ему претерпеть пришлось, так дух замирает. Все, все претерпел, и спасся, и за нас молится, нас спасает...

Она полушептала, полупела, и Косте стало неловко, потому что никак он не мог ей посочувствовать — смутная какая-то история, обрывки, умолчания. Да, да, бабушка отреклась от своего отца-священника, и он погиб в лагерях — вот так, кажется, было. Мама что-то говорила, но точно ничего не было известно.

А старуха тем временем отыскала Костину руку и стала покрывать ее поцелуями.

Лена проснулась, приподнялась на подушках. Захныкали в детской Верка с Мишкой.

— Бред, маразм, фигня какая-то, — рассердился Костя, вытаскивая свою обширную граблю из цепких красных лап.

Старуха опять бухнулась на колени, теперь уж перед Костей:

— Сыночек, уж ты помоги, на тебя одна надежда осталась. От нас никого не принимают прошения, говорят, только родня может. А нам бы перезахоронить-то надо, дом-то мой, а вдруг под снос, а честная могилка под домом, прямо под престолом. А про снос говорят, уже который год говорят. А в Патриархии сказали: нипочем, катакомбник он, живую церковь приплели. Что он по-ихнему и не епископ, а вроде самозванца!

Ленка смотрела и не понимала — снится ей эта белиберда или что...

Они снова пошли в кухню, Анна Антоновна накрыла стол. Матушка Паша съела тарелку борща, поблагодарила и сказала, что сыта и больше ничего ей не надо ставить.

Потом стали пить чай, и длилось это чаепитие до двух часов ночи. Костя не все понимал из того, что Паша говорила. Переспрашивал, как у иностранки: матушка, повторите, матушка, не понял, матушка, что вы имеете в виду, объясните...

И она рассказывала, поясняла, показывала, пела, плакала, а в дверях тихонько стояла Анна Антоновна с круглыми глазами.

С датами Паша была не в ладах, невозможно было по ее рассказу понять, когда деда сажали, когда выпускали. Был он сначала выслан, жил в Архангельской области, овдовел, вернулся на родину, был арестован.

— А как попал на Соловки, там уж был хиротонисан, — от почтения даже зажмурилась старушка.

— Матушка, что с ним сделали? — перебил Костя.

— Во епископы рукоположили, тайно, конечно, — и она улыбнулась его неведению, непониманию простых вещей.

— Потом Владыку уже перед войной освободили, но до дома не доехал, снова взяли. Из лагеря он в войну еще бежал и много лет скрывался в муромских лесах, жил в скиту. Вот тогда меня мама моя к нему первый раз и привела, а с тех пор служила я ему до конца жизни. Как матушка моя служила ему, так и мне наказала. Два раза в год он разрешал к нему приезжать. К нему со всей России люди приходили. И духовные, и мирские. Один раз нагрянули враги — кошечка у него была, она навела, выследили. Нашли скит, разгромили, а самого не застали. Там километрах в десяти еще один старец скрывался, больной совсем, он причащать его пошел. Владыка и не вернулся, предупредили его, он тогда еще дальше в леса ушел со своего святого места. Меня к нему привели хорошие люди.

Матушка моя уж преставилась тогда. Другой раз я там оставалась, жила возле него сколько-то.

— В каком году это было? — спросил Костя, потому что ему казалось, что рассказ ведется о каких-то древних временах, столетней давности.

— Так не припомню. С войны он там жил, много лет. А в пятьдесят шестом году — это я хорошо помню, при мне все было — он сильно заболел, грыжа ущемилась, совсем собрался помирать. А все мы молились — мама моя тогда еще жива была, но уж дойти до него не могла. Были при нем сестра Алевтина и сестра Евдокия, из Нижнего Новгорода Анна Леонидовна, его духовная дочь, и я.

Батюшка попрощался и собрался помирать, а Анна Леонидовна властная была, говорит, врача приведу. Есть в Муроме один. И привели к нему врача-хирурга, верующего. Хороший был доктор, Царствие Небесное, молодым помер. Иван звали, хотя армянин. Он сначала плакал, клялся, что не сможет больному помочь в таких условиях, в больницу надо везти.

А зимой все дело было, у Владыки землянка была вырыта, в холм уходила. А вход — нора норой. Окна не было, темень день и ночь, так годами он жил. Холод что снаружи, то и внутри. Печурка есть, но по-черному топится, трубу-то боязно было выводить.

А как его было везти? Без документов, без ничего, да до дороги без малого двадцать километров пешего хода. Да и сам Владыка не хотел никакой операции. Он сильно намаялся, смерти ждал. И совсем собрался врач уходить, а тут грыжа и лопни — залило все кровью, гноем. Стал врач рану чистить — три часа чистил. Под конец мы уж думали, преставился Владыка. Белый лежал, белее снега, а врач все пульс щупал, боялся, что умрет.

— Вы меня отсюда выведите, — говорит. — И пусть кто-нибудь проводит до дома. Я лекарство вам дам, но его надо колоть внутримышечно.

Сестра Алевтина его вывела, добралась с ним до самого Мурома и через сутки с половиной вернулась. Все с собой принесла — шприц, иглы, пеньцилин. Послал Иван курицу и манку. Хлеба послал нам, а ему хлеба давать не велел. И еще сказал, чтобы шприц и иголки обратно ему принесли. Может, сказал доктор, холод его спасет. Чудно! Бог его спас, а не холод. Ой, а мы с сестрой Алевтиной остались, всех отправили. И смех вышел. Сварили мы полкурицы, а вторую половину у нас лиса унесла прямо из землянки — шасть-шасть! И смех, и слезы.

Владыка трое суток был — еле теплился. А потом глаза открыл и говорит:

— Я уж совсем собрался, а вот с вами оставили.

И стал получше, получше, и выправился.

В апреле мы его к себе переправили. Поселился он у нас дома и Рай Небесный привел в дом. Служил он каждый день. Первый год из дому немного выходил — летом по ночам, на небо посмотреть. А потом в каморе затворился и выходил только служить. Столик такой махонький был. И говорил он — не нужен нам антиминс, вся наша земля полита кровью праведников и исповедников. Где бы ни молились, все на костях мучеников.

Служил он по правилам, по монастырскому уставу. Часто ночами молился, не ложился. А под конец ноги стали сильно отекать — он стоять не мог, под руки его держали. А сколько народу приезжало, приходило к нему. Ох, мы тряслись, бывало, — ну как схватят! А он успокаивал:

— Паша, не схватят. Я здесь с вами на веки вечные останусь.

Восемь лет прожил он с нами. В шестьдесят четвертом Владыка преставился.

Паша перекрестилась. Лицо светлое, как будто радуется.

— Сколько ж лет ему было? — спросил Костя.

— Девяносто было. Может, девяносто один.

Я уже родился. Бабушка была жива. Он мог жить с нами, в семье. Костя представил себе епископа в темной рясе, с крестом — и рядом покойную бабушку Антонину Наумовну. Да, отцы и дети... Нет, невозможно.

Рассказ завершился. Времени был второй час ночи, но оставалось все-таки непонятным, зачем же матушка Паша приехала.

— Костенька, так и не поехала бы, а все говорят, что улица вся наша под снос. Давать квартиры будут. А с могилкой-то что? Она же у нас под домом! Перехоронить надо. Я своим говорю — косточки выроем да свезем в Муромские леса, где он скрывался. А наши говорят — надо хоронить церковно, как епископа, потому что времена пришли такие, что можно бумагу такую получить. Чтоб сняли с него, что он в тюрьме-то сидел. Написано у меня тут слово это... — Она разрыла в своих платках какую-то норку и вытащила толстый газетный сверток, из него бумажку, на которой было написано старческим почерком слово «реабилитация».

Наконец Костя понял, что он должен сделать: запросить дело своего прадеда (видимо, в КГБ — подумал он сразу же) и получить справку о реабилитации. Он обещал, что непременно попытается. Попробует все разузнать и подать заявление.

Паша поковыряла в свертке:

— А тебе вот документ один от него остался. Так наши решили — тебе его отдать. Может, там чего спросят. — Она вытащила тощую изжелтевшую бумажку — справка об окончании епархиального училища от 1892 года на имя Державина Наума Игнатьевича....

— Матушка, а кто это «наши»? Родня какая-нибудь у него еще была? — спохватился под конец разговора Костя.

— Родня какая? Одного сына, священника, расстреляли, другие, что отказались, тоже померли, маленькие померли мальчонками, а дочери его — сам знаешь...

Община была у нас особая, патриарха не признавали, но уже после войны батюшка сказал, чтоб ходили в общую церковь, потому что другой теперь не будет. Но окормлял своих, не отказывал. И служил до самой смерти. Кто уж без него не мог, к нему ходили. И сейчас еще есть несколько таких людей, что его почитают. Вот я и говорю — «наши».

Старуха переночевала на раскладушке и рано утром уехала, оставив после себя запах овчины, который Косте был скорее приятен.

Шел последний год аспирантуры. Кажется, что получилась не только кандидатская диссертация, а кое-что поважнее. Руководитель морщил нос, тормозил все Костины намерения поскорее написать работу.

— Синтез, синтез, синтез! Не останавливайся! Может статься, никогда в жизни больше так не повезет! Защитишь в этом году, в будущем, какая разница, место я для тебя уже приготовил! Давай, давай! — нажимал шеф, и Костя ставил и ставил опыты, и результаты были неожиданными, многообещающими. И, что самое главное, воспроизводились с большой точностью.

Между всеми делами Костя навел справки и узнал, что идти надо не в КГБ, а в прокуратуру. Знающие люди говорили, что, похоже, время уже упущено: эпоха «реабилитанса» закончилась в конце шестидесятых годов, а священнослужители вообще не входили в число жертв политических репрессий. Только к весне Костя собрался и подал заявление с просьбой о реабилитации своего прадеда. Приятный округлый сотрудник прокуратуры был приветлив, назвался Аркадием Ивановичем, обещал запросить архивы и позвонить. Звонок от Аркадия Ивановича последовал через две недели.

Костя пришел в назначенное время. Тот встретил его необыкновенно любезно. На столе он держал тонкую папку.

— Константин Владимирович! Через мои руки прошло более двух тысяч дел, и я много чего видел. Дело вашего прадеда совершенно удивительное: оказывается, он в начале 1945 года совершил побег из лагеря и с тех пор формально находится в розыске. Это особый юридический казус, в моей практике такого не было. Я поговорю со специалистами, но я думаю, что побег в сочетании с тем обстоятельством, что священник Державин Наум Игнатьевич так никогда и не был найден, — это большое препятствие для реабилитации. Не говоря о том, что с этой категорией лиц мы пока не работаем. Дело это меня самого очень заинтересовало, я попробую что-нибудь узнать по своим каналам. Но надежды мало.

Костя кивал головой в знак полного понимания и радовался, что не выложил ему того, что сам знал: где скрывался его дед двадцать лет, до самой смерти. Знал, да не сказал!

Когда он вернулся домой, его ждало письмо от матушки Паши. Как будто нарочно подгадали — в тот самый день! Она просила его срочно приехать к ней, потому что снос дома надвигается, и что с могилкой делать...

Прошла неделя, и вторая, и Костя все не мог выбраться, потому что дел было по горло, включая и переезд в Опалиху к теще на лето. Ленка нервничала, как всегда, когда надо было собираться и передвигаться: был у нее необъяснимый страх перед любой дорогой, даже самой незначительной.

Только в начале июня, перевезя семейство на дачу, Костя выбрался к матушке Паше. Он доехал до Загорска, подивился на купола Сергиева Посада и пошел по указанному адресу, по другую сторону железной дороги.

Это была деревня, давно примкнувшая к городу, улица называлась не то Подвойского, не то Войковская. По одной стороне улицы из котлованов поднимались будущие пятиэтажки, пока еще не доросшие и до второго этажа. На нечетной стороне работал экскаватор. Домики были такие ветхие, что одного удара ковша было достаточно, чтобы они рассыпались. Целым, дожидающимся своей очереди, был дом № 19. Над семнадцатым трудились экскаваторщик и его напарник. Грузовик со строительным мусором только отъехал.

Дома № 7, который был указан в обратном адресе на конверте, уже не существовало.

Костя сел на пень недавно срубленного дерева, прямо напротив дома. В новом микрорайоне деревья срезали, чтоб вид не портили и не мешали стройке.

«Опоздал. Этот экскаваторщик вчера или позавчера ковырнул землю ковшом, зацепил кости прадеда, вывалил в кузов, и теперь они покоятся на городской свалке. Какой стыд... И теперь это навсегда. Никогда я этого себе не прощу. Чего я ждал столько времени? И мама перед смертью просила сжечь и высыпать прах на могилу Ильи, и этого он тоже не сделал. Потому что где он, Мюнхен? Где та могила? Любовь к отеческим гробам... Прадеда кости на свалке... Какая русская история... Да, мы такие...»

Собачье рычание позади отвлекло его. Он с готовностью обернулся, потому что душа его быстро устала от непривычной скорби. На молодой траве возились два подросших щенка, почти взрослые собаки, возились беззлобно, играя. У одной была здоровенная кость, которая еле помещалась в пасти, а вторая вырывала кость и толкала мордой в плечо.

Кость была давно обглодана — не еда, а игрушка.

Он сидел на пеньке и плакал от стыда и злости на себя.

Когда поднял голову, рядом с ним стояли две старушонки в платочках.

— А вы не плачьте. Вы внучок будете? Пашенька косточки все из подпола вырыла, обмыла, в облачение обернула и в Муром повезла. Сказала, найду скит, там и закопаю. Григорьев Алексаша поехал с ней, одной-то ей было не унести. А мы сами из того вон дома, на самом краю. Пашенька сказала, чтоб мы тут сидели и вас поджидали. Мы и сидим.

Ende gut

В начале шестидесятых появилась новая порода иностранцев, влюбленных в Россию до беспамятства. Исчислялись они не сотнями, а десятками. В Москве и в Петербурге были хорошо известны.

Первыми появились коммунистические итальянцы. Затем потянулись всякие прочие шведы и американцы. Они заглатывали крючок с наживкой из Достоевского и Толстого, Малевича или Хлебникова — в зависимости от профориентации. И тех, и других влекла загадочная славянская душа — нежная и мужественная, иррациональная и страстная, с нотой высокого безумия и жертвенной жестокости.

Отрясшие прах буржуазности с безупречных итальянских ботинок, они влюблялись в русских красавиц, не тронутых порчей феминизма, женились, преодолевая многочисленные препоны, вывозили их в Рим и в Стокгольм, в Париж и в Брюссель и снова возвращались в Сивцев Вражек и на Полянку, а то и в Коньково-Деревлево. Эти иностранцы находили себе задушевных русских друзей, привязывались к их родителям и детям, возили им книги, лекарства, краски, соски, шубы, сигареты... Взамен получали дефицитные альбомы — иконопись Андрея Рублева и фрески Дионисия, черную икру и восторженную, но не вполне бескорыстную любовь.

Пьер Занд с самого фестивального пятьдесят седьмого года переслал и переправил по почте и с оказиями своим московским друзьям множество всякого товара: джинсы, кружева, пластинки... Пластинки Сане, кружевные брюссельские воротнички Анне Александровне, джинсы всем троим друзьям. Так он отчасти реализовывал свою любовь к покинутому предками отечеству.

Среди иностранных любителей России Пьер занимал особое место: он был русским человеком, хоть и происходил из остзейских немцев, и тоска его по России носила характер экзистенциальный, неизлечимый. Что самое для Пьера досадное, — его редкое и сложное чувство было давно описано, наколото на булавку и отпрепарировано тридцать лет тому назад писателем Сириным, и в доказательство тому он переправлял своим друзьям книги этого неизвестного в России автора, сменившего к этому времени псевдоним на подлинную свою фамилию.

Свой «Подвиг» Пьер, как и герой сиринского романа, исполнял, доставляя в Россию книги одного небольшого брюссельского издательства. В основном религиозные. Это было общественной работой, вроде комсомольской. В шестьдесят третьем году он провел в Москве пять месяцев в Институте русского языка имени Пушкина, где иностранцев обучали русскому, и Петя, получив общежитие на улице Волгина, носился по Москве, лазал во всякие сомнительные норы с другом Ильей, с другом Саней ходил на прекрасные концерты и даже один раз съездил с другом Михой в его «глухонемой» интернат... Исследовал любимую Россию.

Через пять месяцев кто-то стукнул на Петю — из-за книг, получаемых по диппочте для москвоских друзей, — и его выслали из страны как шпиона. В Институте русского языка с этим было строго.

Скандал был довольно велик — статья в центральной газете с обвинениями в шпионаже, подрывной деятельности и распространении антисоветчины. Видно, кроме доноса, ничего и не было, одни преувеличенные подозрения.

За эти пять месяцев Пьер успел влюбиться в хорошенькую девушку Аллу с северными глазами и соломенными волосами, но им не суждено было соединиться, о чем Алла горевала до старости лет — глупость сделала: если б не написала на него донос, может, дошло бы дело до свадьбы. Но на нее надавили, обещали лишить общежития, объявить проституткой и вообще сгноить. Девушка, вообще-то советской власти не доверявшая, этому обещанию поверила.

В конце концов, высылка была значительно лучше набоковской перспективы — «...и вот ведут меня к оврагу, ведут к оврагу убивать».

Покинув в трехдневный срок любезное духовное отечество, Петя с этого времени рвался всей душой в Россию, как многие тысячи рвались из нее. Но одних не впускали, а других не выпускали.

Жизнь, однако, увела Петю в те годы в противоположном географическом направлении. Он прибился к славистике и был приглашен в один из калифорнийских университетов. Связь его с московскими друзьями не прерывалась, но делалась все более пунктирной. Это не помешало Пьеру получить из России в семидесятом году, вскоре после запуска в самиздат, странную поэму «Москва–Петушки» никому не известного автора Венедикта Ерофеева.

Постарался Илья. Он же и написал сопроводительное письмо, в котором объяснял Пете, что этот роман — лучшее, что создано в послереволюционной России. Пьер с жаром согласился с приятелем и принялся за перевод.

Через три месяца он понял, что ему не справиться. Роман оказался неподъемным. Чем более он в него углублялся, тем больше слоев в нем обнаруживалось.

Огромный объем культуры держался на приеме, отсылавшем роман к сентиментализму. Это были записки русского путешественника. Но от Радищева и Грибоедова новоявленный автор уходил бог знает куда — то в сторону Достоевского и Блока, то в глубину народного языка, грубого и неподкупного. Текст был полон цитатами — ложными, подлинными, переиначенными и высмеянными. В нем соседствовали пародия и мистификация, живое страдание и подлинный талант.

Пьер написал большую статью, отправил в научный журнал, где был отвергнут. Никто не знал автора, а статья показалась редакторам слишком смелой.

Пьер страшно обиделся и здорово напился. А напившись, стал звонить русским друзьям. Ильи и Михи не застал. Дома нашел Саню. Тот рассказал ему о несчастье: Миха погиб. И добавил к этому несколько путаных фраз — в том смысле, что жизнь потеряла смысл, и какой в ней смысл, когда самые любимые и самые лучшие уходят. И в самом смысле смысла никакого нет ...

Пьер протрезвел. Сказал, что придумает для Сани какой-нибудь выход. Что-то конструктивное. Что проговорил уже двухнедельную зарплату. И что ему надо немедленно допить то, что еще осталось в бутылке. И чтоб ждал звонка от его друга Евгения...

Саня забыл сразу же об этом разговоре, как будто пьян был он, а не Пьер. На него напала унылость, как нападает лихорадка. Мог он только лежать на Нютиной тахте, упершись невидящим, совершенно отключенным взглядом в гобелен изношенной диванной подушки, и ловить какие-то зрительные отголоски переплетений разноцветных нитей — голубое, палевое, лиловое, — далеко отлетев от вытканного изображения цветочной корзины, букета, завитой серпантином тесьмы.

Когда он последний раз выходил из дому? На похороны Нюты? В церковь, на сороковины? Да, в церкви Миха был, стояли рядом, и Миха плакал, а Саня уже не мог. Потому что возможность отвечать уже вся исчерпалась, и никаких чувств не было, кроме ужасной чужести всего вокруг. Да, сначала Нюта, а потом Миха. Осталась мама, которую всякий раз надо было узнавать заново. Скорее догадывался, что это она. Ласково, опасливо подходила выкрашенная в брюнетку Надежда Борисовна по утрам, перед работой к спящему Сане, ставила чай и бутерброд с сыром. Вечером — тарелку супа.

Саня иногда съедал еду, совершенно этого не замечая. Глоток, жевок. Все. Хотелось крепкого сладкого чаю с лимоном. Такого, который бабушка приносила больному.

Теперь оказалось, что Нюта красиво умерла и красивой запомнилась. Смерть же Михи была ужасной, беззаконной. Саня возвращался от метро «Кировская» домой, мимо Михиного дома. Завернул к нему по привычке последних лет и оказался первым из близких, кто увидел его на земле, на каменной бровке давно исчезнувшего цветника, с разбитой головой.

В клетчатой рубахе, купленной Нютой давным-давно. И у Сани была такая же... Почему-то без обуви, в одних носках. Уже собиралась реденькая толпа вокруг тела. Надо, чтобы скорей убрали.

Тело накрыли простыней. С бельевой веревки сняли чью-то латаную, с большой заплатой посредине.

Он уже знал, что Алена с Маечкой уехали в рязанскую деревню, Миха рассказал ему об этом с горечью и недоумением. Теперь надо было разыскать Алену. Как ей сообщить?

После Михиных похорон Саня сразу и слег. Спал, просыпался, слышал то рыгание и голос Ласточкина, то рвотное урчание телевизора — не было, не было при Нюте никакого телевизора! — в шесть утра бил по ушам гимн, потом шла волна кофе — мама варила в комнате, на спиртовке, как Нюта всегда делала. А потом стихало все, и Саня снова засыпал, просыпался, вставал, когда нужда гнала в уборную, и снова ложился. Надежда Борисовна тревожилась, что-то спрашивала, непонятно что, а он отворачивался к стене.

Приходили консерваторские. Еще кто-то приходил — Илья? Василий Иннокентиевич? Потом пришел Колосов. Посидел в Нютином кресле. Этот приход означал перемирие после нескольких конфликтов. Саня с каждым годом терял поддержку учителя, отдалялся от него. Но теперь вместо радости — безразличие.

Саня с трудом поддерживал разговор.

Колосов оставил на столе коробку пастилы из кондитерского магазина наискосок от консерватории и старинный том, роскошный, немецкого издания. Перед уходом сказал, что оформили ему отпуск на месяц, пусть поболеет, и нет ничего лучше «ХТК» для прочистки души и тела и для исцеления от всех болезней.

— То, что я принес вам, большая редкость. Ну да вы оцените...

Оценил Саня через два дня, когда протянул руку к тому и понял, что перед ним «Хорошо темперированный клавир во всех тонах и полутонах, касающихся терций мажорных, или до, ре, ми, и терций минорных, или ре, ми, фа... Составлено и изготовлено Иоганном Себастьяном Бахом, — в настоящее время великого князя Анхальт-Кётенского капельмейстером и директором камерной музыки».

Не зря Нюта так настаивала на изучении немецкого языка. Мог прочитать старинный заголовок...

Раскрыв том, Саня оживился. Это было чудо — Urtext, изначальный авторский текст, 14-й том из первого полного собрания сочинений Баха, изданного в конце XIX века. Все те издания, которые он видел до этой минуты, были отредактированы. Там были проставлены штрихи, темпы, даже указаны аппликатуры. Теперь перед ним был «голый» текст, и это производило ошеломляющее впечатление — как будто вдруг он остался один на один с гениальным автором. Без посредников. Как и все теоретики, он изучал «Хорошо темперированный клавир», восхищался прозрачной простотой, с которой все было выстроено — по возрастанию тональностей, в до-мажоре, в до-миноре, в до-диез мажоре. Третья прелюдия, — помнил Саня, сначала была написана в до-мажоре, а потом Бах поправил — поставил семь диезов, и готово. И так все двадцать четыре употребимые тональности. Про-осто! Упражнение для школьников. То есть для сына-подростка и писал: музыкальной азбуке обучал. Никаких авторских пометок, никаких указаний — играй как хочешь, музыкант! Полная свобода!..

Современные ноты, выправляемые редакторами, отнимали эту свободу.

Саня загорелся: он знал немало исполнений «ХТК», и теперь ему не терпелось заново прослушать и сравнить.

В доме были пластинки — дивная запись Самуила Фейнберга. Давным-давно купила Нюта. На пластинках была полная запись, все 48 прелюдий и фуг. Был и Рихтер, прекрасный, но пластинки страшно заезженные.

Саня разыскал Фейнберга, поставил. Прав оказался Колосов — очистительные звуки. Всего себя пропустил через эту музыку. Или ее через себя.

Целую неделю то слушал, то в ноты смотрел. Фейнберг оказался волшебным. Разные были мнения — некоторые Гленна Гульда превозносили за «Прелюдии и фуги», для других царь и бог был Рихтер. Но у Фейнберга такая печаль, хрупкость и изящество, и как будто вся жизнь уже прошла, а остались одни эти модуляции, дуновение крыл бабочки, не плоть, а душа музыки.

Не величественный человек, а обыкновенный, с козлиной бородкой, еще недавно ходил по консерваторским коридорам, и не шептали ему вслед: Фейнберг, смотри, Самуил Евгеньевич.

Другое дело — Нейгауз или Рихтер. Вся жизнь под шепот за спиной: смотри, кто идет...

И снова, и снова слушал Саня Баха, и к исходу второй недели исцелился совершенно.

Последняя прелюдия и фуга си-минор — Бах написал «Ende Gut — Alles Gut».

— Хорошо, — сказал Саня. Он Баху доверял.

Почистил ванну, налил горячей как можно терпеть воды, долго отмокал, постриг ногти, сбрил щетину, которая уже могла называться бородой, надел новую рубаху — сам не понимал, куда собирается. Осмотрел себя в Нютином зеркале — похудел, интересная бледность, два пореза на подбородке. Зазвонил телефон.

— Евгений, Петин друг. Наконец до вас дозвонился. Хотел повидать вас. На обычном месте.

Уже почти забыл Саня про обычное место, куда присылал Пьер своих курьеров — с книгами, джинсами, пластинками.

Встретились возле пивной в Парке культуры. Евгений оказался Юджином, аккредитованным в Москве корреспондентом американской газеты. Он предложил, от имени Пьера, вариант фиктивного брака. Саня, едва оторвавшийся со дна депрессии, отреагировал слабо: разве такое возможно? Юджин уверял его, что надо попробовать и что Пьер уже занят подбором кандидатуры.

— Блондинка или брюнетка? — Саня засмеялся впервые со дня гибели Михи.

Январские морозы, которым полагалось быть или крещенскими, или рождественскими, ударили как раз в промежутке между праздниками. Приехали в аэропорт Юджин Майклз и Саня Стеклов разными дорогами: Юджин на метро до «Речного вокзала», а оттуда взял такси, а Саня на рейсовом автобусе. Встречающих рейс из Нью-Йорка было немного, и Саня с Юджином старательно не замечали друг друга.

Самолет опоздал на час. Наконец было объявлено, что он приземлился. Встречающие подтянулись к священному месту, где государственная граница вот-вот разомкнется и выпустит в узкий проход иностранных граждан и немногочисленных русских пассажиров из дипломатической и гэбэшной братии.

Подтянулись рано — еще час предстояло ждать, пока появятся прошедшие всяческий контроль и получившие багаж путешественники.

Советские от американских отличались в первую очередь количеством чемоданов и сильно пуганным выражением лиц. Американские от советских отличались более высоким ростом, дурашливой любознательностью и одеждой. Хотя, если приглядеться, одежда на американцах и советских служащих и их женах одна и та же: твидовые пальто на мужчинах хорошего служебного положения, куртки-анораки с капюшонами и суконные «дафл-кот» на тех, кто поскромнее. И то, и другое — сдержанных, зимних тонов. На советских одежда имела другое выражение лица.

Посреди этой чинной, утомленной перелетом группы — одно яркое пятно: красный гномий колпак, торчащий над толпой нахально и возбужденно. Под колпаком — обильно накрашенные глаза, румяные щеки и рот в отчаянного цвета помаде. Типичная матрешка, но иностранного производства. Деталь для понимающих — на ней роскошное норковое манто и спортивные ботинки. В руках, кроме дамской театральной сумочки, огромный пластмассовый подсолнух. Он, собственно говоря, пароль.

От группы ожидающих отделился светловолосый молодой человек в черной куртке. Ушанка торчит из кармана. Он движется в сторону подсолнуха, как подсолнуху следует двигаться в сторону солнца. Останавливается перед женщиной в красном гномьем колпаке и протягивает руку к подсолнуху...

— Deby! You are... I'm glad...

Деби, невеста, вовсе не красавица, но улыбка совершенно праздничная:

— Са-неч-ка! Я тебя лублу!

Невеста, Пьеровыми стараниями, найдена идеальная. Журналистка, феминистка, хулиганка и в качестве активистки американской секции Международной женской лиги год тому назад была в Москве на каком-то бабьем семинаре, организованном Комитетом советских женщин. Где они и познакомились и завели роман! Безукоризненная легенда!

Они обнимаются. Сбоку щелчок — фотокорреспондент прогрессивной американской газеты запечатлевает встречу Деби О'Хара, прогрессивной деятельницы американского женского движения, с молодым музыковедом. Деби пухлыми руками берет Саню за щеки и целует в середину рта. Мыльный вкус помады. Саня слабо закидывает ей руку за шею. Она на полголовы выше и на два пуда тяжелее.

Еще поцелуй. Еще легкий щелчок фотоаппарата. Еще поцелуй и еще щелчок. Юджин Майклз уходит — сделал свое дело. Два серых, хорошо замешанных в толпу топтуна переглянулись из двух углов зала. Сошлись, как сомнамбулы, возле выхода, пошептались, снова разошлись.

Щебет:

— У тебя прекрасный английский!

— У тебя тоже!

— Ты такой хорошенький!

— А ты — мечта всей жизни!

Жених и невеста хохочут. Саня в красной помаде. Деби нежным платком оттирает кровавые пятна.

Саня хватается за чемодан, она легонько его отталкивает, защищая чемодан:

— Ты дикарь, Са-неч-ка! Я феминистка! Я не позволю тебе открывать передо мной дверь, носить мои чемоданы, я самостоятельная женщина!

Саня смотрит на нее слегка снизу вверх:

— Ну, я просто думал, чемодан тяжелый...

Она уже сбросила иглистую темно-коричневую шубу на левую руку, а правую подняла, согнула в локте:

— Смотри, какие мышцы! Я занимаюсь тяжелой атлетикой!

Саня щупает ее обнаженную руку:

— Деби! Ты просто мечта всей жизни! Когда я устану, возьмешь меня на ручки!

Чудесный, беглый английский.

— О! Ты сделал ошибку! To bring up by hand — to feed with maternal milk! Take me up! — the children say!

И она, поставив чемодан, положила обе ладони на увесистые груди.

Тут Саня немного испугался.

Саня отвез невесту в гостиницу «Берлин». Прежде чем Деби завалилась спать — часов на двенадцать, с учетом сдвига во времени, большой гульбы с друзьями в Нью-Йорке накануне отъезда и хорошей нервной системы, — они выпили водки внизу, в баре. Поболтали. Поцеловались — и расстались до следующего утра.

Утром Саня собирался показать невесте Москву, а вечером сводить в консерваторию. Других гостинцев он ей не заготовил. Было намечено одно общее дело — подать заявление о регистрации брака во Дворец бракосочетания, единственное место, где принимали документы от иностранцев.

Утренняя прогулка по Москве началась после обеда. Программа была Санина.

Кремль Деби показывали в прошлый приезд, а теперь ей хотелось видеть «the real life».

Вышли из гостиницы. Погода была самая что ни на есть волшебная: мороз и солнце, день чудесный, невиданная синева неба и снега. От здорового холода и холодного солнца рожденная в Техасе ирландка испытала прилив физиологического счастья и впала в такой восторг, что Саня, не любивший зимы, огляделся и согласился: здорово!

Но сам Саня никакого зимнего восторга не испытывал и, неосознанно желая сбить с невесты эйфорический подъем, повел ее к самому страшному месту — на площадь Дзержинского, где посреди стоял столбом кровожадный рыцарь революции.

Указал пальцем на дом за его спиной:

— Это Лубянка. Наш Страшный суд.

— Да, я знаю, тридцать седьмой год!

Взял Деби под руку:

— Почему тридцать седьмой? Это чудовище вполне живо и сегодня. А теперь, когда я тебе немного испортил радостное настроение, пошли гулять.

Он хорошо говорил на выученном английском и своим чутким ухом мгновенно изловил ее тягучее и слегка шепелявое техасское произношение.

Они дошли до площади Пушкина, остановились в самом начале Тверского бульвара. Как часто в прошлые годы здесь начинались «люрсовские» прогулки. Юлич назначал им свидание у памятника Пушкину, отсюда они уходили на экскурсии в прошлое: Илья с фотоаппаратом, Миха с тетрадкой и еще десяток любознательных мальчишек...

Деби по части русской культуры оказалась девственно-невежественна. Трудно было начинать с пустого места.

— Ты читала Толстого? — спросил Саня.

— Да, да! Я видела фильм «Война и мир». Два фильма! Обожаю! Одри Хепберн, прелесть какая! И ваш Пьер Безухов, Бондарчук, конечно. Он «Оскара» получил! Я писала рецензию!

— Вот и хорошо. Я покажу тебе дом, где жило семейство графа Ростова... — вздохнул Саня.

«До чего же проста», — подумал он и повел ее к известному особняку.

Четыре дня держалась эта праздничная погода, четыре дня они гуляли по Москве. Невеста, при всей ее простоте, оказалась способна и на чувствительность, и на отзывчивость, оказалась прекрасной спутницей, легкой на ногу и любознательной, а ее потрясающая неосведомленность во всем, что касалось русской культуры, восполнялась вспыхнувшим на пустом месте невежества жарким интересом. Этот интерес распространился каким-то образом и на Саню.

Они гуляли по ледяной Москве, солнечной днем, плохо освещенной вечерами, мерзли, заходили в редкие по тем временам кафе и закусочные. Для Деби это было самым романтичным из ее путешествий. Разве что Испания могла сравниться: лет десять тому назад она провела там месяц: подвернулся прекрасный испанец, который показывал ей Мадрид и Барселону, а потом сбежал со всеми ее деньгами. Правда, денег было не очень много...

После посещения музея в Хамовниках, где Деби едва не плакала от умиления («Са-неч-ка! Ваш Лев Толстой не меньше, чем Вольтер!»), замерзшие, они залезли в подъезд старого дома и на третьем этаже, на подоконнике, сели возле батареи. Саня вынул из кармана фляжку — школа Ильи! — и они выпили прямо из горлышка.

Вообще-то Деби тараторила без умолку. Но тут она молчала всю дорогу, а возле гостиницы, на прощанье, сказала:

— Са-неч-ка! Я не понимаю, как я раньше без этого жила! Я приеду домой и начну изучать русский язык!

— Деби, зачем тебе?

Деби вспыхнула: темперамент у нее был не ирландский — хотя и ирландского бы хватило! — а прямо-таки итальянский.

— Я «лублу»! Я «лублу» русский язык! Ты, конечно, очень культурный, я понимаю! Но зато я способная! Я быстро учу! Я выучила испанский! Я выучила португальский! Я выучу русский! Увидишь!

Саня немного испугался и ловко включил новую тему, побочную:

— Деби, ты знаешь, кто такая Айседора Дункан?

— Конечно! Да, конечно! Я же феминистка! Я знаю всех выдающихся женщин! «Танец будущего»! Новый стиль танца, с босыми ногами и в хитоне! И любовники были Гордон Крэг и русский поэт, забыла...

— Деби, она останавливалась в этой гостинице в двадцать втором году, здесь проходило начало ее романа с поэтом Сергеем Есениным!

Деби молитвенно подняла руки к небу:

— Мой Бог! Это невероятно! И я здесь живу! И совершенно без романа! — Засмеялась. — Нет, у меня роман с Россией!

На следующий день в сопровождении Ольги и Ильи — для страховки — они отправились во Дворец бракосочетания на улицу Грибоедова, в единственное место, где централизованно окручивали иностранцев с русскими девушками. Это был редкий случай, когда русский мужчина женился на американке. Американские документы Деби были так хорошо подготовлены, что несколько бумажек даже были лишними. У Сани не оказалось с собой свидетельства о рождении, так что ему пришлось брать такси и искать это самое свидетельство, без всякой надежды на успех. Но Анна Александровна не подвела его и на этот раз. На полке, где стояли ее любимые книги, между французскими романами, в известной ему канцелярской папке, в идеальном порядке лежали все Санины документы, начиная от метрики и кончая дипломом консерватории и справками о сделанных прививках.

Документы приняли. Регистрация была назначена на май.

— Наша Фаня всегда говорила, что в мае нельзя жениться — всю жизнь маяться, — сказала Ольга.

Илья с Ольгой живо подключились к брачной авантюре. Оля приняла восторженное участие в устроении этого брака: варила борщ и лепила пельмени.

Деби была в восторге и от Москвы, и от борща, и от русских людей, с которыми она общалась. Ей в советской стране понравилось все, кроме положения женщин. Свой вывод она сделала на основании того, что Оля готовила обед, мыла посуду и занималась с подростком-сыном, а Илья ей ни в чем не помогал. Когда она попробовала выразить свое недоумение по этому поводу, Ольга ее просто не поняла.

В последний московский день Деби попала в квартиру Сани. Визит не был запланирован, но так случилось, что забрели в Китай-город, и ей приспичило в уборную. Ближайшей была как раз та, что располагалась в Саниной квартире. Ни матери, ни отчима дома не было. Деби сбросила свою норковую шубу на Нютино кресло, проследовала по коммунальному коридору в коммунальную уборную и, справив нужду, успела еще заглянуть в общественную кухню.

Уроженка Техаса испытала еще одно потрясение: коммунизму она и раньше не симпатизировала, а одна уборная на двадцать восемь жильцов симпатии к этому социальному устройству не прибавили. Следующее глубокое впечатление она получила, когда села в кресло Анны Александровны и огляделась: старинное пианино, пузатый комод на лапках, разрисованный цветами и птицами, шкафы, набитые книгами на трех языках, ноты, картины, сверкающая синим хрусталем драгоценная люстра... В ее голове с трудом совмещались эти несоединимые вещи — убожество коммуналки и роскошь Саниного жилища.

— Грейся. Хочешь чаю? Я поставлю музыку...

— Может, ты сам поиграешь?

Стянула с головы красный дурацкий колпак, рыжие ирландские волосы затрещали сухим треском.

Саня сел на крутящийся стульчик. Подумал — и заиграл Первую прелюдию до-мажор.

Деби сидела, по-деревенски сложив на животе руки, и анализировала сложившуюся ситуацию. Она вовсе не была глупенькой, как показалось Сане. Этот русский мальчик — ему было за тридцать, и он был всего на три года ее моложе — ей очень нравился.

Он был моложе, образованней, и кроме того, он явно принадлежал к высшей породе людей, к которой она сама никогда не имела никакого отношения.

Когда Саня закончил играть, Деби приняла решение: раз уж выпало такое странное и нелепое предложение, то ведь неспроста — она выйдет за этого мальчика замуж по-настоящему.

Саня и не предполагал, что дело принимает такой опасный оборот.

Погода переломилась в последний вечер. Как будто Москве надоело стараться ради Дебиного присутствия. Задул сырой ветер, потеплело, посыпал колючий снег. Саня хотел сводить Деби на концерт Рихтера, но концерт отменили. Пошли пешком к Оле с Ильей.

Ольга накормила друзей, как она выразилась, предсвадебным ужином. Сане к тому времени изрядно надоело выгуливание невесты, да и сама идея брака совершенно перестала ему нравиться. И вообще это была не его идея!

Оля подала пироги и салаты, Илья вытащил водку из шкафчика под кухонным окном — из холодильника времен постройки дома, когда о настоящих холодильниках не все и мечтали.

Деби много ела, много пила. Сидела рядом с Саней, все норовила его потискать, полапать, но делала это весело и как будто в шутку. Она приблизила к нему свое улыбающееся лицо, и он вдруг заметил, что над рядом зубов поблескивает розовая полоска. Подростковая острая память подсказала — Надькина десна! Потаповский переулок!

— Са-неч-ка, почему ты сопротивляешься? Если ты будешь себя так холодно вести, я не выйду за тебя замуж! А если ты будешь хорошо себя вести, я просто положу тебя себе в бюстгальтер и вывезу контрабандно!

— Деби, мы договаривались иначе! Когда мы поженимся, я буду идеальным мужем — ты меня просто не увидишь!

— Нет, нет, я передумала! Мне кажется, ты можешь мне пригодиться и в кухне, и в спальне.

Назавтра Саня отвез ее на такси в Шереметьево. Поцеловались на прощанье. Перед тем как исчезнуть в проходе, она махнула ему рукой с зажатым в руке колпаком. Возвращался Саня на автобусе. Снаружи метель залепляла стекла снежной кашей.

«Не пойду домой. К Илье не хочется. Зайду к Михе», — подумал Саня.

И тут же рядом: Михи больше нет. Нет Анны Александровны. Почти нет мамы.

Есть несчастная Алена, есть Маечка, есть непохожая на себя мама, кошмарный Ласточкин. И осталось еще немного музыки, от которой его отлучили нелепые обстоятельства. Значит, Пьер прав, и правда — только бегство? Или — лечь лицом в гобеленовую подушку? Или — как Миха...

По спине пополз мелкий озноб. Депрессия была рядом.

Деби приехала в Пало Алто без всякого предупреждения.

Калифорнийская зима мало была похожа на русскую: 59 градусов по Фаренгейту. По Цельсию — 15 тепла. Пока поднималась на третий этаж, волоча за собой норковую шубу, вспоминала, откуда надо вычитать и на что умножать. Она точно помнила, что в Москве было 25 градусов ниже нуля.

Ткнула дверь — открыто. С порога закричала:

— Петя! Русские минус двадцать пять — сколько это градусов по-американски?

Петя знал формулу перевода:

— Ну, приблизительно 19.

Деби швырнула шубу с порога в кресло, она соскользнула на пол.

— С ума сошла? Ты бы позвонила! Я только что в дом вошел! Могла бы не застать! — рассердился Пьер.

— Я сама только что прилетела! Не нужна мне никакая шуба! В нашем климате вообще не нужна шуба! Это, в конце концов, оскорбительно!

— Стой! Ты что, раздумала? Что оскорбительно? Мы же договаривались!

На столике стояла початая бутылка виски, Деби рванулась к ней. Пьер взял из ее рук бутылку, налил треть стакана.

Деби махнула виски и шлепнула мокрым стаканом о стеклянный стол — раздался отвратительный опасный звук.

— В конце концов, он мог бы на мне жениться и просто так! Почему? Почему он не хочет на мне жениться?

Пьер вытащил лед из холодильника, налил еще виски:

— Постой, постой! У нас был договор — норковая шуба как аванс, а деньги после заключения брака. Какие претензии ко мне?

Деби быстро перешла в другую фазу, почти плакала:

— Нет у меня к тебе никаких претензий! Ты мне просто объясни: чем я нехороша? Это он для меня недостаточно хорош: он маленький, и пенис у него наверняка никакой! И вообще никакого прока — и странная профессия!

— Деби, ну при чем тут пенис? Профессия? У нас был договор...

— Плевала я на договор! — взорвалась Деби. — Что во мне такого, Пьер, что на мне не хотят жениться? Даже твой маленький Санечка? Я уважающая себя самостоятельная женщина! Я плевала на мужиков! Но почему они не хотят на мне жениться? Может, мне и не надо! Но почему? В конце концов, мне даже интересно! Почему?

Пьер понял, что все предприятие зашаталось. Он поднял шубу с пола, бросил на диван. Снова налил по стаканам. Сел рядом с толстухой, вставил ей в руки стакан.

— Деби, я не отвечаю за всех мужиков. Ты и сама знаешь, что ты потрясающая баба. Но у всех свои резоны. Я могу сказать, что касается Сани. Саня в депрессии. Я говорил тебе — он страшно талантливый человек, особенный. Ты теряла близких людей? У него в один и тот же месяц умерла бабушка, которая его растила, и покончил самоубийством лучший друг. Он сам — на грани... Ему просто не до женитьбы. И не в тебе дело. Ему надо жизнь спасать.

— Да, но он мог бы на мне жениться, и я бы спасала его жизнь. Почему он не хочет — нормально? Не фиктивно! Нормально!

Дальше был уж действительно последний шанс.

— Деби! А тебе не приходило в голову... У Ильи всегда было много женщин, Миха покойный был влюблен в жену, никаких других баб у него не было. А вот рядом с Санечкой я никогда ни одной женщины не видел.

Глаза у Деби вспыхнули сострадательным огнем:

— Он гей, ты думаешь?

— Я не знаю. Я этого не говорил. Я сказал только, что я ни разу не видел его с девушкой.

Деби мгновенно приняла новое решение:

— Это меняет дело. Тогда это не так для меня обидно. Если он не гей, то тогда совсем другая картина: он просто боится женщин. А может быть, девственник?

— Не исключаю. Но это не имеет никакого отношения к нашему договору.

Деби смягчилась. Деби размышляла о будущем. У Деби появилась интересная задача.

— Да расскажи мне, в конце концов, как ты съездила? Как Юджин?

Деби вынула из сумки пачку фотографий.

— Вот! Вот фотографии, Юджин сделал. Смешные. Пьер, а город-то потрясающий! Потрясающий народ! Я всего четыре дня там пробыла, а впечатлений, как будто три месяца. Да, я сказала, что через четыре месяца назначено бракосочетание? Ужас, как долго! Там очередь! И потом еще подавать в посольство Санины бумаги. Для визы! Это долгое дело, они мне там объяснили.

Деби слегка развезло.

— Слушай, Пьер, я хочу изучать русский язык. Будешь давать мне уроки?

— Зачем тебе? И много бензина тебе придется жечь, чтобы на уроки ездить. Полтора часа в один конец. Я найду тебе в Сан-Франциско преподавателя.

— Мне хороший нужен! — канючила Деби, наступая боком на Пьера.

— Хорошего найду.

Пьер понимал, что его мужская честь будет спасена, если Деби как следует напьется, и она была на верном пути.

Налил еще.

— Я хочу Саню. Если я на самом деле выйду за него замуж, я не возьму с тебя денег.

— Но мы первоначально договаривались о фиктивном браке! — попытался Пьер защитить свободу Сани.

— При чем тут деньги? Есть у меня деньги! Я хочу маленького Саню как мужа! — выкрикнула Деби истерически и заплакала.

«Другого выхода нет», — понял Пьер и обнял ее за плечи. Она сразу же ослабла, обвисла.

Пьер не одобрял супружеских измен. Он довольно порезвился до брака и относился к семье с уважением. Но жена с дочкой третью неделю гостила в Милане у родителей, и он оправдывал свое грехопадение исключительно преданностью русскому другу и его интересам. Впрочем, вынужденность ситуации не отменяла ее приятности.

— Если ты выйдешь за Саню замуж по-настоящему, это ты мне будешь должна — за билеты и за гостиницу!

— Это уж фиг! Что ты потратил, то пропало! Я тебе за уроки буду платить. — Она сложила на уровне своей раскидистой груди два аккуратно сложенных кукиша. В России научилась.

— Ладно, если все дело сладится и мы Санечку вытащим, билеты и гостиница за мой счет!

Они продолжали еще вяло целоваться, заканчивая сеанс.

— А у меня будет дополнительный стимул его раскрутить! — самодовольно улыбалась Деби.

Свадьба состоялась в мае, в соответствии с поданным заявлением, в дождливый день, что обещало молодоженам богатство, как нагло врет народная примета.

Деби О'Хара в пышном белом платье. В руках круглый свадебный букет из искусственных цветов, прилетевший из Америки. Белые туфли на шпильках. Саня в черной вельветовой курточке на молнии, в старых джинсах.

Юджин, в твидовом пиджаке и в галстуке, гораздо более подходит на роль жениха. Оля, Илья и Тамара здесь же, скромно наряженные во все самое лучшее.

Жених и невеста встают рядом, Юджин их фотографирует. С другого бока фотографирует Илья.

Входят в небольшой холл, брачный накопитель. Там уже сидят несколько пар: два африканца с блондинками, один араб с девушкой восточного типа, несколько неопределенных восточноевропейских пар: чехи или поляки. Очередь.

Сидят молча. Саня рассматривает лица брачующихся. Африканцы, скорей всего, из института Патриса Лумумбы. Один, лиловатый красавец, вытаскивает из кармана карты и предлагает невесте сыграть. Она отказывается. Он начинает раскладывать пасьянс. Второй, некрасивый и маленький, держит невесту за руку: его умиляет белизна ее кожи. Водит пальцем по запястью. Араб постарше, непонятно кто, руки в золотых кольцах, невеста его тоже вся в золоте, и видно, что их тянет друг к другу нестерпимо. Он кладет ей руку то на талию, то на плечо. Она млеет. Чех или поляк читает газету.

«Чешский язык», — замечает Саня.

Деби нервничает. Саня забавляет ее разговорами. Наконец их вызывают в длинную комнату. Красная ковровая дорожка ведет к столу, за которым сидит видная женщина, похожая на артистку Аллу Ларионову, с толстой красной перевязью через плечо — такая уменьшенная ковровая дорожка. Через другую дверь впускают свидетелей — Олю с Ильей и Тамарой, Юджина с фотоаппаратом. По дороге отбиваются от местного фотографа. От Мендельсона уже отбились.

Потом начинается бред. Женщина с лентой встает. Провозглашает:

— Гражданка Соединенных Штатов Америки Дебора О'Хара и гражданин Союза Советских Социалистических Республик Александр Стеклов подали заявление о заключении брака в соответствии с законами нашей страны...

Деби хочет свадьбу. Саня хочет исчезнуть. Деби хочет свадебное путешествие. Саня хочет исчезнуть с лица земли. Деби хочет брачную ночь. Саня хочет исчезнуть с лица земли навсегда.

Оля на скорую руку устраивает свадьбу у себя дома.

Деби за прошедшие полгода научилась кое-как говорить по-русски. Она говорит безостановочно. Саня молчит: по-русски и по-английски. К вечеру у него поднимается температура и начинается сильнейшая головная боль.

Илья отвозит его на улицу Чернышевского. Надежда Борисовна делает все, что делала в таких случаях Анна Александровна: кладет на голову Сани горячее полотенце, дает сладкий чай с лимоном и две таблетки цитрамона. Как всегда в таких случаях, температура под сорок. Надежда Борисовна и дальше делает все, что делала в таких случаях Анна Александровна, — обтирает плечи и грудь водкой, потом долго надраивает их шерстяной тряпочкой. Нет, всетаки Анна Александровна делала все это лучше.

Саня болеет обычные три дня. Деби три дня проводит в квартире Ольги: первый день рыдает, второй с утра до вечера оживленно треплется с Олей. На третий Илья провожает ее в Шереметьево. Саня с высокой температурой блаженствует на Нютиной тахте.

Фарс под названием «Женитьба» заканчивается. Остается немного: подать заявление в американское посольство и ждать, ждать, ждать.

Через восемь месяцев Александр Стеклов прилетел в Нью-Йорк. Петя Занд встречал его в аэропорту Кеннеди.

Деби к этому времени прекрасно говорила по-русски. С Саней она встретилась через полтора года, у адвоката, когда нашелся настоящий жених для Деби, между прочим, русский, и потребовался настоящий развод для заключения настоящего брака.

Пять тысяч долларов, которые она должна была получить за проведенную операцию, Дебора отказалась брать. Отказалась и от шубы. Но шуба в конце концов все же ей досталась: Пьер, продержав эту норку пару лет в профессиональной фирме-холодильнике в Пало Алто, подарил ее Деби на ее вторую свадьбу. К этому времени она переехала в Нью-Йорк, там иногда зимами бывает приличная для шубы температура.

В Нью-Йорке живет и Саня — преподает во всемирно известной музыкальной школе теоретические дисциплины. Ende gut!

Эпилог. Конец прекрасной эпохи

Встретились. Прижались — правая щека к правой, потом левая — к левой. Удобно — одного роста. Женское лицо горбоносое, узкое, мужское курносое, скуластое. Дождь вдруг побелел, превратился в снег. Ветер дул сразу и с запада, и с востока, завиваясь в бурун как раз над площадью, где была назначена эта встреча. От залива несло влажным холодом, с другой стороны, с реки, — как будто немного гнилью.

— Чувствуешь, Стеклов, Чистыми прудами пахнуло?

— Нисколько, Лиза. Совсем и не пахнет.

Провел рукой по ее волосам — очень холодные на ощупь:

— Пошли скорей. Замерзла?

— Не успела. Но холод собачий.

— Я переписал тебе Тридцать вторую, концерт Эшенбаха восемьдесят шестого года в Мадриде. Поймешь, что я имел в виду...

Вынул из кармана запечатанную в пленку кассету, сунул ей в руку.

— Спасибо, Санечка. Я с тобой, вообще говоря, не спорю. Но у Эшенбаха всегда немного скороговорка. А у Святослава Теофиловича вообще другая артикуляция. Гораздо внятнее...

Они расстались полтора года тому назад в Вене, куда Стеклов приезжал на ее концерт. Теперь, по дороге к дому, в который были приглашены, продолжили разговор с места, где он в Вене прервался.

Открыла Мария.

Дежурный поцелуй в воздух:

— Добрый вечер. Анна заболела. Я уложила ее внизу. Раздевайтесь, пожалуйста, здесь и проходите сразу наверх. Я скоро к вам поднимусь.

Как всегда, суховата и несколько отстраненна. Ну да, ребенок болен, есть причина для озабоченности.

Ключицы выпирают из выреза синего платья. Венецианские драгоценные стекляшки перекатываются по ключицам при каждом движении.

— Погода ужасная?

— Худшая из возможного. Ветер, холод и сырость, — отозвался Стеклов.

— Меня в этом году такая погода везде догоняет — мой гастрольный план, кажется, совпал с каким-то циклоном. В Милане, в Афинах, потом в Стокгольме и в Рио — я всюду застаю дождь со снегом. С середины ноября.

Хозяин услышал их голоса и вышел навстречу. Лестница наверх была довольно узкая, и он стоял у дверей, улыбаясь.

Поднялись. Саня бросил взгляд на стол — там лежала раскрытая римская антология. Совпали, как часто бывает. У Сани дома был раскрыт Овидий.

— Давайте, давайте сюда. Вот видите, Лизавета, еще разок довелось встретиться.

Поцеловались.

— Я уже двадцать лет слышу от вас эту фразу. Вы это говорите, чтобы я больше ценила наши встречи? Я и так ценю.

— Нет, это я так даю понять, что других двадцати лет у нас нет, — молниеносно отозвался хозяин.

В руках он держал незажженную сигарету, закурил сразу после поцелуя.

— Вы не бросили курить?

— Нет, сигареты я не брошу. Подождем немного, скоро они меня сами бросят!

— Вы же собирались! — жалостным голосом старой тетушки. — Сокращаете последние двадцать лет!

Хозяин засмеялся:

— Лиза, я их сокращаю с этого конца, а не с того. Может, оно и неплохо! К тому же эти годы дареные.

— Дареные?

— Останься я в отечестве, давно бы помер от нищеты, нервотрепки и скверного медицинского обслуживания.

Саня отвернулся и смотрел в тяжелую штору, как в окно.

«Да, а я и при хорошем скоро отдам концы», — подумал Саня.

Он знал наверняка, что его-то болезнь, уже восемь лет сидящая в его крови, неизлечима.

На столе картонки из китайского ресторана. На вынос. Дверь приоткрылась. Из полумрака, как проявляющаяся фотография, возникла Мария:

— Анна капризничает, хочет, чтоб Саня зашел к ней перед сном.

— Можно? — Саня встал.

— Да, да, — кивнула Мария.

— Я тоже спущусь, — сказал хозяин дома.

Мария впереди, за ней гуськом все остальные спустились по лестнице, из прихожей вышли в коридор, остановились перед приоткрытой дверью. Девочка сидела в кроватке и излучала жар. Свет торшера, стоявшего сбоку и позади кровати, золотил встрепанные волосы, и они сияли, как елочная канитель.

— Папа, а ты мне обещал...

— Что, кошечка моя?

«Господи! Это его ребенок по-русски не говорит», — ужаснулась про себя Лиза.

— Не помню что, но ты обещал, — скривила губы, собираясь плакать.

— Вот это, посмотри-ка. — Саня сжимал что-то маленькое в руке.

Девочка принялась разжимать пальцы, но Саня с ней играл, все не разжимал ладонь:

— Осторожно, Анна, эта маленькая вещь может разбиться.

И он раскрыл ладонь, на которой лежала стеклянная мышка.

— Ты вспомнила теперь, что я тебе обещал? Что придет Саня и принесет тебе стеклянную мышку.

— Неправда, ты мне не обещал Санину мышку. Это не обещанная мышка, она просто так мышка. Спасибо тебе. Мне такую мышку никто никогда не дарил!

— Теперь будешь с мышкой спать? — спросила Мария.

— Да, — мирно согласилась девочка. — Мам, только свет не выключай.

— Маленький оставлю, а большой погашу.

— Мышка будет бояться.

— Ну, хорошо, хорошо, скажи всем «спокойной ночи» и закрывай глазки...

Рыжеватый ребенок в белой пижаме, расшитой земляниками, с покрасневшим от жара лицом, с воспаленными губами, устраивался в постели, слегка взбрыкивая руками и ногами, уминая подушку и одеяло, чтобы сбить вокруг себя подобие гнезда. Странное ощущение, как будто уже это было с ним: рыжеватая девочка, стеклышко, слезы...

Лиза стояла у порога, так и не подойдя к девочке.

— Какое чудо, под старость лет, когда уже время внуков... Счастливый... Нет, нет, мне не надо, никогда этого не было надо. Ни тогда, ни сейчас.

От той любви, которой она была предана с детства, дети не рождались.

Мария оставалась в детской еще какое-то время, а потом поднялась наверх к гостям. Остатки еды из китайского ресторана стояли на подносе на полу возле двери. Чай после ужина не пили: этот русский обычай выветрился за четверть века эмиграции. Пили итальянское вино.

Хозяин ел пирожные из картонной коробки. Простонародным движением отер рот.

— Ну, что? Почитаете? — Она была такая, очень искренняя и хорошо воспитанная, но искренность перевешивала. Потому она смутилась, но совершенно напрасно. Поэт читал и без всяких просьб, ему самому нужно было это произнесение вслух — колебание воздуха, доказательство жизни:

> Маленькие города, где вам не скажут правду.
> Да и зачем вам она, ведь все равно — вчера...

Он прочитал это, совсем новое, а потом еще и другое.

Саня заметил, что Лиза складывает пальцами какую-то мудру. С детства накатывали сильнейшие приступы головной боли, и она боролась с ними то таблетками, то гомеопатическими шариками, а последние годы хитрыми конфигурациями пальцев. Индийская магия. Обычно головные боли у Лизы начинались после выступлений, иногда после межконтинентальных перелетов. И теперь вот — от стихов. Кажется, воспринимать эту поэзию — тяжелая работа.

Лиза, подержав скрещенными пальцы, сжала ладонями виски.

Хозяин прервал чтение. Допил вино.

«Голова болит», — догадался Саня.

— А можно, Саня поставит немного музыки? Негромко? — спросила Лиза.

— Дать таблетку? — спросил хозяин.

— Нет, но если можно, я здесь прилягу. — И Лиза прилегла на кушетке.

Саня поставил кассету. Это была последняя соната Бетховена в исполнении Эшенбаха. Вообще-то Саня терпеть не мог мешать музыку с разговором.

— Ну, вот вам Эшенбах, — Саня нажал кнопку.

Лиза с Саней переглянулись на первых нотах.

Поэт поймал их взгляд, сказал жене:

— Они слышат такое, чего простые люди не слышат.

Она кивнула одним подбородком.

«Безмятежное прекрасное лицо... “Мадонна” Липпи? Нет. Но порода та самая... Откуда? Натали Гончарова, конечно». — Саня улыбнулся своему запоздалому открытию.

Немного погодя Мария спустилась к дочке. Вернулась, посидела еще минут десять и ушла окончательно.

Допили вторую бутылку. Вино было очень хорошее.

Потом хозяин проводил гостей до входной двери, вышел с ними за порог, на крыльцо.

На улице не было ни дождя, ни снега, ни ветра. Все затихло. Температура понизилась. Все — асфальт под ногами, стены домов, стволы и ветви деревьев — было затянуто тонкой коркой льда и сверкало в свете фонарей.

— Как хорошо, что зашли к нему. И вообще... — Саня сделал неопределенный жест в сторону сверкающих под фонарем обледенелых деревьев.

Дверь хлопнула неожиданно громко.

Лиза улыбнулась:

— Ты единственный человек в мире, кто улавливает мои мигрени.

— А ты единственный, кто улавливает... вообще.

И неожиданно задал вопрос, который мог задать и тридцать, и двадцать лет тому назад:

— Слушай, Лиз, а почему мы с тобой не поженились? Ну, тогда, в юности?

— Ты правда не знаешь?

— Ну, догадываюсь... Толстый Борис...

— Не ожидала от тебя! Ну при чем тут Борис? Через два года он ушел к моей подруге, на этом все и кончилось. А с тобой — была бы кровосмесительная связь. Это у египтян разрешено было, а в нашем мире братья и сестры не женятся. Даже двоюродные! А мы хоть и троюродные, а все равно родные. Анна Александровна и мой дед были двоюродные. Тем более было слишком близко.

— Нет, Лизочка, нет. Не в этом дело. Бабушка очень любила своего второго мужа, актера, который в лагерях погиб. Кажется, тот брак у нее был счастливый. А вообще-то я счастливых браков не встречал. Помнишь Илью с Ольгой? Ужасно все закончилось. Миха с Аленой... Еще хуже. Светлый мальчик был.

— Всех советская власть убила. Ужасно, — сморщились Лизины губы.

— Почему всех? Алена, кажется, жива. Вышла замуж за какого-то художника, литовца или латыша. Живет спокойно где-то в Прибалтике. И не все дело в советской власти. При любой власти люди умирают. Ладно, что об этом вспоминать. Прошлого все больше, будущего все меньше, — он улыбнулся. Прошлому? Будущему?

Лиза тоже улыбнулась:

— Да, я хотела тебе сказать, почему мне Эшенбах не нравится. Не потому, что темп другой, что энергия какая-то чужеродная. У него в зачатке — пойми меня правильно — прицел на публику. Он играет, чтобы понравиться. Юдина никогда до такого не опускалась.

Лиза теребила Санин рукав, как в детстве.

— Ну и что. Зато Рахманинов очень даже опускался. Делал купюры, когда публика скучала! А Рихтер? Он гений, артист! Но ведь клоун немножко! Он публике потакает!

— И все же я повторяю, вот Мария Вениаминовна вовсе от публики не зависела. Она ее всегда до себя поднимала.

— Лиза, то время кончилось, это же ясно. Именно по музыке это лучше всего видно. Музыка вся стала другая.

— Но все-таки ни Бетховена, ни Баха никто не отменяет. Посмотри, какие репертуары у молодых исполнителей. Много ли там Кейджа?

— Достаточно. Но я, Лиза, немного о другом. Конечно, никто Бетховена и Баха не отменяет. Даже если б захотели, не смогли бы. Тем не менее та культура кончилась и наступила другая. Культура стала лоскутна, цитатна. Закончилось прежнее измерение времени, вся культура как завершенный шар. Второй авангард вошел в культуру, в ту ее часть, что не устарела. Новации устаревают быстрей всего. Стравинский, Шостакович, даже Шнитке, авангарду изменивший, стали классикой. Циклическое время вращается, вбирая в себя все новое, и новое уже не отличается от старого, и идея авангарда себя изжила, потому что нет в культуре никакого прогресса, как в явлении окончательном и явленном...

— Сань, я давно хотела спросить, а вот это: «От земли отплывает фоно в самодельную бурю, подняв полированный парус...» — он что, не понимает?

— Что буря не самодельная, видимо, не понимает... — согласился Саня.

— Не беспокойся за него, он зато много другого, чего мы с тобой не знаем, понимает.

— Конечно. Но ты-то знаешь, что здешние все бури — только отражения, бледные тени тех, которые он назвал самодельными?

Они стояли посреди пустой улицы, отойдя несколько метров от дома, и разговаривали.

— Да, конечно, мы это знаем. А как ты его нашла? — спросил Саня.

— Выглядит счастливым, — вяло ответила Лиза.

— Ну, женщины, — хмыкнул Саня.

— Что, что я сказала не так? — забеспокоилась Лиза.

— Все так. По-моему, он выглядит усталым. И был сегодня необычайно молчалив. — Саня обнял ее за плечи.

Было очень скользко. Лиза взяла Саню под руку, и они осторожно пошли в сторону сабвея.

— Теперь всем стало ясно, что он гений. Ну, в русском смысле этого слова, не в европейском.

— Не поняла, что ты имеешь в виду, — забеспокоилась Лиза, привыкшая ловить с полуслова.

— Ну, не просто человек с божественным даром к поэзии или к музыке, а человек, который, как ледоход, идет впереди времени и разбивает стену, разбивает лед, прокладывает новую дорогу, и за ним уже могут плыть всякие маленькие корабли и лодки. По следу гения устремляются самые чуткие, самые способные люди, а потом уже толпа, и откровение делается общим местом. Зато мы, средние люди, — нет, я про себя, не про тебя, — благодаря гениям и самому течению времени понимаем все больше и больше. А они — впереди времени.

— Да, да, конечно. И как раз Тридцать вторая соната — прекрасное тому свидетельство. Она опережает всякое время, и бетховенское, и наше.

— Да, конечно, Бетховен гений. Завершил классическую музыку, создал канон — и сам же его разрушил. Закончилась классическая структура — только темы с вариациями. Перешел границу границ. Пишет, как ему хочется — никаких рондо, скерцо, всех этих танцевальных форм больше нет. — Саня махнул рукой. — Да слов нет.

Лиза остановилась:

— Ну, не со всем могу согласиться. Во-первых, и рондо, и скерцо, и все танцевальные формы были у Бетховена до самого конца. Во-вторых, а что такое «Ариетта» в последней сонате? Не что иное, как тень менуэта! Именно тень какого-то далеко в небеса ушедшего менуэта, под который если кто и танцует, то ангелы. Если они существуют! Это уже не танец, а только его символ, иероглиф. Уже за пределами жизни, вне времени, в бестелесности.

Лиза держала Саню под руку — было страшно скользко, в свете фонарей играли озаренные, льдом затянутые деревья. Она сжала через куртку его предплечье — как в отрочестве, когда они сидели рядом в консерватории и давали друг другу тайные знаки понимания.

— Конечно, конечно. Но со временем свои сложности... — все не мог остановиться Саня. — Оно слоится, а не движется из точки А в точку Б... Луковица, в которой все происходит одновременно. Близко к концу... И отсюда цитатность. Кажется, ничто ценное не устаревает. Потому что в мире всего великое множество и миров великое множество — такое складывается впечатление. Мир Бетховена, мир Данте, мир Альфреда, мир Иосифа... Тайна в том...

— Ну, хватит, хватит, остановись. Еще одна цитата, помнишь? — перебила его Лиза и замедлила шаг:

Эта тайна та-та та-та-та-та та-та,
А точнее сказать я не вправе.

— Да, конечно. Поэт он был плохонький. Но к тайне прикасался — в прозе. Как ты думаешь?

— Не знаю, Саня. Кажется, мы стали взрослыми, но теперь я знаю гораздо меньше, чем в юности.

Потом шли молча, чуть балансируя, боясь поскользнуться — сплошной каток под ногами.

— Смотри, ни одного такси не встретили. Надо было по телефону вызвать. — И вдруг вспомнила то, что давно хотела сказать.

— Я Веру в прошлом году видела в Париже, она мастер-класс давала. Я сначала подумала, как жаль, что она больше не концертирует. А потом посидела на ее уроках... И не жаль: исполнителей так много, а она школу фортепианной игры создает. Или продолжает. Русская школа. И ты тоже русской школе принадлежишь. Колосовский ученик.

— В известном смысле. Знаешь, а ведь Юрий Андреевич мне до самой смерти не простил отъезда.

— Он был особый человек. По-своему патриот. А мы космополиты. Музыка и есть наша родина.

— А что ты тогда говоришь о русской школе? Нет, из тебя космополит никакой. Ты, со своим Чайковским, тоже русской школы музыкант.

— Да что вы Чайковского все ненавидите!

— У меня давно прошло. Это наш друг Иосиф его не любит за открытые эмоции и пафос.

— Сам он, хоть и лишен пафоса, тоже русская школа, между прочим.

— Нет, он мировой.

— Нет, извини, дружочек, пишет он все-таки по-русски!

— Да. По-русски.

Рядом, чуть не зацепив Лизу, остановилось такси. Из него вышел большой пьяный человек. Саня махнул таксисту, погладил Лизу по волосам, поцеловал. Она провела рукой по его виску до подбородка. Издали могло показаться, что прощаются любовники.

— Может, сначала тебя завезем?

— Нет, я же рядом. Пройдусь.

— Пока.

— Пока.

Был второй час ночи, двадцать восьмого января девяносто шестого года. В ту ночь поэт умер.

Дорогих моих друзей, в окружении которых я чувствовала себя, как пловец в спасательном круге, благодарю.

Елену Костюкович — за ежедневную многолетнюю поддержку, замечательные разговоры, острую критику, огромный труд редактуры и, вообще, за дружбу благодарю.

Алену Сморгунову и Юру Фрейдина — как соучастников процесса написания книги, благодарю.

Моих друзей Александров — Смолянского, Окуня и Бондарева — за внимательное и творческое прочтение, множество замечаний и полную заинтересованность.

Саню Даниэля, Витю Дзядко, Игоря Когана, Елену Мурину — свидетелей времени, людей без страха и упрека, — а может, со страхом, что делает их в моих глазах еще выше, за длинные московские разговоры о нашем общем прошлом благодарю.

Моих дорогих израильских друзей, которые сердечно и безотказно помогали мне в жаркое лето 2010 года — ангела-хранителя Лику Нуткевич, Сережу Рузера, Любочку и Сандрика Каминских, Игоря и Тату Губерманов, Люсю Горкушенко — за тепло, заботу, постоянное внимание бесконечно благодарю.

Моих дорогих мужественных подруг Лену Кешман, Таню Сафарову, Иру Ясину и Веру Миллионщикову, переписка и разговоры с которыми были столь важны летом

2010 года, когда книжка шла к концу и силы тоже, благодарю.

Моих друзей-музыкантов, кто помог мне пройти по чудесному лесу музыки — Веру Горностаеву, Олесю Двоскину, Володю Климова и Ольгу Шнитке-Меерсон благодарю.

Прошу прощения у тех, кого забыла упомянуть сию минуту, а потом буду убиваться — как могла забыть поблагодарить.

С благодарной памятью о тех уже ушедших живых людях, кто стоял за спиной моих литературных героев, безукоризненных и оступившихся в мясорубке времени, устоявших и не очень, свидетелей, и героев, и жертв, всех присно поминаемых...

Людмила Улицкая,
ноябрь 2010

Содержание

Пролог 7
Школьные годы чудесные... 10
Новый учитель 38
Дети подземелья 64
«Люрсы» 74
Последний бал 102
Дружба народов 116
Зеленый шатер 127
Отставная любовь 164
Все сироты 172
Свадьба Короля Артура 185
Маловатенькие сапоги 208
Высокий регистр 215
Одноклассницы 243
Бредень 284
Головастый ангел 297
Дом с рыцарем 304
Кофейное пятно 308
Беглец 317

Потоп 342
Тень Гамлета 358
Хороший билет 372
Бедный кролик 383
Дорога в один конец 409
Демоны глухонемые 414
Милютинский сад 442
На первой линии 482
Орденоносные штаны 504
Имаго 514
Русская история 543
Ende gut 554
Эпилог. Конец прекрасной эпохи 577

Литературно-художественное издание

Улицкая Людмила Евгеньевна

ЗЕЛЕНЫЙ ШАТЕР

Ответственный редактор *Н. Холодова*
Художественный редактор *Н. Ярусова*
Верстка *К. Москалев*
Корректоры *З. Харитонова, Н. Сикачева*

ООО «Издательство «Эксмо»
127299, Москва, ул. Клары Цеткин, д. 18/5. Тел. 411-68-86, 956-39-21.
Home page: **www.eksmo.ru** E-mail: **info@eksmo.ru**

Оптовая торговля книгами «Эксмо»:
ООО «ТД «Эксмо». 142702, Московская обл., Ленинский р-н, г. Видное, Белокаменное ш., д. 1, многоканальный тел. 411-50-74.
E-mail: **reception@eksmo-sale.ru**

По вопросам приобретения книг «Эксмо» зарубежными оптовыми покупателями *обращаться в отдел зарубежных продаж ТД «Эксмо»*
E-mail: **international@eksmo-sale.ru**

International Sales: *International wholesale customers should contact Foreign Sales Department of Trading House «Eksmo» for their orders.*
international@eksmo-sale.ru

По вопросам заказа книг корпоративным клиентам, в том числе в специальном оформлении, *обращаться по тел. 411-68-59, доб. 2115, 2117, 2118.*
E-mail: **vipzakaz@eksmo.ru**

Оптовая торговля бумажно-беловыми и канцелярскими товарами для школы и офиса «Канц-Эксмо»: Компания «Канц-Эксмо»: 142700, Московская обл., Ленинский р-н, г. Видное-2, Белокаменное ш., д. 1, а/я 5. Тел./факс +7 (495) 745-28-87 (многоканальный). e-mail: **kanc@eksmo-sale.ru**, сайт: **www.kanc-eksmo.ru**

Полный ассортимент книг издательства «Эксмо» для оптовых покупателей:
В Санкт-Петербурге: ООО СЗКО, пр-т Обуховской Обороны, д. 84Е. Тел. (812) 365-46-03/04. **В Нижнем Новгороде:** ООО ТД «Эксмо НН», ул. Маршала Воронова, д. 3. Тел. (8312) 72-36-70. **В Казани:** Филиал ООО «РДЦ-Самара», ул. Фрезерная, д. 5. Тел. (843) 570-40-45/46. **В Самаре:** ООО «РДЦ-Самара», пр-т Кирова, д. 75/1, литера «Е». Тел. (846) 269-66-70.
В Ростове-на-Дону: ООО «РДЦ-Ростов», пр. Стачки, 243А. Тел. (863) 220-19-34.
В Екатеринбурге: ООО «РДЦ-Екатеринбург», ул. Прибалтийская, д. 24а. Тел. (343) 378-49-45. **В Новосибирске:** ООО «РДЦ-Новосибирск», Комбинатский пер., д. 3. Тел. +7 (383) 289-91-42. E-mail: **eksmo-nsk@yandex.ru**.
В Киеве: ООО «РДЦ Эксмо-Украина», Московский пр-т, д. 9. Тел./факс (044) 495-79-80/81. **Во Львове:** ТП ООО «Эксмо-Запад», ул. Бузкова, д. 2. Тел./факс: (032) 245-00-19. **В Симферополе:** ООО «Эксмо-Крым», ул. Киевская, д. 153. Тел./факс (0652) 22-90-03, 54-32-99. **В Казахстане:** ТОО «РДЦ-Алматы», ул. Домбровского, д. 3а. Тел./факс (727) 251-59-90/91. rdc-almaty@mail.ru

Подписано в печать 14.12.2010.
Формат 84x108[1]/[32]. Печать офсетная. Усл. печ. л. 31,08.
Тираж 200 000 (1-й завод — 120 000) экз. Заказ 1475

Отпечатано с электронных носителей издательства.
ОАО "Тверской полиграфический комбинат". 170024, г. Тверь, пр-т Ленина, 5.
Телефон: (4822) 44-52-03, 44-50-34, Телефон/факс: (4822)44-42-15
Home page - www.tverpk.ru Электронная почта (E-mail) - sales@tverpk.ru

ISBN 978-5-699-47710-4

9 785699 477104 >